LA CRISE DES LANGUES

LA CRISE DES LANGUES

Textes colligés et présentés par
Jacques Maurais

Gouvernement du Québec
**Conseil de la
langue française**

Collection L'ordre des mots
LE ROBERT
PARIS

Publication réalisée à la Direction générale des publications gouvernementales du ministère des Communications

Dépôt légal—2e trimestre 1985
Bibliothèque nationale du Québec
Bibliothèque nationale du Canada
ISBN 2-551-09070-9

Remerciements

À MM. Jean-Louis Morgan et Mario Thivierge, respectivement chargé de projet et graphiste à la Direction générale des publications gouvernementales du ministère des Communications. Aux traducteurs de ce même ministère. À Mme Marie-Aimée Cliche pour sa contribution à la préparation et à la correction du manuscrit. À Mmes Nancy Dupont et Diane Letellier pour leur travail de dactylographie.

Précédemment paru de la même collection:
La Norme linguistique

Introduction

« Le martyre des langues modernes », « La débâcle de l'orthographe », *Will America Be the Death of English?*, « *Eine Industriena-
tion verlernt ihre Sprache* », « *O nosso pobre português* » …: des
quatre coins du monde nous parviennent des nouvelles alarmantes sur
l'état de santé des langues. Les thèmes semblent partout les mêmes : les
jeunes ne maîtrisent plus l'orthographe de leur langue maternelle, les
médias — au premier chef la télévision — ont une influence néfaste sur
le langage, l'école ne remplit plus son rôle, il y a invasion de mots
étrangers, etc. Par-delà les frontières, tous les articles consacrés à la
crise de la langue se ressemblent étrangement, à commencer par la
vision anxiogène qu'ils livrent du monde actuel.

Mais, qu'en est-il au juste ? Ces visions pessimistes font-elles
l'accord de tous ? Y a-t-il vraiment crise de la langue ? C'est à ces
questions que nous avons demandé à un groupe de linguistes, de
sociolinguistes et de spécialistes de l'éducation de répondre dans ce
volume, en les priant d'aborder le sujet plutôt sous l'angle sociologique
ou anthropologique que purement linguistique. On verra que plusieurs
se refusent à parler de crise même si, pour les besoins de la cause, le
mot est souvent utilisé, spécialement dans les titres de chapitre. On
constatera aussi que les cas décrits forment grosso modo trois groupes :
premièrement, les langues de grande diffusion, où le problème est avant
tout d'ordre pédagogique mais où l'accent mis sur la crise de l'orthographe a tendance à occulter les autres aspects ; deuxièmement, les
petites langues, les langues « minorées », que la diglossie maintient
dans une situation d'infériorité et qui, n'ayant pas accès à tous les
domaines d'utilisation, n'ont pas, en quelque sorte, la chance de
connaître au même degré les problèmes que doivent affronter les
langues du premier groupe. Mais la typologie de la crise serait incomplète si l'on n'y ajoutait pas un troisième type de situation : celle des
enfants des travailleurs immigrés ou, plus généralement, celle de l'enseignement dans une langue qui n'est pas la langue maternelle de
l'enfant. Si, dans ces deux derniers cas, le problème a une connotation
clairement politique, il ne faudrait pas en conclure que cet aspect est

ignoré du groupe des langues de grande diffusion, ainsi que le rappelle Alain Rey dans sa « critique de la crise », qui sert à la fois de conclusion et de synthèse au présent volume.

La perspective mondiale que nous avons adoptée montre bien que les mêmes types de problèmes se retrouvent dans des communautés économico-politiques comparables et, qu'au fond, ils sont subsumés par la question de la transmission du savoir — donc du pouvoir. Ce qui pose, de ce fait, d'autres questions, notamment celles de la démocratisation de l'enseignement et de la sélection culturelle car dans le monde de l'éducation, s'il ne peut y avoir de sélection naturelle — qui pourrait, alors, justifier une « aristocratisation » de la transmission du savoir — il y a, bel et bien, une sélection culturelle; or, c'est cette sélection culturelle qui est inacceptable pour un démocrate. La démocratisation de l'enseignement suscitant des plaintes quant aux connaissances linguistiques des élèves, on est ainsi conduit à un curieux paradoxe: tout le monde semble s'accorder pour dire que la démocratisation, en soi et en général, est une bonne chose — sauf quand elle touche à la langue. On voudrait que cette dernière fût immuable et respectée également par tous les groupes sociaux, comme si elle était une, exempte de toute variation.

Réflexe puriste? On pense tout de suite au titre d'un article célèbre d'André Martinet: « Les puristes contre la langue ». Il faut avouer que, du point de vue purement linguistique, le refus de prendre en compte le fait élémentaire que les langues changent est à la base d'une partie de la crise actuelle: on contribue à créer cette crise en proposant un modèle linguistique d'un autre siècle quand ce n'est pas — comme K. Rotaetxe, ici même, nous le rappelle à propos du « basque unifié » — en imposant une norme étrangère à une grande partie des locuteurs. Du point de vue plus spécifiquement sociolinguistique, la crise provient en bonne partie du refus d'accepter la diversité des usages et des normes.

Alors, les langues sont-elles vraiment malades? Chacun pourra se former un jugement à partir des témoignages qui sont ici réunis et que nous avons essayé de diversifier le plus possible.

Jacques MAURAIS

I
La crise du français en France

par Nicole Gueunier

Université François-Rabelais (Tours)

La langue française est-elle en crise ? Une rumeur séculaire l'affirme, émanant le plus souvent de voix traditionalistes pour lesquelles ce phénomène est un aspect significatif de la crise plus générale des civilisations à l'époque considérée. Énumérons quelques titres qui, au cours du XXᵉ siècle, témoignent de la permanence du thème : *La crise du français* (G. Lanson, 1909 ; C. Bally, 1930 et *passim*) ; *Défense de la langue française* (A. Dauzat, 1913) ; *Le français langue morte* (A. Thérive, 1923) ; *Le péril de la langue française* (C. Vincent, 1925) ; *Le massacre de la langue française* (A. Moufflet, 1930) ; *Au secours de la langue française* (A. Moufflet, 1948) ; *La clinique du langage* (A. Thérive, 1956) ; *Parlez-vous franglais ?* (Étiemble, 1964) ; *Le jargon des sciences* (Étiemble, 1966) ; *Les linguicides* (O. Grandjouan, 1971) ; *Hé! La France, ton français fout le camp* (J. Thévenot, 1976) ; *Quand le français perd son latin* (J. Le Cornec, 1981) ; *Les avatars du français* (Tanguy Kenech'du, 1984) ; A. Chervel (1984) en signale aussi la reprise constante dans les rapports officiels sur l'enseignement du français. Mais il nous semble qu'il ne faut pas réduire le débat d'aujourd'hui à l'éternel rabâchage de ces complaintes académiques ou idéologiques. Celui-ci peut parfaitement signifier que l'analyse ne s'est pas renouvelée, sans qu'on puisse en inférer quoi que ce soit quant à l'objet même de cette analyse. Or les changements techniques, les mutations sociales et l'évolution des pratiques culturelles qui ont marqué en France la seconde partie du XXᵉ siècle autorisent à penser que les termes de la question linguistique se sont également modifiés et méritent une description et une analyse qui tiennent compte de ces modifications. On essaiera d'orienter cette présentation par rapport aux deux fonctions complémentaires qu'exerce toute langue : la fonction instrumentale (communicative et référentielle), la fonction symbolique, qui contribue à l'affirmation de l'identité. En dépit de l'existence d'une francophonie extérieure qui exerce des influences divergentes sur le français pratiqué en France, on se limitera à ce dernier pour respecter l'homogénéité des contributions à cet ouvrage collectif.

Contexte social

On s'efforcera donc dans un premier temps de présenter les principaux facteurs qui nous semblent avoir une influence décisive sur les pratiques linguistiques actuelles des Français.

Le premier consiste en un remodelage profond de la morphologie sociale, caractérisé par la régression des emplois agricoles, la stagnation des emplois industriels et la hausse des emplois tertiaires. Le tableau ci-dessous, qui concerne les salariés, montre bien ces modifications :

ÉVOLUTION DES EMPLOIS SALARIÉS AGRICOLES, INDUSTRIELS ET TERTIAIRES, EN MILLIERS

	1954	1968	1974	1981
Emplois agricoles	1 141	614	448	353
Emplois industriels	5 869	6 998	7 567	6 698
Emplois tertiaires	5 465	7 811	9 236	10 575

Source: *Données sociales*, I.N.S.E.E., 1984.

La proportion de membres des professions libérales et cadres supérieurs s'accroît elle aussi considérablement, passant de 5,1 % de la population active en 1968 à 8,6 % en 1981, de même que celle des cadres moyens qui constitue 10,4 % en 1968 et 14,6 % en 1981. Les effectifs d'agents de l'État connaissent également une hausse importante qui atteint 8,5 % entre 1975 et 1978. Enfin, parmi les professions libérales et cadres supérieurs, l'augmentation la plus forte est celle des professeurs et membres des professions littéraires et scientifiques tandis que chez les cadres moyens, c'est le nombre des agents de services médicaux et sociaux et des ingénieurs qui s'accroît le plus.

Cette hausse spectaculaire des classes moyennes ne peut pas être sans conséquence du point de vue linguistique. En effet, le caractère récent de leur ascension sociale se manifeste, comme l'a montré W. Labov à propos de la petite bourgeoisie de New York, par une certaine insécurité linguistique. Celle-ci s'explique par l'écart dont elles ont conscience entre leurs performances restées proches de celles des classes populaires et leur aspiration à se rapprocher des modèles linguistiques des classes supérieures. Cette tendance est également confirmée par l'importante place que tiennent les femmes dans la tertiarisation des emplois et dans le développement de l'effectif des classes moyennes: entre 1968 et 1974, l'augmentation des emplois tertiaires féminins est supérieure à 20 % (*Données sociales*, p. 37). Or des enquêtes sociolinguistiques diverses mais convergentes ont montré que les femmes accordent généralement plus d'importance à la langue que les hommes et manifestent un fort attachement aux variables linguistiques représentant les modèles les plus normatifs. La régression des ruraux ayant tendance à faire diminuer la part de spécificité qu'implique la pratique des dialectes et parlers régionaux ou le simple contact avec ceux-ci, on doit donc normalement s'attendre à ce que la langue subisse une sorte de nivellement, non par le bas, comme le proclame le discours puriste, mais plutôt par le haut, évolution d'ailleurs parallèle à celle que manifestent d'autres pratiques culturelles.

Le second ensemble de changements qui inciterait aussi à faire l'hypothèse d'un progrès plutôt que d'un déclin dans la qualité de la langue est constitué par les transformations du système scolaire. Le terme d'« explosion scolaire » en désigne l'aspect quantitatif lié, entre autres facteurs d'explication, à la réforme Berthoin (1959), qui prolonge de 14 à 16 ans la scolarité obligatoire (A. Prost, 1968: 433). Ainsi, le rapport Legrand (1982) montre que la scolarisation à 16 ans des élèves respectivement nés en 1952 et en 1962 passe de 56,7 % en 1968 à 71,6 % en 1978. En 1981-1982, elle dépasse 85 % (*Données sociales*, 1984: 473). Quant aux effectifs de l'enseignement supérieur, ils se sont multipliés par 4 en 20 ans, passant de 214 672 en 1960 à 889 543 en 1981-1982 (*Données sociales*, p. 479).

Il paraît donc naturel que pareille évolution suscite par rapport à la culture en général et à la langue en particulier l'espoir d'une appropriation croissante, également favorisé par le changement qualitatif que constitue la secondarisation massive de l'enseignement, liée à la réforme Berthoin, mais surtout aux réformes Fouchet (1963) et Haby (1975) qui ouvrent les C.E.S. (Collèges d'enseignement secondaire) à tous les enfants de 11 à 15 ans, puis y suppriment les filières. De 1958-1959 à 1982-1983, les effectifs du second cycle court sont ainsi passés de 274 000 à 805 000 et ceux du second cycle long de 324 000 à 1 127 000 (*Rapport Prost*, 1983: 11). Ainsi, en 1976-1977 où 92,6 % d'enfants de 15 ans sont scolarisés, 79,6 % le sont dans un des cycles du secondaire. Quant à la croissance de la proportion de bacheliers par génération, passant de 12 à 20 % dans la période 1966-1970, elle atteint 26,4 % en 1981 et fait l'objet pour les années 1985-1990 de prévisions estimées à 30 % (*Données sociales*, p. 477).

Enfin, on s'attend aussi à ce que la réforme de l'enseignement du français issue des concertations qui ont abouti au *Plan de rénovation* (publié en 1971) puis aux *Instructions officielles* de 1972, ait une influence positive sur la pratique de la langue française. En effet, le souci de démocratisation qui s'y manifeste, l'insistance mise sur le développement pour tous de la maîtrise expressive, l'équilibre qu'on s'efforce de tenir entre les facteurs de structuration et de libération qui caractérisent l'acquisition de la langue, le renouvellement des conceptions grammaticales dans un sens plus scientifique ainsi que l'ouverture sur la culture contemporaine font augurer favorablement des résultats en dépit des cris d'alarme traditionalistes.

En sens inverse, d'autres évolutions semblent moins favorables à la qualité de la langue. En premier lieu et comme on le note souvent, la place de celle-ci paraît diminuer par rapport à celle d'autres systèmes de signes fondés sur l'image fixe ou mobile: la publicité en fournit l'exemple le plus significatif, ainsi que le développement de la pictographie dans la signalisation publique. Bien que fondatrice par rapport à la possibilité même d'user de ces autres systèmes, la langue écrite ne constitue plus le modèle unique et premier de toute langue. Par ailleurs, alors que les représentations en matière de qualité de la langue continuent à se fonder sur l'image de l'écrit (cf. N. Gueunier *et al.*, 1978), le développement des médias audio-visuels, qui tend à augmenter la part de l'oral dans la communication linguistique, peut accréditer l'idée que l'usage moins visible de l'écriture s'accompagne d'une baisse de compétence en langue écrite. Il est certes très difficile d'évaluer l'influence linguistique, nécessairement ambiguë, de la radio et de la télévision, dont la consommation a connu entre 1960 et 1980 un taux de croissance moyen annuel de 18,2 %, tandis qu'en 1981, 93 et 95 % des Français sont respectivement possesseurs de téléviseurs et d'appareils de radio (*Données sociales*, p. 504). On remarque cependant que par rapport à la croissance de la consommation télévisuelle, radiophonique et des autres appareils d'enregistrement et de reproduction audio-visuels, la consommation de livres connaît une croissance effective mais inférieure : entre 1960 et 1970, le taux moyen annuel de croissance pour les achats de livres est de 7,4 % et il a baissé après 1970 (*Données sociales*, p. 505). Ces chiffres n'autorisent naturellement aucune hypothèse concernant la qualité de la langue écrite, mais ils contribuent au moins à provoquer dans le public des représentations relatives à celle-ci, alors que la pratique réelle est beaucoup plus complexe. Si par exemple l'usage du téléphone n'a pas, comme on s'est empressé de le dire, fait baisser la compétence d'écrit, il a certainement contribué à orienter celle-ci vers des fonctions techniques plus spécialisées (rédaction administrative, financière, etc.), au détriment des fonctions expressives. Quant à la compétence en langue orale, on manque encore d'enquêtes précises évaluant les influences que lui font subir les médias audio-visuels en matière de prononciation, de syntaxe et de lexique. Au moins a-t-on noté qu'ils favorisent de fait la pratique de l'oral *écouté* avant celle de l'oral *produit*. Il pourrait en résulter une augmentation de l'écart entre compétence active et passive.

Le dernier ensemble de facteurs susceptibles d'influer négativement sur la pratique et la perception de la langue est la mise en scène d'une certaine relativisation du français. Celle-ci, d'abord interne dans la mesure où les émissions familières des médias diffusent certains types de vernaculaire au lieu du seul standard, affecte surtout le français dans son contact avec les autres langues. Le développement des voyages, des échanges et notamment des importations, de l'usage des chansons en langues étrangères fait percevoir concrètement cette relativité à l'usager français traditionnellement monolingue qui, confronté à une culture de masse de plus en plus internationale, peut être inconsciemment incité à un certain désinvestissement vis-à-vis du français dont le statut n'est plus reconnu comme celui d'une langue dominante. Comment dès lors interpréter la récente ouverture officielle à l'égard des langues et cultures régionales, dont témoignent le rapport Giordan (1982) ainsi que diverses interventions officielles du président de la République et du ministre de la Culture (cf. « Les langues de France », 1983)? Souvent analysées comme reconnaissance démocratique par le plus fort de la différence des plus faibles, elles pourraient bien être aussi motivées par la crainte sourde que le français, devenant comparable à l'une de ces langues ethniques qu'il a si longtemps opprimées, ne soit à son tour justiciable d'un traitement de réanimation.

Standardisation et planification

La standardisation du français s'est développée depuis 10 siècles au cours d'une lente évolution qui a assuré :

1. Son autonomisation par rapport aux vernaculaires et aux dialectes pratiqués sur le territoire.

2. Son instrumentalisation par les documents graphiques officiels, les monuments littéraires et les outils linguistiques, dictionnaires et grammaires dont la diffusion a commencé dès le XVIᵉ siècle. Depuis cette période, les interventions officielles pratiquées sur le français relèvent donc plutôt de ce qu'on appelle la planification linguistique. Celle-ci se manifeste actuellement par l'activité d'organismes d'étude, de surveillance et de développement du français, et par l'action législative.

À la suite de M. Blancpain et A. Reboullet (1976), on regroupera les organismes en cinq rubriques, selon leur fonction :

1. *Fonction linguistique.* Le meilleur exemple est celui du C.I.L.F. (*Conseil international de la langue française*), créé en 1967 et qui se consacre à des actions de normalisation graphique et terminologique ainsi que de dialogue des langues. Un nouvel organisme, FRANTERM, créé en 1982, contribue également à la constitution de lexiques plurilingues.

2. *Fonction pédagogique.* On citera le B.E.L.C. (*Bureau pour l'enseignement de la langue et de la civilisation françaises à l'étranger*), le C.R.E.D.I.F. (*Centre de recherche et d'études pour la diffusion du français*).

3. *Fonction de liaison.* L'A.U.P.E.L.F. (*Association des universités partiellement ou entièrement de langue française*), la *Fédération du français universel* qui regroupe les associations organisant les « Biennales de la langue française ».

4. *Fonction de communication.* Ex.: le *Cercle de la librairie.*

5. *Fonction d'animation et de coordination. Le Haut Comité de la langue française,* créé en 1966, a fait place le 24 août 1983 à trois nouvelles institutions: le *Commissariat général à la langue française,* chargé de coordonner les actions et les moyens de développement du français, le *Haut Conseil de la francophonie* dont la mission concerne les français pratiqués hors de France et le *Comité consultatif,* chargé du contact avec les usagers. On citera enfin l'A.C.C.T., *Agence de coopération culturelle et technique,* regroupant les recherches françaises relatives au développement.

L'action législative, quant à elle, a donné lieu à trois groupes de textes officiels (cf. *Langue française. Textes officiels et réglementaires, Journal officiel,* 1983 et A. Fantapié et M. Brulé, 1984). Les premiers concernent la protection du français par rapport à l'anglais. Le décret du 7 janvier 1972 ainsi que les arrêtés spécialisés qui l'accompagnent instituent des commissions ministérielles de terminologie chargées de créer des termes français à partir de termes scientifiques et techniques d'emprunt.

La loi Bas-Lauriol du 31 décembre 1975 institue l'emploi obligatoire du français dans les échanges commerciaux, les contrats de travail et la publicité en France. Elle est complétée par la circulaire du 20 octobre 1982, qui en étend l'application aux exportateurs de produits étrangers vers la France au lieu de la limiter aux seuls importateurs français, et par le décret du 25 mars 1983, qui oblige à l'emploi du français et notamment des néologismes créés par les commissions toutes les institutions dépendant de l'État et « les ouvrages d'enseignement, de formation ou de recherche utilisés dans les établissements (...) dépendant de l'État (...) ou bénéficiant de son concours financier à quelque titre que ce soit ».

Le souci de protection du français par rapport à d'autres langues internationales, notamment l'anglais, se manifeste enfin par les circulaires du 24 juillet 1972 (*Choix des langues de travail utilisées dans les colloques, congrès ou cours d'été, organisés sur le plan international*) et du 30 décembre 1976 relative à l'*Emploi de la langue française dans le service public d'enseignement et de recherche.* Si la première se contente de « rappeler » aux organisateurs de congrès « l'importance (...) de l'utilisation du français » et « la nécessité de tout mettre en oeuvre pour en sauvegarder la permanence », la seconde est beaucoup plus directement prescriptive puisqu'y est annoncé le refus de toute subvention à des colloques comportant « l'annonce et la pratique de l'usage exclusif d'une langue étrangère ». Elle impose également l'usage du français pour les enseignements et soutenances de thèses.

Un second ensemble se caractérise par la recherche d'une meilleure communication entre l'institution judiciaire et le public. Il comprend d'abord les circulaires du 2 mai 1974 et du 16 juin 1976 sur la rédaction des actes de justice civile et pénale qui modernisent le langage de la justice en le débarrassant de ses latinismes (*de cujus*: *le défunt*), de ses archaïsmes de syntaxe (« *ouï M. X en son rapport et le Ministère public entendu* ») et surtout de lexique (*le Sieur X., il appert, céans*, etc.). Le souci d'un plus grand respect des usagers de la justice s'y manifeste également par la suppression de termes péjoratifs (*l'individu X.*), notamment en matière de discrimination sexuelle: *la femme X., la fille Y.* disparaissent de la terminologie désignative. Signalons dans le même domaine la récente création de la « Commission de terminologie relative au vocabulaire concernant les activités des femmes », présidée par Benoîte Groult (cf. « La langue française au féminin », 1984).

Le troisième ensemble se limite à un seul texte, l'arrêté du 28 décembre 1976, relatif à des tolérances grammaticales ou orthographiques. Comme l'a fait observer J. Hanse (1980), celui-ci se borne à édicter sans souci de cohérence des « tolérances » concernant quelques accords discutables, l'accentuation et l'orthographe des mots composés, sans s'attaquer aux problèmes essentiels: le participe passé avec *avoir* ou la question des géminées (*charrette / chariot, honneur / honorer*).

La campagne systématique de « l'Orne en français », menée de 1976 à 1979 par le préfet de l'Orne, J. Le Cornec, illustre significativement le contenu et les résultats des entreprises officielles de planification. Liée à une politique de la revalorisation culturelle d'ensemble dans le département, cette campagne, qui a fait intervenir l'administration, les municipalités, les élus et dans une certaine mesure les particuliers, s'est surtout inspirée de la loi Bas-Lauriol et a visé la francisation de la signalisation publique, notamment commerciale. Couronnée par la soutenance d'une thèse de doctorat d'État en 1979 et largement commentée par la presse locale et nationale, elle semble avoir eu des effets concrets limités, liés à la réticence des enseignants et des partis de gauche, au conflit plus ou moins latent avec les organismes de défense des langues et cultures régionales et surtout à l'indifférence de la population. Si quelques municipalités ont accepté de remplacer leurs panneaux « camping » et « parking » en « campières », « camperies » ou « parc-autos », la majorité des commerçants a refusé la francisation des enseignes au nom de la liberté individuelle et de l'efficacité commerciale.

Si la planification officielle témoigne ainsi d'efforts importants de défense et d'enrichissement du français, elle reste cependant limitée : dans le champ linguistique de son intervention (une partie du lexique, toilettage superficiel de l'orthographe) et dans ses méthodes qui procèdent au coup par coup, comme en témoigne l'action néologique des commissions de terminologie, créant des listes de termes isolés. Peut-être cette double limite explique-t-elle le manque de compréhension rencontré par l'ensemble du dispositif linguistique officiel. L'enquête certes partielle de B. Fugger (1980 et 1983) montre ainsi qu'un tiers des personnes interrogées juge « inutile ou même ridicule » toute entreprise de planification linguistique. Pourtant, d'après d'autres enquêtes (N. Gueunier *et al.*, 1978 ; E. Genouvrier, 1982), l'aspiration à la qualité de la langue reste très forte dans les attitudes sinon dans les performances. Mais elle s'exprime par une revendication globale, qualitative et identitaire qui souligne fortement la fonction symbolique de la langue. On en prendra comme exemple la « Déclaration en faveur de la langue française » publiée sous forme publicitaire dans la presse quotidienne nationale (cf. par ex. *Le Monde*, 17-18 avril 1983) par des intellectuels. La conception de la langue qui émane de textes de ce genre, dont les mots clés sont « richesse, complexité, finesse, profondeur, vitalité... », est peut-être en contradiction avec celle qui se dégage du traitement sectorisé et instrumental appliqué au français par la planification officielle.

Aspects linguistiques

L'étude des aspects linguistiques de la crise et de la qualité de la langue ne sera pas directement abordée à partir des niveaux structuraux (phonie, morphosyntaxe, lexique, graphie) ni des genres de discours pratiqués (scolaire, des médias, etc.), mais dans un premier temps à partir des instances productrices d'évaluation ; on s'aperçoit en effet que les points de vue sur les niveaux structuraux ou sur les discours diffèrent très profondément selon que leurs auteurs sont spécialistes de linguistique, de docimologie ou amateurs de beau langage. Aussi, pour éviter une juxtaposition de points de vue contradictoires sur chaque niveau structural à considérer, je présenterai les principaux résultats de chacune des trois grandes instances évaluatrices que j'ai cru pouvoir distinguer : recherche universitaire, évaluations officielles de l'Éducation nationale, chroniques et pamphlets linguistiques.

Recherches universitaires

Dans la mesure où les choix théoriques et méthodologiques de la grammaire générative transformationnelle ont contribué à orienter toute une partie de la recherche vers la construction de modèles idéalisés de compétence, l'apport de ses principaux courants français — ceux de J.-Cl. Milner et de M. Gross pour la syntaxe, de F. Dell pour la phonologie — n'est pas décisif pour notre enquête. C'est pourquoi on se tournera vers les recherches qui font une plus large place à la description. Celles-ci me semblent caractérisées par cinq tendances nouvelles dont on rappellera les résultats les plus pertinents quant à la qualité de la langue. La première est la découverte de la spécificité de l'oral qui est liée aux progrès de la phonétique et de la phonologie descriptives mais ne s'y limite pas. De ce point de vue, on signalera simplement les résultats des travaux d'H. Walter qui, situés dans la tradition fondée par A. Martinet, établissent la régression de l'opposition de longueur et de certaines oppositions de timbre vocalique, l'apparition du phonème consonantique d'emprunt / ŋ /, l'influence de l'orthographe sur la prononciation (1976, 1983). Par ailleurs les études de phonétique combinatoire et d'intonation font apparaître certaines tendances nouvelles comme la régression de la liaison au profit d'une accentuation d'insistance qui confère au mot une plus grande autonomie par rapport au syntagme (cf. Lucci, 1983).

Mais la véritable prise de conscience de la spécificité de l'oral, qui semble liée au développement des appareils enregistreurs, concerne surtout la morphosyntaxe. Les études d'A. Sauvageot sur le français parlé (1957, 1962, 1972) et celle que J. Dubois (1965) a consacrée à la morphologie nominale contribuent très vite à cette prise de conscience.

Les recherches ultérieures ont précisé cette spécificité qui se manifeste en particulier sur les points suivants : fréquence de la subordination, au moins dans le français radiophonique (S. Allaire, 1973), contrairement au lieu commun qui veut que l'oral soit « moins complexe » ; fréquence des phrases à auxiliaires de prédication du type *c'est/il y a* (D. François, 1974, 1977), infériorité numérique des sujets nominaux par rapport aux sujets pronominaux, importance de la répétition avec élaboration : *il y a un garçon/un garçon dans la glace* (F. François, 1978) ; spécificité des marqueurs prosodiques et lexico-syntaxiques du récit et de l'argumentation à l'oral. J. Mouchon et F. Fillol (1980) montrent ainsi que la réduction qui affecte les temps narratifs avec la perte du passé simple est compensée à l'oral par l'usage de *puis* et de *alors*. En 1977, le G.A.R.S. (*Groupe aixois de recherche en syntaxe*) met au point un système de transcription (non phonétique) de corpus de français parlé à soumettre à des analyses syntaxiques. L'un des résultats les plus frappants est la contestation du concept de « phrase » appliqué à l'oral (1980) et le refus d'assimiler à des effets de langue populaire ou familière des faits de langue orale comme l'emploi de *pour pas que* (vs écrit *pour que...ne...pas*) ou de *ça* vs *cela* (C. Jeanjean, 1983).

Une seconde direction de recherche importante est l'application à l'écrit et aux genres de l'écrit oralisé des méthodes de l'analyse du discours. Les principales illustrations en ont été données à propos des discours politiques (cf. D. Maingueneau, 1976), mais celle qui intéresse le plus la qualité de la langue est sans doute le développement, signalé par de nombreux auteurs, de la nominalisation. Celle-ci, qui a dans la langue de la presse un rôle anaphorique (S. Moirand, 1975), gagne les autres genres écrits (non narratifs), par exemple les textes administratifs ou didactiques, et augmente artificiellement l'abstraction du discours, ce qui nuit à la clarté de la communication mais procure un « profit de distinction » à ceux qui en usent. Le développement des recherches lexicales, lié aux progrès de la lexicographie, qu'illustre l'oeuvre d'A. Rey (cf. notamment 1977), est caractérisé par l'accent mis sur la créativité lexicale, tant dans les domaines de la lexicologie dérivationnelle (J. Dubois, 1962 ; J. Peytard, 1971) que de la structuration et de l'évolution du lexique, où les travaux ont essentiellement porté sur la néologie technique et scientifique (L. Guilbert, 1975), sur la « banalisation » partielle de celle-ci (R. Galisson, 1978), sur les emprunts et notamment les anglicismes (J. Rey-Debove et G. Gagnon, 1980) et sur les sigles (L.-J. Calvet, 1980). Dans ce type de recherches, les questions brûlantes comme celle des anglicismes, qui suscite parmi les puristes conservateurs le plus de réactions négatives, font l'objet d'analyses beaucoup plus distantes, visant parfois à dédramatiser le débat. Ainsi J. Rey-Debove et G. Gagnon démontrent dans leur *Dictionnaire des anglicismes* que le vocabulaire commun du français en contient beaucoup moins qu'on ne croit, même si leur estimation (2,5 % du lexique) semble inférieure à la réalité, du fait même de l'exclusion des vocabulaires banalisés tels que celui de la publicité. Le développement des sigles et acronymes, autre innovation lexicale contemporaine, est interprété par L.-J. Calvet comme un fait de langue savante, dans la mesure où, lié à l'écriture, né « en un lieu de pouvoir », il n'a que secondairement une fonction d'abrégement. Celle-ci en effet, n'opérant que pour les initiés, est subordonnée à une fonction cryptique dont l'objectif est de légitimer, au sens où l'entend P. Bourdieu, ses émetteurs et ses récepteurs.

La recherche sociolinguistique, largement tributaire des théories du sociolinguiste britannique B. Bernstein et du corrélationnisme de W. Labov, s'est développée en relation avec la question des échecs scolaires et de l'inégalité des chances. Une grande partie des enquêtes réalisées à l'intérieur de cette problématique porte sur la covariance entre des variables phonologiques ou morphosyntaxiques et l'appartenance sociale de populations constituées par des élèves en situation scolaire (cf. par ex. C. Marcellesi *et al.*, 1976; É. Espéret, 1979; F. François, 1980; D. Manesse, 1982). De ce fait, le choix des variables linguistiques privilégie celles qui fonctionnent comme des stéréotypes sociaux (par exemple la négation en *pas/ne pas*, le sujet collectif en *nous/on*, l'emploi des auxiliaires *être/avoir*, la réalisation des groupes consonantiques finaux), au détriment de faits moins spectaculaires mais également pertinents quant à la structure et à l'évolution du français. B. Muller (1981) observe ainsi qu'entre 1961 et 1981, sur les 2 164 nouveaux adjectifs entrés au *Petit Larousse*, 49 % sont invariables à l'écrit et 71 % à l'oral. Cette évolution, liée à la grande productivité des suffixes invariables, confirmée par la difficulté à féminiser certains noms d'agent, ne constitue pas un marqueur sociolinguistique mais n'en est pas moins importante puisqu'elle tend à long terme à menacer la marque du genre en français.

Sous l'influence des travaux de Dell Hymes, de l'interactionnisme et de l'ethnométhodologie se sont enfin développées des recherches en ethnographie de la communication qui complètent la sociolinguistique corrélationniste par une approche des vernaculaires des petits groupes, dont la méthodologie est liée à la pragmatique et à l'analyse des conversations (cf. E. Roulet, 1980; A. Auchlin, 1982). Les études de petits groupes peuvent alors s'orienter vers la famille (B. Laks, 1980), les bandes de jeunes (C. Bachmann, 1977; B. Laks, 1983), et les interactions peuvent être étudiées, à l'exemple des travaux de Labov et Fanshel (1977) et de l'École de Palo Alto, en milieu thérapeutique (M.

Lacoste, 1980), commercial (F. Kerleroux, 1981), à l'occasion d'activités ludiques (N. Bouvier, 1982), en milieu scolaire ou non (N. Bouvier *et al.*, 1981).

Dans l'ensemble, les résultats de ces recherches ne conduisent nullement à un constat pessimiste de dégradation de la langue. Les variations observées sont perçues en termes positifs ou neutres, ce qui peut s'expliquer au moins par deux groupes de raisons:

1. épistémologiques. Pour bon nombre de ces recherches inspirées plus ou moins directement par un certain optimisme générativiste, la variation n'est que la projection d'une compétence universelle identique. Inhérente à la langue, elle ne peut faire l'objet de jugements de valeur.

2. praxéologiques. L'insistance sur les paramètres sociaux et situationnels de la variation incite à déplacer les éventuels projets d'intervention éducative. Pour certains, dont s'inspirent en pratique les réformateurs scolaires, des stratégies didactiques de soutien permettraient de « compenser » le « handicap » scolaire et social qu'elle occasionne. Pour d'autres, dont l'inspiration est marquée par l'influence de W. Labov, c'est sur les attitudes et jugements sociolinguistiques qu'il faudrait agir pour modifier la perception négative, en terme de « déficits », de ces différences. Rappelons que pour P. Bourdieu, chacune de ces deux tendances méconnaît le caractère essentiellement symbolique de la langue dans les conflits de pouvoir, qui rend à ses yeux peu probable l'efficacité d'interventions aussi directes.

Évaluations officielles de la langue des scolaires

La synthèse de ces évaluations doit tenir compte du fait qu'élaborées par des institutions distinctes, avec des objectifs et des méthodes différents qui permettent rarement des comparaisons longitudinales, elles se présentent en ordre dispersé. C'est pourquoi on les analysera suivant l'ordre du cycle d'enseignement auquel elles s'appliquent et en signalant dès l'abord qu'il n'en existe pas encore sur la langue des lycéens (cf. *Rapport Prost*, 1983: 26).

Enseignement primaire

Deux enquêtes sont à signaler. La première a été menée en mai 1982 à l'I.N.R.P. (*Institut national de la recherche pédagogique*) sous la direction d'H. Romian pour tester l'efficacité du *Plan de rénovation* du français à l'école élémentaire par la comparaison de 56 classes de CM1 (1 267 élèves) réparties en classes expérimentales et de référence.

Des cinq volumes de résultats publiés entre 1980 et 1983, on retiendra seulement ici le volume 3, *Évaluation des capacités syntaxiques*, en notant toutefois qu'aucune épreuve spécifique ne teste directement les performances orales ni les capacités en lecture (J.-M. Principaud, 1980). Les épreuves, conçues de façon à pouvoir prendre en considération les variables de l'âge et de l'appartenance sociale, se présentent sous la forme de 11 exercices à plusieurs items très contraints testant les capacités suivantes : morphologie et syntaxe du verbe (QCM et phrases à trous) ; construction de phrases interrogatives à partir des déclaratives correspondantes, de négatives à partir d'interrogatives, d'actives à partir de passives, etc. ; emploi de pronoms, de nominalisations, syntaxe des coordonnées et subordonnées.

La seconde enquête, effectuée en 1979 par le S.E.I.S. (*Service des études informatiques et statistiques du ministère de l'Éducation nationale*), porte, entre autres disciplines, sur le français au cycle préparatoire considéré avec les mathématiques comme un « apprentissage instrumental » par opposition aux « activités d'éveil ». Menée sur une population de 19 938 élèves dont on a extrait deux sous-échantillons de 1 900, elle se distingue de celle de l'I.N.R.P. par sa perspective plus sommative et par le fait qu'elle n'est pas centrée sur les différences entre pédagogies et ne permet qu'indirectement la mise en corrélation des résultats avec l'appartenance sociale. Outre des tests de capacités syntaxiques et lexicales, elle présente des épreuves concernant l'oral ainsi que la lecture et l'orthographe et comporte une dimension longitudinale, les élèves ayant été testés en juin puis en décembre 1979 (Cl. Seibel et J. Levasseur, 1983).

Les résultats les plus intéressants portent sur les points suivants :

1. Bien qu'aucun test spécifique d'orthographe ne soit prévu dans l'enquête de l'I.N.R.P., les difficultés sont importantes à ce niveau et on signale que ce sont elles qui font le plus baisser le pourcentage de réussite en morphologie verbale. Ainsi, le subjonctif du verbe *faire* dans l'item *pourvu qu'il (fasse) beau*, est phonétiquement identifié à 65 % mais à 45,7 % seulement sous sa forme graphique correcte.

En outre, la mise en contexte des formes entraîne toujours une baisse des bonnes réponses, ainsi les accords situés dans des phrases comportant des pronoms compléments préverbaux sont très souvent erronés. Alors que l'accord *vous voyez* est correct dans 85,9 % des cas, le pourcentage tombe à 45,3 % pour *il les utilise*.

L'enquête du S.E.I.S. confirme cette difficulté au niveau des cours préparatoires où 9,8 % des enfants orthographient correctement les 3 items de l'épreuve : *les cerises rouges*, *une jolie robe*, *les voitures roulent*, et où on ne constate pas de progrès entre juin et décembre.

2. Cette enquête fait apparaître un contraste entre le succès en lecture silencieuse et l'échec aux épreuves demandant la mise en rapport de l'oral et de l'écrit. En lecture silencieuse, la réussite totale est de 60 %, et 90 % des enfants progressent entre juin et décembre. En revanche, la reconnaissance à l'écrit de mots que le maître vient de lire à l'oral n'est totale que chez 38,8 % des enfants, aucun progrès n'est fait entre juin et décembre et la reconnaissance de phonèmes d'après des graphèmes entraîne aussi un fort taux d'échec. Faut-il voir là l'effet de méthodes d'apprentissage de la lecture où l'on pratique une déconnection entre écrit et oral ?

Enseignement secondaire

Une enquête de C. Barré de Miniac (1982) sur les performances en lecture silencieuse d'élèves de 6ᵉ, testés respectivement en 1971 et en 1978, fait apparaître une baisse de réussite évaluée à 2 points sur 45. Une seconde comparaison entre les performances d'élèves de 6ᵉ en 1978 et celles des mêmes élèves sortant de 5ᵉ en 1980 montre un gain de 1,06 point mais aucune distinction significative entre les collèges expérimentaux où l'on avait pratiqué une réduction importante des horaires d'enseignement du français et les autres. Mettant en relation ces deux résultats inquiétants quant au rendement apparent de l'enseignement, l'auteur conclut :

> L'augmentation ou la diminution du nombre d'heures de cours de français ne paraît pas susceptible d'améliorer ou de faire baisser les performances des élèves en compréhension de lecture. Cela conduit à penser que seuls des changements qualitatifs pourraient remédier à cette baisse globale de niveau (p. 210).

Une seconde évaluation d'envergure comparable à celle de la S.E.I.S. sur le primaire a été entreprise en 1980 par le même service au niveau de la 6ᵉ et doit se poursuivre pour la 5ᵉ et la 3ᵉ (cf. *Évaluations pédagogiques dans les collèges, Sixième*, 1982). Elle se complète d'une enquête parallèle sur l'articulation entre primaire et secondaire (*Évaluation pédagogique dans les collèges, CM2/6ᵉ*, 1983). Les résultats concernant les sixièmes (9 324 élèves) confirment les difficultés en orthographe rencontrées au niveau primaire. Ainsi, les enquêteurs se voient désormais obligés de dédoubler les tableaux ou les graphiques pour distinguer la compétence morphosyntaxique indépendante de l'écrit et celle qui inclut celui-ci. On compte par exemple 63,8 % de bonnes réponses « phonétiques » à un item consistant à remplacer *réunion de famille* par *réunion familiale* mais 28 % seulement si l'on tient compte de l'orthographe. Par ailleurs, le taux de réussite ayant tendance à baisser à mesure que les exercices deviennent moins contraignants, l'épreuve de dictée est assez bien réussie, mais 30 à 40 % des enfants sont en difficulté sur ce point à l'épreuve de rédaction. En revanche, la morphosyntaxe est mieux acquise, ainsi les emplois des relatifs *que* et *dont* respectivement corrects dans 83,7 % et 49,7 % des cas. Enfin, l'analyse grammaticale est celle des épreuves qui occasionne le taux d'échecs le plus important et où il apparaît que « les professeurs surestiment très largement la réussite » (p. 79).

Autre observation alarmante, la comparaison des résultats de ces élèves de 6e testés en 1980 à ceux de 1 959 élèves de CM^2 testés selon le même dispositif en 1981 montre qu'en français (comme en mathématiques) « la réussite des élèves en fin de CM^2 est très généralement supérieure à celle des élèves de 6e » (p. 119).

Bien que ces résultats assez négatifs soient à nuancer en tenant compte du fait que les élèves de CM^2 testés en fin d'année et de cycle se trouvaient dans une situation de sécurité contrastant avec celle des 6e testés en début d'année et de cycle, ils sont confirmés par les observations qualitatives issues des rapports de l'Inspection générale ou régionale. Ainsi Y. Martin (*in Rapport Legrand*, 1982) juge « très faible » le niveau des classes de 6e et de 5e: « En sixième, 10 élèves sur 24 en moyenne n'ont pas atteint le niveau normal du cours moyen et 4 peuvent être dits illettrés » (p. 249), opinion qui rejoint les conclusions du *Rapport Espérandieu et al.* sur l'illettrisme (1984). Bien que les définitions de celui-ci varient et que les estimations chiffrées soient de ce fait difficiles (les chiffres des ministères de la Défense, de l'Éducation nationale et du Mouvement A.T.D. Quart-Monde ne concordent pas), ce rapport conclut:

> Le taux des analphabètes complet est certainement faible ; en revanche, on peut affirmer que le nombre des personnes qui ne maîtrisent pas la lecture ou l'écriture ou sont gravement gênées pour utiliser celles-ci doit se compter par millions plutôt que par centaines de mille (p. 38);

et l'estimation finale est que l'illettrisme concerne environ 10 % de la population.

En conclusion, et en dépit des nuances permettant de relativiser tel ou tel résultat, le bilan des enquêtes effectuées par les différentes instances officielles sur la qualité de la langue est assez pessimiste d'autant que, sans pouvoir s'appuyer sur des enquêtes précises, le rapport Prost sur les lycées estime « vraisemblable que la qualité de l'expression écrite des lycéens est inférieure à celle de leurs prédécesseurs » (p. 29), alors même que l'élévation du niveau semble incontestable dans les disciplines scientifiques et en sciences sociales. A. Prost fait cependant remarquer que la notion de « baisse de niveau » reste largement idéologique pour les trois raisons suivantes:

1. On ne dispose pas de façon générale d'un instrument de mesure fiable permettant de comparer les performances à long ou à moyen terme. Or dans les cas plus ou moins isolés où les instruments de ce genre existent, par exemple en orthographe, on estime généralement que les résultats n'ont pas varié de façon significative (cf. F. Ters, 1973; J. Guion, 1974: 88).

2. La comparaison porterait sur des populations qui ont profondément changé, puisque la scolarisation n'atteint plus les mêmes couches de population que précédemment (cf. A. Boissinot, 1981; *Rapport Legrand*, 1982; A. Prost, 1982).

3. Elle porterait enfin sur des exigences elles aussi modifiées par la hausse de la valeur attribuée aux disciplines scientifiques.

Les évaluations qualitatives

Le troisième ensemble évaluatif que nous avons cru pouvoir distinguer regroupe plusieurs instances, les unes non officielles comme les chroniqueurs de langue, les grammairiens, les pamphlétaires[1], les associations de défense du français, les autres officielles mais d'envergure plus étroite que celles de l'Éducation nationale. Citons parmi ces dernières l'A.B.U.F.A. (*Association pour le bon usage du français dans l'Administration*) fondée en 1967 et qui publie le bulletin *Service public et bon langage*, *le Secrétariat permanent du langage auprès de l'O.R.T.F.*, créé en 1969, dont les revues *Hebdolangage* et *Télélangage* ont fait place en 1978 à *Médias et langage*, de diffusion plus large, ou l'A.R.A.P. (*Association pour l'amélioration des rapports entre l'Administration et le public*) créée en 1975. Parmi les associations non officielles, on citera l'A.G.U.L.F. (*Association générale des usagers de la langue française*), créée en 1977 sur le modèle des Associations de

---

1. Rappelons les titres les plus célèbres: *Parlez-vous franglais?* (1964) et *Le jargon des sciences* (1966) d'Étiemble; *Les linguicides* d'O. Grandjouan (1971); *Parler croquant* (1973) et *À hurler le soir au fond des collèges* (1984) de C. Duneton; *Hé! La France, ton français fout le camp!* (1976) de J. Thévenot; *L'aliénation linguistique* (1976) de H. Gobard; *Pitié pour Babel* (1978) de M. Bruguière; *Télémanie* (1979) de J. Cluzel; *Quand le français perd son latin* (1981) de J. Le Cornec.

consommateurs pour obtenir par les voies légales et juridiques une meilleure application de la loi Bas-Lauriol sur l'emploi de la langue française et qui publie le bulletin *La France en français*.

L'originalité de ces observations tient d'abord à leur caractère plus concret, d'un empirisme parfois pointilliste en partie dû aux genres de la chronique ou du manuel de français pratique qui traitent au jour le jour et au coup par coup des difficultés rencontrées. Elles sont aussi plus directement sensibles à l'influence des idéologies, surtout dans le cas des chroniques de langage qui reflètent l'engagement des journaux où elles paraissent. Ainsi voit-on s'opposer les chroniques de langue de J. Cellard dans *Le Monde* et de Tanguy Kenech'du dans *Ouest-France* (« La vie du langage » et « Les mots pour le dire ») de même qu'aux cris d'alarme systématiques du *Figaro-Magazine* répondent les propos rassurants du *Monde de l'éducation* (cf. par ex. les numéros 103, 105, 106 de 1984). Mais ces textes passionnés sont d'un apport précieux à la connaissance du français dans la mesure où leur observation minutieuse et quotidienne atteint souvent des faits de langue qui échappent aux enquêtes les plus systématiques, complétant ainsi ces dernières. C'est pourquoi on présentera brièvement une synthèse critique des ouvrages les plus représentatifs auxquels on ajoutera quelques chroniques de langue particulièrement perspicaces, celles de J. Cellard dans *Le Monde* et d'A.H. Ibrahim dans le mensuel *Le Français dans le monde* et l'ouvrage du linguiste A. Sauvageot (1978) qui se rattache à la même catégorie dans la mesure où il met la science au service d'une thèse passionnée, celle d'un nouveau « réglage » de la langue française, considérée comme un « outil ».

Orthographe

Dans ce domaine, c'est toujours la question des accords qui fait l'objet des plus nombreuses remarques. À ceux qui se bornent à déplorer qu'ils ne sont pas respectés et en rendent responsable le déclin de l'enseignement et la décadence des civilisations, répondent les propositions de J. Cellard ou d'A. Sauvageot qui souhaitent l'application de la réforme préconisée en 1900 par G. Leygue (l'abolition de l'accord du participe passé avec *avoir*) mais refusée par les auteurs de l'arrêté de 1901. Une troisième tendance, minoritaire, est représentée par Cl. Duneton (1984), partiellement inspiré par les recherches de Cl. Blanche-Benveniste et d'A. Chervel (1969, 1977), qui conteste que l'orthographe française soit plus difficile que celle des autres langues et interprète les fautes qu'elle occasionne comme un effet de résistance au clivage qu'imposent les institutions administratives et scolaires entre le français vernaculaire pratiqué en situation ordinaire, et le français officiel, artificiel et désincarné.

Prononciation

Deux critiques apparemment contradictoires sont faites aux prononciations du français telles qu'on les perçoit dans la vie ordinaire mais restent dans la presse parlée: vulgarisme d'une part, hypercorrection d'autre part. On dénonce la tendance, notée par les phonéticiens, à effacer les oppositions de timbre vocalique mais plus encore à escamoter le e caduc, ce qui a pour effet de multiplier les groupes de consonnes et d'aboutir à leur simplification: [ʒsepaummet], [msjølminist]. Les apocopes risquent même d'avoir des incidences sur la morphologie verbale modifiant le paradigme des infinitifs en -re: [met], [ʁãd]. Quant à l'hypercorrection, elle affecte surtout les liaisons et les géminations, particulièrement fréquentes dans la presse parlée. Les fautes de liaison (« les solutions qui leur-z étaient offertes », « ils rentrent à Paris-z au complet ») viennent moins d'ignorances morphologiques que du souci de se distinguer en renchérissant sur les liaisons facultatives. L'hypercorrection, qui produit des géminations inutiles, est généralement interprétée comme une projection de l'écrit, jugé plus savant, sur l'oral.

Morphologie

Les observations les plus fréquentes portent sur la morphologie verbale où l'on déplore la simplification et la régularisation des radicaux (*j'acquérirai, *on a conclué, *il fuya, *ils prenèrent, *il naissa). La plupart des fautes sont interprétées comme des vulgarismes, certaines comme des hypercorrections. J. Cellard (1979) explique ainsi la forme *résolveront relevée dans un quotidien:

> Résolveront est une hypercorrection. Le rédacteur (et le correcteur) savent que la conjugaison du verbe est piégée. Ils en déduisent confusément que la forme la plus compliquée est la bonne (p. 173).

En morphologie pronominale, on note l'avancée de on au détriment de nous et la réduction des relatifs composés. On déplore enfin le progrès de la négation en pas en langue parlée et écrite familière et la disparition de l'opposition du, des vs de devant un adjectif précédant un nom.

Syntaxe

Dans les phrases simples, on note le progrès des phrases détachées à reprise pronominale comme « une guerre, ça ne se raconte pas, ça se vit » ou « les boîtes de nuit, personne ne sait très bien leur nombre » (A. Sauvageot, p. 95). Condamnée, tolérée ou préconisée pour sa commodité et la souplesse qu'elle introduit dans la syntaxe, cette construction issue de la langue parlée se répand dans tous les genres de discours sauf dans la rédaction administrative.

Une autre tendance, qui concerne la succession des énoncés, consiste à désarticuler les phrases verbales en fragments qui déguisent en énoncés nominaux même des subordonnées verbales. C'est le style « coups de points » dénoncé par J. Cellard, qui en donne cet exemple : « Chez Hag, nous avons des mélanges différents. Que nous décaféinons différemment. Pour avoir un arôme différent » (p. 119).

Issu de la publicité, ce type de rédaction se répand dans la presse écrite et même dans la littérature romanesque, comme le montrent les citations de N. Sarraute que présente J. Cellard dans la même chronique.

Cette tendance n'est en revanche jamais observée dans la rédaction des textes administratifs où l'on dénonce au contraire la longueur excessive et la complexité des phrases, qu'augmentent l'usage abusif des constructions nominales (O. Grandjouan 1971 : 76) et celui du passif personnel ou impersonnel (*id.* : 188-189). Inconnue du discours scolaire, elle y est remplacée, au moins dans le primaire, par la valorisation des phrases simples dont l'insipide succession constitue un « français rudimentaire », simpliste et sclérosé, que dénonce Cl. Duneton (1984), à partir du modèle des manuels de lecture.

L'usage de l'inversion s'étend de l'interrogation directe à l'interrogation indirecte : *Je me demande à quoi penses-tu*, tant à l'oral qu'à l'écrit. Cette extension est généralement traitée en termes de vulgarisme, sauf par A. Sauvageot qui préconise de l'admettre. Seules des enquêtes précises de performances et d'attitudes permettraient de dire s'il ne s'agit pas en fait d'une hypercorrection, explicable par la valorisation de la tournure à inversion dans l'interrogation directe (cf. D. Manesse, 1982). C'est en tout cas l'interprétation majoritaire de l'inversion du sujet qui s'emploie de plus en plus fréquemment dans la presse écrite : « Elle est belle, intelligente. Mais la ronge le dégoût de vivre (...). L'attire un moment l'innocence... » (cité par A. Sauvageot, p. 93).

En syntaxe verbale, le fait le plus souvent cité et déploré est le suremploi de l'imparfait dans la narration de presse, au détriment du passé composé et du passé simple. Cet usage généralement interprété comme un effet de style pittoresque (J. Hanse, 1983) témoigne aux yeux des chroniqueurs de la simple ignorance des oppositions aspectuelles entre premier plan et arrière-plan : « À la deuxième mi-temps, alors que le jeu reprenait, X bloquait la balle... ». On signale aussi la généralisation des futurs et conditionnels après *si* : « Les mesures seraient sévères, même si les familles seront épargnées », « même s'il aurait des scrupules, il finirait par accepter », mais ces emplois généralement condamnés sont jugés moins négativement par A. Sauvageot qui préconise de laisser une plus grande latitude à l'usager (p. 124). D'une façon générale, les chroniqueurs ne semblent pas avoir nettement conscience que ces faits s'inscrivent dans une mutation plus profonde de l'usage du système temporel, mieux appréhendée par les recherches universitaires sur l'énonciation narrative et discursive à l'oral et à l'écrit. Ainsi, on perçoit peu que les réductions déplorées (le passé simple) sont compensées par l'apparition d'autres formes (les surcomposés) ou par des marqueurs adverbiaux.

Dans le syntagme nominal, les chroniqueurs condamnent sous le nom d'« adjectivite » la qualification par l'adjectif au détriment des constructions prépositionnelles : « phénomène prostitutionnel », « analyse conversationnelle », « volonté étatique ». Rendu possible par l'augmentation des adjectifs invariables, ce changement vient certainement aussi du désir d'éviter la répétition de tournures en *de*, mais l'interprétation la plus générale est celle d'une hypercorrection.

L'adjectif se développe également en fonction adverbiale dans les tournures du type : *voter socialiste, acheter français, s'habiller confortable, bronzer idiot*, particulièrement en usage dans le discours publicitaire mais aussi dans le langage ordinaire (cf. A.H. Ibrahim, 1983).

C'est à la même origine que se rattache le progrès d'un autre type de qualification par juxtaposition nominale : *un coffret métal, des bijoux or, une cheminée marbre* entraînent des formations telles que *contrôle surprise, téléviseur couleur, opération sourire* qui, à la limite de la lexicologie et de la syntaxe, tendent à augmenter la part de la composition en français.

Il faut enfin noter un fait d'anglicisation syntaxique susceptible à terme d'affecter plus profondément la langue que les anglicismes lexicaux sur lesquels porte la majorité des observations. C'est la tendance à substituer dans ce type de construction l'ordre anglo-saxon déterminantdéterminé à l'ordre régulier du français, déterminé-déterminant. Ces tournures, qui apparaissent dans les désignations géographiques comme *Sud-américain*, *Est-allemand*, *Nord-Viêt-nam*, où elles proviennent d'emprunts directs, se répandent dans la publicité, dans les enseignes et dans les désignations de produits. Le plus souvent, le déterminant est un nom de lieu ou de personne (*Poitou-oeufs*, *Tours-pneus*, *Touraine-Véhicules Industriels*, *Jules Bar*) mais il peut être un autre substantif: *Stop-Bar*, *Sport-Boutique*, ou un adjectif que la syntaxe ordinaire du français postposerait: *Moderne Hôtel*, *Mondial Tapis*.

Lexique

Dans le domaine du lexique, c'est la question de la néologie par anglicisation ou américanisation (P. Trescases, 1982) qui occupe le devant de la scène. À la suite d'Étiemble, la plupart en surestiment l'influence (O. Grandjouan, H. Gobard, J. Thévenot, J. Le Cornec). D'autres, minoritaires, la minimisent, ainsi J. Cellard (1979), A.H. Ibrahim (1983b). Sans prétendre ici épuiser un tel sujet, on fera simplement deux propositions. La première est que toute étude sur ce point doit distinguer avec soin les genres et les thèmes des discours constituant les échantillons à partir desquels on peut évaluer la part des anglicismes. La publicité contient plus d'anglicismes que la théologie et P. Lerat (1984) fait des observations similaires en comparant le vocabulaire de la linguistique et celui de la littérature. La seconde s'inspire d'une remarque de J.-P. Beaujot (1982): « C'est peut-être la faute à Étiemble si, depuis quelque temps, l'arbre du franglais nous cache la forêt du gréco-latin. »

Tous nos analystes en effet se retrouvent ici d'accord pour déplorer la « surlatinisation » du français, la préférence systématique de mots savants, empruntés pour des raisons de prestige aux vocabulaires spécialisés, par rapport aux mots du lexique commun.

Ce qui frappe surtout, écrit A. Sauvageot, c'est une sorte de parti pris de faire « savant ». On ne parle pas d'électeurs *illettrés*, mais *analphabètes*, on a oublié les mots *épars*, *isolés* pour les remplacer par *sporadiques* (p. 117).

De même, la langue écrite et la langue orale plus ou moins surveillée des médias parlés ont horreur des verbes simples *avoir*, *être*, *faire*, *pouvoir* auxquels elles préfèrent systématiquement des synonymes ampoulés comme *comporter*, *constituer*, *effectuer* et *procéder à*, *être susceptible de*, etc.

Quant aux condamnations relatives à l'abus des sigles, elles rejoignent dans un style plus moralisant l'interprétation, citée plus haut, de L.-J. Calvet: le sigle obscurcit la langue parce qu'il est d'abord un signe de connivence entre initiés.

En définitive, qu'il s'agisse des emprunts, des formations savantes ou de la siglaison, beaucoup d'interprétations se rattachent à la notion d'hypercorrection. Traditionnellement, on attribuait au peuple la responsabilité de la dégradation de la langue. Ainsi, Ph. Martinon, qui écrit en 1927 que « jamais en France on n'a aussi mal parlé qu'aujourd'hui », explique le fait en ces termes: « Malheureusement, le parler populaire a terriblement envahi les classes dites bourgeoises » (p. VII).

Un changement d'interprétation s'est donc produit puisque la plupart des chroniqueurs imputent actuellement aux enseignants, journalistes et cadres la responsabilité des évolutions négatives qu'ils constatent. De ce point de vue, leurs opinions rejoignent celles des linguistes, pour lesquels le rôle des classes cultivées et des doctes sur l'évolution de la langue est plus décisif que celui des classes populaires (G. Steinmeyer, 1981).

Aspects sociologiques et anthropologiques

La différence entre les trois types d'appréciations portées sur la crise du français par les trois instances que nous avons distinguées illustre bien la complexité sociale du phénomène. À des recherches universitaires qui le minimisent s'opposent des évaluations officielles et des observations qualitatives qui l'affirment tout en l'analysant différemment, puisque les premières l'interprètent en termes de performances et d'ignorance factuelle, tandis que l'insistance des secondes sur l'hypercorrection et l'anglicisation lexicale souligne davantage la part des attitudes linguistiques.

Du point de vue sociologique, l'écart entre les effets attendus de l'évolution scolaire et ses résultats semble un facteur décisif d'explication. Les espoirs de promotion sociale suscités par l'allongement de la scolarité et par la secondarisation sont déçus dans la mesure où l'état du marché économique ne permet pas à tous les nouveaux diplômés du secondaire l'accès aux professions précédemment garanti par ces diplômes. Même si, de fait, cette dévaluation des titres scolaires a commencé bien avant les réformes (P. Bourdieu, 1979), la désillusion par rapport à celles-ci n'en a pas été moindre[2].

Les effets de la secondarisation sont aussi relativisés par la transformation qualitative du système scolaire qui, selon P. Bourdieu, maintient les hiérarchies dont elle brouille la perception:

> L'exclusion de la grande masse des enfants des classes populaires et moyennes ne s'opère plus à l'entrée en sixième, mais progressivement, insensiblement, tout au long des premières années du secondaire, au travers de formes *dérivées* d'élimination que sont le *retard* (...), la *relégation* dans des filières de second ordre (...) et enfin l'*octroi de titres dévalués* (p. 173).

La substitution d'un système de classements « flous et brouillés » (p. 175) à un système de sélection brutal mais net favorise ainsi le malaise de la jeunesse à laquelle le discours officiel de l'institution scolaire voile le lien réel entre les études et le marché du travail au moment même où elle en fait l'expérience pratique. Il en résulte une déception et un désinvestissement vis-à-vis de l'école et d'une secondarisation vécue dès lors comme un primaire déguisé. Comme l'entrée dans le secondaire impliquait traditionnellement l'accès à la pratique de la langue cultivée, on peut faire l'hypothèse que celle-ci s'est trouvée entraînée dans un processus général de désinvestissement vis-à-vis du secondaire qui a épargné les seules mathématiques. Les recherches de M. Cherkaoui (1982) montrent ainsi que le prestige de la langue française comme discipline, ainsi que sa fonction sélective ont significativement baissé par rapport à celles-ci. Il en donne pour illustration l'abandon massif de la section A (littéraire) au profit de la section C* par les élèves issus des catégories sociales supérieures, et même par ceux qui, se destinant à des carrières littéraires, entrent dans les classes de Lettres supérieures, préparatoires au concours de recrutement des Écoles normales supérieures. Bien que les causes de ce changement d'attitudes soient complexes, l'auteur l'explique au moins en partie par « le système de croyances relatives à la baisse de niveau de la filière littéraire », elle-même interprétable à ses yeux comme un jugement de valeur sur la composition sociale de cette filière, qui s'est plus fortement démocratisée que les sections scientifiques. Ainsi, le report sur les

---

2. D'où par exemple les âpres critiques de la baisse de qualification des enseignants de collège, dont le recrutement, pour des raisons à la fois financières et corporatives qu'analyse pertinemment J.-Cl. Milner (1984), ne s'est pas uniquement fait à partir du niveau des professeurs du secondaire traditionnel, mais par promotion interne d'instituteurs venant grossir une tierce catégorie de personnels moins qualifiés que les premiers: les P.E.G.C. (Professeurs d'enseignement général des collèges).

* Mathématiques et sciences (*N.D.L.R.*).

mathématiques de l'investissement scolaire dans la langue semble fonctionner comme un refus de l'égalisation des chances, issu des couches sociales supérieures mais largement adopté par les classes moyennes.

De même, le discours réformiste officiel sur l'enseignement du français n'a pas été seulement rejeté par la droite traditionnelle. En effet, alors que l'insistance des réformateurs sur l'amélioration de l'oral ou des techniques d'expression avait pour objectif à moyen terme de faciliter à tous l'accès à l'ensemble du capital culturel, elle a été largement interprétée comme un abandon de celui-ci, d'où la fuite des uns vers l'investissement dans les mathématiques et le découragement de ceux qui, confinés dans des filières moins prestigieuses, reportent sur la langue les jugements de valeur négatifs qu'elles suscitent. Ces changements de conduites scolaires peuvent-ils influer directement sur la baisse de niveau dont les évaluations officielles font état? Il est difficile de le dire, compte tenu de l'absence actuelle d'enquête sur la langue des lycéens.

Ainsi, la démocratisation, la secondarisation, la réforme de l'enseignement du français semblent être le lieu d'attitudes sociales ambiguës. Issues d'une part de la volonté des usagers, selon R. Boudon (1973) qui conteste la notion d'« explosion scolaire » en montrant que les réformes n'ont pas précédé mais entériné la demande d'éducation, elles sont d'autre part l'objet de refus massifs, précisément dans celles de leurs modalités qui ont trait au rôle de la langue. Alors que l'objectif des réformes est en somme de casser le système qui fait de la maîtrise de la langue, et d'abord de la langue écrite, « l'un des plus importants axes de la différenciation sociale dans les sociétés modernes » (J. Goody, 1963), tout se passe comme si une majorité d'usagers cherchait contre son intérêt à sauvegarder cette différenciation. D'une part on cherche à détruire une situation de monopole culturel qui rappelle celui que J. Goody (1977) attribue aux scribes, lettrés et mandarins dans les sociétés à « culture écrite restreinte », d'autre part on cherche à la conserver, apparemment pour deux raisons contradictoires: d'abord la prise de conscience que les réformes ne mettent pas fin au monopole mais suscitent dans un premier temps sa réorganisation sous d'autres formes; ensuite le sentiment irrationnel que l'extension d'une culture originellement restreinte entraîne sa dévaluation. La contradiction entre ces deux tendances semble profondément intériorisée par les classes moyennes dont on a vu en première partie la croissance numérique, vraisemblablement accompagnée par la hausse de son influence.

D'un point de vue plus largement anthropologique, la crise du français semble aussi liée au manque de cohérence qui caractérise les représentations de la langue et se manifeste par l'hésitation sur les valeurs respectives à accorder à ses fonctions instrumentales et à ses fonctions symboliques. On a vu ainsi que le dispositif actuel de planification linguistique, en privilégiant la fonction instrumentale, échoue à satisfaire la revendication identitaire des usagers. Par ailleurs et contradictoirement, le caractère timoré des mesures relatives à l'orthographe ne s'explique que par une surestimation de sa fonction symbolique, qui entraîne l'incapacité à améliorer l'instrument qu'elle constitue.

Perceptible chez les décideurs linguistiques, cette incertitude l'est aussi chez les écrivains dont l'activité est toujours interprétée comme un engagement par rapport à la langue que leur pratique représente. Or, paradoxalement, l'insistance épistémologique sur le langage, la sémiologie et la linguistique qui a marqué la seconde moitié du XXᵉ siècle semble avoir entraîné chez les meilleurs écrivains une surestimation des fonctions métalinguistiques de la langue par rapport à ses fonctions référentielle et communicative. Le souci de ne pas être dupe de l'illusion de transparence du sujet et du monde a ainsi conduit à une insistance sur le code et sur l'expression de l'inconscient qui provoque un risque de stérilisation par excès de formalisme et un rejet des fonctions référentielle, expressive et communicative vers les genres mineurs, roman historique, littérature dite « de témoignage », mi-sociologique, mi-ethnologique.

> Que l'on compare pour s'en convaincre, écrit S. Abou (1981), la production des vingt dernières années, brillante sans aucun doute mais marquée par un formalisme et une préciosité qui cachent mal la pauvreté du contenu, à celle de la première moitié du siècle qui a étonné le monde par sa richesse formelle et thématique (p. 106).

Il est possible que cette tendance de la littérature s'explique partiellement comme une réaction de repli sur la spécificité de la langue par rapport aux autres codes de signification, notamment audio-visuels, dont l'avancée semble la menacer. Mais il est à craindre que pareil système de défense lui ôte en définitive la possibilité d'exercer l'un de ses rôles importants, celui de contribuer à la standardisation de la langue (N. Gueunier, 1980).

Différents signes du même malaise sont également observables chez les enseignants de français. Chez les professeurs de collèges, l'un des plus fréquents consiste à ressentir la nécessité d'un choix à opérer entre l'enseignement de la langue comme instrument et celui de la littérature comme capital symbolique, alors que la tradition du secondaire ignorait ce clivage, caractéristique du primaire. Le choix en faveur de la langue manifeste généralement des attitudes novatrices dans la mesure où il témoigne d'une stratégie visant à l'égalisation des chances et d'une ouverture plus large au champ de tous les usages de la langue précédemment réduit par l'école au seul usage littéraire. Mais cette prise de conscience de la pluralité des fonctions du langage et ce souci « d'ouverture sur la vie » s'accompagne paradoxalement chez les enseignants d'une élévation des exigences. A. Prost (1982) a ainsi comparé, à un demi-siècle de distance, les sujets proposés aux élèves du même âge autrefois scolarisés dans le primaire, maintenant dans le secondaire:

> Les sujets de l'école primaire (...) étaient du type: « Décrivez la truie. Aspect extérieur, alimentation, utilisation ». On aurait tort d'en rire: un objectif modeste mais réaliste vaut parfois mieux qu'un objectif trop ambitieux (p. 12).

Et il dénonce la tendance à proposer aux élèves des thèmes dont le traitement demande non seulement la maîtrise d'une langue précise mais une expérience et un recul dont l'absence incite au psittacisme. Par contraste, cette élévation des exigences exagère l'effet de baisse du niveau linguistique dans la mesure où, comme le montrent les évaluations officielles, c'est dans les exercices les moins contraints, c'est-à-dire ceux de ce type, que les fautes de langue sont les plus fréquentes.

En outre, les débats sur le norme linguistique qui agitent le monde enseignant manquent de clarté, probablement sous l'effet d'une confusion entre l'anthropologique et le social. La valeur identitaire et symbolique de la norme est bien perçue mais la communauté qu'elle exprime est souvent réduite à l'appartenance sociale. Dans la mesure en effet où l'on prend conscience de l'existence de plusieurs normes et contre-normes sociales (Bourdieu, 1977), les enseignants les plus soucieux d'égalité en la matière se trouvent culpabilisés à l'idée que leur activité équivaut nécessairement à une tentative de déculturation sociale. Un tel scrupule, peut-être lié à un placage abusif des théories de W. Labov sur la situation linguistique de la France, s'explique sans doute aussi par le fait que la tradition française de centralisme linguistique n'a pas préparé les enseignants à l'idée d'une pluriappartenance communautaire. On a en effet tendance à interpréter celle-ci sous la seule catégorie d'un conflit diglossique radical: on opterait ainsi pour une norme régionale *ou* pour la norme nationale, pour une norme populaire *ou* bourgeoise.

Les réactions du public non spécialiste, attaché à la fois à la norme communautaire et aux diverses normes sociales (cf. N. Gueunier *et al.*, 1978; A.H. Ibrahim, 1983), conduisent à mettre en question cette perception trop radicale de la réalité linguistique, qui témoigne d'une incapacité à penser la variation autrement que selon le modèle statonational où la variété officielle est tout et les autres rien. A.H. Ibrahim condamne ainsi

> l'idée d'une norme qui serait l'apanage et la forteresse de ceux qui protégeraient la langue soutenue [et juge] débilitante l'accusation de « normativité » portée contre ceux qui soutiennent que tout usage tant soit peu communautaire d'une forme quelconque d'une langue quelconque développe un sentiment rigide et intolérant de ce qui y est acceptable et de ce qui ne l'est pas (1983a : 70).

Le dépassement de cette perception conflictuelle de la situation linguistique et la reconnaissance du pluralisme des variétés et des normes permettraient certainement à l'enseignement de la norme scolaire d'exprimer plus fermement que les appartenances aux communautés nationale, régionale, sociale (sans parler de celles qui sont fondées sur l'âge et le sexe) sont complémentaires et non exclusives. Un tel changement d'attitudes, qui ne dépend naturellement pas des seuls enseignants, sera probablement facilité, d'abord dans sa dimension régionale, par l'ouverture récente aux notions de langues et de cultures minoritaires (*Rapport Giordan*, 1982).

Plutôt que d'une baisse de la « qualité de la langue », notion qui situerait le phénomène au seul niveau de la performance, il semble bien en conclusion qu'il soit plus juste de parler d'une « crise » effective, analysable par rapport aux quelques points de repère signalés par cette étude.

Il s'agit d'abord du déplacement du rôle de la langue par rapport aux autres langages actuellement en développement. Bien qu'elle continue à en permettre le fonctionnement, son image est ébranlée par leur omniprésence et s'il est trop tôt pour évaluer avec précision les évolutions qui en résultent, il faut noter que sur ce point la situation française ne diffère pas de celle des autres sociétés industrialisées.

Il faut ensuite prendre en compte l'ébranlement du modèle de la langue écrite qui, tout en continuant à servir de référence normative à la langue parlée, comme en témoignent certains comportements d'hypercorrection, voit baisser sa valeur scolaire du fait de la dévaluation des diplômes. Ce phénomène, dont on ignore encore s'il sera ponctuel ou durable, suscite des attitudes contradictoires de découragement chez les uns, de surinvestissement défensif chez les autres.

On a également souligné le décalage entre les performances linguistiques effectives et les attitudes très divergentes qu'elles suscitent. À l'optimisme général de la recherche universitaire s'opposent l'inquiétude des évaluateurs scolaires et le large éventail d'opinions des chroniqueurs et pamphlétaires, qui va du noir pessimisme à la décontraction.

On a perçu enfin chez les spécialistes comme chez les usagers ordinaires la difficulté à concilier les représentations de la langue à la fois comme instrument et comme symbole. L'école de masse se donnant pour mission d'ouvrir à tous l'accès au capital symbolique et non plus au seul instrument, les émissions familières des médias diffusant le vernaculaire à côté du standard officiel, mettent en scène la coexistence de plusieurs normes autrefois perçues comme relevant d'instances et de lieux séparés et contribuent ainsi à susciter l'inquiétude et l'effet de crise. Il serait pourtant imprudent de réduire celle-ci à une simple apparence dans la mesure où elle nous semble témoigner plus profondément d'un manque de confiance à la fois par rapport aux possibilités de l'instrument et des actions qui en permettraient le réglage (par exemple une réforme sérieuse de l'orthographe) et par rapport à l'identité communautaire qu'il porte et exprime. Il revient en particulier aux décideurs, écrivains, enseignants de comprendre la nécessité du rééquilibrage entre ces fonctions complémentaires de la langue et d'entreprendre le travail de revalorisation capable de rendre aux usagers la confiance en leurs propres capacités d'expression personnelle et collective et, selon la formule de J.-Cl. Milner (1978), d'« amour de la langue ».

Bibliographie

ABOU, Selim (1981), *L'identité culturelle, Relations interethniques et problèmes d'acculturation*, Anthropos.

ALLAIRE, Suzanne (1973), *La subordination dans le français parlé devant les micros de la radiodiffusion*, Paris, Klincksieck.

AUCHLIN, Antoine (1982), « Mais heu, pis bon, ben alors voilà, quoi ! Marqueurs de structuration de la conversation et complétude », *Cahiers de linguistique française de l'Université de Genève*, n° 2.

BACHMANN, Christian (1977), « Il les a dit devant nous il n'avait pas peur, analyse de conversation », *Pratiques*, n° 17.

BARRÉ de MINIAC, Christine (1982), « Les performances en lecture à un test de lecture silencieuse. Résultats d'élèves de sixième et de cinquième », *in* LEGRAND Louis, *Pour un collège démocratique*.

BEAUJOT, Jean-Pierre (1982), « Les statues de neige ou contribution au portrait du parfait petit défenseur de la langue française », *Langue française*, n° 52.

BLANCHE-BENVENISTE, Claire et André CHERVEL (1969), *L'orthographe*, Paris, Maspero.

BLANCPAIN, Marc et André REBOULLET (1976), *Une langue : le français aujourd'hui dans le monde*, Paris, Hachette, Coll. « F ».

BOISSINOT, Alain (1981), « Le niveau baisse : vrais et faux problèmes », *Le français aujourd'hui*, n° 53.

BOUDON, Raymond (1973), *L'inégalité des chances*, Paris, Colin.

BOURDIEU, Pierre (1977), « L'économie des échanges linguistiques », *Langue française*, n° 34.

———————— (1979), *La distinction*, Paris, Minuit.

BOUVIER, Nadine *et al.* (1981), *Études sociolinguistiques du langage enfantin*, Rapport de recherche, C.R.E.A.S. (Centre de recherche pour l'éducation et l'adaptation scolaire).

———————— (1982), « Comment les enfants réutilisent-ils les données linguistiques fournies par l'entourage adulte ? », *Études de linguistique appliquée*, n° 46.

BRUGUIÈRE, Michel (1978), *Pitié pour Babel*, Paris, Hachette.

CALVET, Louis-Jean (1980), *Les sigles*, Paris, P.U.F., Coll. « Que sais-je ? »

CELLARD, Jacques (1979), *La vie du langage. Chroniques 1971-1975. Le Monde*, Paris, Le Robert, Coll. « L'ordre des mots ».

CHERKAOUI, Mohamed (1982), *Les changements du système éducatif en France, 1950-1980*, Paris, P.U.F.

CHERVEL, André (1977), *Et il fallut apprendre à écrire à tous les petits Français*, Paris, Payot.

———————— (1984), « La langue en déroute », *Le Monde de l'éducation*, juin.

CLUZEL, Jean (1979), *Télémanie*, Paris, Plon.

Données sociales (1984), I.N.S.E.E. (Institut national de la statistique et des études économiques).

DUBOIS, Jean (1962), *Étude sur la dérivation suffixale en français moderne et contemporain*, Paris, Larousse.

———————— (1965), *Grammaire structurale du français. Nom et pronom*, Paris, Larousse.

DUNETON, Claude, avec la collab. de Frédéric PAGES (1984), *À hurler le soir au fond des collèges*, Paris, Seuil.

ESPÉRANDIEU, Véronique, Antoine LION, Jean-Pierre BENICHOU (1984), *Des illettrés en France, Rapport au Premier Ministre*, La Documentation française.

ESPÉRET, Éric (1979), *Langage et origine sociale des élèves*, Berne, éd. P. Lang.

ÉTIEMBLE (1964), *Parlez-vous franglais?* Paris, Gallimard.

—————(1966), *Le jargon des sciences*, Paris, Gallimard.

« Évaluation pédagogique dans les collèges, sixième », *Études et Documents*, n° 82-2, 1982.

« Évaluation pédagogique dans les collèges, CM²/6ᵉ », *Éducation et Formations*, 1983.

FANTAPIÉ, Alain et Marcel BRULÉ (1984), *Dictionnaire des néologismes officiels*, Franterm, Nathan diff.

FRANÇOIS, Denise (1974), *Français parlé, analyse des unités phoniques et significatives d'un corpus recueilli dans la région parisienne*, Paris, SELAF.

————— (1977), « Traits spécifiques d'oralité et pédagogie », *Pratiques*, n° 17.

FRANÇOIS, Frédéric (1978), *Syntaxe et mise en mots. Analyse différentielle des comportements linguistiques des enfants*, C.N.R.S.

————— (1980), « Conduites langagières et sociolinguistique scolaire », *Langages*, n° 59.

FUGGER, Bernard, « Les Français et les arrêtés ministériels. Étude sur l'impact de la loi linguistique dans l'Est de la France », *La banque des mots*, n° 18, 1980 et n° 25, 1983.

GALISSON, Robert (1978), *Recherches de lexicologie descriptive : la banalisation lexicale. Le vocabulaire du football dans la presse sportive. Contribution aux recherches sur les langues techniques*, Paris, Nathan.

GARS (Groupe aixois de recherche en syntaxe) (1980), *Recherches sur le français parlé*, 1.

GENOUVRIER, Émile (1982), « Des Français devant la langue maternelle », *Langue française*, n° 54.

GIORDAN, Henri (1982), *Démocratie culturelle et droit à la différence, rapport du Ministre de la Culture*, Documentation française.

GOBARD, Henri (1976), *L'aliénation linguistique*, Paris, Flammarion.

GOODY, Jack et Ian WATT (1963), « The Consequences of Literacy », *Comparative Studies in History and Society*, n° 5.

GOODY, Jack (1977), *The Domestication of the Savage Mind*, Cambridge U.P. (trad. française: *La raison graphique. La domestication de la pensée sauvage*, Paris, Minuit, 1979).

GRANDJOUAN, Octave (1971), *Les linguicides*, Bruxelles, Duculot.

GUEUNIER, Nicole, Émile GENOUVRIER, Abdelhamid KHOMSI (1978), *Les Français devant la norme*, Paris, Champion.

——————— (1980), « Littérature et standardisation des langues », *Revue de littérature comparée*.

GUILBERT, Louis (1975), *La créativité lexicale*, Paris, Larousse.

GUION, Jean (1974), *L'institution orthographe*, Paris, Le Centurion.

HANSE, Joseph (1980), *Orthographe et grammaire. Politique nouvelle*, Paris, CILF.

——————— (1983), *Nouveau dictionnaire des difficultés du français moderne*, Bruxelles, Duculot.

IBRAHIM, Amr Helmy (1983a), « Adjectifs en position d'adverbes et substantifs en position d'adjectifs », *Le français dans le monde*, n° 175, février-mars.

——————— (1983b), « Et si on naturalisait l'américain ? », *Le français dans le monde*, n° 177, mai-juin.

JEANJEAN, Colette (1983), « Qu'est-ce que c'est que ça ? » Étude syntaxique de « ça » sujet en français parlé : la construction « quand + ça », GARS, *Recherches sur le français parlé*, n° 4, 1982 (Université de Provence).

KERLEROUX, Françoise (1981), « Le marché, une routine commerciale transformée par le jeu », *Langage et société*, n° 15.

LABOV, William et FANSHEL (1977), *Therapeutic Discourse*, N.Y., Academy Prell.

LACOSTE, Michèle (1980), « La vieille dame et le médecin. Contribution à une analyse des échanges linguistiques inégaux », *Études de linguistique appliquée*, n° 37.

« La langue française au féminin », *Médias et langage*, n° 19-20, 1984.

LAKS, Bernard (1980), « L'unité linguistique dans le parler d'une famille » *in* Bernard GARDIN et Jean-Baptiste MARCELLESI, *Sociolinguistique, approches, théories, pratiques*, Paris, P.U.F. et P.U.R.

——————— (1983), « Langage et pratique sociales. Étude sociolinguistique d'un groupe d'adolescents », *Actes de la recherche en sciences sociales*, n° 46.

LE CORNEC, Jacques (1981), *Quand le français perd son latin*, Paris, Belles-lettres.

LEGRAND, Louis (1982), *Pour un collège démocratique. Rapport au ministre de l'Éducation nationale*, La Documentation française.

LERAT, Pierre (1984), « Anglicisme et emprunt terminologique », *Le Français dans le monde*, n° 183.

« Les langues de France », *Médias et langage*, n° 18, 1983.

LUCCI, Vincent (1983), « Prosodie, phonologie et variation en français contemporain », *Langue française*, n° 60.

MAINGUENEAU, Dominique (1976), *L'analyse du discours*, Paris, Hachette.

MANESSE, Danièle (1982), *Pratiques langagières au collège*. Thèse de 3ᵉ cycle, Université René-Descartes, Paris.

MARCELLESI, Christiane *et al.* (1976), « Aspects socio-culturels de l'enseignement du français », *Langue française*, n° 32.

MARTINON, Philippe (1927), *Comment on parle en français*, Paris, Larousse.

MILNER, Jean-Claude (1978), *L'amour de la langue*, Paris, Seuil.

——————— (1984), *De l'École*, Paris, Seuil.

MOIRAND, Sophie (1975), « Le rôle anaphorique de la nominalisation dans la presse écrite », *Langue française*, n° 28.

MOUCHON Jean et François FILLOL (1980), *Pour enseigner l'oral*, Cedic.

MULLER, Bodo (1981), « Remarques sur la prospective de la langue française » *in La Prospective de la langue française, Colloque de Sassenage*, C.I.L.F.

PEYTARD, Jean (1971), *Recherches sur la préfixation en français contemporain*, Atelier de reproduction des thèses de l'Université de Lille III.

PRINCIPAUD, Jeanne-Marie (1980), *Essai d'évaluation des effets d'une pédagogie du français*, t. 3, *Vers l'évaluation des capacités syntaxiques d'élèves de CM 1*, I.N.R.P., Unité de recherche « Français Premier degré ».

PROST, Antoine (1982), « Les enjeux sociaux de l'enseignement du français », *Le français aujourd'hui*, numéros 59, 60.

————— (1983), *Les lycéens et leurs études au seuil du XXIᵉ siècle. Rapport du groupe de travail national sur les seconds cycles*. Ministère de l'Éducation nationale.

REY, Alain (1977), *Le lexique: images et modèles. Du dictionnaire à la lexicologie*, Paris, Colin.

REY-DEBOVE, Josette et Gilberte GAGNON (1980), *Dictionnaire des anglicismes. Les mots anglais et américains en français*, Les Usuels du Robert.

ROULET, Eddy (1980), « Stratégies d'interaction, modes d'implication et marqueurs illocutoires », *Cahiers de linguistique française de l'Université de Genève*, nᵒ 1.

SAUVAGEOT, Aurélien (1957), *Les procédés expressifs du français contemporain*, Paris, Klincksieck.

————— (1962), *Français écrit, français parlé*, Paris, Larousse.

————— (1972), *Analyse du français parlé*, Paris, Hachette.

————— (1978), *Français d'hier ou français de demain*, Paris, Nathan.

SEIBEL, Claude et Jacqueline LEVASSEUR (1983), « Évaluation pédagogique au C.P. », *Éducation et Formation*.

STEINMEYER, G. (1981), *Historische Aspekte des Français Avancé*, Genève, Droz.

TANGUY KENECH'DU (1984), *Avatars du français. De Rivarol aux néo-linguistes, 1784-1984*, Tequi.

TERS, François (1973), *Orthographe et vérités*, E.S.F.

THÉVENOT, Jean (1976), *Hé! La France, ton français fout le camp*, Duculot.

TRESCASES, Pierre (1982), *Le franglais vingt ans après*, Montréal, Guérin.

WALTER, Henriette (1976), *La dynamique des phonèmes dans le lexique français contemporain*, Paris, France-Expansion.

_____ (1983), « La nasale vélaire / ŋ /, un phonème du français ? » *Langue française*, n° 60.

II

La crise du français au Québec*

par Jacques Maurais

Conseil de la langue française (Québec)

* Une première version de ce texte a bénéficié des commentaires de MM. Michel Amyot, Jean-Claude Corbeil, Gilles Gagné et Christian Vandendorpe. Qu'ils en soient ici remerciés, de même que madame Lorraine Duquette, documentaliste au Conseil de la langue française.

« Les problèmes actuels dans l'utilisation du français écrit ne font que refléter les problèmes généraux d'un Québec qui, comme le reste des sociétés occidentales, est en voie de revoir son échelle des valeurs. »

— Enquête EFEC.

Introduction

Lorsque l'on parle de la crise de la qualité de la langue au Québec, on pense d'abord et avant tout à l'école et à une détérioration de la maîtrise du français écrit qui serait en train de se généraliser. Mais la langue ne s'utilise pas qu'à l'école et pour obtenir une image globale de la « crise », si crise il y a, il faudrait tenir compte des autres domaines d'utilisation du français : c'est ce que nous essaierons de faire plus particulièrement dans la deuxième partie de ce chapitre mais il faut convenir que les études sont dans ce cas beaucoup moins nombreuses, la plus grande partie de la recherche s'étant jusqu'à présent concentrée sur la langue des écoliers et des étudiants. On peut cependant dès à présent suggérer que la réduction de la discussion sur la « crise de la langue » au seul milieu scolaire et, plus spécifiquement, à la question de l'orthographe contribue, pour une grande part, à noircir le tableau : en l'absence d'études exhaustives, des indices, ici et là, permettent de croire que ce tableau serait moins négatif si l'on prenait en compte les autres domaines d'utilisation de la langue.

Nous procéderons en deux étapes : dans une première partie, nous ferons un inventaire des études et des opinions portant sur la crise du français au Québec. Dans une seconde étape, nous tenterons de dresser un bilan et d'exposer les raisons sur lesquelles certains se fondent pour mettre en doute la crise de la langue.

Première partie
Inventaire des études et des opinions

Cette partie, qui suit un ordre chronologique, est divisée en trois: d'abord, avant les années 1960; ensuite, les années 60; finalement, un survol des études et des opinions récentes.

1. Avant les années 1960

Depuis quand y a-t-il crise de la langue au Québec? Il est difficile de répondre à cette question. On peut penser que des problèmes de cet ordre n'étaient pas inconnus à l'époque du Régime français: Philippe Barbaud, dans son ouvrage récent *Le choc des patois en Nouvelle-France*, montre que la population de la colonie n'était pas homogène du point de vue linguistique et que la connaissance du français de l'Île-de-France n'était pas généralisée. Mais c'est la Conquête qui, en imposant l'anglais dans le paysage linguistique du Québec, a introduit l'élément qui retiendra peut-être le plus l'attention de ceux qui se préoccuperont de la qualité du français: déjà au XIXe siècle apparaissent des nomenclatures de fautes, notamment d'anglicismes.

C'est de 1867 que date ce qui est peut-être la première dénonciation de notre système d'enseignement: dans sa troisième *Lettre sur le Canada*, Arthur Buies s'en prend à un « système d'éducation établi pour l'éternisation du pouvoir théocratique » (p. 44), dirigé par un clergé qui « bannit la plupart des oeuvres intellectuelles, s'ingénie surtout à prêcher la soumission, à abêtir, aveugler, la jeunesse, à lui inspirer la haine de tous les progrès » (pp. 44-45). Arthur Buies ne fait que mentionner rapidement la question de l'enseignement de la langue maternelle: « et malgré que je ne connaisse presque pas de paroisse où il n'y ait un couvent, richement construit par les habitants de cette paroisse, cependant, j'en suis encore à trouver, parmi toutes leurs élèves, une seule qui ait appris autre chose qu'à lire, et à écrire incorrectement le français » (p. 47). Ces remarques ne trouveront guère écho qu'un siècle plus tard dans le Mouvement laïque de langue française, dans le *Rapport Parent*, dans *Les insolences du Frère Untel* et dans l'ouvrage de Solange et Michel Chalvin, *Comment on abrutit nos enfants*.

L'histoire du français québécois au XIXe siècle se caractérise sans doute avant tout par son contact avec l'anglais. Déjà en 1803 Joseph-François Perrault écrivait à propos d'une de ses traductions: « J'ai mis

la plus scrupuleuse attention à conserver la pureté de la langue Française, d'autant que je m'apperçois qu'on l'Anglifie tous les jours inconsi-
dérément, et que si l'on continue ainsi, nous nous rendrons inintelligibles aux étrangers » (cité par Horguelin, 1984: 25). Et en 1880, le
journaliste Jules-Paul Tardivel disait à son tour : « Le principal danger
auquel notre langue est exposée provient de notre contact avec les
Anglais » (cité par Bouthillier et Meynaud, 1972 : 207). C'est la
traduction qui a été le lieu privilégié de ce contact avec l'anglais ;
écoutons Paul Horguelin décrire cette « période noire » de la traduction :

> Si l'on exclut le domaine littéraire, très marginal puisqu'on ne recense
> que trois ouvrages traduits en français, et le domaine législatif, où
> quelques grands traducteurs parlementaires maintiennent une certaine
> qualité de langue, force est de constater une anglicisation rapide du
> vocabulaire et de la syntaxe. Parallèlement, la multiplication des journaux
> favorise la diffusion de cette langue de traduction parmi une population en
> voie d'urbanisation (Horguelin, 1984 : 25).

En 1912 la Société du parler français au Canada organise le
premier Congrès de la langue française. Là, pas de dénonciation de
l'enseignement de la langue maternelle ; au contraire, on y affirme : « La
jeunesse sortie de nos classes ne fait pas tache sur le blason canadien »
(compte rendu du congrès, 1913 : 526-527). Rien d'étonnant à cela : le
clergé, de qui relevait alors largement l'éducation, était omniprésent
dans l'organisation du congrès. Malgré tout, en parcourant le compte
rendu, on retient quatre types de critique :

— contre la langue des gens instruits :

> « la langue de nos *gens instruits* est une langue appauvrie dans sa
> phonétique, son vocabulaire, sa morphologie et sa syntaxe » (p. 503);
> cependant, aucun conférencier ne tire de cette constatation des conclu-
> sions contre le type d'enseignement alors en vigueur ;

— contre la langue transmise par les parents :

> Les enfants parlent mal, dans leurs récréations et leurs jeux, et ils
> rendent stériles, par leur insouciance, leur légèreté, leur manque de coeur,
> les meilleures leçons et les efforts les plus persévérants. De ce fait il faut
> accuser aussi, souvent, le milieu d'où ils viennent et l'éducation de
> famille (pp. 527-528);

— contre la langue de la presse :

> M. Omer Héroux « rappelle les méfaits imputés — avec trop de justice
> souvent — à la presse, et l'influence néfaste qu'elle a pu exercer sur la
> langue populaire ; il montre que cet état de choses dépend, dans une
> certaine mesure, des conditions qui entravent, chez nous, le progrès de la
> culture générale, des circonstances particulières où travaillent les journa-
> listes, en même temps que des fautes qu'il serait relativement facile de
> faire disparaître » (p. 576);

— contre l'ignorance de la terminologie française et l'utilisation de l'anglais au travail :

> L'insuffisance de mots, toute regrettable qu'elle est, et l'anglicisme, aussi désastreux qu'il puisse être, ne peuvent entraîner des conséquences aussi graves que celles que ne manquerait pas de produire l'emploi exclusif de la langue anglaise dans les services publics, le commerce et l'industrie. [...] N'y a-t-il pas une tendance à placer, en affaires, la langue anglaise sur un piédestal que celle-ci usurpe ? (p. 585).

Vingt ans plus tard, on entend déjà les premières récriminations contre la langue utilisée à la radio : « À certains moments, nous assistons à un tel massacre de la langue et de la prononciation que les oreilles nous font mal. Nous avons une fort bonne école de français : le cinéma parlant donnant des films de France. Mais les fruits de cette école peuvent être détruits par l'articulation lâche, molle, gélatineuse et ruminante qu'on nous sert souvent au microphone » (*Le Soleil*, 25 octobre 1932, p. 4).

En 1938 avait lieu le 2e Congrès de la langue française au Canada. Parmi les nombreuses communications présentées à cette occasion, nous retiendrons celle de C. Lapointe : « Hélas, il est trop facilement prouvé que la classe étudiante, en moyenne, n'est pas à la page, qu'elle n'a pas, ou assez reçu ou suffisamment emmagasiné de formation linguistique avant d'entrer à l'Université. On relève chez un trop grand nombre une diction tout à fait rudimentaire, et chez plusieurs un mépris total des règles élémentaires de la syntaxe, voire de la grammaire » (Lapointe, 1938 : 36). Mais le conférencier est plus tendre envers le corps enseignant : « L'enseignement du français dans les institutions classiques étant de beaucoup supérieur, le souci du langage correct devient de plus en plus marqué » (Lapointe, 1938 : 37) ; et plus loin à propos de l'université : « Sans vouloir amoindrir en rien la valeur des anciens, il faut déclarer que nos maîtres d'aujourd'hui, pour la plupart retour d'Europe, s'expriment avec plus d'élégance et de facilité, soit dans la chaire, soit dans la rue, et qu'ils donnent aux carabins le bon exemple » (Lapointe, 1938 : 38).

Les conférenciers invités à participer à ce deuxième congrès de la langue française au Canada devaient évaluer l'évolution du français dans les écoles depuis le 1er Congrès en 1912 : « D'après le témoignage des inspecteurs d'écoles, l'étude de la langue maternelle occupe une plus large place à l'école primaire : les jeunes apprennent à lire plus rapidement ; les plus âgés sont, en général, habitués à donner un résumé oral de leurs lectures [...]. Ils sont entraînés par les exercices de pensée et de langage à s'exprimer d'une façon convenable » ; en outre, « l'orthogra-

phe a fait, toutes proportions gardées, plus de progrès que le langage »
(Miller, 1938 : 10 et 11). Dans les collèges classiques, si la langue
parlée laisse à désirer (« La langue des élèves en 1937 est affreuse.
Pauvres étudiants de 1912 si leur français était inférieur à celui de nos
collégiens actuels ! »), en revanche « la langue écrite — la constatation
est générale — s'est améliorée beaucoup chez nos élèves depuis
25 ans » (Raymond, 1938 : 31).

Ce n'est que plus tard, dans les années 1950, que commence
vraiment la critique de l'enseignement du français au Québec. Victor
Barbeau déclare en 1952 lors d'une causerie à la radio : « Évaluée à son
rendement, l'école ne me paraît pas remplir sa mission française. [...]
On a mille fois raison de déplorer que les élèves des classes supérieures
ne sachent pas écrire, ainsi que la Fédération des Commissions scolaires
avait la courageuse honnêteté de le reconnaître, à son dernier congrès »
(cité dans Bouthillier et Meynaud, 1972 : 623 et 625).

En 1957, au congrès de la Société royale du Canada, « les
personnalités composant la section française ont été unanimes à constater que l'enseignement du français était meilleur autrefois qu'aujour-
d'hui ». On s'est plaint des « institutrices absolument non qualifiées »
et de ce que « les enfants d'aujourd'hui, avec la même scolarité que
ceux d'hier, présentent une prose infiniment inférieure » ; le journaliste
de *La Presse*, qui rend compte du congrès, commente : « S'il fallait tenir
compte que la plupart de nos enfants et de nos adolescents ignorent
même les fondements de leur langue maternelle, on n'enseignerait
jamais une langue seconde, pas plus le grec ou le latin que l'anglais ».
Quant à savoir qui est responsable de cet état de fait, le journaliste
constate : « À chacun des examens de conscience collectifs auxquels
nous procédons périodiquement, on a cherché les responsables de la
décadence graduelle du français chez nous. L'Université a accusé les
collèges ; les collèges ont présenté un réquisitoire accablant contre
l'enseignement primaire ; celui-ci s'est défendu sur la famille, première
éducatrice. Cette ronde peut se poursuivre indéfiniment et sans aucun
résultat, car la famille est en droit de répondre qu'elle est elle-même le
fruit de l'école » (*La Presse*, 22 juin 1957, p. 66).

Les opinions publiées par les journaux des années 50 ressemblent
étrangement à ce que l'on pourra lire trente ans plus tard : « Pour qui se
donne la peine d'observer, il est facile de se rendre compte qu'une
réforme générale du français parlé et écrit s'impose au Canada français » (*Le Droit*, 8 janvier 1955, p. 3). Ou encore : « Tous les parents
notent aujourd'hui une sorte de fléchissement dans la connaissance de la

langue maternelle chez les élèves les plus avancés... On rencontre des étudiants [*sic*] qui achèvent leur cours primaire et qui écrivent au son » (*Le Nouvelliste*, cité dans *Le Droit* du 18 novembre 1955, p. 2).

2. Les années 60

En 1960, dans les *Cahiers de l'Académie canadienne-française*, Archélas Roy décrit sa perception de l'usage linguistique. « Nul journal publié au Québec, affirme-t-il, n'est rédigé en un français correct » (p. 109). Il continue: « Le baragouinage de nos étudiants découle du mauvais enseignement de l'école primaire et secondaire, en même temps que d'une déformation de la personnalité apportée par les méthodes de pédagogie moderne » (p. 110). À l'université, « c'est presque la totalité des étudiants […] qui ignore les règles élémentaires de l'orthographe et de la ponctuation » (p. 114). Au secondaire, seuls deux élèves sur 125 ont pu conjuguer en entier le verbe *être* (p. 116).

Mais l'ouvrage majeur de cette époque, qui aura une grande influence sur la Révolution tranquille, demeure *Les insolences du Frère Untel* de Jean-Paul Desbiens.

Les insolences du Frère Untel, publiées en 1960, constituent une remise en cause de l'enseignement du français et, plus globalement, du système d'éducation (et même de plusieurs autres aspects de la société québécoise). Citons quelques passages: « Un fruit typique de cette incompétence et de cette irresponsabilité, c'est le cours secondaire public. Tout a été improvisé, de ce côté: les programmes, les manuels, les professeurs. L'opinion réclamait un cours secondaire public. On lui a *vendu* l'étiquette, mais l'étiquette était collée sur une bouteille vide » (p. 38); « les éducateurs —disons les professeurs— du cours secondaire public vivent en plein cauchemar. Nous sommes sous la constante menace de changements de programmes » (p. 40); « la crise de tout enseignement, et particulièrement de l'enseignement québécois, c'est une crise d'enseignants. Les enseignants ne savent rien. Et ils le savent mal » (p. 48); « l'échec de notre système d'enseignement est le reflet d'un échec, ou en tout cas, d'une paralysie de la pensée elle-même » (p. 55).

Dans cette veine, il faut aussi mentionner l'ouvrage de Solange et Michel Chalvin, *Comment on abrutit nos enfants ou la bêtise en 23 manuels scolaires*. Leur livre est largement inspiré du *Rapport des Femmes Universitaires de Québec* présenté à la Commission royale d'enquête sur l'enseignement dans la province de Québec (Commission Parent). Solange et Michel Chalvin dénoncent l'infantilisme des manuels scolaires et les nombreuses fautes de français qu'ils contiennent. Ils reprennent à leur compte la plainte du *Rapport des Femmes Universitaires* sur la trop grande part accordée dans les livres de français aux textes canadiens: « Par un souci de patriotisme étriqué et mal compris, dit le *Rapport des Femmes Universitaires de Québec*, on a voulu à tout prix rester dans le contexte canadien, ne traiter que la réalité canadienne, comme si la langue française n'existait qu'au Canada. 90 % des textes du Manuel de 7e année sont d'auteurs canadiens. Ils portent essentiellement sur les principaux aspects de la vie rurale: les labours, le temps des sucres, les colons, les bûcherons, etc. sans aucune poésie, sans aucun sens littéraire, dans une langue populaire et fade » (Solange et Michel Chalvin, 1962: 91). Parce qu'il est essentiel « que l'enfant canadien s'alimente à une source française authentique et arrive ainsi au stade universitaire sur le même pied que tous les écoliers français du monde » (p. 91), les auteurs croient que « les manuels dont nous venons de parler doivent disparaître immédiatement. Il faut, quoi qu'en disent certains pseudo-pédagogues, fussent-ils 250, les remplacer par des livres venant de France. [...] L'opération se révélera peut-être coûteuse. Elle sera par contre un bénéfice certain pour l'intelligence » (p. 121). Il faut aussi noter que le *Rapport des Femmes Universitaires* s'attaquait à l'utilisation dans les manuels scolaires de textes provenant de revues ou de magazines, remarque qui, aux yeux de certains, conserve encore toute sa valeur plus de 20 ans après.

À peu près à la même époque, Adrien Thério entreprend une enquête, qu'il ne pourra mener à terme, sur le français dans les collèges. Les données qu'il recueille l'amènent à désigner deux grands coupables: le corps enseignant et les universités. Écoutons-le: « Si nos bacheliers parlent si mal, ce n'est pas tellement leur faute que celle de leurs professeurs. Dans la plupart de nos collèges et de nos universités, on s'imagine en effet, qu'il n'est pas nécessaire de parler correctement, si on enseigne les mathématiques, les sciences et toutes matières qui n'ont rien à voir avec le français. Le beau parler est réservé aux professeurs de français. Je connais plusieurs professeurs d'université qui sont à peu près incapables de faire une phrase grammaticalement correcte » (Thério, 1964: 38); « ce qui est vrai, cependant, c'est qu'un bon nombre de professeurs d'université devraient être mis à la porte tout simplement parce qu'ils sont incapables de s'exprimer en français » (p. 39); « je crois que dans plusieurs écoles, on aurait tout intérêt à faire passer un examen au professeur avant d'en faire passer un à l'élève, surtout quand il s'agit du français » (p. 44).

Les remarques d'Adrien Thério sur la qualité de la langue parlée n'étaient pas isolées. Il ne faut donc pas s'étonner, comme on le fait de plus en plus aujourd'hui, de l'importance qui a été accordée à cet aspect de l'enseignement du français par la suite, car il semblait correspondre à un besoin. Le *Rapport Parent* allait indiquer la voie : « Un vigoureux coup de barre s'impose, dans le sens d'une pédagogie corrective qui se préoccupera d'abord de rectifier la phonétique. L'école, dans certains cas, devra réagir contre le langage parlé dans le milieu d'où viennent les enfants ; on devra le faire avec tact et compréhension [...]. Il semble important [...] d'accorder au moins la moitié de l'horaire à l'enseignement de la langue maternelle sous sa forme parlée » (*Rapport Parent*, 1966 [1965] : vol. 3, 40).

La Commission royale d'enquête sur l'enseignement dans la province de Québec allait aussi reprendre à son compte les critiques formulées contre les manuels scolaires : « La mauvaise qualité de la langue s'accompagne en effet très souvent de mauvais goût dans l'illustration des manuels et d'une idéologie déformante, se situant à un très bas niveau intellectuel. [...] Le traditionalisme attardé, l'inspiration lourdement agricole —en pleines périodes d'urbanisation intense—, l'intention gauchement apologétique qui ont prévalu dans les manuels scolaires semblent s'être épanouis particulièrement dans les seuls manuels destinés à l'enseignement de la langue française » (*Rapport Parent*, 1966 [1965] : vol. 3, 43). Les rédacteurs du rapport émettent aussi ce qui peut apparaître aujourd'hui comme des voeux pieux : « Aucun candidat à l'enseignement ne devra recevoir son diplôme s'il ne possède une connaissance très sûre de la langue maternelle »* (*ibid.*, p. 41) ; « la première étape, dans la réforme de l'enseignement du français, c'est donc la formation à donner à tous les maîtres à cet égard et l'exigence des examens qu'ils auront à subir dans cette matière » (*ibid.*, p. 42) ; « un cours de prévention de l'anglicisme pourrait se donner au début des études, avant même qu'un enfant sache l'anglais ; puis un cours de stylistique comparée du français et de l'anglais serait utile après deux ou trois ans d'étude de l'anglais par la méthode directe » (*ibid.*, p. 41).

On ne peut quitter cette décennie sans rappeler la querelle du joual car elle aura des influences sur la norme de la langue à enseigner et sur le choix des oeuvres littéraires étudiées en classe. Il faudra quelques années après la publication du *Joual de Troie* (1973) pour que finisse par s'imposer l'opinion pourtant déjà exprimée par André Laurendeau

---

* Ce thème est toujours d'actualité, à en juger par une des recommandations du rapport du Conseil supérieur de l'éducation pour l'année scolaire 1983-1984 : « qu'une telle compétence [en langue maternelle] soit exigée lors de [l']engagement [des enseignants] » (p. 32).

dès 1961 : « L'un des élèves du Frère Untel lui a dit avec une certaine fierté : *On est fondateurs d'une nouvelle langue.* Ce n'est pas si bête. Ne pourrait-on pas dire que le français fut un jour le joual du latin — et de plusieurs autres idiomes ? Ce pourrait être une magnifique aventure. Nous savons bien qu'elle nous est interdite : le laisser-aller ne conduirait pas à une nouvelle langue mais à l'américain » (*Le Devoir*, 23 janvier 1961, p. 4).

La querelle du joual a polarisé les passions et, jusqu'en 1976, les services responsables de l'enseignement du français au ministère de l'Éducation étaient incapables de préciser les programmes par manque de consensus sur la norme. La question de la norme n'a commencé à être réglée qu'au congrès de 1977 de l'Association québécoise des professeurs de français (voir les résolutions du congrès dans *Québec français*, décembre 1977, p. 11). Mais cette querelle a laissé des traces très visibles à l'école, car les enseignants, particulièrement au secondaire, doivent vivre avec le fait qu'il y a divorce entre la langue littéraire (plus précisément, la langue d'une partie des auteurs québécois au programme) et la langue scolaire[1].

Cette décennie est aussi celle où des forces sont à l'oeuvre pour préparer le redressement : en 1960, création du Comité de linguistique de Radio-Canada ; en 1961, création de l'Office de la langue française ; en 1965, publication du *Rapport Parent* ; et, en 1969, fondation de l'Association québécoise des professeurs de français. Il faudrait aussi ajouter, même s'il ne sera rendu public que plus tard, le livre blanc sur la politique culturelle, préparé à l'instigation de Georges-Émile Lapalme ; après avoir rappelé que « l'école ne permet pas à la population du Québec d'accéder pleinement au français langue commune » (cité dans Bouthillier et Meynaud, 1972 : 690), que la traduction est omniprésente au Québec, que le français n'a pas sa juste place dans les activités économiques, techniques et scientifiques, le livre blanc affirme qu'« il appartient [...] aux Pouvoirs publics de prendre les mesures nécessaires pour imprimer à la société québécoise une orientation nouvelle qui favorise, dans tous les domaines de l'activité humaine, le développement normal de la langue française » (*ibid.*) et qu'une commission doit être « chargée de prendre toutes les dispositions pour que soit améliorée, tant chez les enseignants que dans les manuels scolaires, la qualité du français, de façon à réduire au minimum l'écart entre l'usage québécois et l'usage le plus général du monde francophone » (cité dans Bouthillier et Meynaud, 1972 : 692). En un mot, c'est une grande partie

---

1. Sur cette question, voir Gagné (1980 [1979] : 79-95 et 1984 : 201-220).

de la future législation linguistique qui est en quelque sorte en gestation dans ce document : « Le gouvernement du Québec se doit également d'accorder une attention toute spéciale à l'implantation du français en tant que langue commune et de communication internationale dans la presse de langue française, dans la réclame, les petites annonces, dans les stations de radiodiffusion et de télévision de même que dans l'affichage et les raisons sociales françaises » (*ibid.*).

3. Études et opinions récentes

La décennie suivante commence par ce que l'on peut regarder comme le dernier grand manifeste sur l'enseignement du français : le *Livre noir* de l'Association québécoise des professeurs de français, sous-titré *De l'impossibilité (presque totale) d'enseigner le français au Québec* et qui, en concluant à l'urgence d'une politique linguistique, déborde largement le cadre de l'éducation. Parmi les thèmes de ce document, signalons :

— le français au Québec est une langue de traduction ; cela est particulièrement vrai dans le domaine de l'information ; la langue de la radio, de la télévision (exception faite de Radio-Canada), de la publicité, du cinéma est lamentable (pp. 15-19) ;

— le ministère de l'Éducation ne prend pas les mesures nécessaires pour implanter sérieusement le programme-cadre de français : « le gouvernement accepte une réforme de l'enseignement du français par le programme-cadre mais il refuse à toutes fins pratiques de rendre cette réforme possible » (pp. 45-46) ;

— en plus de leur non-motivation, « certains étudiants arrivent au Cégep avec un français pitoyable quant à l'expression et quant à l'écriture » (pp. 51-53) ;

— « toutes proportions gardées, l'enseignement du français pose même un problème dans les facultés de lettres. Des professeurs nous signalent que les étudiants n'écrivent pas toujours en français correct et sans faute… » (p. 55) ;

— la langue des futurs maîtres est cause d'inquiétude (p. 59) ;

— même au secondaire, nombre de manuels scolaires sont de langue anglaise (pp. 63-65) ;

— en conclusion, « le gouvernement du Québec doit, par autant de lois jugées nécessaires et par des lois qui ont des dents, assurer la défense et l'illustration de la langue et de la culture françaises en terre d'Amérique » (p. 95).

Pour les auteurs du *Livre noir*, une des causes de la crise de la langue au Québec, et la plus importante, c'est le statut de langue dominée du français. Par conséquent, on ne peut penser résoudre les conséquences de cette crise — par exemple, les interférences de l'anglais dans le français québécois — en se cantonnant dans une démarche pédagogique: la solution est avant tout politique.

Lorsque le *Livre noir* déclare que « le français se détériore constamment au Québec », une telle affirmation est basée certes sur l'expérience des membres de l'Association québécoise des professeurs de français mais il s'agit quand même plus d'une perception que d'une analyse scientifique de la situation. Dans les années suivantes, plusieurs études viendront apporter une évaluation de type scientifique. Il s'agit là d'un changement notable par rapport à la situation antérieure où prévalaient les jugements de valeur: désormais on s'efforcera d'aborder la question linguistique dans une perspective objective et plusieurs travaux seront consacrés à l'analyse de la langue des écoliers et des étudiants; parallèlement, l'Office de la langue française entreprendra des travaux sur le vocabulaire des Québécois et il ne faudra pas oublier les nombreuses enquêtes sociolinguistiques effectuées dans les universités. Même dans le domaine journalistique, les articles consacrés à la langue (que l'on pense à ceux de Lysiane Gagnon en 1975, par exemple) seront basés sur des enquêtes plus approfondies.

On se rappellera le choc provoqué par Lysiane Gagnon lors de la publication de sa série d'articles intitulée « Le drame de l'enseignement du français ». Lysiane Gagnon y notait que, si les enfants apprennent maintenant à lire plus tôt grâce aux nouvelles méthodes, il se produit par la suite une stagnation: on a du mal à déboucher sur le stade de la compréhension[2] (on a d'ailleurs constaté le même phénomène en France, cf. Duneton, 1984). Le problème de fond du programme-cadre de 1969, c'est que les enseignants n'auraient pas été assez encadrés, notamment par des conseillers pédagogiques; de plus, les manuels auraient été pratiquement inexistants et, contrairement à la suggestion contenue dans le *Rapport Parent*, il n'aurait pas été question de les importer d'autres pays francophones: on aurait préféré traduire de l'américain[3]. En un mot, l'effort financier a été concentré sur l'équipement et non sur la formation des ressources humaines. Le résultat? Les

---

2. Cela était vrai avec les méthodes phonétiques. Mais ce ne serait plus le cas avec les orientations du nouveau programme de mai 1979.

3. D'après nos renseignements, cela a été vrai de P.I.L.E. (éd. Nelson) et *Savoir lire* (*Sélection du Reader's Digest*).

élèves avouent: « Je fais des fautes à toutes les lignes » (*La Presse*, 5 avril 1975). Parallèlement, Lysiane Gagnon déplore le peu de temps que les jeunes consacrent à la lecture: « On peut, au Québec, faire tout son cours secondaire sans avoir jamais lu un livre au complet. Selon une dizaine de professeurs de cégeps montréalais, beaucoup d'étudiants n'ont jamais lu un livre à leur arrivée au collège... et de ce nombre, une certaine proportion pourra passer à travers deux ou trois années d'études collégiales sans avoir lu autre chose que des articles, des revues ou des extraits d'ouvrage » (*La Presse*, 10 avril 1975). Lysiane Gagnon se pose la question: est-ce mieux ou pire qu'avant? « C'est une question à laquelle il est impossible de répondre. D'abord faute de moyens de comparaison, et ensuite et surtout parce qu'on ne peut comparer la minorité qui accédait il y a 15, 20 ou 30 ans à l'instruction secondaire et collégiale à cette jeune population aujourd'hui scolarisée à près de 100 % jusqu'à 16 ans. Les ex-diplômés des collèges classiques venaient en général de milieux bourgeois, et leurs familles leur avaient déjà fourni des supports culturels (livres à la maison, parents scolarisés, etc.) » (*La Presse*, 10 avril 1975). Lysiane Gagnon cite ensuite les propos de Gilles Marcotte, alors directeur du département d'études françaises de l'Université de Montréal: « On oublie que beaucoup de gens, même au sein des vieux collèges classiques, écrivaient mal et ne lisaient rien. [...] Ce n'est pas vrai que le français s'en va. On parle français comme on ne l'a jamais parlé, mais on ne le parle plus comme des notaires. [...] Au fond, je m'inquiète plus des pédagogues et de leurs jeux d'abstraction, de leurs tendances à la manipulation, que des élèves. Les adolescents en savent plus que nous autres à leur âge [...] » (*La Presse*, 10 avril 1975). La conclusion de cette série d'articles était directe: « ... c'est, en dernière analyse, le pouvoir politique québécois qui est responsable de la détérioration de l'enseignement du français » (*La Presse*, 12 avril 1975).

Dans ses articles, Lysiane Gagnon avait livré les résultats préliminaires d'une étude sur la langue des cégépiens: il s'agit de l'*Enquête sur le français écrit dans les cégeps* ou *EFEC* (Bibeau *et al.*, 1975)[4]. La cueillette des données avait eu lieu en 1972 dans 21 collèges d'enseignement général et professionnel: on avait alors recueilli 2 385 copies, représentant environ 600 000 mots. Les copies sont des textes d'environ

---

4. Signalons aussi l'existence d'une enquête portant sur « les interventions pédagogiques correctives en français écrit au niveau collégial » (Beaulieu *et al.*, 1978). Il s'agit d'un inventaire des cours de français correctif mis sur pied dans différents collèges d'enseignement général et professionnel. D'autre part, on trouvera une bibliographie des rapports portant sur la qualité du français écrit dans différents cégeps dans Poitras (1980).

250 mots composés sur un sujet au choix du collégien, sans consultation d'ouvrages de référence. Parallèlement, on avait procédé à un sondage auprès des départements de français des mêmes cégeps : « La majorité des opinions exprimées font ressortir l'inquiétude des professeurs de français devant la situation du français écrit qu'ils qualifient tantôt de *noire* et de *grave*, tantôt de *pénible* et d'*abominable* » (Bibeau *et al.*, 1975 : 9).

Les résultats de l'analyse linguistique révèlent une moyenne de 13,2 fautes par copie, soit une faute tous les 19 mots ; 5,5 % des collégiens font deux fautes ou moins, 13,2 % en font de 3 à 5. La moyenne des fautes est de 11,3 par copie pour les filles, de 15,1 pour les garçons. De plus, « les étudiants de deuxième année font moins de fautes que ceux de première année [et] plus les étudiants sont âgés dans les deux années, plus ils font de fautes » (Bibeau *et al.*, 1975 : 56).

Le tableau 1 fait le relevé des 10 fautes les plus fréquentes de l'enquête *EFEC*, selon leur fréquence absolue et selon leur fréquence relative.

Tableau 1
EFEC : LES DIX FAUTES LES PLUS FRÉQUENTES

Rang	Fréquence absolue	Fréquence relative [5]
1	Virgule	Dont
2	Indicatif présent	Futur simple
3	Nom commun	Virgule
4	Épithète	Trait d'union
5	Trait d'union	Participe passé avec être
6	Graphème E	Participe passé sans auxiliaire
7	Minuscule	2e nom uni par de
8	Infinitif en ER	Participe passé avec avoir
9	Accent grave	Conditionnel présent
10	Accent circonflexe	Pronom EN

Source : Bibeau *et al.* (1975 : tableaux 24 et 25).

5. La fréquence relative est établie par rapport au nombre d'occurrences dans le corpus. DONT occupe le 75e rang en fréquence absolue (0,02 faute par copie) mais, comme il a une occurrence moyenne de 0,12 par copie, il occupe la première place en fréquence relative : $\frac{0,02 \times 100}{0,12}$

= 18,5 % ; en d'autres termes, « sur cent (100) DONT, un étudiant de cégep se trompe dix-huit (18) fois, ce qui place le DONT au premier rang de la fréquence relative des fautes » (Bibeau *et al.*, 1975 : 68).

Il est difficile de ne pas se poser de questions à la lecture du tableau précédent. On comprendrait sans doute que les collégiens eussent des difficultés avec l'imparfait du subjonctif: mais avec l'indicatif présent[6]? Comment se fait-il que le participe passé avec être soit moins maîtrisé que le participe passé avec avoir?

Les résultats des collégiens ont d'autre part été mis en relation avec des variables sociales. Il en ressort que le sexe, l'âge et le cégep influent fortement sur les résultats. La scolarité du père et celle de la mère —plus celle de la mère d'ailleurs que celle du père— ont une influence moyenne. Quant à la profession du père, elle n'exerce qu'une faible influence (Bibeau *et al.*, 1975: 132-138).

La langue des étudiants de la Faculté des lettres de l'Université Laval a fait l'objet d'une enquête de Conrad Bureau en 1975 (Bureau, 1976): on trouvera, au tableau 2, les résultats pour la première année du premier cycle, mis en parallèle avec ceux de l'enquête Bibeau sur la langue des collégiens (il faut noter que les catégories de l'enquête sur les cégeps ont dû être redéfinies pour pouvoir établir cette comparaison — ce qui explique l'incertitude sur le pourcentage des anglicismes — et que la population étudiée dans les cégeps, contrairement à celle de l'Université Laval, ne comprenait pas que des sujets inscrits en lettres). Conrad Bureau conclut de la comparaison des deux enquêtes: « étant donné le fort pourcentage d'erreurs d'orthographe et de morphosyntaxe [environ 80 % de l'ensemble des fautes], d'après les deux enquêtes, on peut conclure que la connaissance du français écrit n'est pas suffisante, dans la population étudiée, pour permettre d'entreprendre des études universitaires sans difficulté. Faut-il un témoignage supplémentaire? J'apporterai le suivant. À la suite de [mon enquête], nous avons créé, à l'Université Laval, un cours de *techniques de l'expression écrite*, cours non obligatoire, précisons-le. Or, ce cours a dû être contingenté à cause d'une trop forte demande. Ce fait exprime le besoin ressenti par les étudiants eux-mêmes face à leurs difficultés en français écrit: et c'est un fait positif » (Bureau, 1984: 168)[7].

---

6. Nous n'ignorons pas qu'intervient ici une question de fréquence: l'indicatif présent étant beaucoup plus utilisé que l'imparfait du subjonctif (a fortiori dans les textes composés par des jeunes!), on peut s'attendre à ce que, statistiquement, il y ait plus de fautes portant sur l'indicatif présent. Mais on pourrait aussi penser que l'indicatif présent est ce qui doit s'enseigner en premier lieu et qu'il doit être maîtrisé avant l'entrée au cégep.

7. À notre connaissance, la seule autre enquête sur le français dans les universités québécoises a été effectuée en 1980 à l'Université du Québec à Chicoutimi: sur une possibilité de 20 erreurs, les étudiants de première année font 6,03 erreurs, ceux de troisième 5,98, ce qui tend à montrer que la maîtrise du français n'a pas augmenté, dans ce groupe, à la suite de leurs études (cf. Saint-Gelais *et al.*, s.d.).

Tableau 2

Moyenne d'erreurs par copie selon des catégories

(Enquête Bibeau et Enquête sur la qualité du français écrit des étudiants
de la Faculté des lettres de l'Université Laval)

	EFEC		Université Laval
Orthographe	2,5		2,5
Sémantique	2,3		0,7
Morphosyntaxe	5,7		3,8
Anglicismes	0,1	(?)	0,2
Total	**7,6**		**3,7**

Source: Bureau (1984: 166).

En 1977 paraissait l'*Étude clinique de l'enseignement du français,
langue maternelle, au niveau secondaire (1973-76)* (Dussault *et al.*,
1977). L'enquête qui a été effectuée auprès de 17 enseignants, non
choisis au hasard, et de 500 élèves du secondaire de la région métropolitaine de Québec avait pour but d'étudier le « curriculum »[8], l'enseignement et l'apprentissage du français, langue maternelle. Nous nous
contenterons de rapporter sommairement les résultats touchant à l'apprentissage.

Les chercheurs voulaient évaluer quatre apprentissages: le savoir
écouter, le savoir lire, le savoir écrire et le savoir parler. Dans ce
dernier cas, il a été impossible de mener à terme la recherche. L'évaluation des deux premiers apprentissages a présenté divers problèmes
méthodologiques, puisqu'il a été impossible d'établir que les deux textes
devant mesurer les progrès accomplis étaient de difficulté égale. En
conséquence, les données vraiment fiables proviennent des tests sur le
savoir écrire.

Pour mesurer la compétence à l'écriture, les chercheurs ont fait
passer deux tests, l'un au début de l'année scolaire, l'autre à la fin. Ils
ont ainsi pu constater « une augmentation significative de la moyenne
dans la moitié ou plus des classes de chaque niveau, à l'exception
toutefois du secondaire II où la différence entre le pré-test et le post-test
n'est significative au niveau de .05 dans aucun cas » (Dussault *et al.*,

---

8. Les auteurs emploient cet anglo-américanisme au lieu du mot programme. À noter que l'étude
   porte sur l'ancien programme-cadre; or, depuis 1979, de nouveaux programmes ont été
   implantés au primaire et au secondaire, qui s'en démarquent très nettement. Aussi, la pratique
   actuelle de l'enseignement du français est-elle en train de changer.

1977: 249). « De ces données », ajoutent-ils, « il nous semble légitime de conclure que le fait, pour des adolescents et des adolescentes, d'être inscrits à l'école secondaire et d'y suivre des cours de français n'est pas improductif. Dans onze des treize classes observées, les résultats de fin d'année sont supérieurs à ceux obtenus au début de l'année. Si cette amélioration du rendement n'est pas statistiquement significative dans deux cas sur onze, elle ne peut clairement pas être attribuée au hasard dans six cas sur neuf et assez difficilement l'être dans les trois derniers cas » (Dussault *et al.*, 1977: 252). Enfin, « les étudiants [*sic*] semblent progresser, d'une façon générale, d'un niveau à l'autre du cours secondaire bien que cette croissance semble moins accusée pour les plus forts et moins rapide au début et à la fin du secondaire » (Dussault *et al.*, 1977: 257).

Au terme de leur recherche, les auteurs de l'*Étude clinique* se sentent autorisés à poser le jugement suivant: « Nous sommes portés [...] à penser que le portrait que l'on a maintes fois tracé de la piètre qualité de la langue écrite des adolescents et des adolescentes au Québec n'est peut-être pas aussi noir qu'on le dit » (Dussault *et al.*, 1977: 263).

C'est en quelque sorte à mi-chemin entre l'*Étude clinique* de Dussault *et al.*, portant sur le secondaire, et l'enquête *EFEC*, consacrée au collégial, que se situe la recherche intitulée *L'Évaluation de la compétence linguistique et du vocabulaire actif des étudiants de première session au niveau collégial* (Martin *et al.*, 1978). Cette recherche, qui a porté sur l'analyse de productions orales de 107 sujets répartis dans 4 cégeps et dont l'âge moyen était de 17 ans 2 mois, visait à vérifier l'« opinion assez largement répandue parmi la population enseignante [...] que le niveau de compétence linguistique requis par les études collégiales ne soit pas toujours atteint au sortir du cours secondaire et cela, en particulier, dans le domaine du vocabulaire » (Martin *et al.*, 1978: 2). Pour ce faire, on a demandé à des juges choisis parmi les enseignants du collège Ahuntsic et répartis en trois groupes (professeurs de français, professeurs spécialisés dans le programme auquel est inscrit le témoin et juges dits naïfs) d'évaluer les enregistrements: « Le profil général de l'évaluation témoigne d'une perception plutôt défavorable de la compétence générale en français qu'on attribue en particulier à l'insuffisance de la richesse [= *la pauvreté?*] du vocabulaire, laquelle se traduit par un manque de précision dans le discours » (Martin *et al.*, 1978: 101); « du profil général, des analyses de variance et de corrélation, ce qui frappe le plus reste encore le très net clivage entre l'évaluation des témoins du secteur général et ceux du secteur professionnel et cela pour les trois catégories de juges et les quatre collèges.

L'importance de cette variable fait qu'elle s'impose au-delà de toutes les autres » (Martin *et al.*, 1978 : 106).

Dans un deuxième temps, les auteurs ont procédé à une analyse linguistique pour déterminer dans quelle mesure les opinions exprimées par les juges pouvaient être fondées. Cette analyse, qui n'a touché qu'un seul des quatre collèges étudiés, montre que l'opinion des juges est corrélée à des différences lexicales, grammaticales et phonétiques (réduction syllabique, diphtongaison, aperture de certaines voyelles) : « Il y a une réalité linguistique à la base du jugement » (Martin *et al.*, 1978 : 140).

Dans le cadre de la préparation du colloque sur la qualité de la langue tenu à Québec en 1979, le Conseil de la langue française a commandé une courte étude de la langue des textes utilisés à l'école primaire (Moisan, 1981). La recherche a fait une large place à l'analyse des polycopiés, « ce *nouveau mode de production de quasi-manuels*, érigé en véritable système dans la plupart des écoles » (Moisan, 1981 : 1) : ces polycopiés contiennent neuf fois plus de fautes que les manuels et, qui plus est, « les polycopiés utilisés pour l'enseignement du français contiennent presque autant de fautes que ceux utilisés pour l'enseignement des autres disciplines » (Moisan, 1981 : 7). Les polycopiés présentent en moyenne une faute par 5 phrases, les manuels une faute par 50 phrases.

Toujours sous l'égide du Conseil de la langue française, on a publié en 1984 une étude sur l'évolution de l'orthographe des écoliers québécois : en 1982, on a donné à des écoliers une dictée qui avait été administrée 21 ans plus tôt à des élèves de même niveau. Il ressort de la comparaison des résultats que, de 1961 à 1982, le nombre moyen des erreurs passe de 2,3 à 18,83 chez les garçons et de 0,28 à 14,27 chez les filles ; ce sont ces dernières qui enregistrent la plus forte augmentation (17 fois plus de fautes, contre 8 fois plus chez les garçons) (Roberge, 1984). Il faut cependant ajouter, pour juger de l'impact d'une telle recherche, que tous ne sont pas convaincus de l'utilité de la dictée comme moyen d'apprendre l'orthographe : pour d'aucuns, en effet, « la dictée n'a jamais eu, contrairement à ce qu'on pense, un intérêt bien considérable pour l'apprentissage de l'orthographe » (Duneton, 1984 : 186) ; cette remise en question de la dictée date d'une bonne dizaine d'années.

Conrad Bureau (1985) a étudié la langue des écoliers en débordant le cadre étroit de la dictée : il a découvert que les élèves du cours secondaire font, en moyenne, 37 erreurs par copie, soit environ 18 fautes par page composée. La grammaire et l'orthographe comptent pour 75 % de l'ensemble des erreurs à toutes les années du secondaire; mais, qui plus est, « *l'Enquête sur le français écrit au collégial* (EFEC) de même que notre propre *Enquête sur la qualité du français écrit à l'Université Laval* démontrent que, même aux cycles collégial et universitaire, les zones grises sont toujours la grammaire et l'orthographe et cela, *dans les mêmes proportions*, à peu de chose près » (Bureau, 1985). C. Bureau ajoute ce commentaire: « Si, d'après les enquêtes, la qualité du français s'améliore grandement d'un cycle à l'autre —du secondaire au collégial et du collégial à l'université[9]— mais que les trois quarts des erreurs se retrouvent, de façon constante, dans les catégories grammaire et orthographe[10], il faut se rendre à l'évidence: la grammaire et l'orthographe françaises y sont pour quelque chose! [...] Au lieu de désigner notre système d'enseignement comme le seul responsable, il faut sans doute imputer quelque responsabilité au système de la langue lui-même » (*ibid.*).

Une autre enquête, menée auprès de 324 élèves de la polyvalente de Cabano (Témiscouata) en 1980-1981, a révélé qu'un étudiant moyen du niveau secondaire fait une vingtaine de fautes d'orthographe par page. L'auteur de cette recherche, Guy Simard, de l'Université du Québec à Rimouski, a pu établir que, grâce à un enseignement personnalisé, les fautes, au cours d'une même année scolaire, diminuaient de 19 à 9,5 (cf. *Québec français*, mai 1984, p. 72).

Les travaux de la commission parlementaire chargée, à l'automne 1983, de procéder à un réexamen de la *Charte de la langue française* ont fourni l'occasion de procéder à une synthèse des opinions sur l'enseignement du français de la part de l'Association des conseils en francisation du Québec (A.C.F.Q.) et de la part du président du Conseil supérieur de l'Éducation.

---

9. Les études dont rendent compte G. Gagné et M. Pagé (1981) permettent de conclure dans le même sens: « Les résultats obtenus tendent à démontrer que l'école, même si son rôle n'a pas été suffisamment isolé de la maturation, constitue une variable significative dans le développement du vocabulaire et de la morphologie orale, particulièrement dans une perspective de standardisation » (Gagné et Pagé, 1981: 34).

10. Les autres catégories étaient: syntaxe, sémantique, anglicismes, code écrit (c'est-à-dire erreurs en rapport avec les frontières des mots ou des phrases, par exemple, emploi des majuscules), morphologie et inattention.

L'A.C.F.Q. présente les revendications des entreprises en matière d'enseignement du français dans les termes suivants[11]:

> Nous croyons fermement qu'à la lumière de notre expérience pratique de l'implantation des programmes de francisation dans les entreprises, nous sommes en mesure d'aborder cette question (de l'enseignement du français) sous l'angle particulier de la francisation de la langue du travail, du commerce et des affaires. Nous sommes de plus en plus convaincus, en effet, que cette « irréversibilité » de la francisation, tant souhaitée par les instances gouvernementales, passe par une amélioration accrue et accélérée de l'enseignement du français oral et écrit à l'école, au collège et à l'université. Jamais, par ses propres moyens, l'entreprise ne réussira à combler les lacunes graves accumulées pendant toutes ces années d'études dépourvues de toute préoccupation des notions fondamentales de l'expression orale et écrite dans une langue, quelle qu'elle soit. Les entreprises ne sont pas des écoles de langues, ni des écoles de rattrapage orthographique et syntaxique. À la rigueur, l'entreprise peut accepter une mission de perfectionnement professionnel axé sur l'acte professionnel lui-même dans des situations réelles et pratiques, ce que ne peut dispenser ni l'école, ni l'université. L'entreprise peut également aider l'employé à parfaire les notions et la terminologie propres au domaine d'activité de l'entreprise, mais l'entreprise n'a pas comme rôle d'enseigner comment on écrit les mots d'usage courant, comment on construit une phrase ou un paragraphe, bref comment on exprime une idée, verbalement ou par écrit, ni en français, ni en anglais. Si certaines entreprises le font actuellement, il faut que ce soit une situation d'exception et que l'on prenne sans délai les mesures qui s'imposent pour que l'entreprise cesse bientôt de remplir un rôle qui appartient au ministère de l'Éducation: l'enseignement de la langue[12].

Le président du Conseil supérieur de l'éducation offre, pour sa part, une vision à la fois plus nuancée et plus globale parce qu'il n'hésite pas à sortir du cadre de l'école. Pourtant, son appréciation de l'enseignement du français au Québec pourra sembler assez sévère:

> Si on se tourne vers la qualité de l'apprentissage du français, on conviendra aisément qu'il y a encore du chemin à faire, tant chez les francopho-

---

11. On remarquera que les affirmations de l'A.C.F.Q. vont à l'encontre des résultats de *l'Enquête sur la pédagogie du français au Québec* de Paul Pierre (1977): « Les réponses révèlent [...] que la grande majorité des titulaires disent que l'école devrait enseigner le français standard, refusent que les élèves utilisent des expressions empruntées au joual et font des corrections directes ou indirectes des éléments non standard utilisés par les enfants » (Gagné, 1984: 202).

12. Un an plus tôt, le ministre responsable de l'application de la *Charte de la langue française*, M. Camille Laurin, déclarait à l'occasion du Congrès « Langue et société »: « Les milieux d'affaires ont à maintes reprises exprimé le voeu que le milieu de l'éducation collabore de façon plus tangible à l'entreprise d'amélioration du statut et de la qualité du français. Et ils ont raison. Car ce sont les carences passées et présentes de notre système d'éducation qui les obligent à donner aux jeunes qui arrivent sur le marché du travail une formation terminologique et linguistique coûteuse, qui ne devrait pas être de leur ressort. La prolifération de ces phénomènes de rattrapage, dont bien des administrations font les frais, nous démontre bien que ce malaise tend à prendre une ampleur inquiétante » (Laurin, 1984: 492).

nes que chez les non-francophones. Mais, plus particulièrement chez les premiers, l'apprentissage de la langue maternelle ne donne pas les résultats que l'on est en droit d'attendre de l'école.

Parmi les points positifs, le président du Conseil supérieur de l'éducation relève la diminution de la tendance à négliger l'écrit au profit de l'oral et le fait d'avoir choisi, comme modèle à enseigner, le « français correct d'ici » plutôt que la langue populaire parlée. De plus,

> le consensus sur l'importance d'un apprentissage soutenu et exigeant de la langue maternelle semble [...] plus acquis aujourd'hui qu'il y a quinze ans dans les milieux scolaires francophones. Mais de là à pouvoir affirmer que les jeunes qui se retrouvent dans nos établissements scolaires sont incités à s'acharner pour parler et écrire une langue dont ils soient fiers et qui leur procure une réelle jouissance de par sa possession, je n'oserais l'affirmer... De même, vous dire que les professeurs [...] ont les moyens de faire acquérir à leurs élèves et d'exiger d'eux (le mot n'est pas trop fort) une langue correcte et saine, là encore je n'oserais. [...] Qu'attend-on pour inciter de façon permanente le milieu scolaire à proposer à nos enfants une langue qu'il fait bon posséder?

Le président du Conseil supérieur de l'éducation, M. Claude Benjamin, poursuit :

> Il serait trop facile —et profondément injuste— d'attribuer à l'école la cause de tous les maux qui ont affligé et affligent encore le français au Québec. [...] Les moyens de communication (radio, télévision, journaux, magazines) ont une responsabilité immense en ce qui concerne l'usage du français correct, surtout lorsqu'on constate que les moyens de communication de langue anglaise leur font la vie dure. Importe aussi la qualité de la langue des services de l'État qui sont en communication constante avec la population. [...] La langue des médias ou de la publicité est souvent le calque de l'anglais ou de l'américain (Benjamin, 1983).

Ainsi, la crise du français ne se manifeste pas que dans le domaine scolaire. Parmi les coupables —ou, du moins, les suspects— il y aurait : la radio et la télévision, la publicité, la langue de l'État et la traduction, c'est-à-dire le contact avec l'anglais. Dans ces quatre secteurs, si nous ne disposons pas encore d'étude globale, du moins avons-nous quelques recherches sectorielles qui peuvent aider à porter un jugement : l'étude de Claude Rochette sur la langue des animateurs de la radio et de la télévision, celle de J. Maurais sur l'évolution de la langue de la publicité des chaînes d'alimentation, l'inventaire des préoccupations sur la qualité de la langue dans l'Administration, les médias et la publicité d'Arianne Archambault et Myriam Magnan et, finalement, les travaux du colloque sur la qualité de la langue et la traduction organisé conjointement par la Société des traducteurs du Québec et le Conseil de la langue française.

C. Rochette (1984) a étudié la langue des animateurs de la radio et de la télévision de Montréal en situation d'improvisation, à partir d'un échantillon qui comprenait plus de 60 % de la population étudiée (65 animateurs sur une centaine). Pour lui, il est évident que c'est la phonologie du français standard qui sert de référence à ces animateurs, même si, évidemment, ils ne sont pas exempts de variations par rapport à cette norme. Dans l'ensemble, 40 % des éléments de la grille d'analyse phonétique[13] sont respectés, 32 % constituent des sources de difficultés et 28 % sont des erreurs négligeables; parmi les sources de difficultés, on trouve, par ordre décroissant: les hésitations et les reprises, la place et la longueur des pauses, l'articulation des voyelles (dont le chercheur n'hésite pas à dire qu'elles sont « massacrées »), la prononciation des constrictives, la netteté des occlusives et l'intonation énonciative. On a souvent donné au Québec comme modèle à imiter la prononciation des présentateurs de la radio et de la télévision d'État. L'étude de C. Rochette va à l'encontre de l'opinion fort répandue que les animateurs des réseaux d'État s'expriment toujours mieux, même sous le strict plan de l'oralité, que ceux des stations privées.

Dans la publicité écrite des produits alimentaires, on constate que, sur une période d'une trentaine d'années, le nombre total de fautes diminue de plus de la moitié (cf. tableau 3).

Tableau 3

PUBLICITÉ ALIMENTAIRE: ÉVOLUTION DE L'ENSEMBLE DES ÉCARTS

Année	% du corpus
1951	12,9
1961	10,9
1974	5,9
1980	6,0

Source: Maurais (1984: 61)

Fait à remarquer, la chute est particulièrement sensible pour les écarts orthographiques et typographiques: ils diminuent des deux tiers (cf. tableau 4).

---

13. Cette grille comporte 56 paramètres phonétiques.

Tableau 4

PUBLICITÉ ALIMENTAIRE: ÉVOLUTION DES ÉCARTS ORTHOGRAPHIQUES
ET TYPOGRAPHIQUES

Année	% du corpus
1951	6,9
1961	6,0
1974	1,3
1980	2,3

Source: Maurais (1984: 63)

L'inventaire d'Arianne Archambault et Myriam Magnan, intitulé *La qualité de la langue dans les domaines de l'enseignement, de l'Administration, des médias et de la publicité*, est difficile à résumer. Il a été établi à partir d'entrevues avec quelque 120 personnes travaillant dans les milieux concernés. Il s'agit d'un inventaire des opinions et non d'une description scientifique de l'état de la langue de ces milieux. Nous nous contenterons de relever quelques observations sur la langue des médias, de la publicité et des organismes gouvernementaux.

Les médias privés font l'objet d'une évaluation plus sévère que les médias d'État. Cependant, « si malgré l'absence de préoccupation effective de langue et de définition de politique à ce sujet, le produit n'est pas plus médiocre, c'est qu'il se trouve toujours en place des individus soucieux de qualité. Et à la limite le maintien de la qualité du français sur les ondes serait l'effet du hasard car ceux qui y veillent ne reçoivent pas d'appui officiel ni ne sont valorisés par les directions. Ils sont marginaux et possèdent la vulnérabilité que cette condition implique » (Archambault et Magnan, 1982: 14). Dans les médias électroniques, c'est le sport qui est le secteur le plus largement assujetti à la traduction (Archambault et Magnan, 1982: 25); mais c'est surtout dans les médias écrits que la traduction constituerait un problème: « Dans les journaux français, la traduction se pratique à grande échelle. Les journalistes possèdent en général la compétence pour traduire, pas nécessairement pour bien traduire » (Archambault et Magnan, 1982: 55). Pour sa part, la langue de la publicité n'est plus aussi soumise à la traduction: « Dans ce milieu, la langue n'est pas évoquée comme un problème en soi » (Archambault et Magnan, 1982: 84), ce que tendraient d'ailleurs à confirmer les résultats de la recherche précédemment citée sur la publicité des produits alimentaires. Pour les médias et la publicité, les auteurs concluent: « La négligence apportée à instituer des mécanismes de contrôle dans les secteurs considérés nous amène à conclure que les directions tiennent la compétence linguistique des communicateurs comme implicite à leur fonction ou, à tout le moins, satisfaisante. Par conséquent, il n'y aurait pas lieu d'intégrer des contrôles à l'activité des organismes. Mais dans l'hypothèse où un service d'assistance linguistique crédible se constituerait, par exemple sous l'impulsion de l'Office de la langue française, les gens des communications y feraient largement appel, ce type de service ayant fréquemment été réclamé » (Archambault et Magnan, 1982 : 85).

Les personnes interviewées par Arianne Archambault et Myriam Magnan croient que « la langue de l'Administration [...] est à la fois en progression et en danger » (1982 : 110). Parmi les éléments négatifs, on signale la prolifération des sigles et des néologismes, le choix du niveau de langue pour communiquer avec le public (peut-on tutoyer le contribuable?) et l'influence américaine sur la langue de l'informatique. Ces points rejoignent une préoccupation de plus en plus répandue dans d'autres pays (par exemple aux États-Unis, avec le mouvement du *Plain English*) de réduire le jargon administratif. Du côté positif, on signale une nette amélioration de la qualité linguistique des publications gouvernementales. Ce que l'enquête ne révèle pas cependant, c'est jusqu'à quel point il a fallu accroître le nombre de réviseurs pour atteindre cette qualité.

Quant à l'évaluation de l'influence de la traduction sur la qualité du français au Québec, elle a fait l'objet d'un important colloque (tenu à Hull en 1983) qu'il serait difficile de résumer. Citons pourtant, à titre représentatif, l'opinion du professeur Paul Horguelin :

> La traduction au Québec, au lieu d'être un simple moyen d'échanges linguistiques bilatéraux, est devenue dans de nombreux domaines l'instrument institutionnalisé de la communication, la seule voie d'accès à l'information pour la collectivité francophone. En raison de son omniprésence, elle exerce une influence indéniable sur la langue. Cette influence, sauf rares exceptions, a été néfaste pendant deux siècles, puis le courant s'est inversé à partir des années 50, grâce notamment à l'organisation de la profession, à la création d'un enseignement spécifique, à l'effort terminologique et à l'amélioration des conditions de travail. Progressivement s'est créé un corps de traducteurs professionnels dont la compétence se compare avantageusement à celle des autres professions et qui, bien souvent, sont les premiers à se soucier de la qualité de la langue. Pourtant, il subsiste une légion de traducteurs improvisés qui compromettent la situation d'ensemble (Horguelin, 1984 : 28-29).

Enfin, pour terminer ce survol des études et des opinions relatives à la crise du français au Québec, il faut rappeler les discussions qui ont entouré la question de la féminisation des appellations d'emploi et des titres de profession (doit-on dire écrivaine? auteure? y a-t-il un féminin à médecin?); d'ailleurs, les discussions et les prises de position ont débordé ces questions terminologiques pour toucher la syntaxe, de sorte que l'on pourrait peut-être parler, comme H. Glück et W. Sauer pour l'Allemagne, d'une « linguistique féministe ». Il faut signaler aussi un problème auquel nous n'avons jusqu'à présent que fait brièvement allusion, celui du « jargon », cette langue que l'on appelait naguère outre-Atlantique l'« hexagonal » et qui est, avec la multiplication des sigles, un instrument du pouvoir technocratique. Même s'il n'y a pas d'étude sur ce sujet au Québec, la question a été abordée çà et là dans diverses chroniques de langue. Dans *La Presse* du 17 novembre 1983, le frère Jean-Paul Desbiens citait l'utilisation de l'expression « bénéficiaire carcéral » au lieu de « détenu ». Il est évident que l'on pourrait multiplier les exemples: la plupart des hôpitaux se sont transformés en « centres hospitaliers », les patients et les malades ont fait place aux « bénéficiaires », la compétence et l'expérience sont en voie d'être remplacées par l'« expertise », etc. Lysiane Gagnon a aussi abordé ce thème dans un autre article de *La Presse* (« Le jargon des bien-pensants », 12 octobre 1982).

Deuxième partie
Évaluation de la situation

Dans cette partie, nous allons essayer de faire le point, de dresser un bilan, à partir de l'inventaire qui précède. Puis nous dégagerons quelques facteurs qui peuvent expliquer les opinions pessimistes qui ont cours sur l'état du français.

1. Bilan

Est-ce mieux ou pis qu'avant? Avant de répondre à cette question pour ce qui touche du moins au domaine scolaire, il convient de remarquer que les parents qui se plaignent aujourd'hui de l'orthographe ou de la mauvaise qualité de la langue de leurs enfants font partie d'une génération qui elle-même a fait l'objet des mêmes critiques, l'inventaire auquel nous avons procédé dans la première partie l'a assez fait voir. En tout état de cause, il semble que la crise du français à l'école soit un phénomène qui s'accentue au lendemain de la Deuxième Guerre mondiale: avant la guerre, il y a bien quelques cris d'alarme mais ce n'est qu'à partir des années 50 que les plaintes prennent vraiment de l'ampleur[14]. D'autre part, il faut noter que si, dans les années 50 et jusqu'au *Livre noir* de l'A.Q.P.F. de 1970, on s'en prend au système scolaire, au manque de formation des maîtres, à l'infantilisme des manuels et à la domination de l'anglais comme causes de la mauvaise qualité de l'enseignement du français, à partir de cette dernière date la façon d'envisager la question change et on commence de plus en plus à en faire ressortir le caractère universel.

Mais faudrait-il en déduire que depuis la dernière guerre la situation de l'enseignement du français n'a fait que se dégrader? Il est difficile de répondre sérieusement à cette question en l'absence d'étude diachronique rigoureusement scientifique. Le seul domaine où nous disposions d'une telle étude est l'orthographe et, dans la mesure où la dictée est un moyen d'évaluation de l'apprentissage de l'orthographe et où les populations étudiées en 1961 et 1982 sont sociologiquement comparables — deux choses qui ne sont pas de soi évidentes —, il faut conclure de l'étude d'Albert Roberge (1984) qu'il y a eu effectivement dégradation de l'acquisition de l'orthographe... dans la région de Sherbrooke[15]. D'autre part, toutes les études déjà citées montrent qu'il y a progrès dans la maîtrise du français écrit d'un cycle à l'autre, d'un niveau à l'autre, preuve de ce que l'école remplit quand même une partie de son rôle, même si l'amélioration constatée peut s'expliquer au moins en partie par le fait que ceux qui réussissent moins bien abandonnent plus tôt les études, ce qui a pour effet d'augmenter la moyenne; le rôle de l'école a, de plus, été mis en valeur par Gilles Primeau et Guy Labelle (1981) dans l'acquisition du vocabulaire standard: les résultats de leur étude montrent que les élèves « à la suite d'interventions pédagogiques directes ou indirectes [...] avaient transféré de façon significative leur préférence du F.D. [français dialectal] vers le F.S. [français standard] [...] » (Primeau et Labelle, 1981: 142). Pour le reste, la prétendue détérioration, il faut bien voir les choses en face, n'est pas prouvée scientifiquement, du moins dans le cas de l'apprentissage de la langue maternelle. Ce qui ne veut pas dire qu'il n'y a pas d'exemple de détérioration dans d'autres domaines: selon une étude effectuée par Roger Greiss, « au début des années 70, une proportion de 70 % des nouveaux venus au cégep passaient avec succès le test des connaissances littéraires. Aujourd'hui, après cinq années de secondaire et six ou sept années de primaire, 20 % le réussissent » (*Le Devoir*, 19

---

14. Pour un aperçu des commentaires formulés à différentes époques sur la crise du français, cf. appendice 1.

15. Un autre des facteurs qui ont pu jouer est le fait que les enfants de 1961 étaient habitués à faire des dictées, ce qui n'était plus le cas en 1982.

juillet 1984, p. 1). Mais comment pourrait-il en être autrement à partir du moment où on n'enseigne plus ou à peu près plus l'histoire littéraire? Et il en va de même de l'histoire tout court. Dans ce cas, s'il y a détérioration —et on ne peut guère le nier— elle résulte d'un choix de programme, sinon d'un choix de société.

On peut se demander si ce malaise ne provient pas en grande partie de ce que le fossé paraît s'élargir entre les efforts accomplis par l'entreprise pour se franciser et le fait que l'école n'aurait pas réussi à s'inscrire avec dynamisme dans le cadre du projet d'aménagement linguistique que s'est donné le Québec. À cet égard, les propos déjà cités de l'Association des conseils en francisation du Québec sont éloquents et rejoignent les commentaires qui ont été formulés lors de toutes les consultations régionales organisées par le Conseil de la langue française. Mais ces critiques sont-elles pertinentes? Elles semblent plutôt s'adresser aux objectifs de l'ancien programme-cadre de l'enseignement du français; or, depuis 1979 pour le primaire et 1980 pour le secondaire, un nouveau programme-cadre insiste davantage sur les fonctions de l'écrit [16], ce qui devrait permettre de répondre aux critiques formulées.

Dans le cas des manuels scolaires, il est difficile de savoir s'il y a eu amélioration ou détérioration puisque l'étude de l'Association des Femmes universitaires n'a pas été reprise à date récente. Il est toutefois permis de s'interroger: au début des années 60, on reprochait aux manuels de faire trop de place aux auteurs canadiens et surtout à des textes insipides composés par les compilateurs de ces manuels; mais maintenant, certains livres de classe citent des extraits de *Sélection du Reader's Digest* [17] et de divers autres magazines. On voit même un manuel qui présente, dans un texte sur le judo, la terminologie japonaise de ce sport: est-ce indiqué pour des enfants du primaire? Ne pourrait-on penser qu'ils ont assez de difficultés avec le français pour les dispenser du japonais? Une étude approfondie des manuels s'impose car il ne faudrait pas, à la lumière de quelques exemples, rejeter du revers de la main les nombreux efforts de ces dernières années.

---

16. Pour une présentation des nouveaux programmes de français, on consultera, pour le primaire, Primeau (1984) et, pour le secondaire, Milot (1984).

17. Il ne s'agit pas ici de critiquer, au nom d'un élitisme mal compris, l'utilisation de magazines en classe: après tout, il doit être plus facile de retenir l'attention des enfants en leur faisant lire un article de magazine portant sur Boy George ou Michael Jackson; mais pourquoi choisir précisément des traductions de l'américain?

En ce qui concerne la publicité, la simple observation non scientifique de la langue des médias tend déjà à montrer qu'il y a eu amélioration. Pour les réclames de la télévision, ce changement est sûrement attribuable en partie au Bureau du code publicitaire et au Service de linguistique de Radio-Canada. Les lois sur la protection du consommateur ont aussi eu leur impact, notamment par leurs exigences sur la dénomination des produits offerts en vente. De plus, l'obligation d'étiqueter en français (à partir de 1967 dans le cas des produits alimentaires) a entraîné la diffusion d'une terminologie qui s'accorde, dans la majorité des cas, avec les prescriptions de l'Office de la langue française. Les opinions des publicitaires, pour qui il y a bien eu amélioration de la langue utilisée dans la publicité (Archambault et Magnan, 1982), concordent avec la seule étude diachronique que nous ayons dans ce domaine (elle porte sur la publicité écrite des chaînes d'alimentation, cf. Maurais, 1984).

Pour les médias électroniques, il est difficile d'exprimer une opinion en l'absence d'étude diachronique. La recherche —synchronique— de Claude Rochette ne porte pas un jugement négatif sur la langue des animateurs de la radio et de la télévision. Encore faut-il ajouter qu'il ne s'agit là que d'une analyse phonétique : la situation pourrait être différente si l'on procédait à une analyse de la syntaxe ou du vocabulaire. Malgré ces réserves, il n'en demeure pas moins que les médias électroniques ont contribué à faire connaître un niveau de langue plus standard, à tel point que, pour plusieurs, le « français standard d'ici » s'identifie à la langue des meilleurs présentateurs de la radio et de la télévision.

La langue de l'Administration semble faire l'objet d'une évaluation positive : A. Archambault et M. Magnan soulignent, par exemple, l'amélioration de la langue des publications gouvernementales. Il y a pourtant une ombre au tableau : la présence de nombreux réviseurs dans les différents ministères et organismes du gouvernement québécois laisse supposer l'existence de problèmes relativement à l'utilisation du code écrit[18]. D'autre part, nous n'avons pas non plus de recherches sur la qualité du français de l'Administration fédérale ; le français y est soumis à une très forte concurrence de l'anglais : on estime, par exemple, que 88 % des traductions du gouvernement fédéral se font de l'anglais vers le français et seulement 12 % du français vers l'anglais[19]

---

18. Le Conseil de la langue française a entrepris une étude sur la langue écrite de l'Administration.

19. Ces chiffres n'incluent pas les traductions qui se font vers des langues étrangères.

(cf. Bédard et Maurais, 1983 : 444). Une telle situation ne peut pas être sans avoir des répercussions sur la qualité du français.

La qualité de la traduction s'est-elle améliorée au Québec ? Oui, s'il faut en croire les résultats du colloque « Traduction et qualité de langue ». Toutefois, les traducteurs improvisés, les « bons bilingues », continuent d'occuper une grande place et des inquiétudes se font jour quant à la formation des nouveaux diplômés. Selon un représentant du Secrétariat d'État du Canada —le plus grand employeur de traducteurs du pays—, « à la faveur des examens d'avancement et de recrutement du Secrétariat d'État, on a constaté le manque de connaissances générales, le manque de connaissance de la langue de départ, la méconnaissance des sujets traités, l'absence de méthodologie de travail. L'erreur la plus importante est cependant le manque de compréhension globale du texte, c'est-à-dire la faiblesse du raisonnement logique[20] ». Mais notons que ce commentaire ne fait pas référence à la connaissance de la langue d'arrivée (le français dans la plupart des cas).

Pour dresser un « bilan » équitable de la qualité de la langue au Québec, il faut enfin rappeler l'augmentation de l'utilisation du français dans des secteurs névralgiques comme l'économie, à la suite des législations linguistiques (*Loi sur la langue officielle* de 1974 et *Charte de la langue française* de 1977). Après l'échec des campagnes de bon parler français, on peut espérer que l'amélioration du français viendra de l'amélioration de son statut et de celui des francophones. Cela traduit un changement d'objectif : la qualité de la langue n'est plus une fin en soi mais est considérée comme le fruit d'une utilisation de plus en plus étendue du français.

2. Facteurs explicatifs

Diverses explications ont été proposées face à la montée des plaintes sur la « crise » des langues un peu partout dans le monde. Plusieurs des raisons invoquées par les autres collaborateurs de ce volume peuvent sans doute, à des degrés divers, s'appliquer au Québec. Pour notre part, nous nous contenterons d'énumérer une demi-douzaine de causes, sans prétendre à l'exhaustivité.

1. Le premier facteur, toujours cité, est évidemment l'impact de la démocratisation de l'enseignement. Les faits étant dans l'ensemble assez

---

20. *Actes du colloque « Traduction et qualité de langue »*, p. 189.

connus, nous nous contenterons de résumer. Depuis 1964, le Québec est passé d'un modèle traditionnel, où une élite socio-économique était sur-représentée[21], à un modèle démocratique qu'il a fallu construire presque de toutes pièces et devant permettre à tous de poursuivre des études gratuites jusqu'à la fin du cours collégial. Il y a par conséquent beaucoup plus d'enfants dans les écoles aujourd'hui qu'il y a 20 ou 50 ans:

> Dans le mémoire des collèges classiques à la Commission Tremblay (1954), on estimait que parmi les jeunes (garçons seulement) de 13 à 20 ans au Québec, 6,4 pour 100 fréquentaient les collèges classiques en 1951, et que ce taux passerait à 7,8 pour 100 en 1961. Le rapport Parent a bien décrit la situation autour des années 60 et annonçait une explosion scolaire à partir des études de Henripin et Martin; prévisions qui ont été dépassées. Selon Statistique Canada, en 1982, 68,3 pour 100 et 42,5 pour 100 des jeunes de 17 ans et de 18 ans respectivement étaient aux études à temps plein au Québec. Les recherches de la direction des études économiques et démographiques [...] montrent que la [proportion] des jeunes inscrits au cégep dépassera très bientôt, si ce n'est déjà fait, le cap de 50 pour 100 (Bélanger, 1984).

On n'a cependant jamais pu prouver qu'il y a aujourd'hui moins de bons élèves qu'auparavant ou que les bons élèves d'aujourd'hui sont moins bons que les bons élèves d'autrefois.

2. Parallèlement à la démocratisation de l'accès à l'école, on a assisté à une mutation du cursus. Auparavant, l'enseignement insistait beaucoup sur l'acquisition d'aptitudes linguistiques et de connaissances littéraires: cours de langue et de littérature françaises, cours de langue et de littérature anglaises, cours de langue et de littérature latines, cours de langue et de littérature grecques. Le thème et la version étaient des exercices auxquels nul n'échappait dans les collèges classiques. Si nous ajoutons à cela les cours, alors obligatoires, d'histoire et de géographie —et en n'oubliant pas les cours d'instruction religieuse—, il faut avouer que les mathématiques et les sciences étaient à cette époque réduites à la portion congrue. Depuis ce temps, il y a eu un retournement de la situation et les sciences occupent maintenant, surtout quant au prestige, le haut du pavé; mais ce qui est étonnant, c'est que l'on n'ait pas encore pu prouver une baisse réelle de la maîtrise de la langue écrite alors que les activités d'apprentissage linguistique ont beaucoup diminué dans

---

21. Évidemment le caractère élitiste pouvait varier fortement d'un collège classique à l'autre: par exemple, dans la seconde moitié du XIXᵉ siècle, 59,5 % des élèves du séminaire de Nicolet étaient fils de cultivateurs contre 22,3 % au séminaire de Québec alors que le monde rural comptait pour 48,9 % de la population de la province de Québec au recensement de 1891. Cf. Galarneau, 1978: 143-144.

l'horaire scolaire. Qui plus est, la part dévolue à l'apprentissage du français a même diminué : « En général, le temps consacré à l'enseignement-apprentissage du français au primaire et au secondaire a été coupé de moitié, sinon plus, depuis une vingtaine d'années ; au collégial, il n'occupe plus qu'une place minimale dans le programme, même s'il est demeuré obligatoire » (Bibeau et al., 1984 : 9). En contrepartie, notons que les études citées précédemment montrent qu'il y a corrélation entre le succès en français et le succès en mathématiques.

3. On croit souvent qu'il y a un lien entre la maîtrise de l'orthographe et le nombre d'heures consacrées à la lecture[22]. Cependant, les recherches sur la lecture rapide, en mettant en lumière le fait que nous ne lisons pas chaque lettre d'un mot mais que nous nous comportons un peu comme si les mots étaient des idéogrammes, jettent un doute sur cette croyance. Il peut quand même être intéressant d'étudier les habitudes de lecture des Québécois. Ces derniers lisent à peu près deux fois moins que les Français : 51 % des francophones du Québec avouent ne jamais lire ou lisent rarement, contre 26,2 % des Français qui ne lisent jamais ; en revanche, les Québécois qui lisent beaucoup, c'est-à-dire 30 livres et plus par année, sont proportionnellement deux fois plus nombreux (38 %) que les Français (16,7 %) (Institut québécois de recherche sur la culture, 1984 : 34-35, 41-42). D'après le sondage effectué par Roger Greiss[23], le quart des cégépiens ne lit aucun volume, à part ceux qui sont imposés en classe ; moins de 15 % des collégiens lisent « beaucoup », c'est-à-dire dix livres ou plus par année. Et, dans l'ensemble canadien, les Québécois occupent la dernière place pour le temps consacré à la lecture (tableau 5).

Malheureusement nous n'avons pas de données qui nous permettraient de savoir si la situation s'est améliorée ou s'est détériorée par rapport à celle qui prévalait il y a 20 ou 50 ans. Tout ce dont nous disposons, c'est d'une étude comparant la situation de 1983 à celle de 1979. On y apprend que, si la lecture se maintient toujours au même niveau dans les activités de loisir des femmes, elle fait au contraire une chute chez les hommes : « En 1979, il y avait 46 % des hommes qui lisaient régulièrement des livres, en 1983 il en reste 39 %, soit une baisse de 7 % » (Garon, 1984 : 7).

---

22. D'où des affirmations rapides et gratuites comme : « L'orthographe, c'est du savoir-lire associé à de la mémoire » (Petitjean, 1983).

23. Je n'ai pas reçu à temps le texte de la recherche de M. Greiss. Je cite donc d'après le *Devoir* du 19 juillet 1984.

Tableau 5

NOMBRE MOYEN D'HEURES CONSACRÉES AU COURS DE LA SEMAINE
PRÉCÉDANT L'ENQUÊTE À LA LECTURE DE LIVRES
POUR CHACUNE DES PROVINCES CANADIENNES

Provinces	Nombre moyen d'heures par lecteur
Terre-Neuve	2,7
Île-du-Prince-Édouard	3,2
Nouvelle-Écosse	3,4
Nouveau-Brunswick	2,9
Québec	2,3
Ontario	3,0
Manitoba	2,8
Saskatchewan	2,7
Alberta	3,4
Colombie-Britannique	4,0

Source: Kenneth F. Watson, *Les habitudes de lecture des Canadiens adultes en 1978*, Secrétariat d'État du Canada, 1980. Cité dans Ministère des Affaires culturelles (1984: 39).

4. Comme corollaire de l'observation précédente, il faut rappeler la grande place qu'occupent les moyens audio-visuels dans les loisirs; certains ajouteront: au détriment de la lecture[24]. C'est ainsi, par exemple, que les élèves francophones de secondaire IV et V passent de 11 à 13 heures par semaine à regarder la télévision et de 6 à 9 heures à écouter la radio; la lecture de livres n'occupe que de 2 à 3 heures de leur semaine[25]; même en tenant compte de la lecture des journaux, des magazines, des bandes dessinées et des manuels scolaires, on constate que les médias électroniques occupent près de deux fois plus de l'horaire des jeunes (Bédard et Monnier, 1981: 43-45). Au niveau collégial, d'après l'enquête précédemment citée de Roger Greiss, les connaissances littéraires s'acquièrent grâce à la télévision et au cinéma; les oeuvres les plus connues chez les collégiens qui ont participé à l'enquête, *Holocauste*, *Racines*, *Les Plouffe*, etc., avaient fait l'objet d'adaptations cinématographiques ou télévisées.

---

24. La question est de savoir si les gens — et spécialement les jeunes — lisent moins aujourd'hui qu'autrefois. Nous ne disposons pas de données à ce sujet.

25. Les chiffres donnés ici ne font pas la différence entre le temps consacré à des activités culturelles en français et celui consacré à des activités en anglais.

5. Les « fautes », c'est-à-dire l'écart entre les comportements réels des locuteurs et la norme (par exemple, *vous disez* au lieu de *vous dites*) trahissent les points les plus faibles d'une langue, là où la force de l'analogie tente de se défaire de formes maintenues par la tradition et l'enseignement mais qui ont perdu leur motivation pour la plupart des sujets parlants. Depuis les travaux d'Henri Frei (1929), on sait que ces fautes représentent le « français avancé ». Les puristes, au premier rang desquels il faut citer la plupart des chroniqueurs de langue, essaient bien de retarder l'évolution naturelle de la langue, de cantonner le français à un mythique âge d'or, mais en vain, car une langue est soumise à des forces et à des pressions constantes qui l'amènent à évoluer: il est donc déraisonnable d'imposer à la langue de tous les jours le carcan d'un modèle d'un autre siècle[26]. Jusqu'à un certain point on peut dire que les fautes manifestent le dynamisme de la langue: en commettant des fautes, on se débarrasse du bois mort qui encombre le système. Le changement linguistique est plus un bien qu'un mal en soi: il s'agit d'une réponse à de nouveaux besoins. Voilà ce que nous enseigne la linguistique.

Certains penseront qu'en peu de temps le changement pourra empêcher l'intercompréhension chez les locuteurs. Il faut les rassurer, les langues n'évoluent pas aussi rapidement. Les pressions sociales (et l'école au premier chef) viennent retarder cette évolution. Les fautes nous signalent ce qui sera probablement du « bon français » dans quelques siècles; mais, pour l'instant, il y a des risques à utiliser de telles formes. La transgression des normes est en effet généralement sanctionnée d'une façon ou d'une autre: dans le domaine scolaire —c'est le cas le plus évident—, la sanction se traduit par la perte de points. Mais dans la vie professionnelle cela pourra être, pour quelqu'un qui ne maîtrise pas l'orthographe, la difficulté à se trouver un emploi.

La linguistique nous invite à relativiser la notion de faute et, surtout, à lui faire perdre toute connotation morale: on ne « pèche » pas contre le français.

6. L'écrit occupe de moins en moins de place dans la vie des élèves. Donald Graves a étudié la question aux États-Unis: « Lors d'une enquête réalisée auprès d'un grand nombre d'étudiants [?] de dix-sept ans, Graves découvre ce qui suit: pendant six semaines, 50 % d'entre eux n'ont écrit que deux ou trois pages dans l'ensemble de leurs matières de classe, 12 % n'ont écrit qu'un seul court travail et 13 %

---

26. Cependant, certains écrivains, pour des raisons stylistiques et esthétiques, peuvent décider de privilégier un modèle plus « classique » mais on ne voit pas pourquoi ce choix devrait être imposé à tous les locuteurs.

n'ont rien eu à écrire... Une enquête analogue menée auprès d'élèves de la 2ᵉ à la 6ᵉ année du primaire, dans des régions scolaires réputées pour accorder beaucoup d'importance à l'écrit, révèle que les élèves n'ont produit en moyenne que trois textes en trois mois, dans toutes les matières » (Valiquette, 1984). Les élèves ont-ils besoin de se forcer à apprendre l'orthographe quand ils savent que, dans bien des matières, ils n'auront à subir qu'un test « objectif » ?

7. On entend souvent dire que, si le français est si mal enseigné au Québec, cela provient du jeu des conventions collectives : le professeur de mathématiques ou d'éducation physique se voit confier la classe de français plutôt que d'être mis en disponibilité. Cela n'est évidemment pas la situation idéale — encore qu'il n'est pas prouvé que le fait soit très courant. Mais, comme nous l'avons fait tout au long de ce chapitre, il faut nous poser la question : est-ce pire qu'avant ? Rien ne permet d'affirmer que la situation était meilleure quand l'institutrice d'une école de rang devait enseigner toutes les matières des sept années du cours primaire. Et que dire des collèges classiques où la « vocation » tenait souvent lieu de diplôme universitaire ?

Tout ce que nous venons de passer en revue, ce sont des facteurs qui expliquent et qui relativisent les craintes et les jugements portés sur la situation actuelle. Ce ne sont pas des solutions.

Ceux qui croient qu'il y a crise de la langue maternelle ou du moins de graves problèmes à ce sujet ont suggéré diverses solutions. En premier lieu, on a proposé, chez nous comme ailleurs, de réintroduire le latin et le grec dans l'enseignement secondaire[27] ; plus réaliste sans doute, Conrad Bureau (1985) propose que ce soient les maîtres de français qui devraient étudier une langue ancienne, latin ou grec, à l'université ; et, « quant aux élèves, une introduction au latin et au grec, mais dans *une perspective étymologique en fonction des mots qu'ils utilisent*, serait nécessaire dès le secondaire ... une initiation progressive répartie sur plusieurs années du secondaire, à même les cours de français » (Bureau, 1985).

---

27. En 1984, 19 % des élèves francophones inscrits dans des institutions privées suivaient des cours de latin contre 0,1 % dans les écoles publiques (compilations de la Société des études anciennes du Québec) ; en France, en 1978-1979, 23 % des élèves de quatrième et de troisième faisaient du latin, une légère *hausse* par rapport aux 20 % de 1972-1973, et 1,4 % des élèves étaient inscrits à des cours de grec (*Le Monde de l'éducation*, janvier 1980). — P. Bourdieu et J.-C. Passeron ont montré que, du moins en France, latin et grec ne produisent pas en eux-mêmes de meilleurs résultats scolaires mais seulement parce que ces matières sont choisies par des candidats qui, au départ, sont sursélectionnés de sorte que, même s'ils proviennent de milieux populaires — auquel cas on s'attendrait à une moins bonne performance —, ils réussissent pourtant très bien (cf. Bourdieu et Passeron, 1970 : 104-105).

En deuxième lieu, on a commencé à dégager les implications pédagogiques des études portant sur la langue des écoliers puisque les statistiques nous indiquent quels sont les principaux problèmes (cf. Bureau, 1984; Simard, 1983; Gagné, Pagé *et al.*, 1981; Milot, 1976; etc. [28]). Il n'y a pas de doute que de grands espoirs existent de ce côté.

En troisième lieu, on a proposé aux États-Unis l'augmentation du nombre de jours de classe de 180 à 200 par année, ce qui reste quand même loin des 240 du Japon (rapport *A Nation at Risk*). Au Québec, le nombre minimal de jours de classe est aussi de 180.

En quatrième lieu, il est évident que l'amélioration de la maîtrise du code écrit ne peut passer que par une augmentation de l'utilisation de l'écriture, donc une augmentation des travaux scolaires.

Pour terminer cette section, on nous permettra peut-être de rappeler que si on parle beaucoup depuis quelques années du « virage technologique » que le Québec doit prendre, on ne voit pas encore quelle place le français y occupera, puisque les nouvelles technologies sont surtout d'origine américaine. Parallèlement, on ne peut oublier qu'il n'y a pas encore eu de réponse aux plaintes des entreprises (cf. mémoire de l'A.C.F.Q. déjà mentionné) qui reprochent à l'école de rester loin derrière dans les efforts de francisation du Québec.

Conclusion : *Nihil novi sub sole*?

Au procès de l'enseignement du français au Québec, le verdict doit être le non-lieu. Par manque de preuves. Des preuves qui proviendraient de la comparaison de l'état actuel avec l'état antérieur.

Mais il y a quand même des faits troublants : bien sûr, rien ne nous permet d'affirmer que la situation soit pire qu'avant, mais il y a quelque chose qui blesse le sens commun quand on dit que les cégépiens font 13,2 fautes par copie (une faute tous les 19 mots) ou que les élèves du secondaire en font 37 par copie et que la situation pourrait être normale.

---

28. Pour des études plus théoriques, on consultera les travaux de Colette Dubuisson, Louisette Emirkanian, Louise Lemay, Isabelle Mahy, Monique Poulin, Josiane Boutet, Françoise Gauthier, Madeleine Saint-Pierre et Francine Boulanger parus dans les trois premiers volumes de la *Revue de l'Association québécoise de linguistique* (1981, 1982 et 1983). On pourra aussi se rapporter à la thèse de Marie-Christine Paret (1984).

Il ne faudrait cependant pas réduire la question de la crise du français au Québec à sa seule dimension orthographique. Après tout, l'orthographe est loin d'être l'aspect le plus important de la langue ; et il serait d'ailleurs temps de procéder à un dépoussiérage de ce côté, pour éliminer les anomalies les plus criantes[29]. Mais, même si l'on parvenait à effectuer une réforme de l'orthographe, il n'est pas évident que cela améliorerait grandement la situation dans les écoles : en effet, les études québécoises montrent que ce qui fait difficulté — statistiquement parlant —, ce n'est pas l'orthographe dite d'usage — sur laquelle se concentrent les projets de réforme —, mais l'orthographe grammaticale. On peut cependant croire qu'une réforme portant sur l'orthographe d'usage, en diminuant le fardeau de l'apprentissage de ce côté, pourrait contribuer à améliorer la maîtrise de l'orthographe grammaticale.

Mais la langue, c'est aussi la morphologie, la syntaxe et le lexique. Et la compétence linguistique, c'est entre autres savoir utiliser à bon escient les différents registres ou niveaux de langue. Sur cette dernière question, les études sont lacunaires mais l'expérience nous apprend qu'il y a là un problème qui dépasse, d'ailleurs, le cadre de l'école : qu'on se rappelle le cas du ministre québécois qui est allé parler à la télévision, en 1970, après l'assassinat de Pierre Laporte, de son collègue qu'on venait de « zigouiller ».

D'autre part, toutes les études, tant québécoises que françaises et américaines, montrent qu'il y a corrélation entre milieu social favorisé et succès scolaire en langue maternelle[30]. Mais de plus, il est connu depuis assez longtemps que, « en quelque domaine culturel qu'on les mesure, théâtre, musique, peinture, jazz ou cinéma, les étudiants ont des connaissances d'autant plus riches et plus étendues que leur origine sociale est plus élevée » (Bourdieu et Passeron, 1964 : 30). Mis en présence du peu de connaissances des élèves de nos écoles en matière littéraire (cf. l'étude de Roger Greiss) et du peu de place accordée à l'enseignement de l'histoire et de la géographie, pour ne prendre que ces exemples, on peut se demander si les programmes scolaires remplissent bien leur rôle à l'égard de « ceux que leur origine sociale condamne à n'avoir d'autre culture que celle qu'ils doivent à l'école », selon l'expression de Pierre Bourdieu et Jean-Claude Passeron (1964 : 33).

---

29. Rappelons au passage que l'anglais n'a rien à envier au français pour l'illogisme de l'orthographe.

30. La particularité des études québécoises, c'est qu'il n'a pas été possible d'établir, pour le Québec, une corrélation entre langue des enfants et milieu socio-économique des parents *au plan syntaxique*. Mais il y a des différences aux plans phonologique et lexical. Cf. Gagné et Pagé (1981).

Plutôt qu'à une crise de l'orthographe ou de la langue, peut-être assistons-nous à une crise de culture ou, plus exactement, de civilisation : à preuve, l'importance moindre accordée aux connaissances littéraires et historiques, ornements de la culture savante de naguère. La place est maintenant occupée par les sciences et la technologie. Mais, curieusement, la prépondérance de l'informatique qui semble s'installer dans les écoles —il est encore trop tôt pour dire s'il ne s'agit que d'un phénomène passager, comme la mode de l'audio-visuel et des laboratoires de langue que nous avons connue dans les années 60 — redonnera peut-être de l'importance à l'écrit et à la maîtrise du code orthographique —du moins tant qu'il ne sera pas possible de converser oralement avec l'ordinateur—, car cet appareil ne peut accepter des données mal orthographiées. Enfin, quoique l'on ait prédit à maintes reprises que l'écrit allait disparaître, il faut se rendre à l'évidence : l'écriture demeure toujours le mode privilégié de conservation et de diffusion des connaissances.

Quelques opinions récentes sur la crise du français au Québec

• Jean-Paul Desbiens (le frère Untel) qui fut le premier à stigmatiser le « joual » québécois croit qu'il faut revenir à la « pratique méthodique, opiniâtre de la rédaction française » et « réintroduire avec vigueur à l'école les exercices traditionnels de grammaire, d'orthographe et de lexique, parce que leur maîtrise assoit la pierre angulaire du langage perfectionné. D'avoir négligé depuis deux décennies l'apprentissage de l'écriture, peut-être récoltons-nous maintenant d'une organisation onéreuse de l'enseignement, des fruits rabougris ».

Dimanche-Matin, 16 octobre 1983.

• L'enseignement du français dans les écoles de la Commission scolaire Saint-Jérôme est « pourri ». C'est du moins ce qu'a affirmé le commissaire André Audet après avoir pris connaissance d'un rapport d'évaluation des notes d'examens de certains cours choisis au hasard. Selon M. Audet, les faibles notes qu'ont obtenues les élèves du cours professionnel [...] s'explique [sic] en partie par la pauvreté des connaissances du français des étudiants. En effet, il semble que les enseignants utilisent principalement un langage populaire qui se parle dans le milieu du travail alors que les examens du ministère de l'Éducation utilisent eux un français correct. Il en découle donc que les élèves ne sont même pas en mesure de comprendre les questions et, par conséquent, sont incapables d'y répondre.

L'Écho du Nord, 13 juin 1984.

● Certains étudiants d'administration se trouvent fortement pénalisés car, faute de maîtriser convenablement le vocabulaire de base de leur discipline, il leur est très difficile d'effectuer les exercices d'analyse, de synthèse et d'argumentation qu'exige le maniement des concepts de cette discipline. C'est d'ailleurs à dessein que nous avons employé le terme d'« analphabétisme partiel » pour désigner la problématique du français écrit à l'université. Il existe en effet toute une population d'étudiants qui ne peut comprendre un texte qu'à 60 % ou qui rédige en ne faisant passer que 75 % (ou moins) de « ce qu'ils voudraient dire ».
André Bougaïeff, professeur à l'Université du Québec à Trois-Rivières, lors du congrès « Langue et Société » (Québec, 11-13 novembre 1982).

● « Je suis convaincu que nos sociétés sont tragiquement sous-éduquées et que l'école, telle que présentement constituée, est incapable de corriger cette condition, quelles que soient les ressources financières et humaines qu'on y investisse. »
Léon Dion, cité dans J. Grand'Maison, *L'école enfirouapée*, p. 99.

● « Au procès de la langue française au Québec, la première accusée est l'école à laquelle on impute, et plus encore au cours de français, tous les torts et travers de la situation linguistique actuelle. »
Rapport Duranceau, p. 48 (Conseil supérieur de l'éducation).

● « Eh bien, de l'Oural aux Laurentides (et pas seulement pour le français, comme nous sommes « masochistement » portés à le croire), ce n'est que récriminations contre la façon dont on parle et écrit le polonais, l'allemand, l'anglais même, l'italien, etc. Quand on y regarde de plus près, comme il m'a été donné de le faire un peu en chacune de ces civilisations, on s'aperçoit que ce que l'on appelle la « crise des langues » n'est en réalité qu'un aspect d'une crise infiniment plus générale remettant en cause les fondements mêmes de la hiérarchie de toutes les valeurs sur lesquelles reposait notre monde depuis longtemps — la culture linguistique était une de ces valeurs. »
Jean Marcel (1984 : 139).

● « Hélas ! la pratique de l'enseignement de la langue nous apprend que les carences existent à l'état endémique et qu'elles affectent un pourcentage dangereusement élevé de la population étudiante. Il semble qu'il faudrait envisager de dispenser à perpétuité un enseignement palliatif, que cet enseignement fasse partie intégrante de la séquence établie dans un Collège, qu'il s'y inscrive en marge, comme cours complémentaire, ou qu'il se présente sous toute forme d'aide individuelle ou de service de consultation. »
F. Poitras (1980 : 4).

● De l'enquête effectuée en 1977 dans le diocèse de Rimouski par la Société nationale de l'Est du Québec, il ressort que : « 1) Une majorité de répondants (46,9 %) croit que le temps alloué à l'enseignement du français est insuffisant ; 2) très peu de répondants (11 %) jugent que les méthodes d'enseignement du français sont mauvaises ; la grande majorité les jugent [*sic*] d'une façon plutôt positive et leur prête une qualité moyenne ; 3) l'enseignement du français, globalement, est jugé d'une façon plus favorable que les méthodes elles-mêmes. » « De plus, selon la majorité des répondants, la qualité de la langue se maintient ou s'améliore au Québec. Cependant, près du tiers des répondants (28,3 %) croient que la qualité de la langue diminue. »

G. Simard (1977 : 72 et 189).

Bibliographie

A.Q.P.F. (Association québécoise des professeurs de français) (1970), *Le livre noir. De l'impossibilité (presque totale) d'enseigner le français au Québec*, Montréal, Éditions du Jour.

ARCHAMBAULT, Arianne et Myriam MAGNAN (1982), *La qualité de la langue dans les domaines de l'enseignement, de l'Administration, des médias et de la publicité. Inventaire des préoccupations*, Québec, Conseil de la langue française, collection « Notes et documents » n° 15.

ASSOCIATION DES FEMMES UNIVERSITAIRES DE QUÉBEC (s.d.), *Mémoire sur l'enseignement primaire (...) présenté à la Commission royale d'enquête sur l'enseignement*, 6 feuillets dactylographiés. Accompagné du *Rapport sur les livres de français au cours primaire...*, 28 + 5 + 8 + 6 feuillets dactylographiés.

BARBAUD, Philippe (1984), *Le choc des patois en Nouvelle-France. Essai sur l'histoire de la francisation au Canada*, Sillery, Presses de l'Université du Québec.

BEAULIEU, Georges *et al.*, (1978), *Les interventions pédagogiques correctives en français écrit au niveau collégial*, Québec, ministère de l'Éducation, Direction générale de l'enseignement collégial.

BÉDARD, Édith et Jacques MAURAIS (1983), « Réflexions sur la normalisation linguistique au Québec », dans É. Bédard et J. Maurais, *La norme linguistique*, Québec, Conseil de la langue française et Paris, Éditions le Robert, 435-459.

BÉDARD, Édith et Daniel MONNIER (1981), *Conscience linguistique des jeunes Québécois. Influence de l'environnement linguistique chez les élèves francophones de niveau secondaire IV et V*, Québec, Conseil de la langue française, collection « Dossiers du Conseil de la langue française » n° 9.

BÉLANGER, Pierre W. (1984), « Les jeunes et le français », *Le Soleil*, 5 septembre 1984, A17.

BENJAMIN, Claude (1983), « L'école et la qualité de la langue », *Le Soleil*, 9 novembre 1983.

BIBEAU, Gilles *et al.* (1975), *Enquête sur le français écrit dans les cégeps*, Montréal, Cégep de Maisonneuve.

_____ (1984), *Étude sur les perceptions et les attentes concernant l'enseignement-apprentissage du français langue maternelle*, Rapport préliminaire pour le Conseil de la langue française.

BOISSONNAULT, Pierre et Vital GADBOIS (1976), *L'hybride abattu ou le bilinguisme et l'enseignement du français*, Montréal, Quinze.

BOURDIEU, Pierre et Jean-Claude PASSERON (1964), *Les héritiers. Les étudiants et la culture*, Paris, Éditions de Minuit.

_____ (1970), *La reproduction, éléments pour une théorie du système d'enseignement*, Paris, Éditions de Minuit.

BOUTHILLIER, Guy et Jean MEYNAUD (1972), *Le choc des langues au Québec 1760-1970*, Montréal, Presses de l'Université du Québec.

BUIES, Arthur (1968 [1864 et 1867]), *Lettres sur le Canada. Étude sociale*, Montréal, Réédition-Québec.

BUREAU, Conrad (1976), *Enquête sur la qualité du français écrit des étudiants de la Faculté des lettres de l'Université Laval*, Université Laval, Faculté des lettres.

_____ (1984), « La maîtrise du français écrit au niveau post-secondaire : deux enquêtes », *Actes du congrès Langue et Société*, t. 4 : 165-174.

_____ (1985), *La qualité du français écrit au secondaire. Étude-témoin dans la région de Québec d'après un corpus de 7 000 phrases*, Québec, Conseil de la langue française.

CHALVIN, Solange et Michel (1962), *Comment on abrutit nos enfants ou la bêtise en 23 manuels scolaires*, Montréal, Éditions du Jour.

DESBIENS, Jean-Paul (1960), *Les insolences du Frère Untel*, Montréal, Éditions de l'Homme.

DUNETON, Claude (1984), *À hurler le soir au fond des collèges. L'enseignement de la langue française* (avec la collaboration de Frédéric Pagès), Éditions du Seuil.

DUSSAULT, Gilles *et al.* (1977), *Étude clinique de l'enseignement du français, langue maternelle, au niveau secondaire (1973-1976): rapport final*, Ste-Foy, I.N.R.S. — Éducation.

FREI, Henri (1929), *La grammaire des fautes*, Paris, Bellegarde.

GAGNÉ, Gilles (1980 [1979]), « Pédagogie de la langue ou pédagogie de la parole? », *Actes du colloque « La qualité de la langue ... après la loi 101 »*, Québec, « Documentation du Conseil de la langue française » n° 3, 79-95.

──────── (1984), « La norme du français dans les écoles du Québec », *Actes du congrès Langue et Société*, t. 4: 201-220.

GAGNÉ, Gilles et Michel PAGÉ (1981), « Étude de la langue orale des jeunes Québécois, en fonction de certaines variables socioculturelles » in J.-M. Klinkenberg *et al.*, *Langages et collectivités. Le cas du Québec*, Montréal, Leméac, 1981, 21-39.

GAGNÉ, Gilles, Michel PAGÉ *et al.* (1981), *Études sur la langue parlée des enfants québécois (1969-1980)*, Montréal, Presses de l'Université de Montréal.

GAGNON, Lysiane (1975), « Le drame de l'enseignement du français », *La Presse*, 5-12 avril 1975.

──────── (1982), « Le jargon des bien-pensants », *La Presse*, 12 octobre 1982.

GALARNEAU, Claude (1978), *Les collèges classiques au Canada français*, Montréal, Fides.

GARON, Rosaire (1984), « La lecture serait-elle du genre féminin? », *Chiffres à l'appui*, 2/1: 1-11.

GRAND'MAISON, Jacques (1978), *L'école enfirouapée*, Montréal, Stanké.

HORGUELIN, Paul A. (1984), « La traduction à l'ère des communications » *in* Société des traducteurs du Québec et Conseil de la langue française, *Actes du colloque Traduction et qualité de langue*, Québec, Conseil de la langue française, collection « Documentation du Conseil de la langue française » n° 16, 24-35.

I.Q.R.C. (Institut québécois de recherche sur la culture) (1984), *Dossier statistique à l'intention des participants à la rencontre franco-québécoise sur la culture.*

LAPOINTE, Christian (1938), « Le français à l'université », *Deuxième congrès de la langue française au Canada*, Mémoires, t. 1 : 36-41.

LAURIN, Camille (1984), « La qualité de la langue », *Actes du congrès Langue et Société au Québec*, t. IV : 485-493.

MARCEL, Jean (1973), *Le Joual de Troie*, Montréal, Éditions du Jour.

———— (1984), « Fragments de lettres à un ami sur les rapports de la langue et la culture », *Douze essais sur l'avenir du français au Québec*, Québec, « Documentation du Conseil de la langue française », n° 14, 137-148.

MARTIN, André *et al.* (1978), *L'évaluation de la compétence linguistique et du vocabulaire actif des étudiants de première session au niveau collégial*, ministère de l'Éducation, Direction générale de l'enseignement collégial.

MAURAIS, Jacques (1984), *La langue de la publicité des chaînes d'alimentation, Étude sur la qualité de la langue et sur l'implantation terminologique*, Québec, Conseil de la langue française, collection « Dossiers du Conseil de la langue française » n° 18.

MILLER, C.-J. (1938), « Le français à l'école primaire », *Deuxième congrès de la langue française au Canada*, Mémoires t. 1 : 7-15.

MILOT, Jean-Guy (1976), « L'orthographe, un problème de diagnostic et de didactique », *Prospectives* 12/3, octobre 1976, 159-162.

———— (1984), « Le programme de français du secondaire », *Actes du congrès Langue et Société*, t. 4 : 259-273.

MINISTÈRE DES AFFAIRES CULTURELLES (1984), *La lecture au Québec, Document d'orientation*, Québec.

MOISAN, Sylvie (1981), *Contribution à l'étude de la qualité de la langue des textes utilisés à l'école primaire*, Québec, Conseil de la langue française, collection « Notes et documents » n° 5.

PARET, Marie-Christine (1984), *La maturation syntaxique du français écrit au secondaire*, thèse, Université de Montréal.

PETITJEAN, Gérard (1983), « L'école des Martiens », *Le Nouvel Observateur*, 9 septembre 1983, 36-39.

PIERRE, Paul (1977), *Rapport d'analyse de l'enquête sur la pédagogie du français au Québec (élémentaire 5-8 ans)*, Québec, ministère de l'Éducation, Direction générale de l'enseignement élémentaire et secondaire.

POITRAS, Françoise (1980), *Les carences en français au collégial : le diagnostic et le choix du traitement*, Gouvernement du Québec, ministère de l'Éducation.

PRIMEAU, Gilles (1984), « Fondements du nouveau programme de français au primaire », *Actes du congrès Langue et Société*, t. 4 : 237-245.

PRIMEAU, Gilles et Guy LABELLE (1981), « Étude et évolution du vocabulaire d'enfants québécois de neuf à douze ans », *in* Gagné, Pagé *et al.* (1981), 133-143.

Rapport de la Commission royale d'enquête ... (Rapport Parent), (1966 [1965]), Québec, Éditeur officiel du Québec.

RAYMOND, abbé Henri (1938), « L'enseignement du français dans les collèges classiques », *Deuxième congrès de la langue française au Canada*, Mémoires, t. 1 : 22-35.

ROBERGE, Albert (1984), *Étude comparative sur l'orthographe d'élèves québécois*, Québec, Conseil de la langue française, collection « Notes et document » nᵒ 41.

ROCHETTE, Claude *et al.* (1984), *La langue des animateurs de la radio et de la télévision francophones au Québec*, Québec, Conseil de la langue française.

ROY, Archélas (1960), « La grammaire » *in Cahiers de l'Académie canadienne-française*, nᵒ 5.

SAINT-GELAIS, Yves *et al.* (s.d.), *Rapport de recherche sur l'état de la langue écrite chez les étudiants de l'Université du Québec à Chicoutimi*.

SIMARD, Guy (1977), *Le français dans l'Est du Québec*, Rimouski, Société nationale de l'Est du Québec.

_____ (1983), « Autour de l'enseignement de l'orthographe », *L'Axe*, novembre 1983, 10-15.

SIMARD, Guy et Marcel CÔTÉ (1984), « L'apprentissage de l'orthographe grammaticale au secondaire », *Québec français*, n° 54, 71-77.

SOCIÉTÉ DU PARLER FRANÇAIS AU CANADA (1913), *Premier congrès de la langue française au Canada, compte rendu*, Québec, Imprimerie de l'Action sociale Ltée.

THÉRIO, Adrien (1964), « Une enquête manquée ou le français dans nos collèges », *La Revue de l'Université Laval*, XIX/1 : 37-45.

VALIQUETTE, Josée (1984), « *L'apprentissage et la maîtrise du français écrit dans les écoles du Québec* », *Actes du congrès Langue et Société*, Québec, t. 4 : 78-90.

III
Une crise du français en Suisse romande?

par Christian Rubattel

Université de Neuchâtel

Comme la Suisse est un État fédéral plurilingue, il faut distinguer la situation à l'intérieur de chaque région linguistique d'une part et les relations entre les langues parlées en Suisse d'autre part. La Suisse n'est pas une communauté plurilingue, mais une juxtaposition de quatre communautés généralement unilingues dont les rapports sont régis par le principe de territorialité. Les quatre langues nationales (allemand : 74 % de la population ; français : 20 % ; italien : 5 % ; romanche : 1 %), dont les trois plus importantes ont le statut de langues officielles de la Confédération, sont parlées dans des régions géographiquement homogènes, dont le territoire coïncide généralement avec celui d'un canton, État fédéral souverain dans certains domaines et en particulier dans le domaine de l'instruction publique. Les contacts de langues sont en fait limités à quelques rares régions (villes de Bienne et de Fribourg, avec bilinguisme français-allemand, communes romanches des Grisons, avec bilinguisme romanche-allemand ; cf. Rubattel, 1976 ; Kolde, 1981 ; Schläpfer *et al.*, 1982). Comme beaucoup d'autres pays d'Europe occidentale, la Suisse compte une assez forte proportion de travailleurs immigrés, pour la plupart italiens et espagnols, dont la présence modifie plus ou moins la situation linguistique selon les régions (cf. Lüdi et Py, 1984).

Compte tenu de cette diversité linguistique, une éventuelle crise de la langue sera perçue de façon très différente selon les régions linguistiques. De plus, il faut distinguer entre la situation du français en Suisse romande par exemple et son statut en tant que langue officielle de la Confédération suisse. Nous nous bornerons ici à exposer la crise du français en Suisse romande. Le problème de la connaissance du français par les Suisses allemands et italiens ne peut pas être abordé ici, faute de données sûres.

« La Suisse romande est une Suisse linguistiquement française ou une France politiquement suisse » (Knecht, 1979) : ce raccourci permet de comprendre que la situation du français n'est pas très différente en France et en Suisse romande. Structurellement, le français de Suisse romande est très proche de la norme française. De plus, les normes culturelles françaises sont aussi bien enracinées que la langue française elle-même. S'il y a une crise de la langue, il est fort possible qu'elle soit perçue en grande partie à travers des représentations originaires de France. Par exemple, la Suisse romande a repris les protestations contre le franglais — bien que les différences institutionnelles empêchent évidemment l'adoption des directives ministérielles françaises frappant l'abus des anglicismes. Le français de Suisse romande présente toutefois un certain nombre de régionalismes, que les puristes assimilent volontiers à des germanismes, le plus souvent à tort (cf. Knecht et Rubattel, 1984). Aux régionalismes proprement dits, il faut ajouter les helvétismes liés à des institutions ou à des réalités typiquement suisses (cf. Schläpfer *et al.*, 1982 : 119, 196-208, 247-252). Les régionalismes et les helvétismes sont combattus depuis longtemps par les puristes, et ils ne révèlent aucune crise récente.

La perception d'une éventuelle crise du français en Suisse romande est donc fonction de représentations venues de France et de facteurs dus au plurilinguisme de la Suisse. Toutefois, le système scolaire extrêmement décentralisé de la Suisse et l'absence d'institutions officielles chargées de normaliser et de standardiser le français rendent toute comparaison difficile. Le baccalauréat (ou « maturité fédérale »), qui donne accès à l'université, est le seul examen réglementé par la Confédération (mis à part les diplômes de médecin et de pharmacien), mais ce sont généralement les écoles cantonales qui en contrôlent le déroulement. Toute comparaison au niveau de la Suisse ou avec d'autres pays francophones est donc aléatoire. Il y a certes des efforts de coordination scolaire en Suisse romande, et il existe à Neuchâtel un Institut romand de recherches et de documentation pédagogiques, chargé, entre autres, de réunir les informations provenant des différents cantons francophones, mais aucune donnée objective ne permet de confirmer ou d'invalider l'impression subjective que la maîtrise du français, notamment sous sa forme écrite, est en recul.

Cette impression, qui n'est pas nouvelle en Suisse romande, mais qui peut être renforcée par le sentiment d'une crise de la langue en France, fait périodiquement l'objet d'interventions dans la presse, et, bien entendu, dans les milieux de l'enseignement.

En ce qui concerne l'orthographe et la morphologie, la Suisse romande semble connaître les mêmes problèmes que la France, et on invoque les mêmes causes : recul de l'enseignement du latin, influence de l'anglais et, surtout, recul de l'écrit devant la radio, la télévision et le cinéma (et aussi le téléphone). Paradoxalement, on semble chercher un remède, ou une échappatoire, dans la revalorisation du code oral spontané et son utilisation comme moyen d'accès au code écrit. Plusieurs méthodes récentes d'enseignement du français langue maternelle s'inspirent de cette approche qui fait, bien sûr, l'objet de vives critiques, pas toujours dénuées d'arrière-pensées politiques. La Suisse romande participe évidemment à la tendance générale à favoriser l'expression orale et à négliger quelque peu l'écrit (au point que la Faculté des lettres d'une université romande a dû insister auprès des enseignants pour qu'ils exigent des étudiants une expression écrite correcte). Il n'y a là rien de spécifique à la Suisse romande, et cette tendance moderne n'est pas de nature à bouleverser les rapports entre langue écrite et langue orale comme c'est le cas en Suisse allemande (en raison de la diglossie).

Le style et le lexique des Suisses romands sont considérés depuis longtemps comme déviants ou déficients par les puristes, au nom d'une norme française extrêmement conservatrice et centralisatrice. À un complexe d'infériorité somme toute provincial s'ajoute le préjugé selon lequel le français de Suisse romande serait victime de l'influence de l'allemand. Il s'agit, répétons-le, de préjugés enracinés depuis long-temps, mais qui ressurgissent sous une forme nouvelle à l'occasion d'une crise qui a d'autres causes.

La presse écrite est particulièrement sensible à ces questions[1]. Outre les rubriques des cacologues, on peut signaler les efforts de l'Association suisse des journalistes de langue française, qui essaie d'améliorer la qualité de la langue non seulement dans la partie rédactionnelle des journaux, mais aussi dans la publicité. Des plaintes, souvent fondées, se sont élevées contre la langue des textes publici-taires, souvent produits à Zurich par des Suisses allemands et adaptés en français au moindre coût. Dans le domaine des médias électroniques, c'est une fois de plus la publicité qui fait l'objet de critiques.

Enfin, l'Administration est souvent tenue pour responsable de la diffusion d'un français fautif appelé « français fédéral ». En réalité, les textes de l'Administration fédérale sont traduits (sinon rédigés) par des fonctionnaires de langue maternelle française, et leur langue n'est pas plus fautive que celle de l'Administration française par exemple. Il ne fait aucun doute que le jargon administratif n'est pas un modèle littéraire, mais on ne peut pas attribuer systématiquement à l'allemand les particularités du style administratif suisse. En revanche, l'économie privée suisse allemande n'a pas toujours les égards souhaitables pour les consommateurs francophones, soit par désinvolture, soit par incompé-tence.

Les remèdes proposés pour améliorer cette situation sont fort modestes. Outre les efforts des journalistes déjà évoqués, on peut citer

---

1. Il n'existe malheureusement pas de bibliographie sur les articles de presse consacrés à ces questions en Suisse romande. La préface (p. II) de la bibliographie éditée par Quemada (1970) et portant sur la presse française signale que « d'autres enquêtes similaires portant sur la presse francophone (Belgique, Suisse, Canada, etc.) depuis 1950 sont à l'étude ». À notre connaissan-ce, aucune enquête de ce genre n'a été réalisée en Suisse romande.

l'initiative de fonctionnaires fédéraux qui ont créé un *Fichier français*, sorte de guide du bon usage à l'intention de ceux qui rédigent ou traduisent des textes officiels. Pour le reste, le soin de veiller à la qualité du français est surtout du ressort des institutions d'enseignement, de l'école élémentaire à l'université (ou plutôt aux trois universités franco-phones de Genève, Lausanne et Neuchâtel et à l'université bilingue de Fribourg).

Il ne fait aucun doute que le français soit en crise, mais apparem-ment pas plus aujourd'hui que dans un passé récent, et pas plus en Suisse romande qu'en France. La « dimension sociolinguistique » du français en Suisse romande est très faible (cf. Knecht et Rubattel, 1984). Quant aux manifestations nouvelles de cette crise, elles ne sont que le reflet du changement de statut respectif de la langue écrite et de la langue orale que ne pouvait manquer d'entraîner l'avènement des médias électroniques modernes. Il reste à déterminer si la langue écrite a vraiment souffert de l'ordinateur et de la télévision, et si la démocratisa-tion des études a entraîné une « baisse de niveau » ou seulement une augmentation du nombre de locuteurs qui se servent de la langue écrite.

Bibliographie

KNECHT, Pierre (1979), « Le français en Suisse romande, aspects linguistiques et sociolinguistiques », *in* Albert VALDMAN (éd.): *Le français hors de France*, Paris, Champion, 249-258.

KNECHT, Pierre et Christian RUBATTEL (1984), « À propos de la dimension sociolinguistique du français en Suisse romande », *Le français moderne*.

KOLDE, Gottfried (1981), *Sprachkontakte in gemischtsprachigen Städ-ten, vergleichende Untersuchungen über Voraussetzungen und For-men sprachlicher Interaktion verschiedensprachiger Jugendlicher in den Schweizer Städten Biel/Bienne und Fribourg/Freiburg i.Ue.*, Wiesbaden, Steiner.

LÜDI, Georges et Bernard PY (1984), *Zweisprachig durch Migration, Einführung in die Erforschung der Mehrsprachigkeit am Beispiel zweier Zuwanderergruppen in Neuenburg (Schweiz)*, Tübingen, Niemeyer.

QUEMADA, Bernard (éd.) (1970), *Bibliographie des chroniques de langage publiées dans la presse française*, Paris, Didier (publication du CNRS).

RUBATTEL, Christian (1976), « Recherches sur les langues en contact (en Suisse) », *Études de linguistique appliquée*, 21 : 20-32.

SCHLÄPFER, Robert (éd.) (1982), *Die viersprachige Schweiz*, Zurich et Cologne, Benziger (traduction française à paraître en 1984, Genève, Zoé).

IV

La crise des langues en Belgique

par Jean-Marie Klinkenberg

Université de Liège

1. Le français en Belgique: une situation de concurrence

1.1 La frontière des dialectes.

Il n'y a pas de langue nationale en Belgique. Cet État ressortit en effet à trois groupes linguistiques: au néerlandais par sa partie nord souvent dénommée Flandre[1] (provinces de Flandre-Occidentale, de Flandre-Orientale, d'Anvers, du Limbourg, moitié septentrionale de la province du Brabant); au français par sa partie sud, fréquemment dénommée Wallonie[2] (provinces de Liège, de Namur, du Hainaut, du Luxembourg, moitié méridionale du Brabant); à l'allemand par l'est de la province de Liège et une frange orientale de la province de Luxembourg. Si l'on néglige ces derniers territoires, on peut dire que la Belgique est composée de deux régions linguistiques sensiblement égales avec, au centre du pays, un territoire flamand par ses origines mais aujourd'hui largement francisé: celui de Bruxelles, la capitale.

La frontière qui, courant d'est en ouest, sépare ces deux régions, date du Haut Moyen Âge, c'est-à-dire de cette époque encore mal connue sur le plan linguistique où les forces culturelles se sont peu à peu stabilisées en Europe occidentale. Séparant les zones où la poussée franque avait fait reculer le latin de celles où les nouveaux venus se sont progressivement romanisés, elle a peu varié depuis lors[3]. Cette frontière est donc d'abord une frontière dialectale: elle sépare des dialectes germaniques appartenant à la famille bas-allemande, qui n'a pas subi la mutation haut-allemande (soit, d'ouest en est, le flamand occidental, le flamand oriental, à quoi l'on rattache le brabançon, et le limbourgeois)[4], de parlers néolatins appartenant à la famille d'oïl (soit le picard, le wallon, le lorrain).

---

1. Sauf mention expresse, Flandre sera ici utilisé dans le sens large de Belgique néerlandophone. Au sens restreint, le mot désigne les deux provinces de Flandre, et au sens historique, il désigne un ensemble comprenant en outre les Flandres française et zélandaise.

2. Wallonie sera utilisé ici dans le sens de Belgique francophone, Bruxelles excepté, et non dans le sens de « aire des dialectes wallons » (ceux-ci ne couvrent pas toute la Belgique romane et débordent en terre française). Cf. A. Henry (1974).

3. Une importante littérature existe sur les origines de la frontière linguistique. Elle a été notamment marquée par les travaux de Kurth (1895-1897), Legros (1948).

4. Les zones germanophones ressortissent quant à elles aux dialectes francique ripuaire et francique mosellan.

Aujourd'hui, la frontière des dialectes tend à être aussi celle des langues standardisées: en Flandre, le néerlandais; en Wallonie, le français. Mais il n'en a pas toujours été ainsi, et l'on peut dire, en simplifiant, que le français a, au long de son histoire, connu des fortunes diverses au nord de la frontière des dialectes. Ainsi, c'est vers la fin du XIIᵉ siècle que l'on commence à substituer ce qui est alors l'ancien français au latin dans les actes et les chartes[5]. Or, le mouvement gagne aussi bien le comté de Flandre et le duché de Brabant que le Hainaut, jusqu'à ce qu'un net recul s'observe au XIVᵉ siècle dans les deux premier cas[6]. Il y a donc une histoire du français en Flandre aussi bien qu'en Wallonie.

1.2. En Wallonie: une francisation réussie

En territoire roman, on peut parler d'un processus continu de francisation: progressivement, le français s'est gagné de nouvelles fonctions, en évinçant le latin d'une part, le dialecte de l'autre. Très tôt, la langue écrite en Belgique romane entend se distinguer du parler local, qui fut dès lors voué à longtemps rester oral[7]. Cette langue écrite est, bien entendu, au début, entachée de wallonismes. Il est plus difficile de mesurer la pratique du français dans la langue parlée. On peut seulement postuler qu'un assez large bilinguisme passif franco-wallon a dû se répandre au moins à la fin du Moyen Âge. Ce bilinguisme passif est tôt devenu actif dans certaines couches de la société[8] et s'est généralisé sous cette forme grâce à l'instruction obligatoire. On peut en tout cas affirmer qu'aujourd'hui est éteinte la race des unilingues wallons, majoritaire au siècle dernier. Dans la marche vers l'unilinguisme français[9] (sans doute commencée au XVIIIᵉ siècle), on a pu situer le point de rupture aussitôt après la Seconde Guerre mondiale, de sorte que « dans les milieux patoisants, les moins de quarante ans n'ont qu'une connaissance passive du wallon et ne le pratiquent guère d'une manière active mais plutôt alternée » (Andrianne, 1981: 395).

---

5. Le plus ancien acte français a été rédigé en Wallonie en 1194 (cf. Arnould, 1965).

6. La première charte flamande en Flandre historique ne sera rédigée qu'en 1249 et en Brabant en 1279. Sur les chartes françaises de Flandre, cf. Mantou (1972).

7. Sur la langue des premiers textes écrits, voir notamment Remacle, 1948b. La littérature dialectale ne naît, dans les milieux lettrés, qu'au XVIᵉ siècle. Ce mouvement, conséquence du déclin des langues d'écriture régionales et de la généralisation du français (gagnant donc des fonctions sur le latin et impliquant une redistribution des fonctions sociolinguistiques), prévaut d'ailleurs pour tous les dialectes d'oïl (cf. Piron, 1978b: 1 455-1 503).

8. Cf. Piron (1978a: 36-37).

9. Les descendants des communautés wallonnes implantées vers 1853 dans le Wisconsin pratiquent encore un dialecte namurois qui semble avoir été peu influencé par le français (cf. Lempereur, 1976).

1.3 En Flandre : une francisation avortée

En Flandre, la présence du français a connu des fluctuations assez sensibles, au point qu'il est paradoxalement plus aisé de décrire le processus historique pour cette partie de la Belgique que pour sa zone romane. Un certain déclin du français s'observe en Flandre à partir du XIVᵉ siècle, mais sans jamais aboutir à une éviction totale au profit d'une langue standard qui est d'ailleurs encore loin d'être stabilisée. Une refrancisation à partir de l'aristocratie et d'une partie de la bourgeoisie s'opère, surtout à partir de 1750, et devient massive sous le régime français (cf. Deneckere, 1954). La suprématie qualitative du français se confirme lorsque la Belgique devient un État indépendant (1830). Cette situation, dans laquelle l'usage du français revêtait le caractère d'une marque de classe, suscite le phénomène du « mouvement flamand », lente affirmation d'une identité culturelle allant de pair avec la progression régulière de l'usage du néerlandais standard. Ce mouvement a abouti au principe juridique de l'unilinguisme des régions, qu'une série de dispositions légales ont incarné dans la décennie 1930, et donc à un nouveau recul de la langue française en Flandre[10]. De par son statut de capitale, Bruxelles devait cependant voir sa francisation se poursuivre et s'approfondir (cf. Baetens-Beardsmore, 1971 et 1979).

Dans les passages qui suivent, nous ne nous attacherons qu'à la langue française, laissant les problèmes relatifs aux parlers flamands et au néerlandais pour une note annexe.

1.4 La tradition scolaire

Il est difficile de mesurer la part que l'enseignement a jouée dans ce processus de francisation. La volonté d'éradication des dialectes, qui a marqué la pédagogie française par le biais de l'élaboration d'une certaine grammaire normative, a certes joué — notamment lorsque les territoires qui forment la Belgique ont été incorporés à la République puis à l'Empire —, mais semble ne pas avoir débouché sur une politique aussi volontariste et cohérente qu'en France (cf. Chervel, 1977). L'histoire de l'enseignement de la langue française est mal connue : les spécialistes sont davantage attirés par le récit des fluctuations idéologiques qui ont vu alterner la fortune des laïcs et des cléricaux au long du

---

10. Recul qui n'a pas été immédiat et définitif. Une étude menée en 1959 dans 112 entreprises de la province de Flandre-Orientale employant plus de 200 personnes fait apparaître un large usage du français dans l'administration et dans les relations entre cadres, et montre que la connaissance du français reste une condition sine qua non de la promotion sociale (cf. Deleeck, 1959). Le décret du 6-9-1973 réglemente les contacts verbaux et écrits entre l'entreprise et les travailleurs en y imposant le néerlandais.

siècle et demi d'indépendance belge. On peut cependant observer qu'au niveau élémentaire, et comme en France, l'essentiel de l'enseignement repose sur le cours de langue maternelle — ainsi que la chose apparaît lorsqu'un programme minimal est imposé, en 1868, à toutes les écoles —, et que celui-ci est tout entier tourné vers l'acquisition de l'orthographe, tandis qu'au niveau secondaire (mais l'enseignement ne devient obligatoire jusqu'à 14 ans qu'en 1914) règne la tradition humaniste, illustrée par les collèges jésuites au XVIIᵉ siècle et les collèges thérésiens au XVIIIᵉ; un enseignement technique cohérent ne naît que vers la fin du XIXᵉ siècle, et c'est seulement dans la deuxième moitié du XXᵉ que les « humanités gréco-latines » perdent leur suprématie de droit.

L'enseignement du français en Belgique a-t-il connu des spécificités remarquables? Il est encore trop tôt pour répondre à cette question. Mais il est en tout cas à noter que coexistent paradoxalement dans la Belgique du XIXᵉ siècle un net intérêt pour la réflexion grammaticale et une absence d'intérêt explicite pour la situation linguistique particulière de l'État. Le premier trait peut cependant être considéré comme une conséquence de cette situation, mais celle-ci n'engendre guère qu'un discours normatif empirique. Ce discours trouve son origine au XVIIᵉ siècle (notamment dans l'*Essay d'une parfaite grammaire de la langue françoise* de L. Chifflet, de 1659), portera surtout, à partir de la fin du XVIIIᵉ siècle, sur les phénomènes lexicaux et prendra la forme de catalogues systématiques de belgicismes[11]. Mais ce discours s'adresse à des destinataires situés hors de l'école. Les grammaires scolaires, quant à elles, feignent de croire que la langue française qu'elles ont à décrire pour le bénéfice des écoliers ne s'éloigne pas du modèle recommandé par les grammaires françaises de l'époque. Fiction sur laquelle ont dû vivre des générations d'enseignants dont l'histoire reste à écrire[12].

---

11. Cf. Piron (1979: 215).

12. A. Chervel, qui commence cette histoire, avec beaucoup de minutie, distingue deux courants principaux dans la grammaire belge du XIXᵉ siècle. « L'un suit de très près la production française, les théories qui ont cours à Paris, et se conforme strictement aux consignes de l'Académie française (...). L'autre est au contraire en rébellion contre la prééminence française en matière de pédagogie et de didactique, mais aussi de dogme grammatical » (1983: 78). On distingue cependant malaisément ce que le courant « autonome » — qui n'est au demeurant pas homogène — doit à la situation linguistique locale.

1.5 France et Belgique francophone

Ce qui vient d'être dit en matière de grammaire scolaire peut, *mutatis mutandis*, s'appliquer pour toutes les institutions et tous les biens culturels. Et donc pour la langue et toutes les institutions qui l'entourent. Le statut de ces biens en Belgique francophone est, pour des raisons historiques et sociologiques bien connues, tout entier déterminé par leur position relative vis-à-vis de l'Hexagone. Grosso modo, on peut dire que c'est la machine parisienne qui anime ce que P. Bourdieu nomme le champ de production restreinte et hautement légitime, alors que l'agent culturel belge ne produit que des biens — écrits ou performances langagières — faiblement légitimes. Or, qui dit légitimité dit instance légitimante, ou discours produisant cette légitimité. Ce discours, c'est sur la scène parisienne qu'il s'énonce. Et cette scène est hégémonique par rapport aux autres champs ; c'est-à-dire que les verdicts posés sur cette scène seront relayés par les autres instances marginales, alors que le verdict d'un champ périphérique ne sera pas nécessairement repris par le champ central. Cette situation peut être décrite dans le détail. Elle l'a notamment été pour la littérature et, plus généralement, le livre [13] (on note que l'intellectuel belge vit en symbiose avec les milieux parisiens, lit les journaux français, etc.) ; elle n'a été qu'esquissée en ce qui concerne les productions langagières (cf. Cellard, 1981).

Toute la stratégie des agents culturels belges est donc ordonnée autour d'un axe : s'attribuer de la légitimité. Une telle stratégie s'accommode de tactiques qui peuvent être fort distinctes. La première tend à l'autonomisation du champ culturel, l'autre tend à l'assimilation au champ parisien ou tout au moins à la reconnaissance de la part des instances de consécration de ce centre. Ces deux solutions ne sont évidemment pas mutuellement exclusives, et ne représentent que des tendances : le peu de forces économiques et idéologiques rend utopique une réelle autonomisation, et l'assimilation totale est, comme l'a en passant montré Labov, un autre type d'utopie. De sorte que les attitudes réelles tiennent parfois de l'une et de l'autre de ces solutions. L'on peut donc s'attendre à voir naître des sentiments ambivalents vis-à-vis du centre parisien (« Nous défendons mieux le français que les Français » et « Les Français devraient nous défendre contre la crise de la langue ») et à assister à des phénomènes de partage intéressants : par exemple un respect scrupuleux des normes parisiennes pour ce qui est du français, entraînant en conséquence un autre type de purisme pour ce qui touche

---

13. Cf. Klinkenberg (1981) et Andrianne (1983).

au dialecte: celui-ci doit être mis à l'abri des contaminations provenant de la langue de culture.

Au cours de l'histoire proche, l'accent a pu être mis sur l'une ou l'autre de ces tendances (l'entre-deux-guerres a, dans l'ensemble, été plus favorable à la tendance assimilationiste, les dix dernières années laissant apparaître plus librement un discours autonomiste). Il n'en reste pas moins qu'aucun discours tenu en matière de langue sur le territoire de Wallonie ou de Bruxelles ne peut faire l'économie du problème de la relation à Paris. Chose dont il faut tenir compte pour apprécier les propos sur la crise des langues.

2. Le français de Belgique

2.1. Les usages oraux

2.1.1. Comme toute langue, l'usage oral du français en Belgique accuse des variations suivant plusieurs axes. Essentiellement les axes géographique, sociologique et situationnel.

Il faut toutefois mettre à part l'influence du facteur géographique. Tout d'abord à cause du rôle qu'il a joué dans la genèse de la plupart des caractères du français de Belgique. Ensuite, à cause de la solidarité organique qu'il entretient avec les deux autres axes. On peut en effet affirmer que le plus grand nombre de traits propres au français de Belgique proviennent de phénomènes d'interférence [14]. À Bruxelles et en Flandre, cette interférence a lieu avec un parler germanique, en Wallonie avec différents dialectes d'oïl [15]. Ceci explique aisément qu'il n'y ait pas, en dépit des images d'Épinal véhiculées notamment par la culture populaire française, un seul français régional de Belgique: les variétés de ce français régional peuvent être, comme on va le voir, ramenées à au moins deux grands types. Parler d'interférence ne suppose évidemment pas nécessairement le bilinguisme actuel des locuteurs: pour expliquer les particularités du parler de bon nombre de francophones de Belgique, on pourrait se contenter d'affirmer que c'est une situation historique donnée qui a suscité un bilinguisme dont les traces se sont imprimées dans la langue, et subsistent après disparition du bilinguisme.

14. Il existe évidemment d'autres principes explicatifs, comme l'archaïsme bien connu des zones périphériques.

15. Pour parler des variétés géographiques des langues standard, nous n'utilisons pas ici le terme *dialecte*. Warnant (1973) a montré l'ambiguïté de ce terme dans le domaine qui nous concerne en Europe en général.

Ce serait cependant omettre la vitalité des variétés en contact avec le français, et le rôle que le bilinguisme actuel, inégalement réparti sur l'échelle sociale, peut jouer quant à la production d'interférences. Et c'est ici que le critère géographique rejoint les critères sociologique et situationnel : on peut en principe poser que plus on monte dans l'échelle sociale (et/ou que l'on se trouve dans des situations formelles), plus le français utilisé se rapprochera de sa variété standardisée et donc moins il sera touché par des interférences[16]. À l'inverse, plus la situation sociale sera basse (et/ou moins la situation sera formelle), plus les interférences seront nombreuses.

C'est pour rendre compte de ces phénomènes de plus ou moins grande stabilisation des traits régionaux que M. Piron a proposé une distinction entre « français dialectal », aux interférences nombreuses et instables, et « français régional », stabilisant un petit nombre de caractéristiques par-dessus la frontière des dialectes et sous-dialectes[17].

Ce qui a été dit ci-dessus montre que les caractéristiques communes aux deux français de Belgique ne doivent pas être extrêmement nombreuses. Il existe cependant un certain nombre de faits, d'inégale importance, que J. Pohl nomme des « statalismes »[18].

On en trouvera quelques-uns ci-après, complétés par quelques phénomènes propres soit à Bruxelles, soit à des zones particulières de Wallonie.

2.1.2. Sur les plans phonétique et phonologique, notre information est partielle. En attendant la publication de l'*Atlas phonétique du français de Belgique*, préparé par L. Warnant (1971 : 267-273), et de l'enquête phonologique sur le français régional de Liège (AA. VV., 1982), on peut se servir pour l'ensemble de la Belgique, d'une enquête aux mailles larges de J. Pohl (1983); pour Bruxelles, des travaux de H. Baetens-Beardsmore (1971) et pour la Wallonie d'un ouvrage de L. Remacle se donnant une visée normative mais ayant soutenu celle-ci par une

---

16. C'est une des raisons pour lesquelles il n'y a guère d'étude interne sur le français de Flandre. La francisation s'y est en effet essentiellement produite dans des milieux favorisés, soucieux de contrôler l'interférence. Celle-ci a pu jouer lorsque des classes moyennes ont été gagnées par le français. Mais on ne s'est pas soucié de décrire cette variété « bâtarde ».

17. 1978a : 26. Piron parle en outre de « français marginal » pour désigner un ensemble de traits communs à plusieurs français régionaux (1979 : 209).

18. 1983 : 30. Le statalisme peut être défini comme un fait linguistique dont une des lignes d'isoglosse coïncide avec au moins un tronçon important d'une frontière politique (cf. aussi Pohl, 1978).

description minutieuse (1948*a*). Les grands traits généraux de la phonologie du français de Belgique se dégageant de ces enquêtes sont les suivants:

1. allongement général des voyelles (cf. Warnant, 1973: 116; Gaspard, 1968);
2. pas d'opposition / $\tilde{\epsilon}$ / — / œ̃ / ;
3. remplacement de l'opposition / a / — / ɑ / par une opposition de longueur;
4. pas d'opposition / ɥ / — / w / ;
5. opposition de / ɔ / et / o / à la finale absolue;
6. opposition masculin-féminin dans les mots à finale vocalique marquée, au féminin, par un allongement et par l'addition d'un « léger appendice semi-vocalique » (Pohl, 1983: 37);
7. diérèses;
8. assourdissement des sonores en fin de syllabe;
9. réduction de / lj / à / j / et vice versa;
10. simplification des groupes consonantiques finaux.

Certains phénomènes importants couvrent une aire géographique plus restreinte, comme l'aspiration du *h*, localisée dans l'est de la Wallonie, la dénasalisation des voyelles nasales, observée dans l'est de la province de Liège, ou la nasalisation de ɛ, œ et o suivi de consonne nasale (Hainaut, Brabant wallon), l'ouverture de voyelles antérieures fermées (namurois, Ardennes). Sont propres à Bruxelles une forte accentuation et un allongement des toniques qui aboutit parfois à une véritable diphtongaison (Baetens-Beardsmore, 1971: 75), complétée par une centralisation de tout le système vocalique vers la position de schwa.

2.1.3. En dehors d'une série de locutions panbelges faisant un usage particulier des prépositions *à, après, sur, pour* (Piron, 1979: 208) ou reposant sur le tour *avoir* + qualificatif (Remacle, 1952: 183-185; Pohl, 1972: 194-203; Baetens-Beardsmore, 1971: 225-227) et d'une tendance — localisée dans certains secteurs sociaux seulement — à antéposer certains adjectifs postposés dans le français normé, les caractéristiques syntaxiques du français de Belgique (cf. Pohl, 1972) se laissent malaisément ordonner en un ensemble homogène alors que ce sont elles qui contribuent sans doute le plus puissamment à typer la performance régionale. C'est évidemment en ce domaine autant que dans celui de la phonétique que s'exercent le plus aisément les interférences contemporaines. C'est dire qu'il s'agit d'un de ceux où la stabilité du français régional est la plus problématique.

C'est sans doute sur le plan du lexique qu'on a jusqu'ici le mieux pu appréhender les particularités linguistiques belges et que l'on a pu isoler les statalismes les plus nets[19]. Parmi ceux-ci figurent évidemment tous les termes qui sont le reflet d'institutions politiques, sociales et administratives particulières, ainsi que tous ceux qui ont trait à des spécialités culinaires ou à des spécificités de la vie domestique. Ces domaines n'ont guère généré d'argots si ce n'est épisodiquement, dans les forces armées et dans la population estudiantine. Ces termes proprement belges ne constituent pas nécessairement un inventaire de formes inconnues du français normé : on trouve à côté de ces formes — du *bourgmestre* aux *rétroactes*, et de l'*escavêche* à la *minque* — des belgicismes sémantiques comme *cour* (pour *toilettes*) ou *goûter* (*avoir le goût de*). Ceci amène à dire que ce qui caractérise le plus le lexique du belge est peut-être moins l'usage régulier de formes frappantes — un grand nombre d'entre elles appartiennent à des zones lexicales de faible rendement — que l'usage d'expressions chevilles particulières (comme le fameux *savez-vous* devenu un des traits du portrait-charge type du Belge) et, plus encore, la variation quantitative dans l'emploi de termes connus en France. Comme le dit Maurice Piron : « Le Belge *transpire*, *épluche* son fruit, donne un *acompte*, regarde la *Tévé* et attend le paiement de sa *pension*, tandis que le Français *sue, pèle* son fruit, verse des *arrhes*, regarde la *Télé* et attend le paiement de sa *retraite* » (1979 : 214).

2.2. Les usages écrits

Il n'est pas malaisé de définir l'usage écrit du français en Belgique : il s'aligne largement sur celui de France auquel il fait, comme on l'a dit, constamment référence.

Aux origines, il y a en Wallonie, comme ailleurs dans le domaine d'oïl, constitution d'une langue écrite tendant à échapper au dialectisme. L. Remacle (1948), par exemple, n'a pas eu de peine à montrer qu'une charte de 1236 ne contenait pas plus de 10 à 30 % de formes proprement dialectales. L'évolution n'a pas cessé d'aller dans le sens de la normalisation. L'examen d'archives (Remacle, 1967 et 1977) montre certes une

---

19. Il faut cependant noter qu'un grand nombre de termes communément considérés comme belges couvrent une aire beaucoup plus étendue. Il en va ainsi des fameux *septante, nonante* et *souper*, examinés par Goosse (1977). On trouvera des inventaires de belgicismes lexicaux chez Piron (1978a : 47-56), Hanse *et al.* (1971 et 1974).

présence constante d'éléments régionaux dans la langue écrite, mais sans que jamais ces éléments apparaissent comme linguistiquement déterminants. Ce processus de francisation est plus net encore dans la langue littéraire, qui s'aligne définitivement sur les normes françaises à l'époque moderne[20]. De sorte qu'aujourd'hui, en dehors de quelques belgicismes lexicaux qui peuvent échapper à certains (cf. Klinkenberg, 1973), on peut dire que, jusqu'à il y a quelques années, rien ne venait marquer l'origine géographique des écrivains francophones de Belgique. On peut en dire autant des autres manifestations écrites, tant publiques que privées, encore que ces dernières peuvent évidemment témoigner des originalités lexicales et syntaxiques qui ont été décrites pour la langue parlée[21].

Ceci n'exclut évidemment pas que des écrivains fassent un certain usage de variétés régionales de français dans le cadre de passages dialogués. Mais leur pratique générale dans ce cas est de toujours bien indiquer par des artifices divers que ces performances ne sont pas leur fait mais appartiennent à des personnages dont ils entendent se démarquer[22]. Exceptionnelles restent ainsi les oeuvres qui fondent explicitement leur dessein stylistique sur une utilisation du français régional, qu'il soit de Bruxelles ou de Wallonie. L'effet recherché est alors le plus souvent celui qui s'attache en France à ce type de pratique: le cocasse, le burlesque, l'attendrissement. Ainsi, à côté d'une littérature dialectale wallonne qui n'a que très rarement vécu en symbiose avec la française, on a pu voir naître quelques oeuvres faisant un large usage du français dialectal, accusant ainsi leur parti pris particulariste. C'est à Marcel Remy, Aimé Quernol, Paul Biron, Léon Warnant qu'on pense ici. Mais cette littérature reste exceptionnelle, et met elle-même en scène les signes de sa marginalité: le mélange entre dialecte et langue standard est rendu crédible par le fait qu'on l'attribue à un narrateur qui est dans tous les cas un enfant ou un illettré.

---

20. Pour le Moyen Âge, cf. Goosse (1965).

21. Certains corpus (définis par Pohl, 1979) ont été bien étudiés, comme par exemple les lettres des grognards mobilisés dans les armées napoléoniennes. La moisson devient évidemment moins riche (et est moins bien étudiée) au fur et à mesure que l'enseignement se généralise et que les dialectes reculent.

22. C'est le cas des oeuvres populistes d'Arthur Masson (1896-1970), qui connaissent une fortune remarquable dans diverses couches de la population wallonne. On y trouve trois types de langage: les passages dialogués en dialecte wallon (traduits en bas de page et devenant de plus en plus rares au fur et à mesure que l'oeuvre avance, de *Toine Culot, obèse ardennais*, de 1938, au *Colonel et l'enfant*, de 1970); les passages en français dialectal, toujours dialogués également, et le langage de la narration, qui est, lui, puriste jusqu'à la préciosité.

On peut donc dire que le problème de la langue d'écriture n'a jamais été explicitement posé en Belgique. Il a toujours été immédiatement occulté par le mythe d'une participation immédiate et totale à la culture et à la littérature françaises. De Salvador Morhange à Joseph Hanse, nombre de théoriciens de la littérature belge ont affirmé que l'appartenance linguistique, prenant le pas sur l'appartenance nationale, détermine l'appartenance d'écriture. C'est liquider un peu vite deux ordres de réalités qui doivent nuancer l'affirmation : d'abord le fait que la vie littéraire est comme toute vie culturelle modelée par des appareils très puissants (édition, diffusion, politique publique d'aide aux lettres, instance de consécration et de légitimation, enseignement ; cf. Dubois, 1979) et que ces appareils fonctionnent différemment de pays à pays (cf. Gauvin et Klinkenberg, 1985) ; ensuite que le rapport sociolinguistique du francophone belge aux normes du standard centralisé n'est pas aussi simple qu'on veut bien le dire. L'insistance que mettent nombre d'écrivains à revendiquer leur appartenance française est elle-même à cet égard quelque peu suspecte. Comme est significatif le fait que le problème de la langue d'écriture en Belgique n'ait jamais été décrit scientifiquement.

Il vaut donc mieux décrire la situation de l'écrivain ou de l'écrivant belge non comme une participation totale et tranquille au monde français, mais comme une tension constante entre des forces centrifuges et des forces centripètes (particulièrement sensibles dans les manifestations puristes dont il sera question ci-après).

C'est cette tension qui explique que, certaines conditions sociohistoriques se modifiant (cf. Klinkenberg, 1981), la revendication de participation à l'écriture de France soit plus ou moins explicite et vigoureuse. Grosso modo, on peut estimer qu'un consensus existe, dans les 90 premières années d'existence de l'État belge — période marquée par l'unité linguistique de la classe dominante —, pour définir les points d'indépendance de la langue d'écriture belge par rapport au centre moteur parisien : tout en niant (sauf rarissimes exceptions) l'existence d'une « langue belge », les théoriciens accordent qu'une certaine stylistique pourra exprimer ce qu'un critique célèbre, Edmond Picard, a nommé « l'âme belge ». Les oeuvres de De Coster, Verhaeren, Lemonnier, Elskamp seront marquées par cette tendance. Cette stylistique recevra d'ailleurs, aux époques réalistes et naturalistes — dont on sait qu'elles ont produit nombre de romans régionalistes —, l'apport d'emprunts lexicaux et syntaxiques aux variétés régionales. Avec l'avènement du principe de l'unilinguisme des régions (cf. 1.3.), c'en est fini de l'homogénéité linguistique de la classe dominante. Les écrivains et écrivants francophones doivent donc se redéfinir autrement que par rapport à un cadre belge désormais culturellement disqualifié. Cette redéfinition sera une réorientation : le point de référence sera désormais Paris. S'ouvre donc une phase où la revendication du modèle français centralisé sera plus nette que jamais. Sauf quelques derniers représentants de la catégorie des Flamands francophones (dont Ghelderode), les écrivains mettront fréquemment le plus grand soin à cacher leurs origines et leurs appartenances, tant sur le plan linguistique que sur le plan thématique. Cette tendance prévaut de 1920 à 1960 environ. Après cette date, la sensibilité générale des pays industrialisés oriente la culture vers des formes autonomisantes (s'ouvre l'ère du *Small is beautiful*) nourries soit par l'utopie autogestionnaire, soit par le repli narcissique (cf. Lasch, 1979). S'énonce alors un discours de l'identité, auquel la crise donne des fonctions nouvelles (cf. Klinkenberg, 1985). Ce type de culture est évidemment favorable à la revendication d'originalités linguistiques. Le phénomène est d'autant plus net dans le cas belge qu'un processus de refonte institutionnelle, amorcé dans les années 1970, mène le pays vers une forme complexe de fédéralisme posant nécessairement le problème de l'identité et suscitant chez les intellectuels nombre de débats sur ce thème. Les répercussions de ces controverses sur la langue d'écriture se traduisent moins sous la forme — positive — d'une introduction de particularités régionales (encore que certains écrivains, comme J.-P. Otte, n'y répugnent pas), que, le questionnement dû à la situation de crise aidant, sous la forme — négative — d'atteintes voulues à la norme. Le caractère problématique de l'appartenance française est ainsi mis en scène par une écriture dialogique qui peut — mais ce n'est pas la règle — faire un usage éristique de formes régionales (c'est par exemple le cas chez J.-P. Verheggen)[23].

L'examen de ces variations historiques fait apparaître dans la langue écrite belge deux tendances contradictoires mais qui toutes deux témoignent de la tension dont on a parlé plus haut. C'est, d'une part, une surveillance constante des performances écrites, et, à l'inverse, une inventivité débridée, destinée à neutraliser les performances non conformes à la norme. Ces deux attitudes sont évidemment le produit de l'insécurité linguistique (largement attestée par les écrivains eux-mêmes du XVIᵉ au début du XIXᵉ siècle, mais occultée après cette date).

---

23. De ceci témoigne notamment le colloque organisé à Bruxelles en septembre 1984 par la Fédération internationale des écrivains de langue française et consacré au thème du *Français pluriel*. Il est inutile de préciser que les tendances dont nous faisons état ici ne se rencontrent que dans la langue littéraire, et nullement dans les autres types de langue écrite (scolaire, officielle ou médiatique).

Notons — car c'est ce qui importe ici — que ces deux tendances contradictoires sont abondamment représentées dans la littérature française de Belgique: un grand nombre d'écrivains ont inscrit à leur programme la défense d'une langue proche de celle du classicisme (ce fut, par exemple, le cas de l'école des *Cahiers mosans*, qui anima la vie littéraire liégeoise entre les deux guerres; ses positions linguistiques étaient d'ailleurs en accord avec les autres composantes de la doctrine esthétique prévalant dans ce groupe: on doit ainsi à l'un de ses représentants les plus notables, Alexis Curvers, des lignes très dures sur le romantisme). D'autres écrivains, peut-être plus nombreux, donnent leur préférence à une manière plus baroque en convoquant dans leur oeuvre l'archaïsme et le flandricisme (comme Charles De Coster), le néologisme à la James Joyce (comme Henri Michaux ou Valère Novarina), la création imitant le langage enfantin ou l'argot (Norge)... L'humoriste Alphonse Allais n'a pas craint de caricaturer cette tendance — de toutes les époques — dans un « *poème morne* », « *traduit du belge* » et dédié à Maeterlinck: « *Sa bouche apâlie arborerait infréquemment le sourire navrant de ses désabus* ».

Apparaissant avec netteté dans la tradition littéraire, ces tendances affectent l'ensemble des performances écrites au point que, pour qualifier la première, J. Pohl (1979: 85) a même inventé la notion de « belgicisme de refus »[24].

2.3 Le purisme belge

Décrire les attitudes face à l'insécurité linguistique nous amène tout naturellement à parler du purisme.

On peut ici parler d'une véritable tradition dont toutes les manifestations sont dominées par l'idée d'un français normé et centralisé[25].

Il ne faut donc pas s'étonner de voir cette tendance puriste s'exprimer d'abord — à partir du XIVe siècle! — dans des lexiques, des manuels de conversation et des manuels de langue destinés à la partie flamande de la population (cf. Mantou, 1969*a* et 1969*b*: ces ouvrages sont le plus souvent l'oeuvre de maîtres d'origine française[26]). La partie

---

24. En dehors de l'étude isolée du style de quelques auteurs et de quelques documents représentatifs (cf. Pohl, 1979: 73-89), ces phénomènes n'ont jamais fait l'objet d'études approfondies.

25. L'histoire du purisme belge reste à écrire. Ses éléments sont déjà réunis chez Wilmart (1968), Pohl (1972: 219-223) et (1979: 22-42), Baetens-Beardsmore (1971: 443-456), Piron (1979: 214-216).

26. Les plus remarquables de ces travaux, fréquemment réédités, sont l'*Essay d'une parfaite grammaire de la langue françoise* de L. Chifflet (1659), la *Grammatica Burgundica* de De Pratel (1715) et la *Grammaire française et flamande* de Van Boterdael (1797).

francophone du pays prend le relais à la fin du XVIIIᵉ siècle et au début
du XIXᵉ siècle, à la fois sous l'influence de conceptions de la langue qui
naissent au Siècle des lumières (au rang de celles-ci: l'égalité devant la
langue et par la langue, corrélative de l'existence d'une « langue
commune », Balibar et Laporte, 1974) et de la dialectologie naissante[27].
À partir de la seconde moitié du XIXᵉ siècle, cette production devient
très importante (ce dont témoigne le nombre de rééditions). La généralisation de l'enseignement, et le renforcement du modèle linguistique qui
y est proposé, n'y est sans doute pas pour rien. La tradition devient
alors si solide que les études descriptives éprouvent — et c'est encore le
cas aujourd'hui — beaucoup de difficultés à se débarrasser de la
contamination des travaux normatifs. C'est évidemment aussi le cas de
toute la littérature scolaire, même lorsqu'elle prétend appréhender le
phénomène des niveaux de langue[28]. D'emblée, les grandes lignes de ce
qui constituera le discours puriste belge y sont déjà tracées: l'ensemble
des variétés linguistiques non légitimes et donc à proscrire sera dominé
par celles qui sont susceptibles de recevoir une définition géographique[29]. Le discours normatif se donne ainsi les avantages de l'indiscutable: la norme apparaissant comme inattaquable lorsqu'elle fait usage du
critère géographique dans sa définition, elle assied définitivement son
autorité. Les autres arguments traditionnels du purisme (cf. D. François,
1972) — respect de la tradition, crainte du pléonasme, etc. — passent
donc ainsi au second plan. Si des arguments fonctionnels sont invoqués,
c'est essentiellement celui de l'intercompréhension entre francophones.
Ce discours est donc énoncé au nom de l'homogénéité mythique de la
« communauté linguistique »[30], et prend comme autorités les institutions

27. Citons E. Loneux, *Grammaire générale appliquée à la langue française* (1799) et A.-F.
    Poyart, *Flandricismes, wallonismes et expressions impropres dans le langage français* (1806,
    republié jusqu'en 1928!).

28. Citons à titre d'exemple la contribution de Paquot et Wilmotte (1933), due à des philologues,
    mais mêlant les perspectives puriste et descriptiviste. Sur l'influence du discours normatif sur
    la description des niveaux de langue, cf. Klinkenberg, 1982.

29. Il faudra attendre Grevisse (1936) et Hanse (1949) pour que diminue la proportion des faits de
    régionalisme au sein des performances non légitimes. La batterie terminologique mise en place
    par les ouvrages puristes témoigne de cette hypertrophie du géographique (dans leur *Ne dites
    pas...Dites*, 1939, plusieurs fois réédité, Englebert et Thérive distinguent par des sigles les
    « provincialismes français » et les « belgicismes antifrançais »). Il est inutile d'ajouter que la
    description linguistique des phénomènes visés est souvent fantaisiste, et que l'on attribue
    fréquemment à la variable géographique des phénomènes qui ne lui sont pas imputables.

30. Concept rarement discuté dans les travaux normatifs belges, au nom même de cette homogé-
    néité (et cela alors même qu'ils ne cessent de mettre l'accent sur une différence entre
    « Belges » et « Français », catégories supposées homogènes!). W. Labov (1976: 228) définit
    de manière éclairante cette communauté non pas comme un ensemble de locuteurs employant
    les mêmes formes, mais comme « un groupe qui partage les mêmes normes ».

censées garantir l'existence de ladite communauté (comme les dictionnaires français; cf. Pohl, 1979: 26-27). La deuxième caractéristique de
ce discours — elle n'est sans doute pas propre au purisme belge, pas
plus que celles qui suivront, — est qu'il a la prétention d'agir directement sur la performance linguistique, sans analyse des situations sociolinguistiques réelles, et sans davantage de définition explicite des
besoins langagiers et des objectifs à atteindre (le « bon usage » proposé
comme idéal n'est jamais clairement défini)[31]. La troisième caractéristique est que le propos tenu porte en général sur le lexique — qui est
donc perçu comme le secteur essentiel de la langue —, et secondairement seulement sur l'aspect phonétique. La quatrième est le tour
exclusivement défensif pris par la militance puriste (cf. Martinet, 1969:
25-32): « Cherchant à aligner les parlers français de Belgique sur le
français "général", [le purisme] tend à interdire ce qui distingue les
premiers du second » (Pohl, 1979: 34).

  La forme générale du discours puriste belge a peu varié au cours de
ces dernières années. La perspective descriptiviste ne se débarrasse
qu'assez lentement du discours normatif[32], et les considérations sociolinguistiques sur le comportement du francophone de Belgique restent
encore embryonnaires (cf. Klinkenberg, 1981b). Trois changements
notables cependant: d'individuels, les discours prescriptivistes tendent à
devenir collectifs; de défensifs, ils tendent à devenir positifs; enfin,
leur ennemi principal n'est plus tant la différence de performance entre
France et Belgique, mais l'abâtardissement qu'entraînerait l'américanisation générale du monde occidental.

  Le discours prescriptiviste a le plus souvent été laissé aux individus
isolés. À cet égard, soulignons combien est restée vive dans la presse de
Belgique la tradition des chroniques de langage. M. Grevisse lui-même
a fourni à la *Libre Belgique* des *Propos sur la langue française* qui,
réunis en volumes, n'en constituent pas moins de cinq livraisons
(Grevisse, 1961 à 1970), tout en offrant à l'hebdomadaire *Moustique*
des *Plates-bandes du grammairien*; son beau-fils, A. Goosse (1971), a
repris à partir de 1966 et dans le même quotidien une rubrique intitulée

---

31. À titre de symptôme, signalons que *Le bon usage* de Grevisse (1936) ne contient paradoxale-
    ment pas de définition des deux mots de son titre. À l'autre extrémité, mais traduisant sans
    doute la même difficulté à expliciter les critères, cette définition de J. Hanse (1949: 14): « Il
    faut faire entrer en ligne de compte à la fois la tradition, le français parlé par l'homme instruit
    et cultivé, le français écrit par les bons auteurs modernes (...) et enfin le français défini et
    interprété par les meilleurs grammairiens, par l'Office de la langue française et par les bons
    dictionnaires ».

32. Exemple d'étude s'en dégageant de manière nette: la tentative de phonologie du français de
    Belgique de Pohl (1983).

Façons de parler. À un autre grand quotidien, *Le Soir*, Philippe Baiwir puis, à partir de 1960, Albert Doppagne, ont donné une copieuse *Chronique du langage*, comme A. Hella dans les différentes éditions de *Vers l'avenir*, F. Desonay dans l'hebdomadaire *Pourquoi pas?*, etc. Mais c'est aussi dans des périodiques moins bien diffusés — comme la *Revue des postes belges* pour J. Hanse ou *Langue et administration* pour J. Pohl — que se publie ce type d'articles. Peut-être cette tradition est-elle en train de connaître une mutation, et la relève des chroniqueurs habituels (dont la moyenne d'âge est assez élevée) ne paraît guère assurée. C'est que, d'individuel, le discours normatif devient collectif. Il est maintenant plus souvent le fait d'institutions, au premier rang desquelles il faut citer l'Office du bon langage (cf. Hanse, 1962). Cet Office, à qui on doit une campagne régulière (« la Quinzaine du bon langage ») et des « Championnats nationaux d'orthographe », publie régulièrement une *Page de l'Office du bon langage*, le plus souvent tenue par J. Hanse, dans les différentes revues de la Fondation Plisnier, et a fait paraître deux campagnes de *Chasse aux belgicismes* (Hanse *et al.*, 1971 et 1974). Ces institutions, il faut le noter, n'entendent pas rester confinées à une portion de la francophonie et œuvrer dans l'isolement. Ainsi faut-il noter l'importante participation belge aux *Biennales de la langue française* (qui se sont plus d'une fois tenues en Wallonie) et au Conseil international de la langue française, présidé par J. Hanse.

Quand on connaît les objectifs de ce dernier organisme, qui a notamment inscrit la planification terminologique au rang de ses objectifs, on se persuade aisément que le discours défensif peut actuellement céder la place aux travaux positifs, et on peut envisager que ceux-ci ne répugnent plus à lier les questions de langage et les questions de société.

Cette liaison naissante ne se fait cependant pas toujours dans une absolue clarté. Ce dont témoignent à leur manière deux initiatives récentes que nous présentons ci-après.

La première émane de l'autorité publique. Bouleversement considérable, car aucune action de planification linguistique n'avait jamais été proposée en Belgique.

En 1975, Mme A. Spaak déposait une « Proposition de décret sur la défense de la langue française » devant le Conseil culturel de la communauté culturelle française. Ce document fit immédiatement l'objet de vives discussions, qui retardèrent le vote d'une version définitive du décret au 27 juin 1978[33]. Les arguments des partisans et des adversaires de ce décret sont intéressants à étudier: ils convergent tous pour affirmer une situation de crise; ils divergent partiellement dans leur description de cet état de crise; ils divergent plus radicalement sur le point des remèdes à apporter (v. infra 3.1.3.).

Le décret proposé visait un double but: d'abord enrayer le recul du français devant l'anglais, ensuite combattre le laisser-aller linguistique, que l'auteur de la proposition estimait plus grave en Belgique qu'en France (« parce que nous parlons naturellement moins bien que les Français[34] »). Pour cela, deux mesures: d'une part, assurer la présence exclusive ou principale de la langue française dans une série de textes (marchés et contrats conclus par l'État ou les organismes d'intérêt public, actes et documents d'entreprises imposés par la loi, inscription sur des bâtiments, des terrains ou des véhicules relevant de pouvoirs publics); d'autre part, prescrire une batterie déterminée de termes dans une série plus large encore de textes français (ceux qui sont visés ci-dessus, mais aussi les décrets, actes, arrêtés, circulaires des pouvoirs publics et des fonctionnaires, les correspondances et documents émanant d'administrations, les ouvrages d'enseignement ou de recherche utilisés dans les établissements soumis à un contrôle public, les offres d'emploi par voie de presse, la publicité, les modes d'emploi, les factures...). Le champ d'application de la première mesure est, comme on le voit, restreint au domaine public; la seconde affecte, en outre, dans une proportion qui est toujours restée vague, le secteur privé. Le décret, dans sa première mouture, prévoyait un éventail de sanctions (amendes, retrait d'autorisations et de concessions, nullité de contrats, restitution de subventions). Ce volet du projet suscita de vigoureuses oppositions et, après que des solutions alternatives eurent été proposées (dont des « sanctions morales » par l'Académie belge), les seules mesures d'application retenues furent des directives particulières transmises par les

---

33. *Moniteur Belge* du 9.9.1978, pp. 10 133-10 134.
   À compléter par un erratum dans le *Moniteur* du 16.9.1978 et par une liste de termes dans le *Moniteur* du 5.2.1981, pp. 1 252-1 263. Cette liste arrêtée deux ans après le décret est organisée en grandes rubriques (Audio-visuel, Bâtiments et urbanisme, Techniques nucléaires, spatiales, Transport, Médecine, Informatique, etc.). Chaque rubrique contient une « liste I » (termes « approuvés »; lisez obligatoires) et une « liste II » (termes « recommandés »). Ce décret a suscité, au long des années 1975 à 1978, un grand nombre d'interviews d'hommes politiques, de discussions, de lettres de lecteurs dans les quotidiens (par exemple *Le Soir*) et les hebdomadaires. Il est à noter que — dans la classe politique — les opposants et les partisans du décret ne se répartissaient pas suivant les clivages politiques traditionnels. Les linguistes n'ont été approchés que vers la fin des débats: leur rôle s'est donc borné à fournir des arguments à l'un et à l'autre camp.

34. Interview à *La Cité*, 7 mars 1978, p. 1.

ministres compétents aux administrations, aux services publics et aux établissements d'enseignement ainsi que la rédaction d'un rapport annuel par lesdits ministres.

On soulignera les caractéristiques suivantes de ce décret:

1. Son aspect essentiellement négatif (« Est prohibé tout recours à un vocable d'une autre langue lorsqu'il existe une expression ou un terme correspondant figurant sur l'une des listes I »). Le décret prévoit cependant aussi des « listes II » contenant des expressions et des termes recommandés.

2. Le fait que l'ensemble du phénomène de la crise linguistique — thème récurrent chez les partisans et les adversaires du décret — est cristallisé sur des phénomènes très limités: c'est le seul lexique qui est envisagé, et la seule interférence anglaise qui est visée.

3. L'absence d'études préliminaires qui auraient pu permettre de fixer des objectifs (décrits ici en termes vagues et généraux) et donc de définir une politique cohérente, dont les listes I et II auraient alors été l'expression. Les adversaires du décret[35] ont eu ainsi beau jeu d'élever contre lui deux types d'objections: d'une part, « les maux dont souffre la langue » seraient d'une autre nature que ceux auxquels on prétend remédier; d'autre part, on n'apercevrait pas bien la cohérence présidant à l'élaboration des listes: le texte oppose fréquemment le moins connu au connu (ex.: *bouteur* et *bulldozer*) et l'hyperonyme à l'hyponyme (*disc-jockey* et *animateur*), propose de fausses synonymies (*fair-play* et *franc-jeu*), met sur le même pied les termes réellement allogènes et ceux qui sont morphologiquement adaptés au français, et omet de faire la distinction entre vocabulaire général et terminologie technique.

4. L'absence de procédures d'évaluation et de contrôle. Les seules mesures proposées pour assurer le suivi du décret étaient les sanctions dont il a été question. Celles-ci retirées, il ne restait plus que des suggestions fort générales qui n'ont guère été suivies d'effets.

5. Le fait qu'en l'absence d'objectifs opérationnels, l'élaboration de la réglementation et des listes s'est faite par copie: la proposition de décret est, au dire même de son auteur, inspirée par la législation française en la matière (législation beaucoup plus coercitive), et les listes de substituts proviennent du Conseil international de la langue française.

---

35. Ex.: intervention orale de J. Gol du 20.2.1978 (reproduite dans *La Meuse* du 21.2.1978).

L'ensemble de ces caractéristiques peut partiellement s'expliquer par le poids de la tradition puriste belge: celle-ci, on l'a vu, privilégiait le lexique, procédait par couples *dites — ne dites pas* et exprimait une conception morcelée de la langue (ce dont témoignent à la fois la richesse des études philologiques qui ont alimenté la tradition puriste, et l'absence totale de considérations sociolinguistiques). Les réactions à la proposition expriment fréquemment ces mêmes attitudes, mais ont en outre manifesté une répugnance largement partagée vis-à-vis de l'interventionnisme d'État. Nombre de réticences s'exprimant en termes techniques ou juridiques (quel allait être le champ d'application territorial du décret?) traduisaient en fait ce rejet. On ne s'étonnera donc pas que les interventions des politiciens aient pris soit un tour goguenard, soit un tour grandiloquent (en légiférant en matière de langage, c'était la liberté qu'on muselait).

Une autre initiative plus récente en matière d'intervention linguistique se veut partiellement à l'abri de ces reproches. C'est « l'Atelier de vocabulaire » mis sur pied par la Maison de la Francité de Bruxelles[36].

Cette Maison de la Francité, créée en 1976 à l'initiative de la Commission française de la culture de l'agglomération de Bruxelles, a parmi ses objectifs la sensibilisation du public aux problèmes de la qualité de la langue. Elle définit son action comme quadruple (AA.VV., 1980: 14-16): « Rendre le public responsable de l'environnement linguistique en milieu urbain; mettre à la disposition des francophones des services nouveaux qui les aident à mieux connaître la langue et à la situer dans son contexte; associer les usagers aux actions entreprises pour la promotion de la langue; prendre en considération les problèmes que pose l'existence d'importantes composantes étrangères de la population bruxelloise, dans un esprit d'ouverture aux cultures autres que la culture française. » Ses réalisations: un centre de documentation sur le français et la francophonie (avec un « service SVP-langage »), une revue (*Questions de français vivant*), des expositions (sur la presse notamment), un court métrage intitulé *Anglomania* (Chr. Mesnil), une campagne d'affichage sur le thème de la qualité de la langue, et, surtout, des ouvrages sur l'anglicisme (cf. Doppagne, 1980; Doppagne

---

36. Ce groupe créé en 1983 et brièvement présenté dans AA.VV., 1984, a porté les noms de « Atelier de néologie courante », « Atelier de français vivant », « Atelier de vocabulaire de Bruxelles ». Cette dernière appellation (qui ne doit pas laisser croire que l'atelier est exclusivement composé de Bruxellois) se justifie non seulement par des raisons institutionnelles, mais aussi par le fait que Bruxelles, plus que toute autre ville du pays, vit dans une atmosphère anglophone: elle est le siège d'organismes internationaux (dont l'OTAN), accueille les bureaux de nombreuses multinationales et est une des plaques tournantes du tourisme américain en Europe.

et Lenoble-Pinson, 1982), des enquêtes et des colloques : *Enquête sur la langue de l'annonce et de la réclame à Bruxelles*, *Colloque sur l'exploitation des niveaux de langue dans l'enseignement* (1977), sur *La Chanson de langue française* (1979), *Le français langue des sciences et des techniques* (1981), *La langue française dans les pays du Benelux* (1981 ; cf. Rossel, 1982), *Le présent et l'avenir de l'immigration à Bruxelles* (1981), *Les langues anciennes et le français* (1984), *La créativité linguistique dans le domaine du langage courant* (1982).

C'est dans le prolongement de cette dernière activité qu'a été mis sur pied l'atelier de vocabulaire. Composé de linguistes (dont certains spécialistes de lexicographie et de faits régionaux), de rédacteurs de journaux d'entreprise, d'enseignants, de publicitaires et de représentants des médias, ayant pour objectif lointain de stimuler les facultés créatives des locuteurs, cet atelier se donne pour mission de proposer au public des équivalents pour les termes anglais d'usage courant. On laisse donc de côté les emprunts venus enrichir les langues techniques. Les mots les plus récemment empruntés — qui ne sont donc pas solidement implantés — et ceux dont le sens est relativement obscur bénéficient de la priorité de traitement, comme aussi les anglicismes utilisés exclusivement ou le plus fréquemment dans le français de Belgique (on pourrait inventer pour eux le terme de « belgo-anglicismes ») : *boiler*, *extension*, *fancy fair*, *fat*, *show room*, *singlet*. Le mot traité bénéficie d'un traitement lexicologique rigoureux (variantes, remarques phonétiques et morphologiques, histoire du mot, définition, attestations). Les substituts proposés tiennent compte des remarques déjà formulées par d'autres instances, comme les banques de données terminologiques, le *Journal officiel* français, le Conseil international de la langue française.

Cette initiative intéressante et qui se veut à la fois psychologiquement constructive et scientifiquement fondée pèche cependant encore par certains des travers soulignés plus haut : considération exclusivement lexicale, absence de politique explicite quant aux substituts proposés, faible suivi de l'action. Les promoteurs de l'atelier sont cependant conscients de cette dernière faiblesse : c'est ainsi que la presse — et notamment *Le Soir*, le plus important journal francophone de la capitale — reçoit un écho régulier de leur travail[37].

---

37. Une étude sur la tradition puriste belge serait incomplète si l'on ne soulignait pas l'existence d'une tradition connexe en matière orthographique dont les manifestations sont nombreuses des *Dictées* de Grevisse à l'*Atelier d'orthographe* de J. Leleux (1983). La Belgique francophone est sans doute le seul pays à avoir érigé l'écriture en discipline sportive, puisqu'elle connaît des « Championnats nationaux d'orthographe » organisés sous l'égide de l'Office du bon langage. Dans le comité organisateur, nous retrouvons les noms de A. Doppagne et de J. Hanse. Ce dernier a été le moteur des travaux du Conseil international de la langue française en matière orthographique. Cette tradition d'action va de pair avec une tradition scientifique (tant sur le plan linguistique que sur le plan philologique : il suffit de rappeler que « l'échelle Dubois-Buyse », outil statistique permettant de mesurer objectivement la performance orthographique et de formuler des objectifs précis en cette matière, est d'origine belge).

3. Le discours sur la « crise »

Les débats autour du « décret Spaak » autant que les questions qu'on est en droit de formuler à propos d'initiatives comme la Quinzaine du bon langage ou l'Atelier de vocabulaire posent le problème de la perception et de la description de la crise linguistique par les médias, les usagers et les spécialistes.

3.1. Le diagnostic

Un bref regard jeté sur la presse courante belge — quotidiens et hebdomadaires [38] — suffirait à nous persuader de la situation de crise. Les titres parlent d'eux-mêmes : « Le français s'appauvrit », « Une mode hermétique », « L'enseignement f... le camp », « Faut-il encore enseigner la langue maternelle? », « Renforcer l'enseignement du français », « Parlez-vous bédéen? », « Attention au franglais », « Comment que ça s'écrit? ». Si ces organes de presse, où nous ne distinguons pas la part de la rédaction et celle des lecteurs, représentent l'opinion, le moins que l'on puisse dire est que le chœur est entonné à l'unisson.

3.1.1. Des manifestations polymorphes

Les grands traits du diagnostic sont vite tracés, tant ils sont récurrents : les termes « pauvreté et imprécision du vocabulaire » reviennent assez fréquemment. Ils vont en général de pair avec le reproche d'hypertechnicisme et de surcharge (les deux diagnostics semblent pourtant a priori légèrement contradictoires) : « Les multiples langages de spécialiste utilisés dans la société moderne, hermétiques et déshumanisants [prennent] le pas sur le langage humain » (*L.C.*, 15.11.77). Quant à l'expression écrite et orale, elle n'a jamais la clarté souhaitée. Tout ceci n'est pas que linguistique : ces tares diverses sont le signe « de l'appauvrissement intellectuel de notre population » (*L.S.*, 26.6.84).

Si le constat est global, deux thèmes dominent largement le panorama : celui de l'invasion anglaise (ou plus exactement américaine) et celui de la faillite de l'orthographe.

---

38. Dépouillement non systématique portant sur les années 1977 à 1984 et portant sur les principaux titres de la presse nationale (*L.S.* = *Le Soir*, *L.B.* = *La Libre Belgique*, *D.H.* = *La dernière heure*, *L.C.* = *La Cité*); régionale (*V.A.* = *Vers l'Avenir*, *W.* = *La Wallonie*); ainsi que sur quelques hebdomadaires nationaux (*P.P.* = *Pourquoi pas?*, *VF* = *Le Vif*, *Év.* = *L'événement*, *Inf.* = *L'information*). Nous ne nous servons ici que de quelques textes hautement significatifs.

3.1.2. Deux attaques graves: l'anglicisme et la cacographie

Le français à la sauce anglaise: tel est le titre que deux universitaires ont récemment publié sous l'égide de la Commission française de la culture de l'agglomération de Bruxelles. En dépit de son titre raccoleur, il s'agit d'un ouvrage lexicologique aux indéniables mérites scientifiques: le propos en est de mesurer le rythme d'emprunt du français contemporain. Le corpus: « un journal quotidien suffisamment représentatif du français pratiqué en Belgique, rédigé par des Belges et pour des Belges, jouissant d'une diffusion telle que nous puissions le considérer non comme essentiellement ou typiquement bruxellois mais comme un témoignage de la langue dans laquelle les journalistes de toutes les spécialités s'adressent à un large public de lecteurs » (Doppagne et Lenoble, 1982: 9). Des 723 emprunts dénombrés sur la base du *Petit Robert*, 72,1 % sont dus à l'anglais. « Cela peut se traduire en ces termes: une langue, l'anglais, détruit l'équilibre de l'ensemble par la véritable hypertrophie de son apport. Trois langues (l'italien, l'espagnol et l'iranien) se situent entre 2 et 6 %. (...). L'équilibre est rompu et la langue emprunteuse risque de se voir dénaturée » (*Id.*: 13-14). Notre but n'est pas de discuter la conception et les méthodes de la recherche, ni d'interroger cette insolite notion d'« équilibre », mais bien plutôt de caractériser le mouvement d'opinion dont cet ouvrage est une composante. Son préfacier, A. Patris, directeur de la Maison de la Francité, énonce clairement l'enjeu du combat: « Notre identité culturelle doit pâtir, à la longue, de l'intrusion continue de termes anglais dans le vocabulaire français (...) L'anglais, propulsé par les échanges commerciaux, envahit peu à peu tous les secteurs de la distribution, sans que son avancée ait été le moins du monde contrecarrée (...) Cette conviction, qui s'est formée et renforcée au fil des années, nous voudrions la faire partager par tous ceux qui ne veulent pas d'un XXIe siècle placé sous le signe du volapük et des amalgames culturels » (*in* Doppagne et Lenoble, 1982: 7). L'enjeu est clair: l'équilibre dont il était question plus haut est celui d'une identité. On va parfois plus loin, pour parler d'impérialisme culturel: « Le visage qui apparaît, de plus en plus ouvertement, est un visage étranger, anglophile, anglomane, jusqu'à l'extravagance. Idées, vocabulaire, programmes, tout y devient de plus en plus *chewing-gum*. On prononce à l'anglaise des noms de villes comme Detroit et Nouvelle-Orléans. Le ridicule est à son comble, à moins que ce ne soit du snobisme. D'ailleurs, il suffit d'écouter les informations ertébéennes pour comprendre: c'est Radio Washington. Le président des États-Unis ne pourra bientôt plus aller aux toilettes sans y rencontrer une équipe de la Rtbf (...). C'est évident surtout dans le domaine de la chanson. La Rtbf fait son possible pour décourager les jeunes artistes francophones, en organisant une publicité massive (et gratuite?), un vrai bourrage de crâne en faveur des chansons anglo-saxonnes. À ce rythme-là, nous serons bientôt le énième État d'Amérique » (*VF*, 16.2.84).

Le terrain où le danger américain est le plus aigu est souvent défini avec précision : c'est la capitale. Pour des raisons structurelles, c'est elle qui voit les manifestations les plus criantes de la présence américaine (cf. note 36). Comme, par ailleurs, l'agglomération bruxelloise est aux prises avec les problèmes — authentiques ou artificiels — suscités par une forte proportion d'immigrés (cf. Bastenier, 1979 et AA.VV., 1981), et que c'est le seul territoire — en dehors de certaines communes de la frontière linguistique — où la concurrence entre les standards néerlandais et français soit réelle, il peut sembler normal que le francophone bruxellois se sente contesté dans son identité culturelle et que, par synecdoque, il attribue à la partie la plus visible — le balayeur maghrébin ou le slogan américain — ce qui revient en fait au tout. Ainsi, en dépit de la précision méthodologique prise d'emblée (*Le Soir* n'est pas « typiquement bruxellois »), le travail lexicographique de Doppagne et Lenoble est-il sous-titré *Lexique des termes anglais et américains relevés en une année dans un grand quotidien bruxellois*, l'Atelier de vocabulaire de la Maison de la Francité est-il parfois désigné comme « de Bruxelles », et est-ce d'une des principales formations politiques francophones de la région bruxelloise qu'est sorti « le décret Spaak ».

Mais c'est surtout à propos de l'orthographe que se fait entendre le lamento de la crise : « Le manque d'orthographe est quasi "irréparable" ! La majorité des professeurs honnêtes constate que les rattrapages d'orthographe introduits par l'[enseignement] rénové dans le secondaire sont, le plus souvent, du temps perdu dans ce domaine » (*L.B.*, 5.6.82). La gangrène a atteint l'ensemble du corps social : « L'ignorance des règles élémentaires de la grammaire et de l'orthographe gagne toutes les classes de la société, y compris la catégorie des intellectuels. Rares sont les jeunes universitaires qui savent écrire sans faute » (*L.C.*, 22.4.77). Les plus sûrs garants de l'ordre ne sont pas épargnés : un lecteur doit reconnaître que « la sévérité de son journal est moins grande qu'autrefois de même que la sûreté de son orthographe » (*L.B.*, 5.6.82). Toutes les couches d'âge sont touchées, mais c'est particulièrement le cas de la jeunesse : « Dans l'ensemble, les personnes plus âgées ont une meilleure orthographe que les plus jeunes » (*L.S.*, 26.6.84). Et le constat émane d'instances bien différentes, mais unanimes : depuis tel recteur d'Université, qui explique un certain nombre d'échecs chez les étudiants par la déficience orthographique, jusqu'à l'Office national de l'emploi (« L'année dernière, une connaissance de l'O.N.Em. me disait qu'en ce qui concernait le "bilan des connaissances", les résultats, du point de vue de l'orthographe, étaient assez désastreux », *L.S.*, 26.6.84).

Sur ce terrain, rien de bien neuf apparemment : J. Guion avait eu beau jeu de montrer que l'on parlait de « crise de l'orthographe » depuis la seconde génération de l'école primaire obligatoire, et de prouver, en même temps que F. Ters[39] et indépendamment de lui, qu'une comparaison des performances d'élèves du premier cycle pris dans les années 1938 et 1972, performances rendues comparables grâce à l'échelle Dubois-Buyse, était rigoureusement nulle. D'autres expériences, menées à peu près à la même époque, aboutissaient au même résultat : les résultats des écoliers de 1914, 1918, 1921, 1938, 1971 et 1972 sont parfaitement de même niveau. Les propos apocalyptiques tenus à propos de l'orthographe — et qui ne se formulent jamais avec autant de netteté que lorsqu'il est question de réforme ou d'adaptation[40] — n'ont donc pas tellement varié ces 20 dernières années[41] : l'orthographe est un sûr critère pédagogique, car elle révèle la conscience grammaticale de l'élève, et sa conscience tout court ; elle représente de surcroît la « gymnastique intellectuelle » idéale, en remplacement de celle qu'offraient les langues classiques. Elle serait en outre le signe d'une bonne culture, de lectures étendues, et manifesterait une forme certaine de savoir-vivre. Une enquête détaillée récente (Klinkenberg, 1983) montre que ces images ont largement pénétré, quoique avec des formules moins explicites, auprès du public concerné, soit la population scolaire : l'orthographe y est le plus souvent décrite en termes moraux (signe de correction, discipline à laquelle il faut se soumettre) et rarement comme une convention technique (une nuance cependant : ce public jeune croit moins que les journalistes et leurs correspondants à une étroite corrélation entre la bonne orthographe et la culture d'une part, l'intelligence de l'autre). Cette étude permet aussi d'appréhender la stratification sociale qui module le discours sur l'orthographe. On voit clairement se distinguer le propos de l'intellectuel, à qui sa situation autorise un libéralisme éclairé, le futur pédagogue jouant son rôle de défenseur d'un patrimoine contesté, celui du futur col blanc pour qui les critères d'efficacité sociale

---

39. 1973 : 113-114. L'observation vaut pour la France, mais est largement corroborée pour la Belgique où le développement de l'obligation scolaire a grosso modo suivi la même évolution.

40. Exemple d'un titre de presse : « Dissipons les craintes ou les illusions : l'orthographe ne deviendra pas l'ortografe » (*L.C.*, 22.4.77).

41. Ainsi qu'en témoigne un mémoire inédit réalisé sous notre direction à l'Université de Liège en 1977 par Mlle J. Lambert et qui portait sur la représentation sociale de l'orthographe.

sont prépondérants. Et, surtout, on voit qu'au fur et à mesure que l'on monte dans l'échelle sociale et économique, le discours justificatif se fait non seulement plus nuancé, plus circonstancié, mais encore plus massif, plus prolixe...

3.1.3. La charge de la preuve

Mais revenons à la crise dans son ensemble. Le diagnostic est grave, avons-nous dit. Mais les éléments précis qui le motivent sont rarement décrits par le menu, tant la cause semble entendue. Quand des preuves existent, elles résident dans une autorité morale ou dans celle des chiffres. Autorité morale: « Les autorités académiques s'interrogent. Les Amis de l'université de Liège exigent des enquêtes. L'on constate que le problème se pose d'une manière tout aussi aiguë à Bruxelles et à Louvain » (*Év.*, 11.10.80). Autorité des statistiques: « Les chiffres du premier rapport au Gouvernement du Secrétariat permanent de recrutement sont éloquents: sur 53 196 participants à des examens, 16 507 seulement ont réussi. Il ne faut pas oublier que l'une des principales pierres d'achoppement de ces "examens" reste "la conférence", c'est-à-dire la retranscription de mémoire d'un texte lu ou entendu, du moins dans ses idées forces » (*L.S..*, 26.6.84), « 60 % d'échecs à l'Université. Responsables: la maîtrise imparfaite du langage, le manque de goût pour l'effort et les mauvaises méthodes de travail » (*Év.*, 17.10.80). Quelquefois, mais plus rarement, les preuves directes se substituent aux preuves indirectes. On obtient alors des pièces d'anthologie du genre de celles-ci: « Se livre a été fait en stencil. Je remercie ceux qui mon donner la peermission de reproduire des planches. Nous recherchons tout vieux livres noir et blanc. Même en prêt, il vous sera retourner dans le mois... » (*L.C.*, 27.4.77), « il et les autres pronoms sujets qui se trouvent dans l'inversion complexe ont des propriétés de clitiques. Aussi se pourrait-il qu'en S-structure, la position correcte soit celle de (40): cela (est-il). Ici, il a été cliticisé sur l'élément verbal à sa gauche, laissant à nouveau une position sujet vide. Ceci est toujours cohérent avec notre discussion, puisque l'élément auquel il a été cliticisé est à proprement parler INFL plutôt que V13... » (*P.P.*, 7.3.84).

Il est évident que le souci de la preuve rigoureuse est la dernière chose dont se soucient les collectionneurs de pareilles fleurs rhétoriques. Tout d'abord, les chiffres de réussite à des examens traduisent un nombre important de variables qui restent implicites, et l'on peut à bon droit, dans la quasi-totalité des cas invoqués, s'interroger sur la constance des critères des examinateurs, qui seule garantirait la fiabilité des données. Mais surtout, des notions comme « maîtrise du langage », « pertinence du vocabulaire » restent le plus souvent entourées d'une grande imprécision : jamais elles ne font l'objet d'une élaboration qui les rendrait aptes à devenir de véritables concepts opératoires. Quant à l'accumulation de *curiosa*, on sait, au moins depuis le *Parlez-vous franglais ?* de Étiemble, combien elle est facile et peu probante. De là sans doute la relative discrétion que nous avons soulignée...

Dans ce concert, peu de voix discordantes, ou alors des désaccords de détail.

Les désaccords fondamentaux ne portent au reste pas exactement sur le diagnostic, mais visent plutôt les remèdes qui lui sont apportés. Ce sont surtout les actions puristes qui s'attirent de telles critiques. Tel rédacteur voit dans la « Quinzaine du bon langage » le fait de « cacadémiciens (...) racistes, fascistes et pétainistes », racistes d'ailleurs groupés dans l'Association européenne pour l'ethnie française (*Inf.*, 10.6.83). C'est également sur le plan idéologique que se placent des adversaires moins affirmatifs, comme Cl. Javeau (1974) ou le collectif de *Hypothèse d'école* qui souligne, outre le manque de fondements linguistiques de la « Quinzaine », le climat répressif de celle-ci et ses effets inhibiteurs.

Les désaccords partiels portent, quant à eux, sur les détails du discours de la crise. Les énonciateurs de celui-ci se partagent en effet en deux camps : ceux pour qui l'ennemi prioritaire est l'anglicisme et ses phénomènes satellites (l'hexagonal, les jargons technologiques, etc.) et ceux pour qui il est plus intérieur (le laisser-aller, l'imprécision, etc.). C'est à peu près ce clivage qui séparait les tenants et les opposants du « décret Spaak » : « Si vous sortez dans la rue, en Wallonie et à Bruxelles, vous ne serez pas frappé d'abord par le franglais de nos concitoyens mais par leur prononciation, la pauvreté du vocabulaire, la rhétorique malaisée (...) Non, le français n'est pas menacé par l'anglais. Il est menacé d'abord par le manque de clarté en l'esprit, le parler relâché, les aberrations de certains enseignements, le manque de formation des maîtres, les insuffisances de l'enseignement du français et de la lecture expliquée des textes, le refus de rigueur dans le choix de candidats à un emploi selon leur facilité à parler ou écrire le français. N'est-il pas menacé par le texte même des lois dont nous sommes responsables et que nous laissons parfois écrire dans un charabia qui ne doit rien à Shakespeare ? N'est-il pas menacé par le manque de rigueur des discours parlementaires, des communications ministérielles ? Balayons d'abord devant notre porte » (J. Gol, *in L.M.*, 21.2.78). Bref, l'ennemi est extérieur ou intérieur. Rarement les deux à la fois. Ces deux discours ne se laissent pas répartir aisément. À peine peut-on trouver une légère préférence pour le second dans les organes catalogués comme conservateurs, alors que le premier — où le yanki peut se dissimuler derrière l'épouvantail godon — est plus facilement énonçable dans des périodiques réputés progressistes.

3.2. Les causes

Le diagnostic une fois posé, reste à déterminer les causes de la maladie. C'est sans doute ici que le discours de la crise se fait le plus bavard. Non pas tant pour énumérer les causes — elles se résument à quelques-unes, sinon à une seule — que pour s'affirmer massivement soi-même.

Commençons par distinguer les causes qui seraient propres à la Belgique de celles qui ne le seraient pas.

3.2.1. Les bâtardises belges

Ce qui rend la francophonie belge fragile devant la crise, c'est sans doute sa bâtardise. Zone marginale, elle reçoit les coups de l'extérieur sans pouvoir se défendre avec l'énergie nécessaire : terre de bilinguisme (mais rien n'indique qu'il y soit plus poussé qu'ailleurs en Europe !), cette Belgique offrirait un terreau fertile pour toutes les interférences ; de tradition française incertaine, elle condamne le locuteur à l'hésitation ou à l'aventure (ce qui se vérifie en partie, on l'a vu, pour la langue d'écriture). Nombre de collaborateurs de périodiques insistent sur ce facteur : « Un des dangers majeurs serait d'être contaminé de plus en plus par des germanismes ! Lutter pour le bon langage, c'est donc se prémunir contre l'ennemi hériditaire » (Hypothèse d'école, 1974 : 23). « Nous, francophones périphériques et qui nous obstinons à le rester, nous sommes toujours à courir après une formulation nouvelle, une tournure extravagante, un quelconque anglicisme, et nous avons l'impression gênante d'être colonisés » (P.P., 7.3.84).

Les arguments précis qui étayent l'idée de la bâtardise ont assurément varié au cours de ces dernières années. Le thème de l'interférence avec les parlers locaux semble être, sinon éteint, du moins en recul. Sans qu'il soit toujours nommé avec précision, c'est fréquemment ce phénomène qui est visé à travers les batteries de concepts puristes dont nous avons parlé (« belgicismes anti-français », « régionalismes », etc.). Parmi tous ces -ismes dont s'est gaussé J. Muno dans un roman récent (...« brabançonnismes, anderlechtismes, molenbeekismes, woluwismes, wemmelismes, louvanismes, jettismes, saint-josse-ten-noodismes, ninovismes qui menacent continûment notre belle langue, la pervertissent de l'intérieur, tentent de l'occuper, nous contraignent à une vigilance de tous les instants » 1982: 153), ce sont les wallonismes qui ont le mieux été ciblés (parce que les mieux étudiés, à la faveur du dynamisme traditionnel des études dialectologiques). Le wallon est ainsi considéré depuis longtemps comme un frein culturel, à l'instar des parlers locaux dans la France de l'époque des Lumières, et a encore aujourd'hui, même auprès de patoisants, la réputation d'être nécessairement grossier: D. Droixhe (1984) cite plusieurs exemples de cette conception et n'a aucune peine à montrer que certaines tentatives contemporaines d'intégrer le dialecte au programme scolaire, à titre d'outil pédagogique et comme initiation aux « valeurs populaires », n'ont d'autre but réel que de maîtriser la contamination des deux parlers en présence, grâce à leur constante comparaison. Et ce qui préoccupe les tenants de cette position, c'est, faut-il le préciser, davantage la contamination du français par le wallon que l'influence inverse [42].

La version la plus récente de la critique se pare des habits de la scientificité: ce serait le bilinguisme lui-même qui constituerait un handicap pour l'apprentissage et le maniement de la langue dominante. L'argument est d'autant plus actuel qu'il est susceptible de servir aussi face à deux autres situations de pluriculturalisme. Il servira d'abord face aux problèmes sociaux et pédagogiques suscités par la présence de fortes concentrations de populations de travailleurs immigrés dans les grands centres urbains de Wallonie et surtout dans la région bruxelloise [43]. Problèmes suscités par cette présence et, pourrons-nous préciser, surtout par la découverte par certains de cette présence dans une société en crise. L'argument resservira dans cette même région, face à la lente mais progressive émergence du flamand comme instrument de promotion économique, mutation qui se traduit notamment par une propagande de l'enseignement néerlandophone en direction des familles francophones, et par la tentation chez celles-ci de profiter de l'existence de

---

42. Cette idée va jusqu'à contaminer le sain propos de Bal (1982) qui voit bien par ailleurs que défendre le wallon implique aussi la défense des écoles de village, le développement des énergies alternatives et la reconnaissance des droits des enfants de travailleurs migrants à un enseignement multiculturel. Une autre relation — négative celle-là — entre pauvreté du français et pratique du dialecte est envisagée par É. Legros (1969): « La pauvreté de notre vocabulaire français est souvent navrante (...) Mais je pense au vocabulaire précis que les gens de la campagne et les artisans ont en patois, pour désigner les choses de leur milieu. Qui en connaît les équivalents français ? ».

43. En 1977, le pourcentage d'immigrés par rapport à la population de l'agglomération de Bruxelles était de 21 %, proportion qui montait à 40 % pour la tranche d'âge des moins de 20 ans (Leunda, 1981: 91-92).

classes où le taux d'encadrement est plus favorable que dans l'enseigne-ment de régime français. Dans l'un et l'autre cas, les mises en garde contre le pluriculturalisme se font entendre. Dans le premier, la pré-sence dans les classes d'un nombre souvent important d'enfants dont le milieu familial et social n'est pas francophone est réputée poser des problèmes d'organisation insolubles à l'école, et abaisser le niveau général de l'enseignement, notamment aux yeux de ceux qui, les plus nombreux, ont voulu ignorer la spécificité culturelle et sociale de l'enfant immigré (Leunda, 1981). Ceci nous amène donc insensiblement au thème de la qualité de l'enseignement, auquel nous reviendrons. Dans le second cas — qui concerne une frange plus réduite de la population —, la critique est plus directe : ce serait le bilinguisme précoce imposé au Bruxellois [44], bilinguisme dont l'évolution actuelle peut faire craindre la généralisation, qui serait générateur de déstabilisa-tion et d'inadaptation linguistique.

Il est un autre niveau de bâtardise dont souffre le Belge, et qui n'est pas que linguistique. On pourrait la nommer bâtardise culturelle. Le poids des institutions françaises centralisées pèse d'un tel poids sur lui que le francophone belge, à la fois intérieur et extérieur, éprouve parfois de la peine à trouver son assise. Phénomène aggravé, cette dernière décennie, par la disqualification définitive du cadre national belge comme référence culturelle valable. De cette bâtardise générale témoignent l'apparition et le succès, vers la fin des années 70, du néologisme *belgitude*. Manifestement forgé sur le *négritude* de Senghor et Césaire, ce mot exprimait pour son inventeur — le sociologue Cl. Javeau — la difficulté qu'avait le Belge à définir son identité culturelle. Autre indice révélateur : le gros recueil de textes littéraires intitulé *La Belgique malgré tout* (Sojcher, 1980) où les écrivains participants ont massivement utilisé, sans concertation, des termes comme « pays en creux », « non-État », « entre-deux », « pays imaginaire », « non-existence », etc. Comment s'étonner, dès lors, que cet état de choses ait des répercussions sur la conscience linguistique du Belge, que la possession tranquille de sa langue lui soit refusée et qu'il vive constam-ment dans la crainte de la transgression ? Cette crainte est évidemment renforcée par les actions puristes qui, prétendant amener les usagers à mieux communiquer leur pensée, peuvent en fait développer un sur-moi

---

44. L'élève bruxellois n'a pas — comme ses homologues de Flandre et de Wallonie — le choix de la seconde langue (pour le Wallon, ce choix s'opère entre l'allemand, l'anglais et le néerlandais). Pour lui, la seconde langue nationale est obligatoire. De surcroît, le programme d'initiation commence dès l'enseignement primaire. Sur le régime de l'enseignement des langues en Belgique, voir Van Deth (1979).

inhibiteur: « L'étudiant dans un examen, l'employé dans une lettre commerciale, le commis voyageur ou l'agent publicitaire lorsqu'ils présentent une marchandise, l'homme d'affaire ou le politicien dans un rapport ou un discours, chacun de nous, en toute circonstance, doit surveiller et se sentir surveillé. Bien parler n'est pas un luxe mais une exigence; on ne le transgresse pas impunément » (prospectus). D'où, chez le Belge, une culpabilité linguistique constante: « Nous parlons naturellement moins bien que les Français » (*L.C.*, 7.3.78). Fragilité permanente, que des circonstances vécues comme déstabilisantes peuvent évidemment aggraver.

3.2.2. Les crises de la civilisation et de l'enseignement

De telles circonstances, le discours de la crise est prompt à en citer. Il rencontre ainsi des analyses qui ne sont vraisemblablement pas propres à la Belgique. Tous les points de ces analyses convergent pour dresser un tableau catastrophiste de l'époque présente: nous sacrifions tout à la rapidité et à l'efficacité de sorte que « les textes se réduisent à quelques mots. Souvent les éléments de liaison, jugés superflus, sont gommés ou remplacés par un symbole » (Peetermans, 1984: 3), « les jeunes et les "moins jeunes" n'ont plus le temps de s'encombrer de milliers de mots, de centaines de pages inutiles » (*L.S.*, 26.6.84). Toute la culture se résorbe désormais dans les médias audio-visuels: « Il est plus facile d'écouter la télévision et des disques que d'apprendre à lire correctement et avec aisance. Ainsi la lecture des 12-15 ans ressemble-t-elle souvent à un triste ânonnement de débutants » (*L.B.*, 5.6.82), « Les bandes dessinées, qui d'ailleurs fourmillent souvent de fautes, n'apprennent pas l'orthographe » (*L.C.*, 23.4.77). Ces médias témoignent d'un désir de facilité intellectuelle, « car tout, télévision, B.D., vidéo et même le sacro-saint ordinateur démiurge, concourt à simplifier la représentation des faits (...). L'image de la B.D. ne présente, d'ordinaire, que des représentations grossières d'actes ou de sentiments (...). Déjà, le film, la représentation photographique de personnes, d'endroits, de faits ont systématiquement émoussé notre sensibilité, notre pouvoir d'imagination » (*L.S.*, 26.6.82). La crise du langage est ainsi, au premier chef, une crise morale: paresse, laxisme, laisser-aller, désinvolture.

En outre, la pose et la démagogie s'en mêlent: « Un nouveau snobisme s'installe qui consiste à mépriser ceux qui ont le souci de la correction de l'écriture. L'orthographe est devenue, paraît-il, l'apanage des vaniteux » (*L.C.*, 22.4.77), « On publie des "prolégomènes à la grammaire des opprimés". Ceux qui souhaitent commettre le moins d'erreurs possibles [*sic*] sont qualifiés de "fascistes" » (*id.*).

Tout ceci crée une situation de fragilité, que vient aggraver le choc des langues : « Jadis, les langues étaient relativement indépendantes les unes des autres et les emprunts se fondaient dans la masse du vocabulaire, suivant un processus naturel d'assimilation. Ce n'est plus vrai de nos jours. Les rapports de force sont devenus tels que les langues n'échappent pas à leur action impitoyable » (A. Patris).

Tout ceci se cristallise en un lieu : l'enseignement. C'est lui qui, par une véritable aberration, est le responsable du grand lâcher tout. Et c'est toujours l'enseigné qui est désigné comme le siège de la crise (« Pauvre langue française ! Déjà sacrifiée à l'anglais, malmenée par les lycéens pour qui l'orthographe et la syntaxe sont devenues presque facultatives pour décrocher le diplôme de fin d'études secondaires (...). La plus belle langue du monde vient de subir une dernière disgrâce », *L.C.*, 3.6.82).

C'est que le solide apprentissage de la langue par les méthodes traditionnelles a été sacrifié allègrement au nom de la modernité. On a totalement abandonné l'analyse grammaticale et sa terminologie rassurante, « on est incapable de repérer les parties de la phrase, leurs natures, leurs propriétés et leurs rapports selon leur signification et selon leur enchaînement logique » (*L.B.*, 5.6.82). En contrepartie, on sombre dans la logomachie linguistique et on donne dans des techniques pédagogiques douteuses : « Il est plus facile de faire rechercher dans les journaux des faits divers et des photos que d'apprendre aux élèves à écrire correctement et avec un peu de soin pour la forme et le fond » (*id.*). « On ne cultive plus le goût de la lecture, au point que le Belge ne lit en moyenne qu'un livre par an » (*L.S.*, 26.6.84). Dans ce procès qui fait comparaître beaucoup de suspects — la formation des maîtres en est un —, un accusé principal : l'enseignement dit « rénové » mis en place en Belgique à la fin des années 60, qui entendait encourager la créativité personnelle des élèves par un système d'options assez souple, et était partiellement fondé sur le concept d'autogestion pédagogique. C'est évidemment à ce type de pédagogie qu'on en a lorsqu'on peint des classes anarchiques où des professeurs farfelus, s'adressant par onomatopées à des élèves avachis, se servent de la seule bande dessinée et de la seule télévision. La crise de la langue est donc surtout une crise de l'enseignement, coupable de mettre sur le marché de l'emploi et des études supérieures des adolescents inadaptés. Ainsi résume-t-on la biographie scolaire de l'élève belge moyen : « J'imagine sans peine (...) par quelle filière passe, et passera encore, l'adolescent qui, après 13 ans d'école, ne sait ni lire, ni écrire, ni parler (au sens plein des mots) (...) Il appartient souvent à une famille d'un niveau culturel faible. Il fréquente une école primaire quelconque. Il ne lit pas. Il entre dans le secondaire où le hasard du recrutement le met dans une classe à majorité d'élèves aussi faibles, sinon plus faibles que lui. Comme ses camarades, il est rarement interrogé en classe quel que soit le cours et, quand il bredouille une réponse, c'est le professeur qui transpose "en clair" son balbutiement. Il fait des exercices d'élocution presque à tous les cours (ses professeurs aiment ça), mais il les a copiés tant bien que mal dans des livres ou recopiés sur le travail d'un copain. Il écrit des narrations, des descriptions, des dissertations, mais sans trop savoir comment les faire et en si petit nombre qu'il ne peut s'exercer. Il ne lit que des bandes dessinées et les résumés qu'un copain lui passe pour les livres imposés. Il n'a pas besoin d'ouvrir ses manuels: ses professeurs font des plans sommaires des leçons, les impriment sur stencils, les distribuent, et c'est suffisant pour l'examen. Au cours de français, il est toujours dans des classes surpeuplées alors qu'au cours de néerlandais quatrième langue, il est parfois seul, mais cela n'a pas d'importance: c'est le professeur qui parle. Aux épreuves du diplôme d'aptitude, il n'a pas compris le texte et l'a mal résumé, mais les examinateurs ont trouvé "originale" une de ses réflexions et ont été séduits. Aux épreuves orales, il a choisi deux "petits cours" où les examinateurs laissent passer tout le monde. Au cours de ses six années du secondaire, il a vu venir un inspecteur et, une fois, le chef d'établissement: ils ont été contents parce que le professeur expliquait bien et qu'il avait de gros dossiers devant lui » (*VF*, 17.10.80).

Cette critique fondamentale de l'enseignement du français en Belgique n'est peut-être pas aussi explicite que dans un *Rapport sur l'enseignement du français* récemment demandé par le ministre de l'Éducation nationale (1984). Ce document, qui ne semble pas fondé sur des études valides [45], dresse un portrait où se trouvent concentrés tous les traits que nous avons jusqu'ici rencontrés dans la presse. Il souligne d'abord les ignorances de la jeunesse en langue maternelle: faillite de l'orthographe, « ignorance des œuvres les plus importantes de la pensée et de la sensibilité française » (p. 3), « vocabulaire restreint ou inadéquat, tournures sommaires, incohérence, fautes de logique ou d'argumentation grèvent lourdement la parole et l'écrit » (p. 4). Les responsables sont nommés dans une réquisition en 12 points: (1) le goût de la facilité: « La majorité a rêvé de s'abandonner aux pédagogies douces et aux machines infaillibles: à calculer, à traduire, à enseigner les langues,

---

45. Diffusé au début de l'année 1984, il a été soumis pour examen aux universités, mais le nouveau programme fondé sur les réflexions qu'il contient est entré en vigueur dès la rentrée scolaire de septembre 1984, donc avant que soient connus les résultats de cet examen.

à remplacer les corrections, les exercices d'application, les répétitions, les mémorisations » (p. 5). Ensuite (2), la désaffection à l'égard du livre et de la lecture (« Les multiples et coûteuses tentatives faites à l'école pour apprivoiser les médias et enrichir le travail du professeur de français se sont révélées décevantes », p. 7); (3) les tâtonnements et le laxisme dans l'enseignement de l'oral et la pratique de la créativité (« L'école n'est pas faite pour "libérer" n'importe quelle parole, absurde ou informe, mais pour enseigner à parler clairement, correctement, sans que le locuteur soit sans cesse trahi dans sa pensée par la pauvreté de son élocution, sans que les auditeurs soient priés d'accepter, comme il arrive trop souvent, n'importe quel charabia », p. 10); (4) le mythe de la non-directivité et de l'expression libre; (5) les rapports incertains entre la linguistique et la grammaire; (6) l'abandon de l'enseignement orthographique (« Tout s'est acharné contre l'orthographe : les théories sur la libération de l'individu, la relative contestation des normes au nom de la grammaire descriptive, la notion d'évolution de la langue, sans compter les commentaires défaitistes sur ses difficultés », p. 14); (7) l'incessante remise en question des matières à enseigner, qui a rompu toute continuité; (8) la « production fiévreuse de méthodes concurrentes » propres à dérouter le professeur autant que les élèves; (9) le « prestige des sciences quantitatives », propre à intimider les tenants des « valeurs qualitatives » et à marginaliser l'enseignement de la littérature et de son histoire; (10) l'abandon de l'analyse et de la composition de l'écrit, entraînant celui de la lecture; (11) le fait que le français soit, pour une part importante de la population scolaire, une langue étrangère. (12) Le temps ridicule imparti à l'enseignement du français (4 heures hebdomadaires, contre 7 dans les classes inférieures de l'enseignement traditionnel moderne, 6 heures + 5 heures de latin en classes de « latin-grec »).

3.3. Mesures du discours de la crise

Il était tentant de quantifier les propos tenus sur la crise. Le thème revient-il donc si fréquemment sous la plume ou dans la bouche de ceux qui, à un titre ou à un autre, se préoccupent de langage? Ou bien serions-nous victime de l'illusion d'optique que produit la juxtaposition de documents aussi divers que des articles de pédagogues, des rapports ministériels, des lettres de lecteurs, des chroniqueurs puristes? Et quels sont les thèmes les plus fréquemment abordés parmi ceux que nous avons relevés?

Problème qui aurait été malaisé à résoudre si la chance ne nous avait servi. Au cours de l'été 1983 a en effet paru le *Nouveau dictionnaire des difficultés du français moderne* de J. Hanse. La forte personnalité de l'auteur autant que le problème traité devaient assurément susciter chez les journalistes des considérations sur la crise. Nous avons donc procédé à un dépouillement de toute la presse quotidienne et hebdomadaire de Belgique francophone, depuis la parution de l'ouvrage jusqu'à la fin de l'année civile[46]. L'ouvrage devait, en effet, rester un événement d'actualité tout au long de cette demi-année : en septembre, son auteur fut la vedette incontestée d'une livraison de la fameuse émission télévisée française *Apostrophes*, et le mois d'octobre fut jalonné de divers hommages à J. Hanse, en France et en Belgique.

Nous avons répertorié 49 articles — y compris les interviews et les simples recensions — totalisant 5 022 lignes (soit 102 lignes de moyenne, avec une dispersion importante). Quinze articles seulement (soit 30 % d'entre eux) font allusion à/ou mention d'une situation de crise, et cela sur 104 lignes à peu près au total (soit 2 % de la masse rédactionnelle). Lignes qui représentent 4,06 % de la masse de ces articles (2 560 lignes). On peut donc dire que « la crise » n'apparaît pas au premier plan des préoccupations des journalistes. Certes, on devait bien s'attendre — c'est la loi du genre — à ce que l'essentiel du volume publié soit directement consacré à l'ouvrage, en suivant plus ou moins servilement le dossier de presse préparé par l'éditeur, ou encore à la personnalité (bien attachante) de l'auteur. Et l'on ne s'étonnera pas que ce soient les articles les plus longs (en moyenne 170 lignes) qui témoignent de considérations sur l'état de la langue. Mais on notera que ce type de propos n'apparaît ni dans les titres ni dans les intertitres, et que le mot de crise n'est jamais employé (à une exception près, par l'auteur).

L'enquête réalisée permet, outre de ramener le discours sur la crise du français à de justes et modestes proportions, d'apprécier la fréquence des thèmes dont nous avons observé le retour. Dans les manifestations de la crise, c'est l'anglicisme qui vient largement en tête, suivi des tares linguistiques qui seraient imputables à la francophonie belge ; viennent ensuite les « imprécisions » et « l'hexagonal », puis enfin la pauvreté du vocabulaire et les défaillances de l'orthographe. Cette hiérarchie des effets ne concorde pas exactement avec celle des causes. Nous ferions d'ailleurs mieux de parler de cause au singulier. Car, loin devant les autres causes possibles, c'est le laxisme de l'enseignement (secondaire surtout) qui est cité. Vient ensuite le rôle néfaste de la presse écrite et surtout télévisuelle. Ce n'est que bien après que l'on parlera de la difficulté du français ou de l'insécurité du bilingue wallon-français.

---

46. Je remercie ici M. J. Hanse et le service de presse des éditions Duculot pour leur précieux concours.

L'enquête permet aussi de mieux désigner le lieu d'où s'énonce le discours de la crise. On ne s'étonnera pas de constater que c'est la presse cataloguée à droite (*La Dernière Heure*, de tendance libérale, et *La Libre Belgique*, qui soutient le Parti social chrétien) qui y fait le plus large écho.

4. Enquêtes sur les performances linguistiques

Dans quelle mesure le discours de la crise renvoie-t-il à une réalité ? On est d'emblée tenté de se méfier de lui, même lorsqu'il sert des objectifs généraux, tant l'on sait combien il se meut sur le terrain de la croyance ou, au mieux, du bon sens et de l'empirisme. Or, comme on l'a rappelé plus haut (3.1.2.), on sait que c'est précisément dans le domaine où la crise apparaît comme le moins discutable — l'orthographe — que les résultats des études rigoureuses sont les plus surprenants, mais aussi les plus problématiques : pour Guion (1973 et 1974) et Ters (1973), il y aurait en France un statu quo depuis le début du siècle ; mais au Québec, selon Roberge (1984), on observerait une chute vertigineuse de 1961 à 1982.

On ne connaît malheureusement aucun travail de ce type en Belgique. C'est qu'y règne une véritable carence en matière d'études sur la performance linguistique, comme d'ailleurs en sociologie du langage en général. Les premières raisons de ce retard, sur lesquelles on ne s'étendra pas (cf. Klinkenberg, 1981*b*), ne sont que des hypostases locales de certaines entraves que connaît la sociolinguistique française. D'autres raisons tiennent à des situations particulières : poids des traditions dialectologiques, récupération politique immédiate — au détriment de l'approche scientifique — des études sur la connaissance des langues (voir le répertoire de A. Verdoodt, 1973), importance de la perspective normative... Le fait est qu'on ne dispose que de données éparses et souvent peu fiables sur les relations entre groupes linguistiques (voir Rayside, 1977), sur la fréquence d'usage des particularités du français de Belgique et les strates sociales, sur la manière dont elles jouent un rôle de marqueur sociologique, sur les attitudes des groupes à leur endroit, sur leur variation dans la conversation, et même sur la concurrence entre français et dialecte (voir Andrianne, 1981).

On ne pourra donc guère opposer une réalité à chacune des images que nous avons vues apparaître plus haut. On peut cependant compter sur certaines études ponctuelles, qui viennent éclairer les problèmes soulevés. Nous nous limiterons ici à trois d'entre elles. La première est une tentative d'évaluation de la performance linguistique d'étudiants débutant à l'université. Nous la choisissons puisque c'est ce point qui apparaît comme le plus sensible dans le discours de la crise. La deuxième enquête porte sur un aspect du langage administratif. Celui-ci est en effet fréquemment donné comme l'exemple à ne pas suivre en matière de clarté et d'élégance[47]. La troisième porte sur le comportement linguistique d'enfants de travailleurs migrants en milieu scolaire. Il éclairera donc le problème du bilinguisme.

4.1. L'ignorance de la langue maternelle étant généralement tenue pour la cause majeure des échecs des étudiants débutants, la Faculté de philosophie et lettres de l'Université de Liège a, en 1979, décidé de mener une enquête afin d'apprécier la nature, la gravité, les origines et l'incidence des faiblesses linguistiques[48]. Une batterie de quelque 200 questions couvrait les 5 domaines suivants: l'orthographe dite grammaticale, l'orthographe dite d'usage, le vocabulaire, la compréhension de texte, à quoi s'ajoutait l'analyse grammaticale. L'épreuve proposée se présentait sous forme de questions à choix multiples, dont les réponses firent l'objet d'un traitement statistique approprié.

Une telle étude ne peut évidemment pas servir à détecter dans l'absolu les étudiants débutants qui ne maîtrisent pas suffisamment la langue: il faudrait en effet déterminer préalablement ce que représente une « maîtrise suffisante ». Appliquée à deux reprises seulement, elle ne permet pas davantage d'appréhender l'évolution de cette maîtrise dans le temps. Elle peut cependant fournir des indications sur une série de corrélations. Corrélations entre les résultats obtenus dans les différents domaines, et les caractéristiques sociales et scolaires des étudiants, corrélation de ces résultats entre eux, corrélation de ces résultats avec le succès universitaire. Passons rapidement sur cette dernière relation, qui

---

47. Le langage administratif est fréquemment associé aux autres langages de spécialité dans une catégorie plus générale qui serait « le langage compliqué »: « Un grand pas dans la bonne direction serait fait si l'administration, la justice s'exprimaient déjà dans un langage clair et compréhensible par tous. Sans oublier les sociologues, les économistes, les linguistes (...) et les "jargonneurs" de tout poil. La langue française a toujours été considérée comme un modèle de clarté. Aujourd'hui, on en vient à douter de cette qualité quand on lit, par exemple, le charabia du "vade-mecum" ou les cogitations de certains penseurs, qui ne s'expriment pas tous en franglais, mais compliquent leur langue à plaisir pour faire intelligent. Des snobs, délivreznous, Seigneur! » (*L.C.*, 7.3.78).

48. Cette enquête, menée en septembre 1979, a été reprise, sous une forme améliorée, en octobre 1981. Les deux épreuves ont fait l'objet de rapports non publiés (cf. cependant Delcourt *et al.*, 1983 et 1984).

ne relève pas de notre propos[49], et sur la seconde (qui est largement positive: les cinq questionnaires sont indiscutablement solidaires). Les autres corrélations montrent une forte influence du type d'enseignement reçu sur la performance linguistique: les étudiants qui ont fait des humanités « rénovées » sont significativement plus faibles dans tous les domaines que ceux qui ont fait des études « traditionnelles ». Par contre, pour tous les domaines, à l'exception de la compréhension de textes, les résultats obtenus dans l'enseignement secondaire ne paraissent pas déterminants. Autre indication éclairante: la profession du père, qui pèse sur tous les résultats (sauf la compréhension): les fils et filles de salariés agricoles sont significativement en deçà de la moyenne, les enfants de cadres supérieurs, significativement au-dessus. D'autres variables semblent liées à celles-ci: le sexe en est une, mais provient sans doute du fait que les filles de la population explorée proviennent plus souvent de milieux privilégiés; le caractère confessionnel ou non de l'école fréquentée en est une autre, mais ceci semble lié au fait que les établissements de l'État ont plus largement adopté l'enseignement rénové que les établissements confessionnels. Ce test vérifie donc une des lignes de force du discours sur la crise: la relative responsabilité du « rénové » dans un certain type de performance linguistique. Ce qui pose au corps social la question du choix des performances à cultiver. Répété, et complété par une enquête longitudinale, le test pourra peut-être en outre fournir des indications sur la baisse de niveau tant de fois proclamée.

4.2. La seconde étude porte sur un point plus particulier: la lisibilité des documents administratifs. Le corpus choisi devant être représentatif de la langue de ces documents et être d'un emploi relativement large, le texte idéal était sans doute la déclaration d'impôts et les notices qui l'accompagnent. Ce choix permettait aussi et surtout la comparaison: on a donc joint aux documents belges leurs homologues suisses romands et québécois.

L'analyse (Mansion, 1983) a consisté à tester la lisibilité des documents. Cette technique vise à prédire et à contrôler la difficulté de compréhension d'un message pour un public donné. La classique formule de Flesch — reposant sur deux variables: la longueur des mots

---

49. Delcourt (1983: 21-26) montre que les étudiants qui ont de bonnes connaissances lexicales sont beaucoup plus nombreux à réussir leur année universitaire que les autres, mais souligne que cette corrélation ne fait que suggérer — sans l'établir — une relation causale. Nous pouvons ajouter que le résultat obtenu n'aboutit peut-être qu'à identifier un des critères implicites de la sélection universitaire.

et la longueur des phrases — a été raffinée et adaptée au français par G. de Landsheere, travail qui a finalement abouti aux formules de lisibilité de G. Henry (1975). Dans la formule retenue ici, on utilise six variables, rendant compte de la difficulté syntaxique, de la redondance lexicale, du taux de rareté des mots, de leur caractère concret et du caractère dialogué des textes. Le test est étalonné suivant des niveaux scolaires (« 2ᵉ année primaire » à « universitaire »). Les résultats obtenus sont nets. Le document belge — regorgeant d'adverbes en -*ment*, de longues phrases impersonnelles et passives, de relatives accumulées — est le plus difficile à comprendre. Il accuse un taux de lisibilité correspondant au niveau secondaire supérieur. La formule québécoise est par contre très lisible, correspondant à la fin du niveau primaire. Elle le doit non à la brièveté des phrases, mais à son caractère personnalisé et à son vocabulaire moins complexe. Le document suisse occupe, quant à lui, une position intermédiaire.

Si l'on est en droit d'extrapoler à partir du cas de la déclaration d'impôts, on peut donc dire qu'ici la réalité rejoint la fiction du discours. Aucun effort institutionnel n'est en tout cas consenti par l'Administration belge pour améliorer la relation avec son public. La seule trace d'une telle préoccupation est un conseil, un peu pieux, donné aux fonctionnaires dans une brochure leur présentant les exigences du texte administratif... (Geerts, s.d.).

4.3. La troisième enquête, réalisation d'une équipe liégeoise, porte sur certains aspects du bilinguisme chez des enfants d'immigrés (Arguelles *et al.*, 1979). Les questions à résoudre étaient — entre autres — les suivantes: ce bilinguisme constitue-t-il une richesse ou un handicap? Comment se réalise l'apprentissage de la langue seconde et quelles difficultés en découlent dans l'adaptation scolaire? Dans quelle mesure des facteurs autres que linguistiques influencent-ils la situation?

L'enquête linguistique — qui complétait une enquête sociologique — comportait quatre volets: un entretien, des épreuves grammaticales, de vocabulaire et d'efficacité de la communication. Elle visait des enfants de première et de sixième années primaires. L'analyse fait notamment apparaître que les écoliers espagnols débutants ont une meilleure capacité de production en français — langue de l'école — alors que leur capacité de réception est sensiblement équivalente dans les deux langues, la comparaison entre Belges et Espagnols soulignant sur ce point — la performance passive — une certaine infériorité des seconds. Les résultats pour l'année terminale font apparaître, dans le cadre d'une infériorité globale des immigrés par rapport aux Belges, de fortes disparités de performance explicables par l'appartenance sociale. Il est en tout cas impossible d'isoler quelque handicap linguistique indifférencié. Deux des corrélations étudiées doivent être soulignées avec force. La première prouve qu'il n'y a aucun rapport entre le fait d'être bon ou mauvais élève en français et la capacité d'accomplir des tâches linguistiques diverses (proposition générale qui n'a pas été prise en considération dans la première étude commentée). La seconde démontre le peu de fondement scientifique de la théorie traditionnelle de la « balance » : plus l'enfant est performant dans une langue, plus il l'est dans l'autre. Ces conclusions semblent devoir apaiser ceux qui avaient fait du bilinguisme un phénomène isolé, non influencé par d'autres variables, et avaient conclu à son caractère nocif (cf. Toussaint, 1935, qui envisageait le bilinguisme français-flamand). Elles plaident également en faveur d'une forme d'éducation ouverte au bilinguisme et au biculturalisme, et d'une stratégie éducative visant à renforcer la culture d'origine plutôt que de viser immédiatement l'intégration.

Ces trois enquêtes [50] fournissent des enseignements bien différents : l'une confirme pleinement le discours de la crise, l'autre le confirme partiellement, la dernière l'infirme. Toutes trois suggèrent cependant la vanité des affirmations apocalyptiques. Toutes trois disent aussi l'urgence qu'il y aurait non seulement à définir explicitement des objectifs en matière de comportement linguistique collectif, mais aussi à multiplier les études rigoureuses et à en diffuser les résultats de manière efficace auprès des faiseurs d'opinion et des preneurs de décision...

5. Conclusions : une curieuse absence de solutions

Pour apprécier le discours sur la crise en Belgique francophone, il n'est que de jeter un regard sur les remèdes proposés, et qui ont le plus souvent été décrits chemin faisant. Ces remèdes sont à la mesure du diagnostic. Il ne faudra donc pas s'étonner de les voir décrits en termes généraux et idéalistes : « Pour les 20 prochaines années en tout cas, il faut sans doute entraîner les jeunes à la logique, à la précision, à la rigueur (...) à la souplesse d'esprit (...) à l'imagination et à la créativité » (Ministère, 1983 : 33-34) ; il ne faudra pas s'étonner de rencontrer

---

50. Ce ne sont évidemment pas les seules enquêtes existant sur le marché (on peut citer celles de Lenoble-Pinson, 1978, 1980, 1981, menées auprès d'enseignants). Mais toutes se caractérisent par la disproportion entre leurs objectifs et leurs moyens. Aucune n'a été commanditée par un organisme qui aurait compétence dans tout le pays.

nombre de voeux pieux (comme cette brochure de Geerts, s.d., qui recommande aux fonctionnaires un style « clair, accessible à tous et surtout aux non-initiés ») et de remèdes simples : renforcer la rigueur en toute matière, puisque la crise du langage est d'abord une crise de l'autorité (*VF*, 22.9.83).

Comme il en allait déjà des enquêtes, nombre d'actions se font en ordre dispersé, ce qui est conforme à une tradition politique du pays. Aucun office centralisé n'existant en matière de langue, l'action sera toujours le fait d'associations privées (ex. : Fondation Charles Plisnier) ou, plus rarement, d'institutions émanant de pouvoirs publics à la compétence limitée (comme la Maison de la Francité). Une seule exception : il existe actuellement une certaine coordination entre les initiatives prises par divers centres universitaires dans le domaine du recyclage des enseignants (notamment dans le cadre du Centre interuniversitaire de recyclage pour les enseignants du français). Mais le thème de la qualité de la langue n'est pas particulièrement privilégié par ces programmes de formation continue.

Les moyens existants sont donc notoirement réduits. Aussi les actions sont-elles le plus souvent ponctuelles (comme la Quinzaine du bon langage). La seule action de fond entreprise est sans doute celle qui touche à l'enseignement secondaire : à partir de la rentrée 1984, un horaire renforcé de français y a été introduit, avec un programme réformé d'après les réflexions formulées dans le *Rapport sur l'enseignement du français* (Ministère, 1983) : renforcement de la lecture et de l'apprentissage normatif de la langue, réintroduction de la chronologie dans l'histoire littéraire, retour à une pédagogie plus directive, suppression du rôle de la paralittérature et des médias, unification de la terminologie grammaticale, de façon à ce que l'école « puisse reprendre décidément son rôle formateur » (32), qu'elle est réputée avoir perdu dans une époque toute de prospérité et de laisser-aller.

Cette rigueur accrue dans un seul domaine — l'enseignement — contraste apparemment avec l'absence d'incitants partout ailleurs : on a vu que le « décret Spaak » n'était pas assorti de mesures coercitives, et que nombre d'actions ne débouchaient que sur des suggestions : suggestions au public en matière de terminologie (Atelier de vocabulaire), conseils à des rédacteurs (Geerts), auto-évaluation d'étudiants (Delcourt, 1983). Mais l'un et l'autre cas ont en commun que rien n'est prévu pour évaluer l'action. Autant la rigueur du nouveau programme est peu fondée sur des études objectives[51], aussi peu s'interroge-t-on sur l'impact réel d'initiatives comme les Championnats nationaux d'orthographe.

Ainsi constate-t-on, en Belgique francophone, un étonnant divorce : d'une part la crise est hautement affirmée, mais de l'autre, le souci d'efficience ne paraît pas dominer.

Ce paradoxe s'explique peut-être si l'on considère le discours sur la crise de la langue comme un symptôme d'une autre crise, et comme une première réponse à celle-ci. Il s'est développé ces dernières années une sensibilité nouvelle, que Lasch (1979) a nommée la « culture narcissique » : elle prend appui sur la constatation que l'emprise des individus sur leur existence faiblit et que les disciplines scientifiques — de l'économie à la philosophie — sont impuissantes à leur fournir des explications satisfaisantes aux phénomènes qu'elles font profession d'élucider. D'où une attention exclusive au moi, compensant l'insignifiance générale. Cette vision anxiogène du présent affecte la confiance dans nos instruments de conceptualisation. Et au premier rang de ceux-ci, le langage. Cette langue incohérente, affaiblie, sans rigueur, dont parle le discours de la crise serait donc la synecdoque d'un univers à la structure absente. D'où le faible souci d'efficacité noté : car ce n'est au fond pas le langage lui-même qui compte...

Ce raisonnement vaut pour un monde qui ne se limite pas à la Belgique francophone. Mais la situation de celle-ci ne manque pas d'influencer le phénomène. C'est que la crise du français n'est, aux yeux de nombre de ceux qui en parlent, que la résultante d'une crise d'identité : « Une langue n'a pas de valeur en elle-même, mais parce qu'elle reflète l'âme d'un peuple, la conscience qu'il prend de lui-même. Quand un peuple perd le sentiment de son identité profonde à travers des manifestations culturelles qui ne lui renvoient plus son image, sa langue ne signifie plus rien pour lui et il est prêt à la laisser s'abâtir [sic] au hasard des influences étrangères, comme il accueille n'importe quelle forme culturelle d'où qu'elle vienne si elle s'impose avec assez de force et vient combler un vide » (Inf., 17.6.83). Or le francophone de Belgique vit actuellement une grave crise d'identité : d'un côté, toute identité belge a disparu, mais de l'autre la « Communauté française de Belgique » n'offre qu'un cadre artificiel, où les

---

51. Ainsi le Rapport prévoit-il la constitution de classes séparées pour enfants de travailleurs immigrés, classes où serait dispensé un enseignement intensif du français (« On testerait ainsi leur désir et leur capacité d'intégration », p. 30). Les analyses du phénomène (ex. : Arguelles, 1979) ne suggèrent pas précisément cette solution.

Wallons ne peuvent en tout cas pas se reconnaître. Cette crise-là, comme beaucoup d'autres dans le même pays, s'exprime de manière médiate, reste un non-dit. De sorte que le Belge n'a jamais disposé des instruments nécessaires pour mesurer sa position originale dans la francophonie. De là, sans doute, l'exacerbation chez lui du discours tenu dans toute la francophonie, de là son impuissance à inventer des remèdes à ce mal confus[52].

Note sur la Belgique néerlandophone

Les lignes qui précèdent ne concernent que la Belgique francophone. On a cependant, chemin faisant, rencontré une série de problèmes faisant intervenir une autre des trois langues nationales de l'État belge : le néerlandais[53]. La situation sociolinguistique de cette langue étant radicalement différente de celle du français, on doit s'attendre à ce que la problématique de la crise y soit également particulière. On ne trouvera ci-après qu'une note volontairement succincte sur cette problématique[54].

1. Formation du néerlandais standard

Un des problèmes les plus aigus du néerlandais de Belgique a été et est sa relation au standard néerlandais (cf. Geerts, 1974). Les guerres de religion du XVIe siècle laissèrent la Flandre exsangue et entraînèrent la création d'une frontière entre les prospères Provinces-Unies (Pays-Bas actuels) et les Pays-Bas restés espagnols (la Belgique actuelle). La Flandre resta donc à l'écart de l'évolution qui, dans le Nord et spécialement au XVIIe siècle, aboutit à la création d'une langue d'écriture normée. De sorte qu'au XIXe siècle, la Flandre entretient une relation complexe avec deux idiomes : d'une part le français, apanage de l'aristocratie et de la haute bourgeoisie, et de l'autre le néerlandais stabilisé, que presque personne ne connaît (l'immense majorité de la

---

52. Je remercie, pour l'aide qu'ils m'ont apportée dans le rassemblement ou la mise en oeuvre des matériaux de cette étude, Mmes Lenoble-Pinson, Angélique, Dombret, Rinné, et MM. Patris, Pohl, Hanse, De Vriendt, Delcourt, Leleux, Verdoodt, Rosi.

53. Voir notamment 1.1. pour l'établissement de la frontière linguistique et les dialectes flamands, 1.3. pour la concurrence des langues en Flandre et le régime linguistique officiel belge, 2.1. pour les interférences. Pour une rapide présentation de la langue et de son histoire, voir Vandeputte (1981). La troisième langue nationale — pratiquée par 60 000 personnes environ — est l'allemand.

54. Pour ces lignes, j'ai pu bénéficier du concours particulièrement actif de M.J. De Vriendt, que je remercie ici chaleureusement. Ma gratitude va également à M. Jaspaert.

population ne pratiquant que le dialecte). La question qui s'est posée tout au long du combat pour l'émancipation flamande a donc été de savoir si la communauté en voie de formation devait créer son propre standard ou si elle devait adopter le néerlandais. C'est ce second point de vue qui a prévalu. Les attitudes vis-à-vis de ce standard restent cependant très fluctuantes, comme l'a bien montré Jaspaert (1984).

2. Aspects du néerlandais de Belgique

Bien que les dialectes restent extrêmement vivants dans toutes les classes sociales (ce qui n'était pas le cas en Wallonie), le standard se répand de plus en plus. Indépendamment d'interférences strictement locales avec le dialecte, le néerlandais du sud accuse vis-à-vis de celui du nord une série importante de différences phonétiques, lexicales et syntaxiques telles qu'on est en droit de parler d'un « néerlandais de Belgique » général. Les locuteurs sont très conscients de ces particularités (cf. Deprez, 1981 : 182). Parmi ces différences, certaines sont des statalismes. Quelques-unes sont dues à l'archaïsme, mais aussi et surtout à l'adstrat français et à la réaction d'hypercorrectisme qui s'ensuit. Ces différences affectent évidemment moins la langue écrite que l'orale. L'unification de la première est garantie par des institutions communes : orthographe unifiée, grammaires et dictionnaires communs. Réalisations qui aboutirent à « l'Union linguistique néerlandaise » récemment conclue entre les gouvernements belge et hollandais (AA.VV., 1980*b*) et qui doit coordonner les actions en matière d'aménagement et de promotion de la langue. La situation qui tend donc à se stabiliser actuellement est celle d'une différence limitée et acceptée.

3. Une langue sans crise ?

La notion de crise linguistique semble ne pas exister en Flandre comme dans la francophonie. L'idée d'une crise n'est pas absente, mais elle s'applique essentiellement au passé. Ce qu'explique sans doute l'évolution historique esquissée ci-dessus. L'accession relativement récente des néerlandophones belges à l'enseignement secondaire et à l'enseignement supérieur, et plus généralement le mouvement flamand avec sa dynamique actuelle et la mémoire collective qu'il a façonnée, ont créé la sensation d'une marche continue vers la maîtrise de plus en plus large d'une langue standard devenant de plus en plus performante. Et de ce point de vue, l'action des médias est perçue comme largement positive, et non pas comme déstructurante (cf. Deprez, 1981 : 193-194 ; la différence d'avec la Belgique francophone est ici éclatante).

Il reste cependant ici aussi une solide tradition puriste, dirigée contre les régionalismes et surtout contre les emprunts au français. Elle se manifeste dans des chroniques, des manuels, des associations de promotion du beau langage, des services d'information linguistique. Mais cette action ne s'exprime pas dans les mêmes termes que le purisme francophone. Le ton moins dramatique du discours néerlandais sur la langue s'explique peut-être par la tradition d'action concertée sur la langue, action qui a démontré son efficacité. On le doit peut-être aussi en partie à la récente mais solide réflexion sociolinguistique qui contraste fort avec le silence des francophones en cette matière. C'est qu'on a la sociolinguistique de ses rapports sociaux : et ces études sont toujours plus intenses dans les communautés dominées, lesquelles ont intérêt à voir naître des descriptions rigoureuses de leur situation objective, alors que la suprématie des dominants se fonde obligatoirement sur un discours idéologique qui ne peut sans danger se voir déconstruit (voir le cas du Québec...). Ces études portent le plus souvent non sur des performances, mais sur des attitudes (cf. Geerts, 1974). Grâce à ce savoir, autant que grâce à son vif sentiment national, la communauté néerlandophone semble donc mieux armée que la francophone pour traiter adéquatement ses problèmes de pratique langagière.

Bibliographie

ANDRIANNE, René (1981), « La situation du wallon en Belgique », *Littératures et langues dialectales françaises*, Hambourg, H. Buske (« Romanistik im Geschichte und Gegenwart », 10), 373-395.

_____ (1983), *Écrire en Belgique, Essai sur les conditions de l'écriture en Belgique francophone*, Paris, Nathan, Bruxelles, Labor.

ARGUELLES, M., M. BOULANGER *et al.* (1979), *Le bilinguisme et l'école. Enquête sur les enfants espagnols de Liège*, Université de Liège, Pédagogie expérimentale, Ville de Liège, Centre d'études et d'information pédagogique.

ARNOULD, Maurice (1965), « Le plus ancien acte en langue d'oïl », *Hommage au professeur P. Bonenfant*, 85-118.

AA. VV. (1980*a*), *Une création de notre temps. La maison de la Francité*, s.l.

_____ (1980b), *De Nederlandse Taalunie*, 's-Gravenhage, Staatsuitgeverij.

_____ (1981), *Le présent et l'avenir de l'immigration à Bruxelles*, Bruxelles, Le Flambeau.

_____ (1982), *La créativité lexicale dans le langage courant*, Bruxelles, Maison de la Francité.

_____ (1984), « Emprunts et néologie », *Questions de français vivant*, 1, 8-9.

_____ (s.d.), *Dictées des championnats nationaux d'orthographe*, Bruxelles, Fondation Charles Plisnier.

BAETENS-BEARDSMORE, Hugo (1971), *Le français régional de Bruxelles*, Bruxelles, Presses Universitaires.

_____ (1979), « Les contacts des langues à Bruxelles », *in* Valdman, 1979, 223-247.

BAL, Willy (1982), « Français et wallon », Colloque sur *Le wallon à l'école*, Namur, 7.11.82, inédit.

BALIBAR, Renée et Dominique LAPORTE (1974), *Le français national. Politique et pratique de la langue nationale sous la Révolution*, Paris, Hachette.

BASTENIER, Albert (1979), « L'immigration ou l'avenir d'une ville pluri-ethnique », *La revue nouvelle*, 70/11: 339-348.

CELLARD, Jacques (1981), « Les collectivités de langue française : une problématique », *in* Klinkenberg *et al.*, 1981, 285-294.

CHERVEL, André (1977), *Et il fallut apprendre à écrire à tous les petits Français*, Paris, Payot.

_____ (1983), « Y a-t-il une tradition grammaticale belge ? », *Enjeux*, 4 : 73-88.

DELCOURT, Christian et Janine DELCOURT-ANGÉLIQUE (1983), « La maîtrise du vocabulaire », *Enseignement des langues et activités conceptuelles* (F. Bonfond, éd.), s. 1., ABLA (« Abla Papers », 7), 5-27.

_____ (1984), « Identification, interprétation et correction des déficiences en langue maternelle à l'aide de l'ordinateur », *Computer and Language Instruction : Applications of Interactive Technology* (W. Decoo, éd.), s.l., ABLA (« Abla Papers », 8), 9-28.

DELEECK, Herman (1959), *De taaltoestanden in het Vlaams bedrijfs-leven*, Bruxelles.

DENECKERE, Marcel (1954), *Histoire de la langue française dans les Flandres (1770-1823)*, Université de Gand (« Romanica Gandensia »).

DEPREZ, Kas (1981), « Comparaison sociolinguistique du flamand et du français canadien », *in* Klinkenberg *et al.*, 1981, 181-199.

DOPPAGNE, Albert (1980), *Pour une écologie de la langue française*, Bruxelles, Fondation Charles Plisnier.

DOPPAGNE, Albert et Michèle LENOBLE-PINSON (1982), *Le français à la sauce anglaise*, Bruxelles, Commission française de la culture.

DROIXHE, Daniel (1984), *Français et dialecte en Wallonie*, Communication (inédite) à l'Alliance française de Verviers.

DUBOIS, Jacques (1979), *L'institution de la littérature*, Bruxelles, Labor.

FRANÇOIS, Denise (1972), « La notion de norme en linguistique, attitude descriptive, attitude prescriptive », *in* Martinet, 1972, 153-168.

GASPARD, M.-C. (1968), *La durée vocalique en français régional de Liège*, Université de Liège, Mémoire (inédit) de licence en philologie romane.

GAUVIN, Lise et Jean-Marie KLINKENBERG (1985), *Trajectoires. Étude comparée des institutions littéraires québécoise et belge francophone*, Bruxelles, Labor.

GEERTS, G. (éd.) (1974), *Aspekten van het Nederlands in Vlaanderen*, Louvain, Acco.

GEERTS, P. (s.d.), *L'écrit administratif*, Bruxelles, ministère des Finances.

GOOSSE, André (1965), Éd. de Jean d'Outremeuse, *Les myreurs des Histoires, Fragments du 2d livre (années 794-826)*, Bruxelles, Palais des Académies.

——————— (1971), *Façons de parler*, Gembloux, Duculot, 1971.

——————— (1977), « Qu'est-ce qu'un belgicisme ? », *Bulletin de l'Académie royale de langue et de littérature*, t. 54/3-4 : 345-365.

GREVISSE, Maurice (1936), *Le bon usage*, Gembloux, Duculot.

———— (1961-1970), *Problèmes de langage*, Gembloux, Duculot.

GUION, Jean (1973), « À propos de la crise de l'orthographe », *Langue française*, 20 : 111-118.

———— (1974), *L'institution orthographe*, Paris, Le Centurion (« Paidoguides »).

HANSE, Joseph (1949), *Dictionnaire des difficultés grammaticales et lexicologiques*, Paris, Baude.

———— (1962), « L'Office du langage » *in Vie et langage*, 123 : 290-292.

———— (1983), *Nouveau dictionnaire des difficultés du français moderne*, Gembloux, Duculot.

———— *et al.* (1971), *Chasse aux belgicismes*, Bruxelles, Fondation Charles Plisnier.

———— (1974), *Nouvelle chasse aux belgicismes*, Bruxelles, Fondation Charles Plisnier.

HENRY, Albert (1974), *Wallon et Wallonie*, Bruxelles, la Renaissance du Livre.

HENRY, Georges (1975), *Comment mesurer la lisibilité*, Bruxelles, Labor.

HYPOTHÈSE D'ÉCOLE (1974), *Dites! ne dites pas!*, 16 : 23-24.

JASPAERT, Koen (1984), *Statuut en structuur van standaardtalig vlaanderen*, Louvain, Dissertation doctorale.

JAVEAU, Claude (1974), « Pincer son français ou en pincer pour le français », *Forum ULB*, 39.

KLINKENBERG, Jean-Marie (1973), *Style et archaïsme dans la Légende d'Ulenspiegel de Charles De Coster*, Bruxelles, Palais des Académies.

———— (1981*a*), « La production littéraire en Belgique francophone. Esquisse d'une sociologie historique », *Littérature*, 44 : 33-50.

———— (1981*b*), « Pour une sociolinguistique du français en Belgique », *in* Klinkenberg *et al.*, 1981, 295-300.

———— (1982), « Les niveaux de langue et le filtre du "bon usage". Du discours normatif au discours sociolinguistique », *Le français moderne*, 50/1 : 52-61.

——————— (1983), « Image sociale de l'orthographe. Enquête sociolinguistique auprès d'un public scolaire », *Mélanges Gérald Antoine*, Presses de l'Université de Nancy, 555-570.

——————— (1985), « Le discours identitaire : une réponse à la crise ? », *La crise dans tous ses états*, Liège.

KLINKENBERG *et al.* (1981), *Langages et collectivités. Le cas du Québec*, Montréal, Leméac.

KURTH, Godefroid (1895-1897), *La frontière linguistique en Belgique et dans le Nord de la France*, Bruxelles, Académie royale.

LABOV, William (1976), *Sociolinguistique*, Paris, Minuit.

LASCH, Christopher (1979), *The Culture of Narcissism*, New York, W.W. Norton & Co.

LEGROS, Élisée (1948), *La frontière des dialectes romans en Belgique*, Liège, Vaillant-Carmanne.

——————— (1969), « À l'école du dialecte », *Enquêtes du Musée de la vie wallonne*, 12, 1969-1971 (publié pour la 1ʳᵉ fois en 1947).

LELEUX, Jean (1983), *Atelier d'orthographe*, s.l., Wesmael-Charlier.

LEMPEREUR, Françoise (1976), *Les Wallons d'Amérique du Nord*, Gembloux, Duculot.

LENOBLE-PINSON, Michèle (1978), *Un bilan critique : l'enseignement du français au niveau secondaire supérieur. Les enseignants et leurs élèves*, Bruxelles, Facultés Saint-Louis (inédit).

——————— (1980), *Entreprendre des études universitaires : formation minimale nécessaire*, id. (inédit).

——————— (1981), *Aider les professeurs qui enseignent le français aux enfants de travailleurs migrants*, Bruxelles, Facultés Saint-Louis.

LEUNDA, Javier (1981), « Quelques réflexions sur les problèmes scolaires des enfants migrants à Bruxelles », *in* AA.VV., 1981, 91-102.

MANSION, Geneviève (1983), *La lisibilité au service de la démocratie. Analyse du langage administratif*, Université de Liège, mémoire (inédit) en information et arts de diffusion.

MANTOU, Reine (1969a), « Les manuels de conversation "français-flamand" du XIVᵉ au XVIᵉ siècle », *Handelingen van het XXVIIᵉ Vlaams Filologencongres*, Bruxelles, 113-115.

_____ (1969*b*), *Notes sur quelques manuels de conversation « français-flamand » du XIVᵉ au XVIᵉ siècle*, Mémoires et publications de la Société des Sciences, des Arts et des Lettres du Hainaut, 82/2 : 157-197.

_____ (1972), *Actes originaux rédigés en français dans la partie flamingante du Comté de Flandre (1250-1350). Étude linguistique.* Liège, Michiels.

MARTINET, André (1969), *Le français sans fard*, Paris, P.U.F..

_____ (1972), *De la théorie linguistique à l'enseignement de la langue*, Paris, P.U.F..

MAYER C., D. REICHENBACH, F. TERS (1964), *L'échelle Dubois-Buyse d'orthographe usuelle française*, édition critique (rééd. en 1969 et 1973-74).

MINISTÈRE DE L'ÉDUCATION NATIONALE (1983), *Rapport sur l'enseignement du français*, Bruxelles, Organisation des études.

MUNO, Jean (1982), *Histoire exécrable d'un héros brabançon*, Bruxelles, Jacques Antoine.

PAQUOT, Marcel et Maurice WILMOTTE (1933), « Le français [en Belgique] », *Encyclopédie belge*, Bruxelles, La Renaissance du livre.

PEETERMANS, B. (1984), « Raccourcis et idéogrammes », *Questions de français vivant*, 1, 3-4.

PIRON, Maurice (1973), « Les belgicismes lexicaux : essai d'un inventaire », *Mélanges Paul Imbs*, Strasbourg, 295-304.

_____ (1978*a*), *Aspects et profil de la culture romane en Belgique*, Liège, Sciences et Lettres.

_____ (1978*b*), « Les littératures dialectales des domaines d'oïl », *Histoire des littératures*, Paris, Gallimard, III, 1455-1460 (Encyclopédie de la Pléiade).

_____ (1979), *Le français de Belgique*, *in* Valdman, 1979, 201-221.

POHL, Jacques (1972), *Témoignages sur la syntaxe du verbe dans quelques parlers français de Belgique*, Bruxelles, Palais des Académies.

_____ (1978), « Phonologie et frontière. Observations sur quelques faits phonologiques de part et d'autre de la frontière franco-belge », *Studia Neolatina*, Aix-la-Chapelle, Mayer, 164-177.

_____ (1979), *Les variétés régionales du français. Études belges (1945-1977)*, Bruxelles, Éditions de l'Université (bibliographie abondante).

_____ (1983), « Quelques caractéristiques de la phonologie du français parlé en Belgique », *Langue française*, 60: 30-41.

RAYSIDE, D.M. (1977), « Les relations des groupes linguistiques au Canada et en Belgique », *Recherches sociologiques*, 7/1: 95-130.

REMACLE, Louis (1948*a*), *Orthophonie française. Conseils aux Wallons*, Liège, Michiels.

_____ (1948*b*), *Le problème de l'ancien wallon*, Paris, Les Belles Lettres.

_____ (1952), *Syntaxe du parler wallon de La Gleize*, Paris, Les Belles Lettres, t. 1.

_____ (1967), *Documents lexicaux extraits des archives scabinales de Roanne (La Gleize), 1492-1794*, Paris, Les Belles Lettres.

_____ (1977), *Notaires de Malmedy, Spa et Verviers. Documents lexicaux*, Paris, Les Belles Lettres.

ROBERGE, Albert (1984), *Étude comparative sur l'orthographe d'élèves québécois*, Québec, Conseil de la langue française (« Notes et Documents », 41).

ROSSEL, Eddy (éd.) (1982), *La langue française dans les pays du Benelux: besoins et exigences*, Bruxelles, AIMAV.

SOJCHER, Jacques (éd.) (1980), *La Belgique malgré tout*, Presses de l'Université de Bruxelles.

TOUSSAINT, N. (1935), *Bilinguisme et éducation*, Bruxelles.

TERS, François (1973), *Orthographe et vérités*, Paris, OCDL.

VALDMAN, A. (ed.) (1979), *Le français hors de France*, Paris, Champion.

VANDEPUTTE, O. et J. PERMAUT (1981), *Le néerlandais*, Rekkem, Stichting ons Erfdeel.

VAN DETH, Jean-Pierre (1979), *L'enseignement scolaire des langues vivantes dans les pays de la communauté européenne*, Bruxelles, Aimav et Didier.

VERDOODT, Albert (1973), *Les problèmes des groupes linguistiques en Belgique*, Université de Louvain (« Cours et documents »), (bibliographie abondante).

WARNANT, Léon (1973), « Dialectes du français et français régionaux », *Langue française*, 18 : 100-125.

WILMART, Jean-Pierre (1968), *Bibliographie analytique des travaux consacrés au français régional de Belgique*, Liège, Mémoire (inédit) de licence en philologie romane.

V

La crise de l'anglais aux États-Unis

par Richard Ruiz

Department of Educational Policy Studies
University of Wisconsin-Madison

Traduit de l'anglais par Marie-Claire Lemaire

Introduction*

La conviction que la qualité de l'anglais est en baisse est très répandue aux États-Unis ; ce déclin serait d'une nature et d'une ampleur telles que bien des auteurs crient à la crise linguistique. Je m'appliquerai, dans l'article que voici, à étudier ces hypothèses tout en m'efforçant de les situer dans un contexte qui les rende à la fois plus faciles à comprendre et à évaluer.

L'article se divise en quatre parties. La première présente un bref profil sociolinguistique des États-Unis, en faisant appel à plusieurs notions de base : la primauté de l'anglais, qui pourtant n'a jamais été déclaré langue officielle ; l'attachement sentimental pour la langue comparé à la valeur utilitaire qu'on lui trouve ; le sentiment qu'il existe un lien étroit entre langue et valeurs, et l'opinion très répandue que la langue — et donc la société — est en décadence. Dans la deuxième partie, nous étudierons d'abord la langue parlée aux États-Unis. J'y décris plusieurs variantes dans l'espoir de comprendre pourquoi l'une d'elles, que j'appellerai ici l'anglais étatsunien, a acquis une position dominante. Ensuite, pour mieux voir si la thèse d'une crise de la langue se justifie, je mentionne plusieurs critiques du comportement linguistique aux États-Unis ainsi que leurs observations. La troisième partie est consacrée aux motifs que ces critiques attribuent à la crise de la langue ainsi qu'aux solutions qu'ils proposent et que je classe par catégories. Enfin, dans la dernière partie, je conclus par quelques remarques personnelles sur la question de la crise linguistique aux États-Unis.

---

* Les entretiens que m'ont accordés Shirley Heath et George Walker ont été fort utiles à la rédaction du présent article.

Cadre sociolinguistique

Si les États-Unis n'ont jamais décrété de langue officielle, la suprématie de l'anglais ne s'y exerce pas moins depuis les débuts de la colonisation (Kloss, 1977). Pourtant, les autorités britanniques et, plus tard, les premiers dirigeants de la république, répugnaient à régir le comportement linguistique, considéré depuis longtemps comme une des libertés les plus fondamentales des sociétés civilisées (Heath, 1977). Alors comme aujourd'hui, l'anglais était la langue du pouvoir et du prestige économiques, politiques et sociaux. Sacré langue de la technologie, il a renforcé sa domination dans les derniers temps aux États-Unis comme ailleurs. Ajoutée au souci mondial de « développement » et de « modernisation », l'association de l'anglais au progrès technique a beaucoup fait pour le diffuser, à titre de langue d'appoint, dans de très nombreux contextes où il n'était pas indigène (Kachru, 1982 ; Fishman, Cooper et Conrad, 1977 ; Lieberson, 1982). De par l'importance internationale qu'on lui reconnaît, il a vu la considération qu'on lui porte augmenter dans ses propres frontières ; le phénomène explique également en partie la relative indifférence que manifestent les anglophones des États-Unis envers leur unilinguisme, en quoi certains voient cependant un problème national très grave (*President's Commission on Foreign Language and International Studies*, 1979 ; P. Simon, 1980).

Certains observateurs du comportement linguistique des États-Unis estiment fort mince le rôle de l'attachement sentimental dans l'attitude des locuteurs envers leur langue ; contrairement à d'autres communautés linguistiques modernes, les anglophones considèrent généralement que leur langue n'est pas particulièrement belle ni expressive et n'est pas liée à l'idéologie politique dominante (Fishman *et al.*, 1966 ; Marckwardt, 1958). Ils s'en sont au contraire fait une image extrêmement utilitaire, instrumentale[1]. À la longue, cette image a fini par faire voir dans l'anglais un instrument de pouvoir social. Cette tendance s'exprime sans cesse dans les écrits des sociophilosophes et des juges de l'usage anglo-américain ; en voici d'ailleurs un exemple récent : « Quand un jeune scripteur construit une phrase en sachant qu'il la construit, il a acquis un certain pouvoir sur lui-même et sur son entourage. Ainsi qu'un certain pouvoir sur son avenir » (Tibbetts et Tibbetts, 1978 : 179). Si certains censeurs critiquent l'usage anglo-américain du point de vue strictement esthétique, ceux qui estiment le pays en proie à une « crise

---

1. Sur la différence entre attachement sentimental à l'appareil national et attachement intéressé, de même que sur le rôle que joue la langue dans leur apparition, voir Kelman, 1972.

de la langue » manifestent presque toujours un souci plus pratique : peut-être l'anglais perd-il par notre faute son pouvoir d'engendrer tel ou tel bien social. Nul ne peut compter, par exemple, sur une bonne éducation ou un bon poste sans savoir manier le « bon anglais » ; nul ne peut non plus espérer raisonnablement se faire une place dans les classes moyennes ou supérieures, la consécration, à cet égard, ayant toujours exigé plus que la réussite économique. Qui plus est, un rapport interne s'établit souvent dans les esprits entre aptitudes linguistiques et facultés intellectuelles, comme le prouve l'affirmation suivante : « La maîtrise de l'anglais est signe d'intelligence, de clarté de pensée et normalement d'assez bonne éducation. Elle dénote également la sensibilité » (Urdang, 1980 : 14).

C'est toujours quand ils ont cru voir un lien direct entre elle et le pouvoir que les États-Unis ont manifesté le plus d'intérêt pour la langue (Ruiz, 1984). L'introduction de programmes bilingues allemands-anglais dans les écoles publiques du Middle West au XIXᵉ siècle, par exemple, s'expliquait par le désir d'absorber les ressources économiques et politiques des collectivités germanophones et le souci d'enseigner l'anglais à d'autres minorités linguistiques par la nécessité politique et sociale de leur ouvrir certaines formes de pouvoir tout en les détournant d'autres formes. Les manuels d'anglais rédigés pour ces groupes (voir, par exemple, *English for Foreigners*, de Sara O'Brien, 1909) montrent fort bien le rapport établi entre la connaissance de la langue et d'autres biens sociaux : les membres de ces minorités pourraient obtenir du travail et apporter ainsi leur pierre à l'édification de leur société d'élection au lieu d'être un fardeau pour elle, et surtout, ils seraient plus « ouverts aux influences américaines », comme la démocratie et le capitalisme, ce qui réduirait l'effet du séparatisme et de l'irrédentisme (Bryce, 1888 : 709 et 710). Cet exemple prouve qu'on peut manipuler la langue tant pour conférer que pour retirer certains pouvoirs sociaux.

Le pouvoir, bien entendu, est multiforme. Si la langue peut être associée au pouvoir politique et économique, comme le montre l'exemple qui précède, elle peut l'être aussi à d'autres attributs moins tangibles. Certaines dispositions morales ont ainsi été, à diverses époques, attribuées aux usagers de certaines langues, en général au détriment des non-anglophones. Si, par exemple, le Conseil scolaire de San Francisco décréta en 1906 la ségrégation vis-à-vis des petits Japonais, ce fut pour des raisons de moralité : le japonais n'ayant pas de mots pour désigner le « péché » et le « foyer », ces notions devaient être étrangères à ses locuteurs. La présence d'enfants japonais dans les écoles risquait donc de corrompre les autres (Ichihashi, 1932). Autrement dit, l'influence de certains concepts moraux ne devait pas jouer sur les Japonais du fait même de leur langue. Les anglophones, au contraire, tirent de la leur des forces morales et spirituelles ; Heath et Mandabach (1983) montrent que l'enseignement de l'anglais est axé sur cette conviction depuis les débuts des écoles publiques :

> Savoir parler et apprécier l'anglais standard devint un des objectifs essentiels des jeunes Américains engagés dans le système pédagogique. La langue « correcte » était à la fois un instrument fondamental et un symbole nécessaire du savoir et du caractère (...) La qualité du langage témoigne de la qualité de son locuteur. Les professeurs d'anglais prétendent que l'éthique et l'esthétique se transmettent par les « lois de la langue » et que la grammaire correcte est étroitement associée à la « pensée juste » (1983 : 99).

Ces réflexions cadrent avec la thèse que je défends ici, à savoir qu'aux États-Unis, le statut de la langue dépend beaucoup de l'utilité qu'on lui voit. C'est toujours à l'utilité, et non à la beauté ou à l'expressivité, que nous faisons appel en fin de compte pour justifier l'étude de la langue ; la langue est toujours et avant tout un moyen d'atteindre le pouvoir politique, la réussite économique, le prestige social ou la supériorité morale, plutôt qu'une fin. La tournure prise récemment par les événements dans le domaine linguistique aux États-Unis le prouve à l'évidence. La création de la *President's Commission on Foreign Language and International Studies* (1979) a inspiré à quantité de groupes intéressés un essaim de rapports sur la situation de l'étude des langues aux États-Unis. Si les propositions et conclusions qu'on en a tirées forment une longue liste, elles ont cependant un élément en commun : l'étude des langues ne progressera que si le grand public est persuadé de son utilité. Mon diplôme universitaire en prendra-t-il plus de valeur pratique ? Augmentera-t-elle mes chances sur le marché du travail ? M'aidera-t-elle à vendre davantage ? Telles sont les questions que se posent ceux qui envisagent d'apprendre une langue aux États-Unis. Le pays s'intéresse également beaucoup au renforcement supposé de son potentiel par la langue quand il se croit en butte aux menaces extérieures. Les deux périodes où l'intérêt pour l'étude des langues s'est fait particulièrement vif au cours des 30 dernières années se sont signalées par la conviction générale que nos ressources militaires n'étaient pas en mesure de venir à bout d'adversaires hostiles. Pendant la première de ces périodes, l'adoption, en 1958, du *National Defense Education Act*, qui prévoyait des fonds pour l'étude des langues au niveau universitaire, illustre bien le lien conçu entre langue et puissance militaire. Plus récemment, à la fin des années 70 et au début des années 80, les autorités, face au prétendu recul des États-Unis devant l'Union soviétique, se sont prononcées officiellement en faveur de l'étude des langues étrangères. La toute dernière mesure prise à cet égard est l'adoption, en 1983, du *Foreign Language Assistance for National Security Act* qui garantit, jusqu'à concurrence de 50 000 $, des fonds aux collèges et aux universités à charge pour eux d'élargir ou d'améliorer leur enseignement des langues étrangères. Les partisans de cette orientation ont exploité la situation, y voyant un bon moyen de faire accepter leurs programmes par le grand public, encouragés dans ce sens par les théoriciens du gouvernement et les législateurs, qui leur donnent notamment ce conseil : « L'apprentissage des langues étrangères doit se justifier, ce que nous pouvons faire en montrant tout simplement l'utilité qu'elles peuvent avoir, surtout pour l'État. Nous devons articuler le débat sur l'intérêt du pays et la sécurité nationale » (Tsongas, 1981 : 115).

Comme je le disais, notre attitude envers l'anglais peut elle aussi s'expliquer par ces facteurs. Le cas s'est déjà présenté. Le récent rapport de la *National Commission on Excellence in Education* (1983) nous mettait en garde contre « le péril que courait la nation ». Le tableau qu'il nous peignait de la sécurité nationale était peu rassurant : « Si une puissance étrangère hostile avait essayé d'infliger à l'Amérique les médiocres produits de son actuel enseignement, nous aurions très bien pu y voir un acte de guerre. » Les indices du péril que le rapport énumère sont nombreux, mais le plus grave est le déclin de la lecture et de l'écriture, par quoi il faut entendre l'écriture et la lecture de l'*anglais*. Allusion, une fois de plus, au lien si fréquemment établi entre langue et pouvoir : notre influence internationale est directement proportionnelle à la qualité de notre langue.

Rien de plus naturel, pour nous qui considérons la langue comme un moyen, que de nous inquiéter sans cesse de sa correction, de son efficacité, de sa clarté et d'autres qualités du même ordre. Si notre langue est un instrument essentiel du pouvoir social, il nous faut veiller sur elle et, pour ce faire, pouvoir au moins repérer les circonstances et les motifs de sa mauvaise santé. Nous établissons des critères, dressons des listes de contrôle. Certains d'entre nous s'instituent gardiens de la langue. En outre, nous nous formons une conception rigide de la norme linguistique, allant dans certains cas jusqu'à refuser aux variétés non standard le statut même de langue. On voit donc apparaître un légalisme linguistique dont les répercussions rappellent celles du rigorisme religieux : personne n'est toujours à la hauteur des normes de bonne conduite ; le fossé s'élargit entre ce que nous considérons comme la langue correcte et celle que parle la majorité d'entre nous, et l'insécurité linguistique qui en résulte sert les intérêts des gardiens de la langue en nous rendant faciles à persuader de l'existence d'une « crise » en ce domaine.

C'est dans le cadre sociolinguistique que je viens d'esquisser que nous analyserons les arguments invoqués à propos de la situation de la langue aux États-Unis. Avant, toutefois, de nous pencher sur la présumée crise, il serait bon de savoir ce qu'on entend par langue des locuteurs de l'anglais étatsunien.

L'anglais aux États-Unis

Il existe bien des variétés de ce qu'on appelle parfois l'angloaméricain. La raison la plus évidente de cette différenciation (qu'on nomme aussi dialectalisation) est peut-être d'ordre géographique. En général, nous savons distinguer très exactement le parler de la Nouvelle-Angleterre de celui du Sud, par exemple, l'identification se fondant presque exclusivement sur des différences de prononciation et de schèmes phonologiques. Au sein même de ces régions, il existe des variantes repérables à des signes assez sûrs pour que nous distinguions le parler des Appalaches de celui de l'Alabama ou le parler de Philadelphie de celui de New York. Ces dialectes régionaux sont faciles à isoler sous l'aspect phonologique, mais ils se caractérisent aussi par d'importantes variantes lexicales et morphosyntaxiques. De plus, la différenciation ne s'explique pas seulement par la géographie, loin de là; je n'en étudierai ici que deux autres facteurs, la dimension sociale (ou la classe) et la fonction[2].

Les variétés régionales

C'est dans l'est des États-Unis qu'on a surtout étudié les dialectes régionaux, en grande partie en faisant la corrélation entre les principaux parlers de l'Est et les régions d'Angleterre d'où les premiers colons étaient issus (Conklin et Lourie, 1983: 74). Le schéma linguistico-démographique ainsi obtenu se divise en quatre régions. Celle du Nord comprend toute la Nouvelle-Angleterre et les parties septentrionales du New Jersey et de la Pennsylvanie. La région du nord du Middle West va des côtes atlantiques du sud du New Jersey et du nord du Delaware jusqu'en Ohio en passant par le sud et le centre de la Pennsylvanie et

---

2. Marckwardt, 1958, et Conklin et Lourie, 1983, étudient plus en profondeur ces dimensions des variétés régionales; l'exposé qui suit s'inspire essentiellement de leurs oeuvres.

certaines parties de la Virginie occidentale. La région du sud du Middle West comprend les parties occidentales de la Virginie, le sud de la Virginie occidentale et l'essentiel du Kentucky. Enfin, la région du Sud va du Delaware et du Maryland aux Carolines en passant par l'est de la Virginie, pour s'infiltrer jusqu'en Géorgie. Si les différences entre ces régions restent reconnaissables, le mélange des dialectes en a rendu les frontières assez floues. Les distinctions s'estompent aussi du fait de la grande mobilité de la population américaine, pour qui l'appartenance à une région présente depuis quelques années moins d'intérêt qu'autrefois. Certaines formes linguistiques caractéristiques de telle ou telle région se reconnaissent cependant toujours facilement.

Sur le plan phonologique, on peut attribuer une bonne part des différences à l'influence exercée sur l'anglais par les langues des immigrants. Certains dialectes régionaux se caractérisent par des formes yiddish, italiennes, françaises, espagnoles et allemandes. Le phénomène de l'antériorisation vocalique, par exemple, s'est renforcé dans le parler de New York sous l'influence du yiddish et de l'italien. Étant donné que le son / æ / (comme dans *bad*) n'existe pas en yiddish, nombreux sont les Juifs new-yorkais qui le remplacent par un / ɛ / (comme dans *bed*). Ayant cru y voir la marque d'un dialecte plus prestigieux, les Italiens ont imité cette forme. Aujourd'hui, cette substitution est fermement implantée dans le parler de New York (Conklin et Lourie, 1983). D'autres formes remontent à certains aspects de l'anglais britannique. Ainsi, la postériorisation du / a / dans le parler de Boston (comme dans *bath* ou dans *can't*) est un britannicisme, de même que la suppression du / r / après les voyelles (comme dans *park* et *Harvard*). Il est à noter que cette forme existe aussi dans un parler de la région du sud et qu'on peut, là aussi, l'attribuer à l'influence britannique. L'action de l'allemand a été considérable également, surtout dans les régions centrales. Le remplacement du / g / final par le / k / (*dok = dog*) est, comme d'autres schèmes, un effet direct de la présence des communautés germanophones dans ces régions. Enfin, il existe d'autres particularités dont il est plus difficile de retrouver l'origine, comme la confusion du / hw / et du / w / (*whether/weather*; *where/wear*) et celle du / ɪ / et du / ɛ / (*pin/pen*). Peut-être sont-elles dues à la tendance qu'ont certains Américains à corriger à l'excès leur langage (Conklin et Lourie, 1983: 122), peut-être encore résultent-elles du jeu de plusieurs phénomènes sociolinguistiques, comme l'emprunt répétitif et réciproque à de nombreuses formes de parler, qu'il nous reste à étudier plus sérieusement.

Les lexies qui distinguent certaines régions proviennent parfois aussi d'emprunts aux langues des allophones. Les unités lexicales tirées, par emprunt intégral ou calque, du yiddish et de l'allemand sont assez nombreuses dans certaines régions, par exemple. Marckwardt (1958: 143) fait remarquer que le terme de *fossnocks* qui désigne en Pennsylvanie les brioches du Carême est un emprunt abrégé de *Fastnachtskuchen*. De même, les mots de *kibitzer* et de *schlemiel*, si courants dans le parler de New York, sont directement empruntés au yiddish.

Le lexique subit aussi d'autres influences: la prédominance de certaines industries dans la région, la topographie, le climat et les particularités de l'histoire sociale. Ainsi, *creek* désigne un cours d'eau beaucoup plus important en Ohio qu'au Michigan en raison de la configuration et de la variété respectives des réseaux hydrographiques des deux États (Marckwardt, 1958: 142). De même, les régions qui se signalent par certaines industries — exploitation forestière, agriculture, forage pétrolier, exploitation minière — adoptent des termes et des expressions propres à ces secteurs ou inspirés par eux. Comme en phonologie, toutefois, la singularité de certaines unités lexicales est difficile à expliquer. Pourquoi ce que la plus grande partie du pays appelle *soda pop* devient-il *tonic* en Nouvelle-Angleterre? Pourquoi le *bubbler* du Wisconsin est-il la *water fountain* de Californie? Le *milk shake* de la majorité des usagers de l'anglais étatsunien le *frappé* des Bostonnais? En l'occurrence, si nous pouvons nous expliquer l'évolution de certaines de ces lexies, il nous est encore impossible de le faire pour toutes.

Je passerai rapidement sur les dimensions morphosyntaxiques des variétés régionales. Dans ce domaine, la meilleure source d'information sera peut-être le dictionnaire de l'anglo-américain régional en préparation à l'Université du Wisconsin. Les quelques exemples donnés ici sont révélateurs du type d'articles que l'équipe de recherche nous réserve. Le parler de la région du sud se distingue de la « norme » par des différences de structure, notamment l'absence de marque du pluriel après les nombres. La forme *six foot tall* n'en est qu'un exemple, le mot *foot* n'étant pas le seul à subir ce traitement; c'est le cas, entre beaucoup d'autres, de *mile*, *year* et *month*. Marckwardt (1958: 147) explique qu'il s'agit d'une survivance d'une forme assez ancienne de l'anglais. Autre caractéristique, l'emploi d'un passé simple sans flexion, comme dans *I seen him go* (au lieu de *I saw him go*). Nous pouvons, quoique avec un peu plus de mal, trouver des exemples dans d'autres régions également. Ainsi, dans le Middle West, dont on considère pourtant le parler comme aussi proche que possible de la norme, on entend dire: *When you come, bring your brother with* (au lieu de: *bring your brother with you*). Cette structure, justement appelée ellipse, s'est répandue dans le haut Middle

West et dans certaines parties de la région des Grands Lacs. Elle ne frappe que les étrangers et les nouveaux venus.

Si elles plongent leurs racines dans la langue des divers colons britanniques qui prédominaient dans ces régions, les variétés ont évolué sous l'effet conjugué de nombreux facteurs. On peut toujours isoler quelques traits dominants propres à chacune malgré les migrations intérieures, le mélange dialectal et la diffusion, mais nous ne connaissons que très superficiellement la dynamique de l'expansion et de la dissémination. Ainsi, si nous avons été capables de suivre la progression de certaines particularités linguistiques vers l'ouest, nous saisissons mal encore pourquoi certaines continuent de se diffuser et d'autres non. Nous n'avons d'ailleurs pas encore étudié sérieusement les variétés de l'ouest des États-Unis ni leurs rapports avec celles de l'Est.

Les variétés sociales ou de classe

Il y a une génération à peine que les variétés d'anglais caractérisant le rang social ou la classe font l'objet d'études sérieuses et approfondies. Celle qui a retenu le plus d'attention est le parler des colonies noires urbaines, qu'on désigne sous les divers noms de *Black Nonstandard English*, *Black English Vernacular* ou plus simplement d'anglais des Noirs (*Black English*). Son statut a suscité bien des controverses. Dans l'ensemble, les linguistes de métier prennent son parti, y voyant un système de communication réglementé et parfaitement cohérent qui mérite en tout point le nom de langue, surtout pour le caractère systématique de ses règles et leur transmission d'une génération à l'autre. Ainsi, le changement de mode (comme dans le passage de l'affirmatif à l'interrogatif, par exemple) respecte un schéma général, qu'on peut constater dans les phrases suivantes:

Affirmatif	**Interrogatif**
1) *He be working*	*Do he be working?*
2) *He working*	*Is he working?*

Les phrases construites avec *be* (1) supposent une action habituelle (il travaille *toujours* ou *ordinairement*), celles de la seconde catégorie (2) l'action immédiate (il travaille *en ce moment*). La différence sémantique entre les deux propositions affirmatives impose donc de les distinguer également une fois qu'on les transforme en phrases interrogatives. Il faut, pour ce faire, une règle qui assure le maintien de la distinction sémantique tout en permettant le changement de mode (Labov, 1972). Estimer que l'anglais des Noirs est une langue à part entière, c'est lui reconnaître une éventuelle utilité comme langue d'enseignement. Aussi a-t-on rédigé des livres de lecture et des manuels de cours dans cette langue pour favoriser le bidialectalisme chez les enfants noirs (voir les textes de Baratz et Shuy, 1969).

Ces savants efforts ont eu pour effet de plonger les enseignants et le grand public dans le désarroi et l'exaspération. Pour beaucoup, l'idée que l'anglais des Noirs soit une langue authentique est absurde; ils n'y voient que dédain pour les règles du discours commun ou, pire encore, l'incapacité d'acquérir une aptitude essentielle à la vie sociale. Même s'il s'agissait bien d'une langue, d'ailleurs, ils s'opposeraient à son usage suivi, surtout à l'école car, aux yeux de certains, cette langue occupe un rang social inférieur, un rang dénué de pouvoir. Elle est inutile à la promotion sociale et économique: enseignement, emploi, position sociale. La controverse sur le rôle de l'anglais des Noirs aux États-Unis se poursuivra indéfiniment. Un surcroît d'éducation et de tolérance pourrait, sinon résoudre le problème, du moins y parer, surtout si la population noire continue à se tailler des places de choix dans la société.

Les autres dialectes de classe retiennent peu l'attention dans les profils sociolinguistiques des États-Unis. L'anglais parlé par les minorités ethniques comme les Chicanos ou Mexicains (Hernandez-Chavez *et al.* 1975) et les Portoricains (Nash, 1970) suscite plus d'intérêt depuis un certain temps, de même que la langue d'autres minorités, telle celle des femmes (voir par exemple Conklin, 1978), mais dans l'ensemble, je ne crois pas me tromper en affirmant que nous en savons fort peu sur ces variétés d'anglais. Il est clair en tout cas que le rang social qu'elles occupent est très bas; comme il s'agit là de dialectes de pauvres, de défavorisés et de dépossédés, ils se situent tous, subjectivement, hors de la sphère du pouvoir.

Les variétés fonctionnelles

Nombreuses sont les variétés d'anglais à transcender les distinctions géographiques et sociales. Ces langues remplissent un rôle spécifique (peut-être est-il abusif de les qualifier de langues, mieux vaudrait sans doute dire formes de discours ou argots). Bien des entreprises, par exemple, ont rédigé des manuels très perfectionnés dans l'espoir d'inculquer à leurs employés leur dialecte personnel, notamment la société Caterpillar, qui a créé son propre anglais pour uniformiser sa langue d'affaires à travers le monde (Eastman, 1983). Diverses professions, elles aussi, adoptent un discours et un lexique distinctifs parfois inintelligibles hors de leur secteur. On accuse parfois les médecins et les avocats d'employer un langage délibérément obscur pour renforcer leur position ou dissimuler l'information. On pourrait en dire autant des universitaires et des politiciens. Enfin, les bureaucraties sont réputées pour le jargon qu'elles engendrent; les fonctionnaires du gouvernement fédéral, de loin la plus grosse administration du pays, s'entendent souvent reprocher de parler le *federalese*. Souvent, les critiques qu'on formule à l'égard de ce jargon sont prétextes à tourner le système en ridicule (Morgan et Scott, 1975, par exemple), mais il commence à faire figure de menace contre la responsabilité sociale et le bien public et à s'attirer de ce fait des attaques de plus en plus vives (Ciardi, 1980).

Je m'étendrai plus longuement par la suite sur ces variétés fonctionnelles. Inutile de dire qu'elles sont la cible de nombreux critiques et le point de mire de ceux qui estiment la langue des États-Unis en décadence.

Un dernier mot sur les variétés dont je viens de parler: leur multitude consterne ceux qui s'inquiètent de l'état de la langue aux États-Unis. Rares sont ceux qui tolèrent leur utilisation, même dans des situations familières. Un des gros problèmes que posent les dialectes, et surtout ceux qu'on assimile aux groupes ethniques, est qu'ils distinguent *par leur seule présence* leurs usagers du milieu social majoritaire, renforçant donc perpétuellement les tendances au séparatisme et à la différenciation. En outre, il s'agit essentiellement de langues parlées, dépourvues ou presque de tradition littéraire. Ce qu'il faut, aux yeux des critiques, c'est les abandonner définitivement pour adopter l'anglais « standard »: s'intéresser aux dialectes, c'est tout bonnement faire obstacle au progrès économique et social. Il y aurait lieu à ce stade de voir ce qu'ils entendent par anglais standard.

L'anglais étatsunien

Plusieurs érudits de renom, notamment George Phillip Krapp, Thomas Pyles, Gilbert Tucker, H.L. Mencken et Albert Marckwardt, se sont donné beaucoup de peine pour décrire l'anglais parlé aux États-Unis. Il n'est pas sans intérêt de constater que, même sur le nom à lui donner, l'unanimité est très loin de régner. Mencken le qualifie tout simplement d'américain, Marckwardt l'appelle anglo-américain, encore que le terme ne semble pas le satisfaire (1958: 5). Dernièrement, on l'a très souvent appelé anglo-américain standard et anglais étatsunien. Ce dernier terme s'identifie à une tendance politique, qui risque de paraître contestable à certains, à considérer l'anglais par rapport à toutes les autres langues. Quant à celui d'anglo-américain standard, il pose deux problèmes. D'abord le parti pris gravé dans le qualificatif de standard : toutes les autres variétés de l'anglais ne seraient qu'une déviation de la norme. Ensuite, plus grave, qu'il accapare le terme d'« américain », juste apanage de plusieurs nations, au profit d'*une seule*. Non seulement il est impropre, mais inexact. L'expression que j'emploierai ici balaie toutes ces objections, à supposer que les ressortissants du Royaume-Uni ne s'opposent pas, pour leur part, à l'emploi du mot « anglais » lui-même... Quoi qu'il en soit, parler d'*anglais étatsunien* me semble pour l'instant la meilleure solution.

Que nous puissions parler d'un anglais étatsunien commun est éloquent si l'on songe à tout ce qui a été dit des nombreuses variétés d'anglais. Il est remarquable qu'une société toujours peu disposée à légiférer trop strictement en matière de langue ait pu se constituer un idiome national ; les variétés, aussi *distinctives* qu'elles soient, se caractérisent toujours par l'intercompréhension. Sur cette unicité de l'anglais, Marckwardt déclare :

> Tout bien considéré, l'anglais, malgré le nombre considérable de ses locuteurs et sa large dispersion sur le globe, reste une langue unique, (...) les différences entre ses formes les plus éloignées, quoique profondes en ce qui a trait à certaines caractéristiques linguistiques, demeurent étonnamment rares. Comme langue, il est extrêmement unifié, plus que bien des idiomes parlés par un nombre infiniment plus petit d'usagers (1958 : 170).

On donne communément plusieurs explications à cette qualité de la langue des États-Unis. La génie assimilateur qui a fait comparer notre société à un creuset exerce une forte influence sur les nouveaux immigrants et les groupes ethniques bien établis pour lesquels devenir bons en anglais le plus vite possible peut être ressenti comme une obligation. Il est visible également que la variété associée au pouvoir social et au prestige est celle qu'on enseigne en classe. On donne aussi d'autres explications à l'unicité de l'anglais étatsunien : les médias, le plus souvent, travaillent à la diffusion d'un moyen d'expression commun au détriment des dialectes régionaux ; de par son extrême mobilité, la population ne subit guère l'influence des variations régionales ; l'avènement de la scolarité obligatoire et universelle a beaucoup fait pour la diffusion et le maintien d'une variété commune.

Si certaines personnes aiment à voir dans ce type commun une « norme », c'est avant tout pour un de ses aspects : c'est une langue écrite. À ce titre, elle a été développée en détail, cultivée en profondeur sous l'effet de deux grands moteurs, la création de grammaires et de dictionnaires normatifs et la constitution d'une « haute » littérature fort abondante. C'est essentiellement à ces deux forces que les critiques font allusion quand ils nous signalent certaines erreurs d'usage ou nous font entrevoir un déclin plus généralisé de l'alphabétisation. Nous présumons en général que les « autorités » d'où nous tirons nos critères d'usage sont unanimes sur le sujet, ce qui est évidemment faux. L'image qu'elles projettent est cependant assez cohérente pour que nous nous fassions, du moins en gros, une idée de ce qu'est le « bon anglais ».

Nous avons déjà, en parlant des variétés qui interviennent dans l'évolution de l'anglais étatsunien, mentionné certains de ses aspects techniques. Les anomalies qu'on pourrait qualifier de structurelles ou de morphosyntaxiques sont très rares : la structure de la langue anglaise, en tout cas, semble ne pas avoir d'effet considérable sur l'apprentissage de la lecture et de l'écriture (voir l'analyse de Stubbs, 1980). Par contre, on prétend très souvent que l'orthographe y fait obstacle. Comme toutes les variétés d'anglais, celui des États-Unis ne présente qu'une faible corrélation phonèmes-graphèmes. Les professeurs d'anglais ont coutume d'illustrer le phénomène par un mot dépourvu de sens, *GHOTI*, qu'on peut prononcer *FISH* : GH donnant / f / comme dans *laugh* ou *cough*, O / ɪ / comme dans *women* et TI / sh / comme dans *nation*. Quand de telles combinaisons sont possibles, il faut s'attendre à ce que les apprentis lecteurs éprouvent quelques difficultés. À vrai dire, l'orthographe semble un problème de taille dans la société étatsunienne, même parmi les adultes. Je m'en suis convaincu le jour où, bavardant avec une Chilienne, je lui demandai ce qui la déroutait le plus aux États-Unis. Elle trouvait étrange, me dit-elle, et exaspérant de se voir sans cesse demander « Comment l'écrivez-vous ? » chaque fois qu'elle mentionnait son nom (Saiz). Dans les pays hispanophones, la question ne se pose pratiquement jamais, car l'orthographe extrêmement phonétique de l'espagnol donne à ses usagers beaucoup de confiance en eux.

Après ce bref aperçu des aspects les plus importants de l'anglais étatsunien, passons enfin à la question qui nous occupe, celle d'une présumée crise de la langue aux États-Unis. L'exposé qui précède était indispensable pour délimiter le cadre hors duquel le débat ne saurait sérieusement avoir lieu.

Les critiques suscitées par le comportement linguistique des États-Unis

Il existe, aux États-Unis, une littérature de vulgarisation assez modeste mais en plein essor sur le déclin de la langue. Elle présuppose, dans l'ensemble, l'existence d'un anglais standard, « la langue commune de nos ancêtres », qu'il faut à tout prix préserver. Deux professeurs d'anglais expriment, dans un ouvrage assez récent, le sentiment commun qu'inspire la dégénérescence de l'anglais étatsunien :

> Il étouffe lentement sous le poids d'un conglomérat verbal, d'un pseudo-langage à la fois prétentieux et débile, élaboré au jour le jour par des millions de fautes et d'impropriétés dans les domaines de la grammaire, de la syntaxe, des idiotismes, des métaphores, de la logique et du bon sens (Tibbetts et Tibbetts, 1978 : 4).

Il serait instructif de savoir, au départ, qui sont les censeurs, quels sont leurs antécédents et leurs objectifs apparents. Après en avoir énuméré quelques-uns, je passerai à leurs accusations pour voir, finalement, si leurs critiques justifient l'appellation de « crise ».

Les juges

Les critiques du comportement linguistique des États-Unis sont de genres très divers ; certains sont plus que d'autres persuadés de la réalité d'une crise. Il m'a paru commode de les classer dans trois catégories, celles des *vulgarisateurs*, des *théoriciens* et des *réformateurs*, catégories dont je vais donner la définition en l'accompagnant d'exemples.

Les vulgarisateurs ne se targuent d'aucune formation technique particulière, d'aucun acquis théorique ; ils y verraient même plutôt un obstacle. C'est aux profanes qu'ils destinent leurs ouvrages. L'un des plus connus est peut-être Edwin Newman, bien qu'il n'ait plus rien publié sur la langue depuis 1976. Sa notoriété lui vient d'une longue carrière de journaliste et de « pilote d'émission » (*anchorman*) à la télévision. Depuis qu'il a quitté la *National Broadcasting Company*, il est régulièrement invité à des *talk-shows*. Ses deux livres, *Strictly Speaking* (1974) et *A Civil Tongue* (1976) offrent de nombreux exemples de mauvais langage qu'il a pu observer au cours d'une longue vie de journaliste et de grand voyageur. Si son message est sérieux, le ton en est léger et spirituel. William Safire, lui, fut rédacteur de discours et conseiller politique auprès du président Nixon. Il a également fait carrière dans la presse ; sa rubrique du *New York Times Magazine* se consacre au bon usage et aux impropriétés. Il lui arrive également de passer à la télévision à titre d'analyste politique. Ses livres, de fiction ou non, sont nombreux. Ses ouvrages sur la langue, entre autres *The New Language of Politics* (1968), *On Language* (1980) et *What's the Good Word* (1982), sont moins l'exposé d'une réflexion qu'un recueil d'observations et de questions sur notre langue. Ils visent en tout cas à frapper les masses, un peu comme sa chronique hebdomadaire. Comme dans cette chronique, d'ailleurs, il y invite ses lecteurs à lui faire part de leurs réactions et va jusqu'à publier leurs lettres dans ses livres. L'attitude de Safire ressemble beaucoup à celle de Newman : elle amuse et séduit sans en être moins sérieuse pour autant. Pas plus que Newman, cependant, il ne propose de solution systématique aux problèmes qu'il perçoit. De son côté, John Simon, le critique artistique bien connu, adopte un ton et une démarche très différents des deux premiers, même s'il professe les mêmes intentions. Alors que Newman et Safire attirent leurs lecteurs dans leur camp par la douceur, à force d'histoires amusantes et d'appels au bon sens, Simon use d'un ton sarcastique et tranchant qui ne veut pas convaincre, mais ridiculiser. S'il suscite l'intérêt, c'est par les réactions violentes de son public et l'assentiment assez général donné à ses critiques. Son plus célèbre ouvrage sur la langue, *Paradigms Lost* (1980), manifeste une tendance courante dans les écrits des arbitres du langage, celle de censurer les autres critiques, et notamment la plupart de ceux dont le nom figure ici.

Les théoriciens visent un objectif et une audience différents de ceux des vulgarisateurs. Généralement parlant, ils sont pourvus d'un bagage culturel consacré et sont le plus souvent affiliés à une université. Ils entretiennent fréquemment des liens officiels avec les auteurs de dictionnaires et autres éditeurs spécialisés dans les ouvrages de langue. On peut citer, parmi les plus connus, Theodore Bernstein, dont le *Careful Writer* (1966) est en réalité un dictionnaire détaillé de l'usage, ainsi que William Strunk et E.B. White, dont *Elements of Style* est peut-être aux États-Unis le plus lu de tous les ouvrages sur l'usage anglais. Le *Simple and Direct* (1976) de Jacques Barzun et le *Language in Thought and Action* (1972) de S.I. Hayakawa ne sont pas sans importance non plus. Au nombre des théoriciens qui se sont fait entendre avec le plus d'énergie dans les dernières années, il faut mentionner Arn et Charlene Tibbetts (*What's Happening to American English?*, 1978), Thomas C. Wheeler (*The Great American Writing Block*, 1979) et John Ciardi (*Can Language Still Communicate?*, 1980). Ils s'adressent le plus souvent aux professionnels de la langue, tant pour les conseiller en matière d'usage et de correction que pour leur demander de prendre conscience de leurs responsabilités envers l'enseignement de l'anglais.

Vient enfin l'oeuvre de ceux qui souhaitent infléchir les politiques nationales en matière de langue et d'enseignement de la langue. Dans bien des cas, leurs travaux sont financés par des organismes officiels ou de grandes institutions qui estiment devoir agir dans l'intérêt du public. Nombre des derniers rapports sur la réforme de l'éducation, par exemple, s'attachent essentiellement à l'enseignement et à l'apprentissage de l'anglais. Ceux qui ont fait le plus de bruit, celui de la *National Commission on Excellence in Education* (1983) et celui du *Twentieth Century Fund* (1983), ont mis en lumière les répercussions que pourrait avoir, sur l'Administration, l'intérêt tout récemment manifesté pour un meilleur enseignement de l'anglais parlé et écrit dans les écoles. Ces rapports ne sont cependant pas les seuls; on en compte déjà plus de 25, et d'autres sont en préparation au niveau des États et des pouvoirs régionaux. Au nombre de ceux qui ont reçu la plus grande publicité, citons *High School* (1983) d'Ernest Boyer, publié sous les auspices de la Fondation Carnegie, et *A Place Called School* (1983) de John I. Goodlad, financé par l'*U.S. Office of Education* et diverses institutions privées. Dans leur très grande majorité, ces rapports se montrent très sévères sur le peu de compétence des élèves américains en anglais écrit et parlé et proposent des réformes pour combler les lacunes. À en juger par les rapports entrepris au palier des États, ces enquêtes ont eu un effet considérable sur les politiques pédagogiques locales (voir par exemple *Wisconsin, Department of Public Instruction*, 1984). Pour en savoir plus sur l'éventail des rapports établis aux États-Unis dans le domaine de l'enseignement, voir *Education Commission of the States*, 1983, et Petersen, 1983.

Les critiques

Je m'attacherai, dans la présente section, à trois catégories de critiques adressées au comportement linguistique des États-Unis. La première est celle de ce qu'on pourrait appeler les jugements défavorables à l'égard de la compétence linguistique générale, celle des problèmes assimilés par certains au déclin de l'alphabétisation. La seconde fait intervenir la question de la compétence sociolinguistique, de l'adéquation du langage à son but. Enfin, la troisième s'adresse à des problèmes précis d'usage.

Il est assez bizarre que la société étatsunienne qui connaît, sur le plan technologique et éducatif, une réussite sans égale, soit en proie à des difficultés d'alphabétisation. Il est vrai que le déclin du taux d'alphabétisation ne préoccupe pas uniquement les États-Unis mais aussi d'autres pays anglophones fortement industrialisés (voir, par exemple,

Davis et Parker, 1978). Le véritable analphabétisme est difficile à mesurer en raison des multiples définitions que notre société lui donne. En comparaison de la plupart des pays du globe, il est évidemment fort mince, mais l'alarmant, c'est que le nombre de nos illettrés augmente. D'après le ministre de l'Éducation, 2,3 millions de personnes âgées de 16 ans et plus se rangent chaque année sous cette étiquette; d'aucuns pensent qu'il s'agit là d'une sous-estimation (Toch, 1984). Si l'analphabétisme pose un gros problème, la critique porte plus aux États-Unis sur les degrés d'alphabétisation, qu'elle englobe sous le terme général d'« analphabétisme fonctionnel ». C'est de ce phénomène que se sont surtout préoccupées les commissions d'enquête. Ainsi, la *National Commission on Excellence in Education* (NCEE) a vu dans l'analphabétisme fonctionnel le signe le plus évident du déclin de la réussite scolaire; d'après elle, 23 millions d'adultes sont fonctionnellement analphabètes aux États-Unis, de même que 13 % des jeunes de 17 ans et peut-être même 40 % des jeunes des minorités nationales, à l'aune des « épreuves les plus simples de la lecture, de l'écriture et de la compréhension de tous les jours » (NCEE, 1983). C'est Thomas Wheeler, professeur à la *City University* de New York, qui a émis un des jugements les plus pertinents:

> À force de lire et d'en savoir moins, nous nous transformons rapidement en une nation d'illettrés, incapables d'écrire, incapables de penser, mais capables de passer des tests. Le jour viendra peut-être où, comme les pays que nous qualifiions autrefois d'« arriérés », nous connaîtrons un tel taux d'analphabétisme que nous pourrons nous appliquer cet adjectif à nous-mêmes. Nous ne pouvons plus prétendre que les Américains savent lire et écrire quand ils ne savent le faire qu'au niveau le plus élémentaire (Wheeler, 1979 : 187).

Qu'un pays où les chances de s'instruire sont si nombreuses puisse souffrir d'analphabétisme laisse supposer qu'il est aux prises avec d'autres difficultés plus profondes et plus envahissantes. Ainsi, E.D. Hirsch (1983) et Diane Ravitch (1983) soutiennent que la crise de l'alphabétisation est étroitement liée à ce qui leur semble l'absence de « culture commune » aux États-Unis, absence qu'ils attribuent en grande partie au pluralisme des écoles et au remplacement du tronc commun, qui astreignait tous les élèves à suivre certains cours ensemble, par des cours à option : « Ce que je veux faire comprendre, c'est qu'il existe un rapport de cause à effet entre le déclin de l'alphabétisation et le déclin des connaissances acquises en commun en classe » (Hirsch, 1983 : 160). Le cas de ceux qui savent lire et écrire mais s'en abstiennent est peut-être plus problématique encore. Le sujet a été abordé à l'occasion d'un congrès récent parrainé par l'*American Enterprise Institute for Public Policy Research* (Thimmesch, 1984). Le débat a surtout porté sur les raisons pour lesquelles les Américains semblent lire moins qu'autrefois et les mesures à adopter à cet égard, le phénomène étant d'ailleurs présenté comme une crise générale de la société plutôt qu'un problème limité aux écoles. À la veille du XXIᵉ siècle, les États-Unis n'auraient-ils pas, tout en améliorant les techniques d'apprentissage de la lecture et de l'écriture, créé une société où savoir lire et écrire n'a plus, de loin, la même valeur qu'autrefois, passé un niveau minimal (voir de Castell et Luke, 1983)? La révolution technologique qui touche le monde entier nous a peut-être détournés du savoir lire et écrire, qui était notre objectif premier, au profit du savoir calculer et de l'acuité visuelle. S'il en est ainsi, ceux qu'inquiète le déclin de l'alphabétisation devront bien un jour se préoccuper de questions infiniment plus vastes que des simples programmes scolaires et des techniques d'enseignement.

En ce qui concerne les observations d'ordre sociolinguistique, nous n'en étudierons que deux espèces. Disons tout d'abord que certains auteurs condamnent la tendance à donner droit de cité à différents types de langue, et surtout à ceux qu'ils tiennent pour des types « non standard ». Cette légitimation leur semble d'autant plus nuisible qu'elle reçoit la sanction d'établissements publics comme les écoles. Dernièrement, ce « laxisme linguistique » s'est introduit dans le jargon des droits de la personne, en l'occurrence celui des élèves à communiquer dans la langue qu'ils considèrent comme la leur. Il a été formulé dans la résolution suivante par une organisation qui relève du *National Council of Teachers of English*:

> Nous affirmons que les élèves ont droit à leurs propres schèmes et variétés linguistiques, aux dialectes dans lesquels ils ont été élevés ou encore ont trouvé leur identité ou leur style. Il y a longtemps que les linguistes estiment indéfendable le mythe d'un dialecte américain standard. Prétendre inacceptable un dialecte quelconque équivaut, de la part d'un groupe social, à essayer d'exercer sa domination sur un autre. Semblable affirmation revient à engager ceux qui parlent et écrivent dans une mauvaise direction et l'humanité dans une voie immorale. Les pays fiers de l'hétérogénéité de leur patrimoine et de leur diversité culturelle et raciale doivent préserver leurs dialectes. Nous déclarons que les professeurs doivent avoir une formation et un vécu tels qu'ils puissent respecter cette diversité et confirmer leurs élèves dans leur droit à leur propre langue (*Committee on the CCCC Language Statement*, 1978).

Nous l'avons déjà dit, même si l'on peut, intellectuellement, concéder à ces dialectes le statut de langues à part entière, le problème de leur rang social inférieur demeure. En outre, en se perpétuant, les dialectes non standard contribuent au déclin général des compétences dans le dialecte standard. D'après les censeurs dont nous parlons ici, s'il faut absolument faire usage de ces dialectes, que ce soit exclusivement dans leur petit domaine; leur emploi à des fins publiques et officielles doit être condamné (Tibbetts et Tibbetts, 1978).

Le second ordre de remarques sur les compétences sociolinguistiques attire l'attention sur la distinction entre langue parlée et langue écrite. Certains auteurs déplorent l'apparition, dans la langue écrite, de tournures familières de la langue parlée. Leurs reproches s'étendent en la matière aux *situations* où la forme parlée participe essentiellement de la langue écrite. Les messages des médias, par exemple, se basent en grande partie sur des textes lus aux auditeurs. Ils devraient donc, dans toute la mesure du possible, respecter le bon usage pour que le public sache quel niveau de langue employer selon les circonstances (Urdang, 1980 : 13). (Notez bien que le souci de distinguer l'écrit de l'oral est généralisé; il n'est pas le seul fait des arbitres du langage ni des linguistes. Ainsi, Cazden (1983) nous apprend que « certains Nicaraguayens adultes refusent les textes récents écrits en langue familière; à leurs yeux, ce n'est pas là ce que les livres doivent leur présenter ». De même, Spolsky et Irvine (1982) montrent que certains groupes d'Amérindiens s'opposent, pour les mêmes raisons, à la littérature en langue populaire.)

Tournons-nous maintenant vers quelques usages condamnés dans la langue des États-Unis. Je les ai rangés dans trois catégories: usage impropre, inélégance et distorsion, en subdivisant d'ailleurs ces catégories par le regroupement des exemples.

Quantité des erreurs que les censeurs signalent dans leurs écrits ont trait à la façon de parler. Les fautes de prononciation sont souvent prises pour cibles (par exemple Urdang, 1980), encore qu'elles passent pour des peccadilles aux yeux de bien des gens. Ainsi, Walter Cronkite, pourtant critique de langue à ses heures, défendait sa façon de prononcer *Febuary* sans / r / sous prétexte qu'il avait lu quelque part qu'il s'agissait d'une version acceptable du nom de notre deuxième mois. Dans le même ordre d'idées, *nucular* (pour *nuclear*) et *realator* (pour *realtor*) suscitent quelques clameurs de vertueuse indignation et alimentent parfois le courrier des lecteurs, mais ces impairs ne sont généralement pas pris très au sérieux. Les critiques, au contraire, accordent plus d'importance aux impropriétés généralisées qui dénotent que leur auteur ignore l'usage classique. Dire *comprise* au lieu de *compose* ou *more importantly* pour *more important* est signe d'ignorance générale et de manque de sens de l'étymologie (Newman, 1974 : 33). La grammaticalité et la logique passent pour plus importantes encore. Employer *None are available* pour *None is available* ou *The data is interesting* pour *The data are interesting*, c'est parfois plus grave que de commettre une impropriété occasionnelle : s'ils consistent bien à ne pas accorder le verbe avec le sujet, ces usages dénotent peut-être des problèmes de structure plus fondamentaux (voir Safire, 1982 : 194-199).

Sous l'étiquette d'inélégance, il faut ranger toute une gamme de problèmes : mélange de métaphores, ostentation, inefficacité, snobisme, imprécision, manque de clarté et d'originalité, abus des jargons, laideur ou manque de naturel généralisé. Pour Tibbetts et Tibbetts, par exemple, la langue que nous parlons, qu'ils qualifient de « monstre verbal », est en grande partie « alinguistique et inhumaine » (1978 : 7). Ils déplorent, y voyant de la pure et simple ostentation, l'emploi d'expressions latines là où l'anglais pourrait parfaitement faire l'affaire (p. 61). Dans la même veine, Ciardi tourne en ridicule l'« inflation verbale » : appeler les éboueurs des *sanitation engineers* (« techniciens en hygiène publique ») et les concierges des *residential supervisors* (« surintendants d'immeuble ») ne dénote pas que l'ostentation, mais aussi le discrédit où est tombée la langue ordinaire pourtant tout à fait appropriée (1980 : 7). Quant à Safire, il accuse plaisamment ceux qui usent de qualificatifs imprécis (*He hit him in the stomach area*, il l'a frappé dans la *région* du ventre) « d'aimer éparpiller ce qu'ils veulent dire » (1982 : 10). Il prend également ombrage des laideurs de l'« hyperdérivation verbale », autrement dit le goût des verbes dénominatifs comme dans l'exemple suivant, attribué à Mary Cunningham : « *You can always* **Monday-morning quarterback**, *but somebody has to* **trailblaze** » (1982 : 223). L'usage ne manque pas d'intérêt, car d'ordinaire, contrairement à ce qui se passe ici, il faut soumettre les noms à une adaptation morphologique quelconque pour en faire des verbes, leur ajouter par exemple la terminaison *-ize* qu'on trouve dans *finalize* (parachever), *prioritarize* (donner la priorité) et *particularize* (spécifier). (Le plus curieux, c'est que si de nombreux censeurs assoient en pareil cas leurs jugements sur l'usage classique, leur stratégie n'est pas sans créer des problèmes. Shirley Heath, par exemple, constate que Francis Lieber, philosophe politique et premier directeur de l'*Encyclopedia Americana*, avait décelé cette tendance à recourir aux verbes dénominatifs dès les débuts du XIXᵉ siècle, cf. Heath, 1982 : 246). Comme autre exemple d'adaptation morphologique, cette fois pour obtenir des modificatifs dérivés des noms, il faut citer l'habitude curieuse d'ajouter *-wise* à n'importe quel mot ou presque, sans doute dans un désir d'économie. Toutefois, le gain de temps réalisé par des locutions adverbiales comme *schedule-wise* (*Schedule-wise*, dira cet entraîneur d'une équipe de football, *this season looks pretty good*, voulant dire par là que l'horaire de la saison n'est pas mal du tout), *temperature-wise, time-wise et money-wise (Money-wise, he's pretty rich)* compense difficilement leur maladresse.

Deux autres aspects de ce que j'ai appelé l'inélégance suffiront à donner un aperçu de cette catégorie. Beaucoup de critiques estiment non conformes à la norme les mots et les conventions dans le vent. On pourrait en donner comme exemple l'intérêt suscité par la neutralisation du genre. Si d'aucuns trouvent à la fois sexiste et imprécise notre vieille habitude d'englober le féminin dans le genre masculin, la majorité des critiques étudiés ici refuse d'admettre l'utilité d'une langue qui ferait abstraction du genre. Presque tous font fi des conseils offerts en la matière (« *Guidelines for Nonsexist Language...* », 1977) par certains rédacteurs en chef et maisons d'édition. (Ainsi, Tibbetts et Tibbetts font régulièrement appel au genre pour organiser leur discours, disant par exemple: « Dans la mesure du possible, le professeur d'anglais doit, en quittant ses élèves, les laisser dans un état meilleur que celui où *elle* les a trouvés » [1978: 68].) Le jargon, lui aussi, est du domaine de l'inélégance. On en constate tout spécialement les dommages quand les spécialistes essaient de communiquer avec des profanes. Le médecin, dit Ciardi, tiendra à parler de *syndromic limitation of autolocomotion* en lieu et place du simple et fort correct *polio* (1980: 6). Les exemples d'inélégance de ce genre sont légion, mais ceux-ci nous suffiront pour l'instant.

La dernière catégorie, que nous appellerons celle de la distorsion, s'adresse à ceux qui détournent délibérément la langue dans le but de dérouter, d'obscurcir. De toutes les oeuvres étudiées ici, ce reproche pourrait bien être le plus grave à se dégager. En fin de compte, il porte sur la moralité du comportement linguistique. À l'époque moderne, c'est sur la scène politique américaine, au temps du Watergate, que ce type de méfait a été le plus apparent. Le mobile essentiel de ses auteurs est d'obscurcir, de tromper, de fuir leurs responsabilités. En politique, le mauvais usage de la langue est un instrument précieux. Ainsi, le président Nixon aurait pu stigmatiser son propre comportement linguistique à l'époque du Watergate en déclarant franchement: « J'ai menti », mais l'aveu, politiquement, aurait été dangereux; aussi a-t-il préféré prudemment opter pour un: « Après mûres réflexions, j'ai conclu que ma déclaration n'avait pas été d'une parfaite exactitude » (Morgan et Scott, 1975: 37). Très visible à l'époque, la manoeuvre caractérise encore la langue des politiciens mais si l'on veut se montrer juste, il faut bien dire que d'autres y recourent également. Ciardi en constate la présence dans le jargon des affaires, qu'il appelle le *Federalese*. Son objectif principal, dit-il, est, pour ceux qui l'emploient, « de fuir leurs responsabilités (...), de se réfugier dans l'anonymat » (1980: 5; voir Tibbetts et Tibbetts, 1978: 28). Cette langue est surtout remarquable par son abus de la *voie passive*. Il est commode de déclarer: « Il a été décidé de ne pas agir dans ce sens » quand autrui cherche à condamner votre inaction. On voit sans peine l'utilité que pourrait avoir cette stratégie dans presque tous les domaines de l'existence.

Je n'ai fait que passer brièvement en revue les jugements portés sur le comportement linguistique aux États-Unis, mais mon exposé en dit long sur la situation qui règne à cet égard. Certes, il est des reproches plus graves que d'autres. Reste à savoir s'il en est qui, seuls ou ensemble, peuvent faire conclure raisonnablement à une crise de la langue.

Y a-t-il une crise de la langue?

Signaler plusieurs des « erreurs » qui marquent la parole et l'écriture de nombreux usagers est une chose; c'en est une autre que de prétendre qu'il y a une crise de la langue aux États-Unis. Quelles preuves avons-nous de cette crise et, le cas échéant, quelles en sont les dimensions?

Charles Ferguson porte, sur la conviction généralisée que cette crise existe bien aux États-Unis, le jugement suivant: « On ne saurait douter que la croyance au déclin de l'anglais est très répandue et représente un élément de taille dans le total des convictions communes que notre société nourrit à l'égard de la langue » (1979: 52). D'après lui, ces convictions sont « des attitudes linguistiques transmises par la culture, qui persistent depuis des siècles dans le monde anglophone ». La crise n'est pourtant pas évidente pour bon nombre de nos concitoyens. Comment s'expliquer la coexistence de ces attitudes contradictoires? Je prétends pour ma part que si elle est possible, c'est que la conception même de la langue varie au sein de la population, au même titre que la définition de déclin linguistique et de crise sociale.

Ainsi, je ne crois pas me tromper en disant que la plupart des linguistes de métier nient la possibilité d'une crise de la langue pour la simple raison que *les langues ne dégénèrent pas*, mais changent tout simplement; aucune langue ne « vaut mieux » qu'une autre. Il en est ainsi au sein d'un groupe linguistique comme d'un groupe à l'autre, dans le temps et en n'importe quel point de l'histoire (Ferguson, 1979 : 55-57). Thomas Pyles est un des tenants les plus éloquents de cette théorie. À propos de ceux qui voient une « crise » là où il ne constate qu'une évolution, il déclare :

> Ce à quoi ces dictateurs de la langue s'opposent, c'est au changement linguistique, ou plutôt, à tout écart par rapport à ce qu'ils approuvent pour des raisons d'esthétique, de tradition classique ou de pur et simple caprice. Or, s'opposer au changement linguistique revient à s'opposer à la réalité : c'est s'interdire toute réelle incursion dans la connaissance (...). Il est bien vain de s'élever contre la loi de la pesanteur, aussi désagréable qu'elle se montre parfois ; comme l'a fait remarquer avec finesse un observateur de la sottise humaine, on n'infirme pas cette loi en se jetant du haut d'un précipice, on ne fait que la démontrer (1979 : 171).

Pyles, et d'autres d'ailleurs, ne voit pas en ce phénomène une simple différence de perception. C'est dans la volonté de préserver la structure sociale hiérarchique, disent-ils, qu'il faut chercher les mobiles de ceux qui croient au déclin de la langue, celle-ci reflétant celle-là. D'après Baron (1982), censeurs et réformateurs tablent sur l'insécurité linguistique du public dont je parlais plus haut : l'état de la langue n'est pas excellent, et si nous voulons en faire un véritable instrument de pouvoir économique et social, il va falloir l'améliorer. Les usagers de l'anglais étatsunien se laissent ainsi convaincre qu'il y a des formes de langue supérieures à d'autres ; pareille ambiance ne fait que légitimer les prétentions des réformateurs de la langue, que Baron qualifie de « gardes-barrières » (1982 : 228, 239 ; voir Judy, 1980 : 25). Pyles se déclare à peu près du même avis, tout en ridiculisant la création d'euphémismes (personne du troisième âge au lieu de vieillard, par exemple, ou tissu de salle de bains, *bathroom tissue*, pour papier hygiénique, toutes expressions qu'il estime « gnangnan ») en fonction desquels on distingue ensuite les classes inférieures des classes supérieures ou la langue de l'élite de la langue du peuple (1979 : 106). En définitive, les distinctions linguistiques se traduisent évidemment par des distinctions sociales et il est inévitable qu'on associe beau langage et gens de bien, mauvais langage et mauvaises gens. Ainsi s'expliquent notamment les allusions fréquentes aux « méchants » — homosexuels, adolescents, assistés sociaux, minorités, et j'en passe — qu'on peut constater dans les écrits des censeurs. Et comme la langue, pour demeurer vivante, doit évoluer sans cesse, l'intervention des réformateurs a toujours l'air opportune. Il ne faudrait pas oublier, Judy nous le rappelle, que « *chaque* génération est persuadée que la capacité de lire et d'écrire est en pleine dégénérescence, que le niveau baisse, que les écoles se sentent autorisées à se désintéresser de l'anglais » (1980 : 35). Judy nous cite d'ailleurs les propos de réformateurs des XVIIIe et XIXe siècles : on croirait entendre les Newman et Safire d'aujourd'hui.

L'exposé des signes possibles de crise ne fait qu'accentuer les contradictions. Comment prouver la décadence ? Mises à part les anecdotes sur les difficultés d'écriture constatées chez les étudiants par Tibbetts et Tibbetts (1978) ou Wheeler (1979), les deux grands arguments des critiques sont la baisse des résultats des examens normalisés qui se manifeste depuis le début des années 60 et l'augmentation du taux d'analphabétisme dont j'ai fait mention plus haut (voir, en particulier, la *National Commission on Excellence in Education*, 1983 ; *Twentieth Century Fund*, 1983 ; Hirsch, 1983 ; Toch, 1984). La valeur de ces deux indicateurs me semble sujette à caution. Pour ce qui est des résultats des examens, encore faudrait-il savoir s'ils ont la moindre signification. D'après Brill (1974) et Judy (1980) notamment, leur baisse pourrait facilement s'expliquer en moyenne par des fluctuations normales ou par des facteurs étrangers à la question ; même le *College Entrance Examination Board*, qui a imaginé le test d'aptitudes scolaires, n'a pu expliquer clairement la baisse des résultats (Angloff, 1975) tout en niant qu'elle puisse avoir quelque rapport avec le test proprement dit (*College Entrance Examination Board*, 1977). De plus, même si l'on admettait qu'elle est réelle et *statistiquement* significative, on pourrait encore douter de sa portée *générale*. Comme l'a fait remarquer le *National Council of Teachers of English* (1975), les examens ne font appel — fort imparfaitement d'ailleurs — qu'à un petit nombre des dimensions de l'anglais. Ils ne mesurent généralement pas le style et l'expressivité, le savoir écouter, l'expression verbale ni les valeurs.

Par ailleurs, certains ne voient pas dans le problème de l'alphabétisation motif à parler de crise. D'une part, on attend toujours des statistiques sérieuses, et, d'autre part, il est de moins en moins sûr qu'il soit indispensable de savoir lire et écrire dans les sociétés industrialisées d'aujourd'hui (Hoopes, 1984 ; Thimmesch, 1984). Ce sont essentiellement les commissions, les universitaires et en général les membres, de près ou de loin, de l'appareil pédagogique qui réclament jusqu'ici des remèdes ; en comparaison, les intérêts commerciaux n'ont guère soufflé mot. Le phénomène vient corroborer les conclusions des historiens : les partisans du retour à un enseignement strict de la lecture et de l'écriture ont toujours fait preuve de plus de zèle que le monde du travail, dont on pourrait cependant supposer que lui, surtout, en aurait besoin (Graff, 1979 ; voir de Castell et Luke, 1983).

Mettons pour l'instant toutes ces objections de côté pour présumer, avec les critiques, qu'il y a bien crise. Mais quelle crise ? Et quel sens lui donner ? À ce propos, les censeurs ne sont pas unanimes. Ainsi, certains s'attachent exclusivement à la décadence de la langue en tant que langue. Il me semble que tel est le souci principal de Simon, comme de Newman, de Safire et des Tibbetts, encore qu'à un degré moindre. Pour eux, l'évolution de l'anglais est un drame : en préserver l'usage traditionnel est un bien en soi. Même en disant qu'« une mauvaise métaphore (...) est un écart de conduite », Simon semble plus soucieux du mal fait à la langue que du rapport entre langue et moralité (1980 : 113). Certains critiques ont d'autres intérêts : aux yeux de Ciardi et de Safire (ainsi que de Newman), la dégénérescence de l'anglais est fonction du déclin des valeurs politiques. Hirsch, Thimmesch et les Tibbetts la rattachent à des problèmes sociaux plus généraux. Les collaborateurs de Thimmesch (surtout Foutz, 1984, et Wilson, 1984) prévoient que le désintérêt pour la lecture va plonger dans le marasme la presse et l'industrie de l'imprimerie en général. Les commissions et autres critiques à tendances administratives s'intéressent surtout aux répercussions de la décadence sur les résultats scolaires. Quant à Ciardi, il voit aussi, dans son optique politique, le problème linguistique comme un problème moral ; on peut en dire autant des Tibbetts qui s'expriment à cet égard avec une énergie sans égale :

> La langue est dans tous ses aspects — grammaire, idiotismes, logique, usage, rhétorique — inséparable de la morale (...). Mal en user, c'est insulter à la qualité même d'être humain. L'esprit, l'amabilité, l'intelligence, la grâce, l'humour, l'amour et l'honneur ne peuvent s'incarner que dans le bon usage. Le déclin de l'anglo-américain figure celui des Américains en tant qu'êtres humains (1978 : 179).

Les causes défendues sont toutes très différentes : politique, éducation, culture. Pour les fins que nous visons, leur seul lien est qu'elles font toutes intervenir quelque forme de langage. De même, les arguments les plus forts avancés à l'appui de la crise sont ceux qui font effectivement un rapport direct entre ces domaines sociaux et les problèmes de langue. Nous verrons plus loin lequel est le plus justifié mais pour l'instant, bornons-nous, après avoir constaté que, dans la société américaine, nombreux sont ceux qui croient à la crise, à exposer quelques raisons de leur conviction.

Les raisons de la « crise »

Si plusieurs critiques reconnaissent que l'évolution des langues est, dans une certaine mesure, naturelle et inévitable, ils se distinguent cependant des linguistes dont je parlais plus haut en ce qu'ils estiment certains changements bons, d'autres mauvais. Les Tibbetts, par exemple, concèdent bien qu'il y a des changements naturels « et partiellement accidentels dans les schèmes du langage », mais leur attribuent malgré tout un rôle dans le déclin de l'anglais (1978 : 102). Pour Newman également, « la mutation rapide qu'a connue le pays dans les années 60 » a fait dégénérer la langue ; il cite, dans le cadre de ce changement, le « fossé des générations » et les difficultés qu'il a engendrées : « Le discrédit étant jeté sur l'âge, l'expérience et le rang, le respect des règles, et des règles de la langue surtout, partit à vau-l'eau » (1974 : 11). De plus, si ces auteurs veulent bien admettre qu'il faut des néologismes pour rendre compte des nouveautés technologiques, ils déplorent néanmoins la fascination qu'ils exercent, les estimant nocifs pour la langue.

Les raisons données au déclin sont parfois complexes, mais il est possible d'isoler quelques thèmes communs. J'énumère ci-dessous, en y ajoutant quelques détails, les « causes » les plus souvent mentionnées.

La valeur attribuée au nivellement social

En général, l'égalitarisme passe pour une qualité de la démocratie, mais s'il est bon dans son principe, il l'est moins sur le plan de la langue. « Pour les niveleurs, les mots, comme les êtres, naissent tous égaux » (Tibbetts et Tibbetts, 1978 : 12). Le mouvement pour l'instruction obligatoire et gratuite entre dans ce cadre. On la tient pour responsable d'une bonne partie des problèmes d'alphabétisation (Hoopes, 1984 : 38 ; Thimmesch, 1984 : 23) et de l'appauvrissement de l'enseignement (quand on est sensible aux désirs des minorités, on fait disparaître des programmes beaucoup de cours difficiles [Tibbetts et Tibbetts, 1978 : 76-77]).

L'influence de la « nouvelle linguistique »

Cette nouvelle école affirme la primauté de l'oral sur l'écrit, discrédite les jugements de valeur portés sur la langue et prétend que la correction dépend de l'usage (Tibbetts et Tibbetts, 1978 : 109). Elle a eu un effet sur l'enseignement de l'anglais, la rédaction des manuels, la compilation des dictionnaires et a favorisé le parti pris descriptiviste face à l'usage, dans des dictionnaires comme le *Webster's Third New International Dictionary* (1961). En refusant par principe d'y inclure des remarques sur le bon usage, les auteurs de ces ouvrages ont ajouté à la confusion linguistique.

L'enseignement médiocre

Les critiques au service de l'Administration, pour leur part, veulent surtout un retour à ce qu'on appelle, aux États-Unis, « l'enseignement de l'essentiel ». Et cet essentiel doit tourner autour de l'étude de l'anglais, surtout sous ses aspects techniques du savoir lire et écrire. Le manque d'articulation des programmes d'anglais, le manque d'uniformité de la notation, le remplacement des cours d'anglais normaux par des ateliers de création littéraire facultatifs et des cours de dialecte, la volonté de ne pas juger la qualité de la langue en fonction de critères précis, sont tous autant de facteurs qui, dans le réseau pédagogique, contribuent au déclin de la langue (Hirsch, 1983; *National Commission on Excellence in Education*, 1983; *Twentieth Century Fund*, 1983; Tibbetts et Tibbetts, 1978; Wilson, 1984).

L'influence des médias

Pour Urdang (1980), la plus forte influence à s'exercer sur la langue des États-Unis est celle des médias électroniques, et surtout de la publicité télévisée parce qu'elle est répétitive, persuasive et envahissante. Elle ne se borne pas à faire vendre, elle agit sur la langue des consommateurs: « La situation est donc telle que le spectateur, le lecteur et l'auditeur accordent non seulement foi aux propos tenus sur les produits, mais estiment valable, inconsciemment du moins, la langue dans laquelle on les tient » (Urdang, 1980: 12). Et comme l'intérêt des publicitaires va plus à l'efficacité qu'au bon usage, leur influence est souvent néfaste. Il ne faudrait pas sous-estimer à cet égard le fait qu'étant un moyen d'expression visuelle, la télévision fait parfois douter de l'utilité de savoir lire et écrire pour communiquer: « Elle a exalté l'image au détriment du mot » (Newman, 1974: 11).

Les jargons de l'Administration et des spécialités

Pour pouvoir se différencier, les techniques et les métiers se sont dotés de jargons. Ces langues initiatiques colorent de mystère les spécialités dont elles émanent en les démarquant des professions étroitement apparentées. Quand ces jargons s'accompagnent de l'écrit, ils se répandent et paraissent justifiés. Les juges, par exemple, acceptent fort bien le jargon technique des avocats puisqu'il s'agit de la langue des documents juridiques (Dickerson, 1980: 19). De même, les expressions techniques des médecins impressionnent davantage que leur équivalent en anglais de tous les jours (Ciardi, 1980). Dans leur cadre, les langues de spécialité ne représentent pas une réelle menace, mais quand elles commencent à s'infiltrer dans la langue commune, il y a de quoi s'inquiéter, et présumer qu'on n'y recourt pas pour communiquer, mais pour dérouter. Ciardi définit le jargon « non pas tant comme une langue que (...) comme un ensemble de renvois à des définitions classées ailleurs » (1980 : 6).

Le déclin de la culture générale

Les chroniqueurs de langue ont une peur, sous-jacente, de voir la société dégénérer en des formes difficiles à définir exactement. Le mépris généralisé pour la vérité absolue, pour la morale, pour les critères du bien et du mal, pour le respect dû à l'autorité et à l'ancienneté peuvent tous passer pour des causes de la crise de la langue. La peur des « méchants » alimente en grande partie cette crainte. Ainsi, pour Wilson (1984), si le public américain lit moins de journaux, c'est un peu parce qu'il en a assez d'y entendre parler de viols, de meurtres et autres crimes, et pour Tibbetts et Tibbetts, la fascination qu'exerce la musique rock, « dont on n'entend ni ne comprend les paroles, ce qui est d'ailleurs le but visé », est sinon un agent du moins un symptôme du déclin de la langue (1978 : 7). Peut-être ces réflexions naissent-elles du besoin de trouver, aux maux supposés, des causes, fussent-elles tirées par les cheveux, mais dans ce cas, la stratégie n'est pas nouvelle. Comme le dit Pyles : « Au temps de nos ancêtres, il n'y avait pas de média auditif à rendre responsable des prononciations dans le vent ; sans doute les attribuait-on à la perversité naturelle de ce qu'on considérait, toujours avec désapprobation, comme la génération montante » (1979 : 112 ; voir Quinn, 1980).

Les remèdes à la « crise » de la langue

Les remèdes offerts à la crise de la langue sont ordinairement moins détaillés et moins spécifiques que les critiques. Il y a même des auteurs, Safire et Newman entre autres, qui n'en proposent pas du tout hormis la lecture de leurs livres. J'ai classé les propositions que j'ai pu recueillir en six catégories — éducative, juridique, parajuridique, sociale, politique et technique — pour les étudier séparément.

Les remèdes éducatifs

La plupart des solutions proposées tombent sous cette rubrique. En l'occurrence, ce sont les commissions de recherche et les Tibbetts qui formulent les plus précises. La *National Commission on Excellence in Education* propose, outre divers éléments d'ordre général qui pourraient se répercuter sur l'enseignement de la langue, quatre ans de cours d'anglais obligatoires au secondaire, en suggérant les objectifs à leur fixer. Le *Twentieth Century Fund* recommande au gouvernement fédéral de faire en sorte que les écoles publiques accordent la priorité aux compétences en anglais ; il propose, pour commencer, que « les fonds fédéraux actuellement consacrés aux programmes bilingues servent à apprendre aux jeunes allophones à parler, lire et écrire l'anglais » (il ignore visiblement que le premier objectif des programmes bilingues est d'ores et déjà la maîtrise de l'anglais). Dans le même ordre d'idées, Boyer et Goodlad mettent le relèvement de l'enseignement de l'anglais au coeur de leur réforme du programme. Dans le rapport de Boyer, la « maîtrise de la langue » est présentée comme la grande priorité des écoles, l'écriture étant l'*apprentissage* à privilégier. Nul ne s'étonnera que ce soit aux Tibbetts qu'on doive la solution éducative la plus détaillée au problème linguistique. Ils conseillent tous ceux qui interviennent dans la scolarisation : élèves, parents, enseignants, administrateurs, professeurs d'anglais, grand public. L'essentiel de leurs efforts va aux grandes lignes du programme souhaitable. Il doit adopter des critères rigoureux et viser l'excellence ; les cours obligatoires doivent être plus nombreux, les cours à option plus rares, les manuels doivent se multiplier, l'évaluation se faire uniformément. Les professeurs veilleront tout particulièrement à donner aux écoliers de bonnes habitudes de langage, les soumettront à des exercices de répétition et d'imitation, insisteront sur l'orthographe et la forme, mais surtout, exigeront beaucoup de leurs élèves. Ils s'efforceront de leur inspirer l'amour et le respect de la langue correcte. Et comme la langue relève de plusieurs aspects de la vie sociale, ainsi que les Tibbetts l'ont déjà indiqué, le bon usage linguistique fera beaucoup pour lever bien d'autres difficultés scolaires.

Les solutions juridiques

Comme je le disais dans mon introduction, les États-Unis n'ont jamais été partisans de la législation linguistique. Le premier amendement de la Constitution, qui garantit la liberté de parole, est peut-être le plus solide de tous nos principes. On voit toutefois les législateurs se hasarder depuis quelque temps à dicter le comportement linguistique dans certains domaines limités, dans la plupart des cas en vue de protéger d'autres droits. Dans l'État de New York, par exemple, la loi Sullivan protège les consommateurs en exigeant que les documents qu'on leur destine soient rédigés dans « une langue simple », autrement dit dans « une langue claire et cohérente et des mots employés dans leur sens courant de tous les jours » (Dickerson, 1980 : 19). D'autres États, notamment le Massachusetts, le Connecticut et le Maine, protègent également leurs consommateurs de la même manière. De plus, certains organismes comme la *Federal Communications Commission* ont un droit de regard sur le langage employé sur les ondes, mais la censure vise essentiellement les propos grossiers, diffamatoires ou autrement préjudiciables plus que la forme même de la langue. Pour la plupart des commentateurs, les remèdes juridiques ne peuvent, ni ne doivent, s'en prendre à la langue incorrecte, déviante ou même trompeuse (sauf dans des situations très particulières) (Urdang, 1980 : 12-13).

Les solutions parajuridiques

Quelques critiques proposent la création d'un organisme national qui surveillerait le comportement linguistique et donnerait des conseils en matière de bon usage (Urdang, 1980 ; Tibbetts et Tibbetts, 1978). Pour légitimer son action et lui conférer un statut semi-officiel, Urdang propose de lui offrir le concours du ministère de l'Éducation. Les Tibbetts voudraient pour leur part que « ses déclarations aient force de loi dans le programme d'anglais » et qu'il travaille à normaliser l'anglo-américain. Ce n'est pas que cette proposition soit déraisonnable en soi, plusieurs pays se sont dotés d'organismes de travail de ce genre, mais les perspectives sont faibles à cet égard aux États-Unis, compte tenu de notre dynamique sociolinguistique. Le seul désir de sauvegarder les libertés individuelles suffirait à éveiller la méfiance des citoyens envers pareil organisme, même s'ils étaient convaincus d'avance que leur langue est en mauvais état.

Les remèdes sociaux

On peut supposer que les auteurs d'ouvrages sur la crise s'efforcent à tout le moins de sensibiliser la population au problème : leurs ouvrages doivent aider certaines personnes à corriger leur langue et à orienter le comportement linguistique des autres. Les Tibbetts sont en faveur d'une révolution linguistique qui ferait intervenir la société dans son ensemble : attaquons la langue incorrecte partout où nous en constatons la présence ; n'engageons pas d'illettrés ; corrigeons les lettres mal écrites ; écrivons aux rédacteurs en chef, et ainsi de suite. Qui plus est, que les parents et autres adultes intéressés surveillent les programmes scolaires et veillent à les garder des ravages de la « nouvelle linguistique ». Que les parents coopèrent avec les professeurs de leurs enfants, surveillent les devoirs, se liguent contre les conseils scolaires qui engagent du personnel incompétent. Acculons à la faillite les organes de presse qui diffusent une langue incorrecte ou non standard s'ils ne font pas mine de changer, boycottons les produits des annonceurs qui parlent mal. Bref, il s'agit de mobiliser la société tout entière contre les écarts de langage.

Les remèdes politiques

Analogues à ceux de la catégorie précédente, ils sont cependant mieux délimités. Urdang, par exemple, voudrait voir s'organiser, contre les médias, des campagnes postales. Tibbetts et Tibbetts conseillent aux professeurs de devenir membres d'organismes comme le *National Council of Teachers of English* pour y militer en faveur du bon usage. Pourquoi, par ailleurs, ne pas faire pression sur les candidats aux postes politiques en matière de législation linguistique ou de financement des programmes éducatifs de base?

Les remèdes techniques

Le grand souci des critiques au service de l'Administration, nous l'avons vu, est le développement des compétences techniques dès l'école primaire. Ce qu'ils réclament surtout dans leurs rapports, c'est l'enseignement de l'informatique, des mathématiques et des sciences. Une fois ces notions acquises, peut-être pourrait-on aussi mettre au point, pour l'enseignement de la lecture et de l'écriture et l'étude des langues, de nouvelles techniques qui enrichiraient énormément l'apprentissage. De plus, les technologies nouvelles pourraient ouvrir à la lecture et à l'écriture un nouveau champ de perspectives. Déjà, le traitement de textes augmente la productivité dans bien des secteurs. La presse semble, elle aussi, tirer parti du progrès des techniques: quotidiens et revues sont mieux reproduits, ramenés à des formats plus commodes et plus riches en photos couleurs pour attirer les lecteurs (Foutz, 1984: 5).

Quelques remarques personnelles

Le moment semble venu de porter un jugement final sur tous les arguments présentés. Y a-t-il, oui ou non, une crise de la langue et si oui, que représente-t-elle? Je vais m'efforcer de répondre à cette question, d'abord en en posant plusieurs autres, dont les réponses devraient nous permettre d'évaluer les réflexions étudiées ici.

Pourquoi les critiques se critiquent-ils mutuellement?

S'il existe bien une norme de l'usage, pourquoi les critiques s'en prennent-ils sans cesse les uns aux autres? Ils aiment visiblement beaucoup se signaler mutuellement leurs « fautes ». Il est assez facile, en outre, de prouver que tel ou tel censeur a déjà commis lui-même, et parfois à plusieurs reprises, celles qu'il reproche à autrui. George Orwell, grand défenseur de l'anglais, en avait parfaitement conscience: « Relisez le texte que voici et vous constaterez certainement que je n'ai cessé de commettre précisément les fautes contre lesquelles je m'élève » (1946: 174). Les auteurs modernes ne font malheureusement pas preuve d'autant de franchise. Si leurs arguments n'en sont pas invalidés, ils devraient néanmoins nous mettre mal à l'aise.

Quels sont les critères de la langue « correcte »?

Selon leurs propres dires, la norme des Tibbetts est « *l'usage des meilleurs auteurs et locuteurs* »; pour eux, telle forme n'est pas « meilleure » ou « la meilleure » parce qu'elle a été décrétée telle dans les couches supérieures de la société, mais par la qualité de l'écrit ou de la parole (1978: 111). On s'étonne que des auteurs si soucieux de logique et de rationnel ne voient pas dans quel cercle vicieux ils s'enferment. Par ailleurs, les autorités auxquelles les critiques font si souvent appel — Shakespeare, Milton, Tennyson et autres écrivains classiques — commettaient (et défendaient) les erreurs mêmes que condamnent beaucoup d'auteurs modernes. Où donc est la logique de leur argumentation?

L'idée qu'il y ait une crise de la langue est-elle neuve?

Judy cite, comme je l'ai déjà dit, maints jugements émis il y a plusieurs siècles et cependant semblables à ceux des critiques modernes. Peut-on vraiment prétendre qu'il y a crise quand les formes dont on déplore aujourd'hui la dégénérescence dégénéraient déjà il y a des centaines d'années? Si oui, peut-être faudrait-il redéfinir le terme de crise.

Pourquoi les signes de crise sont-ils équivoques?

Si la catastrophe était imminente, ne devrions-nous pas y croire davantage? J'ai du mal à prendre au sérieux ses prétendus signes avant-coureurs. Pourquoi faire à ce point fond sur les résultats des examens? Les examens normalisés n'expliquent pas grand chose tout en déformant parfois la réalité. Les autres types d'examens ne sont pas sans problèmes non plus: quand les professeurs estiment faibles les compétences de leurs élèves parce qu'ils n'écrivent pas lisiblement, ne devrions-nous pas nous demander s'il n'y a pas quelque chose d'erroné dans nos techniques de mesure? (Briggs, 1970).

Les méthodes d'enseignement répressives ne se montrent-elles pas inefficaces?

Judy déclare qu'« insister fortement sur l'entraînement n'a *jamais* fait grand chose pour la naissance des sociétés cultivées » (1980: XII). Ceux qui prônent les exercices de répétition et l'imitation du bon usage mettent évidemment en doute les moindres affirmations de Judy, mais Albert Marckwardt, que les Tibbetts citent et semblent voir d'un bon oeil, fait la même remarque:

> On peut avancer à juste titre que ces tabous, qui après tout proviennent d'un point de vue essentiellement négatif de la langue ou de l'expression, ont rempli leur rôle et fait leur temps. Il faudrait les remplacer par quelque chose de positif. Au stade où nous sommes, nous devons abandonner, linguistiquement parlant, le dogme du péché originel, pour nous en remettre à l'intuition, aux schèmes linguistiques ancrés dans notre inconscient. Pareil instinct ne peut se développer que si l'on prête attention aux aspects plus généraux de la structure et à l'évolution de la langue (1958: 184).

Les critiques n'établissent-ils pas un rapport trop direct entre la langue correcte et les autres biens sociaux?

Techniquement, la langue correcte ne peut-elle, malgré toute sa correction, être ennuyeuse, mensongère, voire immorale? Qui plus est, la notion même de langue correcte ne risque-t-elle pas de susciter des attitudes indésirables, comme l'intolérance et les préjugés? Nous reviendrons sous peu à cette question.

Certaines critiques du comportement linguistique ne sont-elles pas plus importantes que d'autres?

Peut-être, mais rares sont les censeurs qui se prononcent clairement à cet égard. Le mensonge grammaticalement irréprochable n'est-il pas plus grave qu'une mauvaise métaphore? Le jargon qui masque et esquive n'est-il pas moralement pire qu'un adverbe malencontreusement intercalé entre le *to* et son verbe? À quelques rares exceptions près (Ciardi, surtout), les critiques ne tranchent pas. Beaucoup se préoccupent de questions qui me semblent futiles (témoin Newman, qui joue avec des noms « mutuellement interchangeables »). Sans doute agissent-ils ainsi pour divertir, mais ni Newman ni Safire (en particulier) ne nous dressent la liste de ce qui est plus ou moins important. En cela, il me semble, ils ont tort car c'est renier la mission même du critique. Comme le dit John Gardner, la critique qui ne nous guide pas dans les méandres de la morale s'égare et tombe dans le superficiel:

> La frivolité a sa place, sa valeur de divertissement. Je ne vois pas pourquoi il n'y aurait pas des gens qui se spécialiseraient dans les particularités des poils qu'arbore, à gauche, la trompe des éléphants. Même à ses meilleurs moments, à ses moments les plus sérieux, la critique, à l'instar de l'art, reste un peu un jeu comme le savent tous les bons critiques. Ce n'est pas au jeu que je m'oppose mais au fait que les critiques contemporains ont, dans leur majorité, perdu le fil de leur jeu, de même que les artistes, dans l'ensemble, ont perdu le fil du leur. Jouer avec les poils du nez d'un éléphant est inconvenant quand la patte de l'éléphant s'apprête à écraser une tête (Gardner, 1978: 4).

J'en arrive ainsi à conclure, quitte à me montrer bien involontairement contrariant, que la question envisagée ici n'est peut-être pas la bonne. À celle de savoir s'il y a bien une crise de la langue aux États-Unis, on répondra par oui ou par non selon ce qu'on entend notamment par crise et par indices de crise, sans compter les autres facteurs dont nous avons parlé. J'entrevois, pour ma part, une question plus valable: quels emplois fait-on de l'anglais aux États-Unis et ces emplois déterminés, peut-on conclure à leur utilité ou à leur nocivité pour quiconque? Peut-être cette démarche nous mènerait-elle quand même à la question de la crise, mais dans une tout autre optique. Souvenez-vous de ce que je disais au début sur la langue en tant qu'instrument du pouvoir et demandez-vous pourquoi les notions de correction sont importantes dans le comportement linguistique aux États-Unis. Elles le sont, j'en suis convaincu, pour préserver les distinctions sociales entre les faibles et les puissants. Elles légitiment le mépris dans lequel nous tenons la langue et la culture — et partant, la personne — de ceux qui ne respectent pas notre norme. Si tel est le cas, alors, oui, il y a vraiment une crise de la langue aux États-Unis, mais c'est une crise morale.

Bibliographie

ANGLOFF, William (1975), « Why the SAT Scores Are Going Down », *The English Journal*, 64: 10-11.

BARATZ, Joan C. et Roger W. SHUY, dir. (1969), *Teaching Black Children to Read*, Washington, D.C., Center for Applied Linguistics.

BARON, Dennis E. (1982), *Grammar and Good Taste: Reforming the American Language*, New Haven et Londres, Yale University Press.

BARZUN, Jacques (1976), *Simple and Direct*, New York, Harper and Row.

BERNSTEIN, Theodore (1966), *The Careful Writer*, New York, Atheneum.

BOYER, Ernest L. (1983), *High School: A Report on Secondary Education in America*, New York, Harper and Row.

BRIGGS, D. (1970), « The Influence of Handwriting on Assessment », *Educational Research*, 13/1.

BRILL, Stephen (1974), « The Secrecy Behind the College Boards », *New York*, 7 octobre 1974, 67-83.

BRYCE, James (1888), *The American Commonwealth*, vol. II, New York, Macmillan.

CAZDEN, Courtney (1983), « Review of Michael Stubbs' *Language and Literacy: The Sociolinguistics of Reading and Writing* », *Language Problems and Language Planning*, no 7/1: 104-108.

CIARDI, John (1980), « Can Language Still Communicate? », dans *Plain English in a Complex Society*, Bloomington, Indiana, The Poynter Center, Université de l'Indiana, 5-10.

COLLEGE ENTRANCE EXAMINATION BOARD (1977), *On Further Examination: Report of the Advisory Panel on the Scholastic Aptitude Test Score Decline*, New York, College Entrance Examination Board.

COMMITTEE ON THE CCCC LANGUAGE STATEMENT (1978), « Students' Right to their Own Language », *A Pluralistic Nation: The Language Issue in the United States*, sous la direction de Margaret A. LOURIE et Nancy Faires CONKLIN, Rowley, Maine, Newbury House, 315-328.

CONKLIN, Nancy Faires (1978), « The Language of the Majority: Women and American English », dans *A Pluralistic Nation: The Language Issue in the United States*, sous la direction de Margaret A. LOURIE et Nancy Faires CONKLIN, Rowley, Maine, Newbury House.

——————— et Margaret A. LOURIE (1983), *A Host of Tongues: Language Communities in the United States*, New York, Free Press.

DAVIS, Frances R.A. et Robert P. PARKER, dir. (1978), *Teaching for Literacy: Reflections on the Bullock Report*, New York, Agathon.

DE CASTELL, Suzanne et Allan LUKE (1983), *Literacy Instruction: Technology and Technique*, exposé présenté à l'International Conference on Language Policy and Social Problems, Curaçao, Antilles néerlandaises, du 14 au 18 décembre 1983.

DICKERSON, Reed (1980), « Should Plain English Be Legislated? », dans *Plain English in a Complex Society*, Bloomington, Indiana, Université de l'Indiana, The Poynter Center, 18-21.

EASTMAN, Carol (1983), *Language Planning*, San Francisco, Chandler and Sharp.

EDUCATION COMMISSION OF THE STATES (1983), *A Summary of Major Reports on Education*, Denver, Education Commission of the States.

FERGUSON, Charles A. (1979), « National Attitudes toward Language Planning », dans *Georgetown University Round Table on Languages and Linguistics 1979*, sous la direction de J.E. ALATIS et G.R. TUCKER, Washington, D.C., Georgetown University Press, 51-60.

FISHMAN, J.A., V. NAHIRNY, J. HOFFMAN et R. HAYDEN (1966), *Language Loyalty in the United States*, La Haye, Mouton.

FISHMAN, J.A., R.L. COOPER et A.W. CONRAD (1977), *The Spread of English: The Sociology of English as an Additional Language*, Rowley, Maine, Newbury House.

FOUTZ, Shirley (1984), « Aliteracy and the Newspaper Industry », dans *Aliteracy: People who can read but won't*, sous la direction de Nick THIMMESCH, Washington, D.C., et Londres, American Enterprise Institute for Public Policy.

GARDNER, John (1978), *On Moral Fiction*, New York, Basic Books.

GOODLAD, John I. (1983), *A Place Called School: Prospects for the Future*, St. Louis, Minnesota, McGraw-Hill.

GRAFF, H.J. (1979), *The Literacy Myth*, New York, Academic Press.

« Guidelines for Nonsexist Language in APA Journals », *American Psychologist*, n° 32, juin 1977, 487-493.

HAYAKAWA, S.I. (1972), *Language in Thought and Action*, New York, Harcourt Brace Jovanovich.

HEATH, Shirley Brice (1977), « Language and Politics in the United States », dans *Georgetown University Round Table on Languages and Linguistics 1977*, sous la direction de M. Saville-Troike, Washington, D.C., Georgetown University Press.

––––––––– (1982), « American English: Quest for a Model », dans *The Other Tongue: English across Cultures*, sous la direction de Braj B. KACHRU, Oxford, Pergamon Press.

––––––––– et Frederick MANDABACH (1983), « Language Status Decisions and the Law in the United States », dans *Progress in Language Planning: International Perspectives*, sous la direction de J. COBARRUBIAS et J.A. FISHMAN, Berlin, Mouton.

HERNANDEZ-CHAVEZ, Eduardo, Andrew COHEN et Anthony BEL-TRAMO dir. (1975), *El lenguaje de los Chicanos: Regional and Social Characteristics of Language Used by Mexican Americans*, Arlington, Virginie, Center for Applied Linguistics.

HIRSCH, E.D. (1983), « Cultural Literacy », *The American Scholar*, 52/2: 159-169.

HOOPES, Townsend (1984), « Aliteracy and the Decline of Language », dans *Aliteracy: People who can read but won't*, sous la direction de Nick THIMMESCH, Washington et Londres, American Enterprise Institute for Public Policy Research.

ICHIHASHI, Yamato (1932), *Japanese in the United States*, Stanford, Stanford University Press.

JUDY, Stephen N. (1980), *The ABCs of Literacy: A Guide for Parents and Educators*, New York, Oxford University Press.

KACHRU, Braj B., dir. (1982), *The Other Tongue: English across Cultures*, Oxford, Pergamon Press.

KELMAN, Herbert C. (1972), « Language as an Aid and Barrier to Involvement in the National System », dans *Advances in the Sociology of Language*, vol. II, sous la direction de J.A. FISHMAN, La Haye, Mouton.

KLOSS, Heinz (1977), *The American Bilingual Tradition*, Rowley, Maine, Newbury House.

LABOV, William (1972), *Language in the Inner City: Studies in the Black English Vernacular*, Philadelphie, University of Pennsylvania Press.

LIEBERSON, Stanley (1982), « Forces Affecting Language Spread: Some Basic Propositions », dans *Language Spread: Studies in Diffusion and Social Change*, sous la direction de R.L. COOPER, Bloomington, Indiana, Indiana University Press.

MARCKWARDT, Albert H. (1958), *American English*, New York, Oxford University Press.

MORGAN, Paul et Sue SCOTT (1975), *The D.C. Dialect: How to Master the New Language of Washington in Ten Easy Lessons*, New York, New York University Press.

NASH, Rose (1970), « Semantic Transfer in Puerto Rican English », dans *Proceedings of the Colloquium on the Acquisition and Use of Spanish and English as First and Second Languages*, 12ᵉ conférence annuelle du TESOL, Mexico, sous la direction de Roger W. Anderson.

NATIONAL COMMISSION ON EXCELLENCE IN EDUCATION (1983), *A Nation at Risk: The Imperative for Educational Reform*, Washington, D.C., U.S. Government Printing Office.

NATIONAL COUNCIL OF TEACHERS OF ENGLISH (1975), *Common Sense and Testing in English*, Urbana, Illinois, National Council of Teachers of English.

NEWMAN, Edwin (1974), *Strictly Speaking: Will America Be the Death of English?*, Indianapolis et New York, Bobbs-Merrill Co.

_____ (1976), *A Civil Tongue*, Indianapolis, Bobbs-Merrill Co.

ORWELL, George (1954 [1946]), « Politics and the English Language », repris dans *A Collection of Essays by George Orwell*, Garden City, État de New York, Doubleday.

PETERSEN, Paul E. (1983), « Did the Education Commissions Say Anything ? », *The Brookings Review*, 3-11.

PRESIDENT'S COMMISSION ON FOREIGN LANGUAGE AND INTERNATIONAL STUDIES (1979), *Strength through Wisdom : Critique of U.S. Capacity*, Washington, D.C., U.S. Government Printing Office.

PYLES, Thomas (1979), *Selected Essays on English Usage*, sous la direction de John Algeo, Gainesville, Floride, University Presses of Florida.

QUINN, Jim (1980) *American Tongue and Cheek : A Populist Guide to Our Language*, New York, Pantheon Books.

RAVITCH, Diane (1983), *The Troubled Crusade : American Education, 1945-1980*, New York, Basic Books.

RUIZ, Richard (1984), *Language Teaching and American Education : Impact on Second Language Learning*, Washington, D.C., National Institute of Education.

SAFIRE, William (1980), *On Language*, New York, Times Books.

————— (1982), *What's the Good Word?*, New York, Times Books.

SIMON, John (1980), *Paradigms Lost : Reflections on Literacy and its Decline*, New York, Clarkson N. Potter, Inc.

SIMON, Paul (1980), *The Tongue-tied American : Confronting the Foreign Language Crisis*, New York, Continuum.

SPOLSKY, Bernard et Patricia IRVINE (1982), « Sociolinguistic Aspects of the Acceptance of Literacy in the Vernacular », dans *Bilingualism and Language Contact : Spanish, English, and Native American Languages*, sous la direction de Florence BARKIN *et al.*, New York et Londres, Teacher's College Press.

STRUNK, William Jr. et E.B. WHITE (1979), *The Elements of Style*, 3ᵉ éd., New York, Macmillan.

STUBBS, Michael (1980), *Language and Literacy : The Sociolinguistics of Reading and Writing*, Londres, Boston et Henley, Routledge and Kegan Paul.

THIMMESCH, Nick, dir. (1984), *Aliteracy : People who can read but won't*, Washington et Londres, American Enterprise Institute for Public Policy Research.

TIBBETTS, Arn et Charlene TIBBETTS (1978), *What's Happening to American English?*, New York, Charles Scribner's Sons, 1978.

TOCH, Thomas (1984), « America's Quest for Universal Literacy », *Education Week Supplement*, 5 septembre 1984.

TSONGAS, Paul E. (1981), « Foreign Language and America's Interests », *Foreign Language Annals*, 14/2 : 115-119.

TWENTIETH CENTURY FUND (1983), *Report on the Twentieth Century Fund Task Force on Federal Elementary and Secondary Education Policy*, New York, Twentieth Century Fund.

URDANG, Laurence (1980), « The Impact of the Mass Media on Language », dans *Plain English in a Complex Society*, Bloomington, Indiana, Université de l'Indiana, The Poynter Center, 11-17.

WHEELER, Thomas C. (1979), *The Great American Writing Block: Causes and Cures of the New Illiteracy*, New York, Viking Press.

WILSON, Robert M. (1984), « The Nonreading Culture », dans *Aliteracy: People who can read but won't*, sous la direction de N. THIMMESCH, Washington et Londres, American Enterprise Institute for Public Policy Research.

WISCONSIN, DEPARTMENT OF PUBLIC INSTRUCTION (1984), *Final Report of the State Superintendent's Task Force on Teaching and Teacher Education*, Madison, Department of Public Instruction.

VI

La crise de la langue dans les pays du Commonwealth

par Grace Jolly (Glendon College, Toronto) et Robert Robertson (University of Saskatchewan)

Traduit de l'anglais par Marie-Claire Lemaire

La langue anglaise n'a guère d'extension, sa portée ne dépassant pas les rivages de notre île, où son emprise n'est d'ailleurs pas totale. Pourtant, je ne crois pas qu'il y ait de langue plus apte à exprimer, avec plus de force et de finesse, toute espèce de raisonnement que notre langue anglaise (...). C'est le hasard de notre situation qui restreint son emploi, et non la langue elle-même.

— Roger Mulcaster, 1582

L'anglais n'est plus la propriété des Anglais ni même des Anglais et des Américains mais une langue internationale que les hommes adoptent en nombre de plus en plus considérable pour mener à bien ne fût-ce que certains de leurs projets sans pour autant renier (du moins en intention) leur propre idiome ; et cette langue unique, l'anglais, se divise en variétés de plus en plus nombreuses.

— Halliday, McIntosh, Strevens, 1964

On ne saurait aborder l'étude de la crise de la langue dans les pays du Commonwealth sans répéter avec Labov notre conviction que, dans toutes les communautés linguistiques, la variation et les structures hétérogènes sont la norme, « le résultat naturel de facteurs linguistiques fondamentaux » (1972 : 203). Ce qui est anormal et impossible, c'est la langue homogène et monolithique.

Dans l'article que vous allez lire (et dont nous entendons bien ne faire qu'une esquisse, nous bornant à proposer quelques remarques sur un sujet infiniment trop vaste et trop changeant pour être soumis, dans un cadre si restreint, à une étude systématique), nous considérons comme normal l'apparition d'anglais différents, sur le plan phonologique, grammatical, lexical et stylistique, de ceux qui furent « reçus » à l'époque coloniale ou apportés avec eux par les colons dans leur nouvel habitat.

Comme le dit Haugen (1979 : 85) :

L'« anglais » n'est pas un monolithe qui, à chaque noeud, ne permettrait qu'une seule structure et une seule forme. Sa grammaire propose partout plusieurs choix ; les étiquettes qui s'y rapportent doivent toutes déclencher chez les locuteurs la réaction correcte en présence du facteur déterminant. On ne peut décrire avec réalisme les langues naturelles sans admettre que leur grammaire et leur lexique sont non pas rigides mais flexibles, non pas figés mais variables.

Toutefois, les langues naturelles ne jouent pas toutes le même rôle et toutes ne manifestent pas le même degré de variation. Par définition, la langue nationale est la langue, ou une des langues, de la nation, et tant que cette nation ne sort pas de ses frontières, elle et son idiome occupent une situation géographique identique. Qu'en est-il, cependant, quand cette nation déborde de ses frontières pour s'étendre sur d'autres entités politiques — qu'il s'agisse d'empires ou de tribus — en emportant son parler avec elle?

Qu'une langue naturelle et nationale comme l'anglais devienne une *lingua franca* n'a rien d'inusité. L'histoire a vu le grec, le latin, le français et l'arabe remplir précisément ce rôle. L'expression même de *lingua franca* remonte à l'époque où cette fonction était dévolue au français. Ce qu'il y a de singulier dans la situation de l'anglais, c'est son gigantisme et son extension géographique, la complexité de ses attributions et sa forte acclimatation, sa remarquable naturalisation dans des pays où sa sauvegarde, son usage persistant et sa diffusion dépendent des législateurs et des professions libérales au sein desquelles on le parle non comme langue maternelle mais comme seconde langue.

Dans cette optique, ce que nous voulons étudier — fort sommairement, malheureusement —, c'est l'anglais tel qu'on le parle hors du Royaume-Uni et des États-Unis. L'anglais est aujourd'hui une langue universelle, une langue impériale, une langue fédérale et une langue nationale. Langue universelle en ce qu'elle sert aux communications internationales des chefs politiques, et surtout de ceux pour qui ce moyen d'expression s'impose, Yasser Arafat ou le dalaï-lama par exemple. Langue impériale parce qu'elle règne sur son propre territoire, le reliquat d'un empire politique. Langue fédérale parce qu'elle unit, sur ce territoire, des fédérations comme l'Inde, le Nigeria, l'Australie et les États-Unis où d'autres langues ont plus ou moins cours, certaines étant en réalité des langues nationales, comme l'ibo ou le tamoul. D'après cette définition, le Canada pourrait entrer dans la catégorie des entités fédératives; le double rôle de langue fédérale et de langue nationale qu'y joue le français est peut-être unique en son genre dans la zone anglophone. Enfin, l'anglais reste à proprement parler la langue nationale de l'Angleterre tout en étant la langue fédérale du Royaume-Uni; cette constatation n'est pas totalement oiseuse étant donné le curieux usage fait de l'anglais sur sa terre natale: outil de classe, c'est aussi la langue de la BBC et des puissantes maisons d'édition de Londres.

Sans doute l'accession assez récente de l'anglais au rang de langue universelle s'explique-t-elle par le fait qu'après avoir été la langue d'un empire, il continue aujourd'hui de s'affirmer dans cette zone, surtout si l'on songe que la première fédération à quitter cet empire politique est aujourd'hui la plus unilingue de tout ce domaine linguistique et aussi celle qui compte le plus grand nombre d'anglophones, autrement dit les États-Unis. Parmi les fédérations actuelles, il y en a comme l'Australie, où les langues parallèles sont assez rares, et le Canada, où l'anglais partage sa suzeraineté avec le français, mais il y en a aussi où la situation est d'une extrême complexité, le Nigeria et l'Inde notamment, où l'anglais, *lingua franca* à défaut d'autre langue commune, reste langue fédérale en raison de son statut de langue universelle et impériale : utile aux politiciens comme langue universelle, il l'est aussi aux écrivains car il leur ouvre la porte d'un empire. Au Nigeria, un roman nigérian n'est pas écrit en nigérian mais en anglais ; en revanche, un roman yorouba est écrit en yorouba.

En outre, en certaines régions des territoires où il règne, l'anglais est la première langue qui ait jamais été employée par écrit, le véhicule de l'évolution sociale qu'entraîne toujours l'alphabétisation dans toutes les sociétés. Au Kenya, par exemple, les jeunes Kikouyous entendaient leurs aînés raconter depuis des générations l'histoire de leur tribu à la manière ancestrale, mais c'est depuis quelques dizaines d'années seulement qu'ils peuvent la lire, mais dans une langue savante, une langue seconde, et sous une forme inhabituelle, qu'il s'agisse de récits en prose soutenue comme dans *Facing Mount Kenya* de Kenyatta ou d'oeuvres de fiction, toujours en prose soutenue, comme dans les romans de Ngugi. Pour appréhender l'énorme mutation que le phénomène représente, essayons d'inverser la situation et d'imaginer les écoliers canadiens obligés, pour connaître l'histoire de leur pays, d'apprendre par coeur les longs poèmes épiques en cri qu'on leur réciterait. Il est difficile, pour ne pas dire impossible, de se représenter l'invraisemblable effort auquel se sont astreints de par le monde et surtout dans notre siècle les millions d'individus qui ont dû ou voulu apprendre l'anglais en plus de leur langue. Dans *The Spread of English*, publié en 1977, Fishman, Cooper et Conrad avancent que l'anglais est la première langue de « près de 300 millions de personnes et la seconde de peut-être plusieurs fois ce chiffre ». Sous l'impulsion donnée par la puissance coloniale de la Grande-Bretagne et devant l'influence qu'elle et les États-Unis continuent à exercer sur le plan économique, technologique et culturel, l'apprentissage de l'anglais comme langue supplémentaire demeure, aux yeux de beaucoup, un instrument de promotion sociale, un moyen d'accès à l'information utile et à la spécialisation, la clé des emplois rémunérateurs et prestigieux, la possibilité d'acquérir des amis et collègues influents, la promesse de voyages tant dans le pays qu'à l'étranger, bref, la route qui mène au pouvoir. Dans les « anciens » dominions — le Canada, l'Australie, la Nouvelle-Zélande —, l'anglais remplace effectivement, dans bien des cas, la langue des immigrants et des autochtones. Dans les « nouveaux » États — le Nigeria, l'Inde, le

Kenya —, le domaine des langues vernaculaires se déplace, se rétré-cissant ou s'élargissant sous l'effet des politiques en matière d'éducation qui définissent leur place vis-à-vis de l'anglais omniprésent. La situation de l'anglais est à vrai dire paradoxale. Considéré d'un mauvais oeil pour le rôle joué autrefois dans la colonisation et aujourd'hui dans une domination économique et culturelle tenace et tout aussi exécrée, c'est pourtant à lui que, souvent, on a fait appel pour fixer les objectifs de la nation et préserver l'unité du pays. Ce paradoxe, cette curieuse ambiva-lence, vient compliquer l'enseignement de l'anglais et le maintien des normes linguistiques tout en contribuant dans une certaine mesure à la diversification.

L'un des éléments essentiels de l'apprentissage d'une langue est l'imitation fidèle, et l'imitation doit émaner notamment du désir de faire partie d'un groupe. En Afrique occidentale, la volonté de se démarquer du krio ou du pidgin peut être un puissant mobile pour modifier le système phonologique, la grammaire et le vocabulaire de ceux qui apprennent l'anglais, mais la crainte de paraître trop britanniques, trop semblables aux anciens colonisateurs en est un tout aussi bon pour faire obstacle aux progrès. De son côté, l'Asie méridionale a beau offrir à ses ressortissants d'excellentes occasions de s'instruire dans cette langue, ils voudront, pour se faire accepter de leurs pairs, conserver quelques particularités phonologiques qui les feront parler comme les animateurs d'*All India Radio* et non comme ceux de la BBC.

De là, nous en arrivons à la question de la langue standard, des normes linguistiques des manuels scolaires et des modèles, plus déter-minants peut-être, que proposent les médias, écrits ou non, et la littérature.

Il serait peut-être utile de confronter ici la situation générale de l'enseignement et de l'apprentissage de l'anglais avec celle du français. Nombreux sont les professeurs d'anglais langue maternelle ou langue seconde fermement persuadés, non sans raison, que l'anglais est moins bien enseigné que le français et que les utilisateurs de l'anglais se laissent en général moins entraver par le souci de la correction. « Ceux qui parlent et écrivent l'anglais ne laissent guère le respect de la langue faire obstacle à leur désir de s'en servir », concluent Bailey et Görlach (1982: 3). Il est certain en tout cas que les nouvelles et romans des auteurs asiatiques, africains et antillais se caractérisent souvent par un anglais exubérant et débridé dont la créativité égale ou dépasse celle des locuteurs de langue maternelle. On explique cette différence par plu-sieurs raisons. Dans les anciennes colonies, les administrateurs britanniques maintenaient volontiers, entre eux et les colonisés, un écart culturel plus grand que leurs homologues français. S'ils ne l'encourageaient pas beaucoup, ils y toléraient dans une certaine mesure l'enseignement dans la langue du pays. Enfin, les enseignants étaient, et restent, moins certains du modèle à enseigner.

Il n'existe actuellement pas, en ce qui concerne l'anglais, UN modèle admis dont le prestige égalerait celui du français de l'Île-de-France. La prononciation standard décrite par Daniel Jones est une variété fondée sur une classe sociale. Sapée par la démocratisation de l'enseignement que connaît la Grande-Bretagne depuis la Deuxième Guerre mondiale, elle n'est plus l'apanage que d'une très petite minorité, même en Angleterre, et ne fait de toute façon plus figure d'idéal à poursuivre par ceux qui apprennent l'anglais dans les anciennes colonies. On constate au contraire, dans le monde anglophone, l'apparition de plusieurs anglais nationaux qui se distinguent par leur degré de diffusion et de particularisme. En pareil cas, les variétés en concurrence sont acceptables.

J.K. Galbraith fait commencer son « âge du doute » à la fin de la Première Guerre mondiale. Il est aujourd'hui généralement admis que nous vivons à une époque de relativisme qui n'influence pas uniquement l'économie et qu'on peut attribuer directement tant à l'effondrement de l'impérialisme occidental dans le monde qu'à l'européanisation croissante du globe. Avec le recul, la période qui va de la fin du XVIIIᵉ siècle à la fin du XIXᵉ nous apparaît comme celle de la stabilité de la langue anglaise et de son bon usage, celle où la classe moyenne en expansion cherchait dans les écoles et les dictionnaires les règles du beau parler, l'« âge d'or » où les diplômés des grands collèges privés et des grandes universités d'Angleterre parlaient correctement leur langue, l'écrivaient bien et s'en servaient pour assurer les communications et la domination de l'Empire sur de grandes distances, dans de vastes territoires et à l'égard d'une grande diversité de peuples coloniaux.

Si les empires n'ont qu'un temps, il en va de même de leur norme linguistique et des canons de leur littérature. Dans l'usage impérial qu'il fait de l'anglais, l'actuel empire politique américain diffère beaucoup de ce qu'était l'empire britannique, essentiellement parce que sa langue n'est pas l'instrument de classe, de hiérarchisation sociale qui maintenait la population du centre de l'Empire — la Grande-Bretagne — et de ses dominions à une place fixée d'avance. D'autre part, le bilinguisme était très répandu parmi les locuteurs de l'anglais britannique au XIXᵉ siècle, aussi bien au centre de l'Empire où l'influence du latin restait forte que dans les colonies où les administrateurs étaient censés porter un intérêt de lettrés à la langue des autochtones et, si possible, la parler. On ne saurait en donner meilleure preuve que le rôle joué dans les sphères intellectuelles d'Europe par sir William Jones, premier président de la cour du Bengale en 1786, et par ses réflexions perspicaces sur le sanskrit. En revanche, les locuteurs de l'anglo-américain sont résolument unilingues, l'utilité des autres langues leur paraissant aussi peu évidente que les occasions de les parler leur sont nombreuses. La réaction à cet unilinguisme de principe commence à peine à se manifester chez les Américains d'origine hispanique.

C'est le premier changement d'importance apporté à l'organisation politique de l'Empire qui porte, en 1776, le premier coup au monolithisme de l'anglais impérial (ou mandarin). On constate dès lors l'existence, parallèlement à ce mandarin, d'une confédération d'anglais divers tiraillée entre la force centrifuge et la force centripète, entre le maintien d'une norme minimale exigée par la communication internationale et une prolifération de dialectes qui naissent et se développent dans différents contextes culturels. Quand il s'agit de choisir la variété à employer dans les médias écrits ou parlés et dans les écoles, il faut, en raison de la portée supranationale de l'anglais, se tourner non seulement vers celle qui est la mieux comprise au sein de l'État qui l'a choisie comme langue officielle, à l'exclusion ou non d'une autre, mais aussi celle qui aura la plus vaste audience en dehors des frontières du pays. En 1964, Halliday, McIntosh et Strevens proposaient :

> (...) de voir si l'enseignement de telle ou telle variété d'anglais se justifie selon deux critères fondamentaux. Il faut d'abord qu'elle soit effectivement parlée par une partie assez importante de la population, et en particulier de ceux dont le niveau de scolarité fait des modèles souhaitables à d'autres égards (...). Ensuite, que ceux qui la parlent comprennent la variété usitée dans d'autres pays parmi les professions libérales et les gens instruits, et vice versa (p. 296).

Si la définition la plus simple et la plus utile de la langue standard est « la langue comprise par le plus grand nombre », il ne faudrait pas oublier la dynamique sociale qui intervient dans le choix et le maintien de cette variété. D'après Dittmar (1976: 8-9):

> Dans la plupart des sociétés, la langue régie par les normes de la classe dominante (par l'intermédiaire des institutions, de la radio, de la télévision, de la presse écrite, de la littérature, etc.) passe pour la langue standard et, à ce titre, s'enseigne dans les écoles, de ses traits phonologiques de base aux règles qui en gouvernent le sens dans les contextes sociaux. On entend par *langue standard* la variété de discours reconnue, dans une communauté linguistique, comme la forme à adopter pour les

relations sociales en vertu des intérêts des forces dominantes de la société en cause. La légitimation de la norme s'effectue par des jugements de valeur d'inspiration sociopolitique. À côté de la langue standard, il existe dans toutes les sociétés des variétés de discours qu'on peut appeler *dialectes* s'il s'agit de variation régionale et *sociolectes* s'il s'agit de variation sociale (...). Souvent, ces variations sociales et régionales valent à leurs locuteurs un jugement social moins favorable, prononcé en fonction des normes de la variété suprarégionale standard et plus estimée.

Dans la discussion qui va suivre sur l'aménagement linguistique ainsi que sur les doctrines et usages pédagogiques, nous ferons plus d'une fois allusion à cette citation.

Les anglais standard des « anciens » dominions, le Canada, l'Australie et la Nouvelle-Zélande, s'écartent moins des variétés plus vastes — l'anglais britannique et l'anglo-américain — que ceux de l'Asie méridionale, de l'Afrique et des Antilles. Les plus proches des normes britanniques sont les Australiens et les Néo-Zélandais instruits. Leurs langues respectives diffèrent surtout de celle de leurs homologues britanniques par l'accent et certaines lexies qui leur sont propres. De même, les Canadiens instruits se distinguent de leurs homologues américains par leur phonologie ainsi que par un lexique et des idiotismes spéciaux dont la plupart ont fait leur apparition en dehors de toute influence mais dont certains descendent de l'anglais britannique, qu'ils soient de vieille souche ou d'emprunt récent, ou résultent du contact avec le franco-canadien.

L'évolution du statut de l'anglais — et celle, concomitante, des attitudes et des politiques en matière d'éducation — ne pourrait être mieux illustrée que par l'exemple de l'Australie. Jusqu'à la fin de la Deuxième Guerre mondiale, l'Australie parlait l'anglais; sa population était une des plus unilingues du globe. Après la guerre, le pays connut une immigration massive, plus considérable à vrai dire, compte tenu du chiffre de la population d'accueil, que celle dont les États-Unis furent le théâtre au siècle dernier. À l'heure actuelle, un cinquième des Australiens (trois millions sur 15) sont issus d'un milieu non anglophone, et d'après le recensement de 1976, 12,3 % des moins de cinq ans pratiquent régulièrement une autre langue: l'arabe, le néerlandais, le français, l'allemand, le grec, l'italien, le polonais, l'espagnol ou le serbo-croate (Smolicz, 1984: 23; Ozolins, 1984: 2). Entretemps, l'enseignement de la langue a subi une mutation radicale.

C'est en 1788 que les anglophones commencèrent à coloniser l'Australie, encore que les récits des explorateurs aient fait entrer avant cette date des « australianismes » comme *gumtree* (gommier), *throwing stick* (boomerang) et *kangaroo* (kangourou) dans le vocabulaire anglais. En 1834, la population avait atteint le chiffre d'environ 37 000 âmes, dont moins de la moitié descendaient des bagnards. Les dialectes prédominants étaient celui du Sud de l'Angleterre, celui de la ville de Londres et celui du Middlesex; la norme pour l'écrit et l'oral, qui était également un dialecte anglais du Sud, venait d'ailleurs renforcer ces tendances initiales. Il fallait, à ce nouveau territoire, un nouveau lexique pour décrire la flore et la faune indigènes: *kookaburra* (dacélo), *koala*, *dingo*, *coolibah*; les pratiques agricoles: *hay paddock* (enclos à foin); les opérations minières: *cradle* (crible laveur), *pan* (batée), *fossick* (marauder dans les mines d'or); et enfin l'élevage ovin: *outback* (l'intérieur du pays), *heading dog* (chien de berger), *mob* (troupeau). L'anglais australien est dépourvu de *r* et, plus particulièrement pour la qualité des voyelles, on y trouve des différences marquées entre le parler cultivé et les dialectes « rustiques ».

L'instruction gratuite, laïque et obligatoire fait son apparition en Nouvelle-Galles du Sud en 1872 et peu après dans d'autres États australiens, les écoles publiques venant remplacer toute une série d'écoles paroissiales et privées. L'enseignement secondaire, à son instauration, adopte le programme classique anglais et les universités de Sydney (1852) et de Melbourne (1855) s'inspirent des critères d'inscription d'Angleterre. Du même coup, la forte alphabétisation entraîne une dépendance générale envers les écrits britanniques. C'est depuis la Deuxième Guerre seulement que l'enseignement des langues est sorti de sa « phase classique » centralisée, dont le programme se fondait carrément sur des modèles anglais dictés par les besoins de la société anglaise, pour entrer, après une « phase internationale » où l'on enseignait les langues des associés commerciaux d'Asie et d'ailleurs, dans la « phase interne et pluriculturelle » d'aujourd'hui, qui admet l'existence de divers groupes linguistiques en donnant des cours dans leurs langues (Smolicz, 1984: 24-25).

Actuellement, le Comité permanent sur l'éducation, les lettres et les sciences humaines du Sénat australien s'emploie à formuler une politique linguistique coordonnée à l'intention de la nation. Selon toutes apparences, il a en la matière pris le parti, en s'éclairant des connaissances acquises, de considérer la langue comme une *ressource* tout en s'efforçant d'harmoniser et de rationaliser les anciens programmes et en reconnaissant tant la diversité linguistique que la place centrale de l'anglais dans la vie des Australiens.

Le premier dictionnaire complet (si tant est qu'un dictionnaire puisse jamais l'être) de l'anglo-australien a paru en 1982. Cet idiome fait de plus en plus figure de langue nationale en soi et non d'une variété déviante par rapport à l'anglais standard. C'est comme première langue de la plupart des Australiens et seconde langue qu'on étudie son rôle dans la société de même que dans ses rapports avec les groupes linguistiques non anglophones.

La qualité des programmes d'enseignement fait désormais l'objet d'une étude attentive.

> Le Comité a demandé avec insistance aux témoins comment on pourrait améliorer l'enseignement de l'anglais et s'est enquis des dernières théories et méthodes dans le domaine. Il s'est aussi penché sur les questions plus générales de l'alphabétisation et de l'analphabétisme qui, en dépit de l'ampleur de ces champs de recherche, n'ont pratiquement jamais été étudiées en Australie. Étant donné la qualité de l'anglais qu'exige aujourd'hui le système scolaire en particulier et qu'imposent plus généralement le marché du travail, les communications et la sanction sociale, bien des Australiens dont l'anglais est la langue maternelle sont gravement désavantagés (Ozolins, 1984: 5-6).

Il ne semble pas que la Nouvelle-Zélande ait pour l'instant pris la même initiative d'examiner la situation de l'anglais et l'efficacité de l'enseignement. Comme la langue des Australiens cultivés, l'anglais néo-zélandais est une variété sans *r* assez proche de la norme de l'anglais, celle du sud de l'Angleterre. Son système phonologique n'a pas fait l'objet d'une étude exhaustive, mais il semble manifester une certaine tendance à confondre le [I] et le [ə]. S'il a en commun avec l'anglo-australien nombre de termes particuliers, sa créativité s'est exercée dans un domaine assez restreint. Ainsi, il dit *forest line* (limite forestière) comme l'australien mais *bush line* là où l'Australie dit *tree line* (limite des arbres isolés) et *tramping* là où les Australiens parlent de *bush walking* et les Canadiens de *hiking* (grande randonnée). De même, en Nouvelle-Zélande, on parle de *motorway* là où l'on dira *expressway* (voie rapide) en Australie.

Officiellement, la colonie néo-zélandaise a été fondée en 1840 même si des chasseurs de phoques et de baleines s'étaient déjà installés sur ces terres à la fin du XVIIIᵉ siècle. Eaglison fait remarquer que la langue est très homogène dans tout le pays, sans doute parce que la variété nationale s'y est développée très tôt.

La Nouvelle-Zélande s'en est tenue aux critères pédagogiques du Royaume-Uni jusqu'à la Deuxième Guerre mondiale. Pendant le conflit, elle a pu mesurer justement sa vulnérabilité à cet égard: le navire qui transportait les copies d'examen des jeunes Néo-Zélandais en Grande-Bretagne où elles devaient être corrigées et cotées coula. En étudiant les habitudes de lecture de près de 4 000 écoliers peu après la Deuxième Guerre, on découvrit que la forte alphabétisation du pays s'accompagnait d'une dépendance générale à l'égard des écrits britanniques alors que la littérature néo-zélandaise était pratiquement passée sous silence. La situation commence à changer et, en même temps que la littérature prend son essor, la population prend conscience de son identité et cherche à se définir sur le plan de la langue. Les normes britanniques demeurent quand même puissantes et « les Néo-Zélandais, comme les Canadiens, se définissent négativement, expliquant en Angleterre qu'ils ne sont pas Australiens et s'efforçant en Australie de ne pas avoir l'air trop Anglais » (Turner, 1966: 21).

> (...) en principe, la société tout entière tant en Nouvelle-Zélande qu'en Australie professe que l'anglais britannique standard est la seule forme de langue acceptable dans les contextes officiels ou sérieux: enseignement, gouvernement et commerce (Eagleson, 1983: 434). (...) ceux qui jugent insuffisante leur maîtrise de cet anglais affirment néanmoins son importance.

Seul de tous les pays du Commonwealth, le Canada parle une variété américaine d'anglais. Elle se distingue de l'« américain général » par un petit nombre d'unités lexicales spécialisées et quelques différences phonologiques: par exemple, le premier membre de la diphtongue qui s'infléchit vers le haut devant les occlusives sourdes (Chambers, 1979: 177-202; c'est le « *Canadian raising* ») et la distinction vocalique entre *cot* et *caught* qui sont homophones dans la plupart des dialectes américains. Si les premiers colons anglophones étaient Américains comme le reste l'emprise envahissante des médias, l'influence de la Grande-Bretagne continue à se faire sentir, surtout dans le monde universitaire, les arts et les médias. Depuis peu, l'influence du français se manifeste elle aussi beaucoup, non pas tant par les emprunts lexicaux et de tournures, qui sont communs parmi les locuteurs instruits de l'anglais britannique ou américain, que par sa fréquence et ses interférences grammaticales. Certains de nos usages d'inspiration française ont franchi nos frontières. La formule « Air Canada », par exemple, a été imitée par Air New Zealand et Air India mais non par British Airways ou Eastern Airlines. Par ailleurs, les Canadiens instruits auront plus tendance à employer des locutions britanniques ou françaises aux niveaux les plus recherchés de l'échelle stylistique (Avis, 1978: 81). Dans l'écrit, ils opèrent également, entre des formes qu'ils sentent britanniques ou américaines, une série de choix complexes selon la région où ils vivent (Ireland, 1979: 174) et le moyen de diffusion qu'emprunteront leurs écrits. Quand les rubriques d'un journaliste doivent être publiées sous forme de recueil, par exemple, une bonne part de la mise au point préalable consiste à remplacer l'orthographe américaine par l'orthographe britannique.

En ce qui concerne l'attitude des Australiens envers la langue, Turner (1966: 11) déclare:

> (...) Moins l'individu maîtrise l'anglais d'Angleterre, plus il le respecte parce que, comme il en ignore l'histoire et n'est pas en mesure, par manque de formation, d'analyser les phénomènes linguistiques, il l'estime correct et meilleur et croit toutes les autres formes mauvaises (...).

Cette insécurité linguistique est courante parmi les Canadiens, même très scolarisés. Qu'un individu se présente, dans une réunion entre amis, comme professeur d'anglais, et un silence gêné s'installe à moins que quelqu'un ne contre-attaque par une confession: « Je n'ai jamais été très bon en anglais à l'école. »

L'enseignement de la grammaire — par quoi on entend généralement la grammaire scolaire normative et tronquée régie par des règles, de tradition également dans la majorité des écoles américaines (Gleason, 1965: 17 et 76) — suscite sporadiquement des flambées d'inquiétude. Les professeurs d'anglais se plaignent périodiquement que les étudiants entrent à l'université mal armés pour user de la langue écrite selon les critères universitaires. De temps en temps, les futurs étudiants sont soumis, dans des conditions rien moins que favorables, à un examen dont les déplorables résultats sont portés à la connaissance du public. On peut citer à cet égard un exemple fort amusant: il y a quelques années, furieux des critiques portées contre leur enseignement, des enseignants du secondaire mirent les professeurs d'université qui avaient imaginé un de ces examens au défi de s'y soumettre en même temps qu'eux. Les universitaires relevèrent le gant, mais obtinrent de moins bons résultats que leurs collègues du secondaire... Ces amusettes ne font évidemment rien pour combler les graves insuffisances de l'enseignement de l'anglais dans les écoles canadiennes, insuffisances que nous allons maintenant examiner, encore que très fragmentairement.

L'aménagement linguistique n'est pas facile dans un pays où l'éducation est de la compétence des provinces. La recherche, la politique pédagogique et la mise au point du programme d'anglais ne sont pas centralisées. Il n'est pas impossible au pouvoir fédéral de prendre l'initiative et d'implanter des politiques en la matière, les progrès de l'éducation bilingue viennent de nous le prouver, mais jusqu'ici, il se refuse à intervenir dans l'enseignement des langues autochtones et aucune province n'a entrepris pour l'anglais les recherches appliquées que la province de Québec consent pour le français.

Plusieurs provinces anglaises exploitent avec bonheur les ressources dont elles disposent pour l'enseignement de la langue seconde, mais, généralement parlant, celui de la première langue passe pour aller de soi.

Seule une minorité des professeurs diplômés de nos établissements d'enseignement supérieur est bien préparée pour enseigner l'anglais. Les excellentes grammaires issues de *A Grammar of Contemporary English* (Quirk *et al.*, 1972) qu'on trouve actuellement sur le marché leur sont le plus souvent inconnues; ils ne s'inspirent en classe que des manuels pour élèves et professeurs, le plus souvent mal adaptés des manuels américains. Le tableau est moins décourageant du côté de l'enseignement de la littérature.

Les examens ont toujours occupé une place considérable dans les cours d'anglais. Or, l'expérience a prouvé que ce phénomène était nuisible à l'enseignement et à l'apprentissage. Se reportant à l'ouvrage de F.R. Leavis, *Education and the University*, qui a paru en 1943, Palmer (1965: 159) fait remarquer que:

> (…) le système d'examens (…), comme nous le montre M. Leavis, non seulement donne l'avantage aux aptitudes les plus superficielles et les moins pertinentes, mais encore entrave l'apprentissage valable (surtout quand le temps manque) en poussant les élèves et le professeur à conspirer contre l'examen.

Les partisans du retour aux examens finals universels, qui y voient un moyen de faire respecter les critères d'enseignement de la langue, sont cependant nombreux.

Ces dernières années, l'enseignement a souffert, à tous les niveaux, de considérables restrictions budgétaires. Par voie de conséquence, le rapport élèves-maître a monté, avec des résultats particulièrement néfastes dans les cours de langue, les écoles ayant déjà bien du mal à consacrer assez de temps à l'alphabétisation maintenant qu'elles doivent aussi initier leurs élèves aux techniques cinématographiques et informatiques.

Dans la diffusion de la langue standard à travers le pays, la *Canadian Broadcasting Corporation* demeure une arme puissante, mais en décembre 1982, elle a aboli, par mesure d'austérité, le poste de conseiller linguistique pour l'anglais. Les annonceurs y perdent énormément en fait de conseils de même que les auditeurs et téléspectateurs qui pouvaient auparavant lui adresser leurs légitimes doléances sur les fautes d'anglais commises en ondes en pouvant compter qu'il les corrigerait. La perte se fait durement sentir. Il ne faut pas être puriste pour sursauter

quand les annonceurs nous parlent de l'« *enormity of the crowd* » là où
« *enormous crowd* » s'impose. Le « *dais* » et le « *duke* » émaillent
assez rarement la conversation pour que nous puissions supporter
d'entendre prononcer le premier indifféremment / des /, / dez / et
/ dayəs / en l'espace de trois minutes et le second / duwk / à l'américaine, mais nous aimerions bien que les voitures « *career* » la rue (la
descendent à toute allure) au lieu de *careen* (donner de la bande),
que ce soit le « *caucus* » et non le « *caucus meeting* » (l'assemblée du
caucus, autrement dit un joli pléonasme...) qui prenne les décisions et
une expression comme « *a large amount of people* » dépasse vraiment
les bornes. Nous étions plus heureux quand nous pouvions nous plaindre
à quelqu'un.

Le néo-anglais le plus ancien et le plus évolué est celui de l'Asie
méridionale, considéré comme une variété standard divisée en sous-
variétés. Il s'agit de l'anglais de la classe instruite, écrit et parlé en
Inde, à Sri Lanka, au Bangla Desh, au Pakistan, au Népal et au Bhoutan
(Kachru, 1969 : 635-636). L'anglais sud-asiatique prend naissance en
1600 quand la reine Élisabeth accorde sa charte à la Compagnie des
Indes. À partir de 1614, divers groupes de missionnaires créent des
écoles à l'intention des futurs chefs de l'Église et des traducteurs. Par la
suite, ce sont d'éminents dirigeants indiens qui réclameront des écoles
de langue anglaise, notamment le rajah Rammohan Roy qui voit
dans cette langue un lien indispensable avec le monde extérieur et un
moyen de pénétrer dans les cercles intellectuels, artistiques et scientifiques d'Europe. Pendant la domination britannique (1765-1947), l'anglais est le véhicule de l'instruction et de l'Administration. L'année 1857
voit la fondation des universités de Bombay, Calcutta et Madras, taillées
sur le modèle des universités britanniques. Souvent, les étudiants
indiens, et surtout les juristes, vont terminer leurs études en Angleterre
et surpassent même les Anglais dans la maîtrise de leur langue. En
revanche, au siège social des chemins de fer et dans l'Administration,
les employés qui occupent les postes subalternes n'ont souvent qu'une
instruction minimale, tout juste suffisante pour les tâches qui leur sont
confiées.

Le désir de faire de l'hindī la langue nationale en lieu et place de
l'anglais après l'indépendance rencontre une forte résistance, surtout au
Bengale et de la part des populations dravidiennes du Sud. Quand l'État
est le plus gros employeur et que l'examen de la fonction publique est la
clé du marché du travail, la langue de cet examen devient d'une
importance cruciale. Mieux vaut pour l'équité que tous le passent dans
une langue étrangère, l'anglais, plutôt qu'en hindī qui, s'il est la langue

maternelle de certains, est une langue seconde pour ceux qui parlent le benlagī, le tamoul, le malayalam, le telugu ou un autre idiome.

À l'heure actuelle, l'Inde essaie d'implanter une formule trilingue, enseignant dans les écoles l'anglais, l'hindī et la langue régionale. Les problèmes sont énormes. Certaines langues régionales comme le benga-lī, le tamoul et le marathe véhiculent depuis les temps anciens des littératures importantes et considérables qu'il ne faut pas laisser tomber dans l'oubli. Le sanskrit a toujours sa place dans les travaux des érudits. L'hindī a puisé dans le sanskrit pour s'enrichir et faire office de langue nationale, mais ainsi sanskritisé, il diffère tellement de l'hindī courant qu'il représente en fait une nouvelle langue à enseigner en classe. Avant même d'entreprendre l'étude de l'anglais, les Indiens doivent consacrer un temps infini à l'étude des langues.

En ce qui concerne l'enseignement de l'anglais, les chances ne sont pas égales pour tous : les conditions excellentes ici seront lamentables là-bas. Partout, cependant, l'anglais passe pour la clé de l'emploi et d'une meilleure qualité de la vie en général. Le plurilinguisme des Indiens instruits est impressionnant, et, d'après plusieurs enquêtes, ils utiliseraient énormément l'anglais dans les domaines utilitaires : le droit, le commerce, l'Administration (Sridhar, 1982 : 143). L'anglais est la langue officielle de deux États de l'Union indienne, le Nāgaland et le Meghalaya, et d'une bonne part des communications entre les États. Étant donné son emploi abondant et sa maîtrise imparfaite, il a subi une extrême naturalisation et les enseignants s'inquiètent souvent de l'intelli-gibilité de l'« anglais » acquis par leurs élèves. Le vaste lexique spécialisé et le riche répertoire d'idiotismes de l'anglais sud-asiatique peuvent rendre la lecture des journaux incompréhensible pour les étran-gers qui connaissent l'anglais, dont aucun ne saurait d'ailleurs comment écrire à un organisme gouvernemental de manière à s'en faire com-prendre et à le faire agir.

Le système consonantique de la plupart des langues indiennes faisant infiniment plus de distinctions que celui de l'anglais, les locu-teurs indiens établissent souvent, en parlant l'anglais, des distinctions inutiles. Cette hyperdifférenciation, ajoutée aux nouvelles frontières qu'ils établissent entre certaines consonnes et le découpage syllabique de leur intonation, rend le parler courant de bien des Sud-Asiatiques difficile à suivre pour les autres locuteurs de l'anglais.

L'anglais joue un rôle impressionnant dans les moyens de diffusion de l'information. D'après une enquête entreprise par Sridhar parmi les étudiants de l'Inde du Sud ainsi que les employés des secteurs public ou privé, depuis les commis de niveau moyen jusqu'aux membres très instruits des professions libérales, 56 % d'entre eux lisent « toujours » des journaux anglais, 61 % écoutent les bulletins radiophoniques en anglais comme dans leur langue maternelle et 17 % en anglais seulement (1982 : 147). Au début des années 70, 45 % des livres publiés en Inde l'étaient en anglais, de même que 73 % des revues scientifiques et 83 % de toutes les autres revues. Les médias de l'Inde, ses universités et ses établissements techniques jouent aussi un rôle auprès des étudiants d'autres pays du Tiers Monde dont un certain nombre apprend en anglais sud-asiatique ce qu'est la vie en anglais à l'étranger.

Dans les nations multilingues d'Afrique, il n'y a normalement pas de langue vernaculaire assez importante ou plus avancée par rapport aux autres pour s'imposer en bonne logique comme langue nationale ; ils ont donc gardé celle des anciens colonisateurs, le français ou l'anglais. (Le Kenya essaie bien de hisser le kiswahili au rang de langue officielle, mais l'anglais reste très répandu parmi les classes supérieures.) C'est l'anglais qu'emploient par exemple la Gambie, la Sierra Leone, le Libéria, le Ghana et le Nigeria dans l'Administration, l'enseignement, le droit et quantité de domaines officiels ou non ; mais au Cameroun, le français lui dispute à cet égard la part du lion. Prenons ne fût-ce que le cas du Nigeria, où 55 millions de locuteurs parlent quelque 400 idiomes dont les plus importants sont le haoussa (15 millions de locuteurs), le yorouba (10 millions) et l'ibo (six millions). L'anglais est la langue officielle de tous les journaux d'envergure nationale, de la plupart des bulletins et documentaires radiophoniques et de presque toutes les émissions télévisées. Les dossiers de l'État se tiennent en anglais. L'anglais est aussi la langue du corps législatif, des tribunaux, des affaires et des relations sociales. Matière dans les écoles dès la première année, il devient langue d'enseignement en troisième. Enfin, un anglais nigérian standard est en train de se former, caractérisé par un lexique et des idiotismes spéciaux, de petites différences morphologiques et syntaxiques vis-à-vis de la norme britannique, la prononciation orthographique des mots terminés par -mb ou -ng, un système vocalique réduit et une intonation rythmée par les syllabes (Bamgbose, 1982 : 106 et 107). Le Conseil des examens d'Afrique occidentale sanctionne l'apparition d'une langue standard indigène en acceptant certaines formes syntaxiques qui n'ont rien de britannique. L'idiome des locuteurs peut varier, avec toute la gamme des intermédiaires, de l'anglais nigérian standard des classes instruites (qui s'efforcent de ne pas trop parler comme les Britanniques, de peur de paraître snobs ou affectées) au pidgin africain, car ici comme en Asie méridionale, les habitants sont loin d'avoir accès en toute égalité à l'apprentissage de l'anglais.

Les anciennes colonies britanniques des Indes occidentales, pour mieux dire aujourd'hui des Antilles, c'est-à-dire la Barbade, Belize, la Guyane, la Jamaïque, Trinité, diffèrent des pays africains et sud-asiatiques du Commonwealth en ceci que leurs langues vernaculaires sont des créoles à base anglaise. Ces langues, pleinement développées comme le prouvent leurs riches littératures, souffrent cependant d'une discrimination en faveur du britannique ou de l'anglais antillais standard que seule une petite fraction de la population a la possibilité d'apprendre. Ces pays vivent dans une grande insécurité linguistique, voire dans le mépris de soi dans le cas de la classe moyenne qui a réussi à maîtriser une approximation de l'anglais standard. Ces gens redoutent de tomber dans ce que leurs professeurs, tout aussi peu sûrs d'eux, appelaient « parler mal ». Quant à ceux qui n'arrivent pas à posséder l'anglais standard, soit 70 % de la population environ, ils voient leurs compétences mises au rancart, leur avancement social bloqué. La crise de la langue est chez eux, dans toute l'acception du terme, l'image de la crise de la société, de ses institutions économiques, de son système éducatif, de sa structure sociale. Comme le disait Craig (1971 : 375-376) :

> Dans les Antilles, la situation de la langue est intimement liée au développement économique et social. Il faut éduquer d'importantes fractions de ceux qui ne parlent pas la langue standard (soit environ 70 % de la population), et vite, si l'on veut qu'ils s'insèrent dans l'économie moderne; et c'est en anglais standard qu'on essaie d'y arriver, par l'entremise de manuels, d'instructeurs, d'examens, etc. En un sens, la société de chaque territoire est encarcanée dans ses traditions d'anglais standard; l'inaptitude généralisée à l'employer, par contre, engendre un gaspillage croissant dans les systèmes d'enseignement en pleine expansion, et ce gaspillage, les économies faibles ne peuvent se le permettre. Outre qu'ils insistent de plus en plus sur l'intérêt de l'anglais pour la promotion sociale et réprouvent les résultats des examens scolaires (dans presque tous les territoires, le taux d'échec en anglais est de 60 à 80 % à tous les niveaux), les gouvernements font preuve, dans leurs déclarations officielles, de bien peu de perspicacité quant à la vraie nature du problème.

Après ce coup d'oeil superficiel sur les difficultés que donne, dans tant de régimes linguistiques et de cultures, l'intercompréhension des anglais — dont le maintien est à vrai dire la tâche des planificateurs et des éducateurs —, tournons-nous maintenant vers l'oeuvre des écrivains. L'épanouissement d'une littérature est une étape essentielle à l'apparition d'une norme nationale. Ce sont les poètes et les dramaturges, les romanciers, les auteurs de nouvelles et les chanteurs-auteurs-compositeurs qui transmuent la langue d'importation en un langage plus propre à exprimer le vécu et l'idéal d'un peuple.

L'impérialisme de l'anglais atteignit son point culminant au tournant du siècle. En refluant, la vague dévoila deux faits nouveaux : toujours international mais troquant son statut de langue impériale pour celui de langue mondiale, l'anglais acquérait ce qui allait devenir sa place souveraine sur le globe ; par ailleurs, pour se faire entendre au centre, l'anticolonialisme qui se déclenchait dans son empire devait s'exprimer en anglais. C'est dans le cadre de cette contre-attaque qu'on assiste à l'avènement de littératures « nationales » de langue anglaise. Autrement dit, l'anglais endosse un rôle international ou mondial authentique, pour la première fois sans doute au Traité de Versailles, en 1919 ; vecteur de la création du nouveau Commonwealth, il rend toujours service à l'empire qui s'éteint ; il remplit aussi une fonction particulière : celle de donner naissance à des littératures nationales en anglais, hors d'Angleterre, dans le cadre du développement culturel des nouveaux pays du Commonwealth. La situation, pour tout dire, est singulière. Libre aux écrivains néo-zélandais d'écrire et de publier en maori comme en anglais, mais la plupart, que leur langue maternelle soit le maori ou l'anglais, choisissent ce dernier. Passe encore pour la Nouvelle-Zélande, mais que dire de ceux qui, en Afrique ou en Asie, font le même choix ? Leur rôle littéraire n'est pas, comme celui des écrivains néo-zélandais, presque exclusivement national puisque leur public anglophone est assez restreint. Dans leur cas, il est clair qu'ils choisissent l'anglais pour l'audience à laquelle il leur donne accès tout en remplissant le cas échéant, dans un contexte fédéraliste (politique ou linguistique), une fonction nationale.

De toute évidence, le rôle de la littérature de langue anglaise a changé au XXᵉ siècle. Peut-être lui a-t-il été réservé la pénible mission de façonner l'identité culturelle comme elle l'a fait en Angleterre au XVIIᵉ siècle. L'utilité immédiate des littératures est présumément de donner cette identité aux nations de fraîche date. La notion d'utilité, dans ce domaine, n'a jamais été niée ; après tout, Milton a écrit *Paradise Lost* en partie parce qu'à ses yeux, la littérature anglaise ne mériterait pas son nom sans une ou deux épopées nationales ; les victoriens affirmaient souvent sans vergogne que la forme, surtout celle du roman, n'était que le véhicule du message. Néanmoins, tout comme celle d'« âge d'or » temporaire des langues fixées, la notion de littérature « pure » soumise à des normes universelles nous a été imposée par les écrivains de l'époque victorienne, et tout spécialement Mathew Arnold. Parmi les critiques actuels de langue anglaise, la scission la plus profonde oppose ceux qui croient en l'autonomie de la littérature à ceux qui y voient un artefact culturel. Dans les littératures nationales de langue anglaise qu'on voit apparaître, ce désaccord existe entre les théoriciens et les écrivains de métier, les premiers ne faisant parfois qu'un avec les seconds, ce qui ne rend la situation que plus difficile à démêler.

En ce qui concerne l'anglais mondial d'aujourd'hui, le domaine le plus intéressant n'est toutefois pas celui de l'évolution de la langue et de son rôle ni des définitions contradictoires de la littérature, mais les mutations des formes littéraires. Avant de nous pencher sur les éventuelles transformations que le passage de l'ère de l'Empire — une seule langue correcte, une seule littérature — à l'ère du Commonwealth — de nombreuses variétés d'anglais, plusieurs littératures nationales de langue anglaise — a fait subir aux structures littéraires de l'anglais, il nous faut d'abord tenir compte de deux facteurs : tout d'abord des statuts divers des littératures nationales, ensuite de la dualité propre à la langue anglaise et à ses belles-lettres.

Dans toutes les fédérations, tous les éléments sont en même temps égaux et inégaux par le fait de la représentation proportionnelle. Il suffit de constater les tailles respectives des équipes olympiques pour s'en convaincre : si leurs drapeaux ont tous les mêmes dimensions, ce n'est pas le cas des délégations. Il en va de même pour la langue et la littérature. Il existe bien une variété d'anglais et une littérature de langue anglaise qui jouissent d'un statut privilégié, mais parallèlement, toutes leurs variantes réclament, dans certaines régions, leur propre statut d'exception. C'est toujours l'équipe de Grèce qui mène le défilé des athlètes à l'ouverture des Jeux Olympiques. De même, il existe un anglais de prédilection dans les communications internationales et une littérature anglaise classique privilégiée dans l'enseignement, celle qui va, en gros, de 1580 à 1830. Si l'on peut comprendre le bien-fondé de la situation dans le premier cas, le second ne se justifie guère que par de vagues assertions d'ordre culturel, celle par exemple qu'on ne saurait être réellement cultivé sans avoir lu Shakespeare.

De tous les changements subis par la littérature anglaise de 1830 à 1920, le plus important fut la naissance d'une deuxième littérature de langue anglaise. Dorénavant, l'expression de littérature anglaise n'aura plus les mêmes connotations. En 1830, on entendait par là presque tout ce qui avait été écrit en anglais jusqu'alors ; à partir de 1920, seule l'expression « littérature de langue anglaise » peut s'entendre dans ce sens. Et pour que le qualificatif désigne plus que l'origine géographique — littérature anglaise, littérature américaine — il doit suggérer les attributs d'un autre genre de littérature. Il est facile de la caractériser par sa langue, son usage, ses personnages, ses cadres et ses thèmes, mais quand on en arrive aux formes, les différences sont plus subtiles. En avançant que lorsqu'une littérature recourt à un mythe, celui du voyage par exemple, elle le fait à sa façon et que cette façon détermine la structure de l'oeuvre, la mythocritique s'est révélée utile dans cette analyse, mais comme il reste encore à déterminer le rapport entre mythocritique et critique structurale, il nous faut donc nous rabattre sur les thèmes.

S'il est difficile, par exemple, de déterminer en quoi la littérature américaine est américaine, c'est entre autres parce que nous ignorons en quoi la littérature anglaise est anglaise. Nous ne savons pas vraiment sous quels rapports ses structures, modernes ou classiques, la distinguent, ou plus exactement, distinguent l'imaginaire des Anglais. Qu'arrive-t-il, peut-on se demander, quand l'imaginaire des Ibos, des Kikouyous et des Bengali travaille non dans leur langue maternelle et ses formes littéraires mais dans des formes imitées et dans une langue seconde ? Quelle est la valeur, en latin, des poèmes latins de Milton ? Et qu'est-il arrivé, après tout, quand l'imaginaire des Anglo-Saxons a dû s'exprimer dans un mélange de moyen-anglais et de franco-normand en même temps que dans des formes littéraires non inhérentes à l'anglais ?

Mieux vaut pour commencer admettre que l'anglais, à l'origine, était une langue « mixte », un compromis concédé par les Anglo-Saxons qui durent « assimiler de force » le franco-normand après la conquête de 1066. On ne peut qu'admirer la ténacité des constructions initiales du vieil-anglais, leur faculté de s'accommoder d'un poids de plus en plus lourd de termes romans : français, italiens et surtout latins. Il faut aussi reconnaître que les anciennes structures littéraires d'avant la conquête normande — et par structures, nous entendons bien sûr les structures profondes, non les formes superficielles comme celle du sonnet — ont fait preuve de la même ténacité. Se pourrait-il que le côté anglais de la littérature anglaise soit fondamentalement une dualité d'origine historique, peut-être même une créolisation, une importation de formes nouvelles ? La preuve de cette dualité pourrait bien résider dans l'histoire et la nature réelles de la littérature anglaise qui, en vérité, a toujours été double, une de ses faces demeurant dans l'ombre pendant que l'on glorifiait l'autre. Aux éléments populaires réprimés se sont alliées les formes raffinées traditionnelles. La littérature de Londres (puisqu'il faut bien l'appeler par son nom) a fleuri après avoir étouffé les autres traditions littéraires des îles Britanniques, d'abord dans les « provinces » puis au pays de Galles, en Écosse et en Irlande, précisément comme l'anglais de Londres effaça les langues indigènes de ces contrées. Ce faisant, la langue et la tradition littéraire n'en assimilèrent pas moins à leur façon les éléments mis en veilleuse, comme semblent d'ailleurs l'avoir fait la plupart des langues et des littératures d'Europe.

Quand l'anglais et les lettres anglaises franchirent l'océan, les voix ainsi étouffées reprirent la parole, si bien qu'en fin de compte, ce qui distingue au plus profond la littérature américaine de l'anglaise, c'est une relation réciproque entre la dualité de la tradition littéraire anglaise et l'intégration de l'expérience et de la vision américaines dans la littérature américaine. Cette dernière, toutefois, comme toutes les nouvelles littératures de langue anglaise, a fait appel à la partie réprimée de la tradition littéraire anglaise. Autrefois, pour qualifier deux types de littérature américaine, on opposait celle des « Visages Pâles » à celle des « Peaux Rouges », mais on pourrait classer sous ces étiquettes les traits dominants d'une part de la littérature anglaise et d'autre part de la littérature américaine. Rien d'étonnant, dans ces conditions, si les nouvelles littératures ont tendance à l'utilitarisme ; elles sont plus proches des réactions populaires que la littérature anglaise en ce sens qu'elles en ressuscitent la tradition populaire, notamment par une forte tendance à puiser au folklore. Souvent, le cadre de leurs pièces ou de leurs romans est la cuisine familiale alors que dans la littérature anglaise, la cuisine n'est que le domaine de la domesticité et, sauf si l'oeuvre est « provinciale », intervient plus pour ses effets comiques que dans les scènes tragiques.

Ce qu'il nous faudrait savoir, c'est si la tradition littéraire anglaise dans son ensemble change par suite des nouveaux rôles qu'elle endosse, de l'évolution de la langue et de l'apparition de nouvelles traditions littéraires nationales. Comme nous avons voulu démontrer ici que non seulement la langue, mais la littérature (dans ses mythes et ses structures) sont dans un état de fluctuation, la solution de facilité consisterait à conclure que, de nos jours, on peut écrire n'importe quoi en anglais en toute impunité. Ce ne serait peut-être pas très loin de la vérité. Après tout, Taban Lo Liong du Kenya n'appelle-t-il pas ses esquisses non « fictions » mais « fixions », suggérant par là qu'il précipite ses lecteurs non dans le rêve, mais dans le mensonge ? Nous analyserions ces oeuvres avec une plus grande tranquillité d'esprit si nous connaissions la structure de l'« esquisse » mais, comme tant d'autres termes employés par la critique, il est pratiquement dépourvu de sens. Tout ce qu'il évoque, c'est l'essai de noter rapidement un projet à intégrer plus tard dans une oeuvre plus longue qui, celle-là, se présentera sous une forme reconnaissable et « convenable », un roman par exemple. Il n'est peut-être pas normal que nous en sachions si peu sur la nature de l'esquisse, surtout au Canada mais aussi ailleurs au Nouveau Monde, car l'esquisse au crayon, en peinture, a des rapports intimes avec le portrait à la plume des temps héroïques, et l'on pourrait prétendre que notre tradition indigène tout entière, en ce qui concerne la fiction en prose, est issue de ces premières « esquisses » comme l'est sans doute notre peinture, mais nous n'en connaissons sans doute pas assez sur les structures littéraires, et surtout celles de la prose, pour pouvoir l'affirmer.

En tout cas, un grand sens du jeu se fait jour tant dans la langue que dans la littérature. Jouant avec bonheur sur les nuances qui séparent l'ivrogne de celui qui boit sec, Amos Tutuola combine les mots de *drunkard* et de *drink hard* dans son premier roman intitulé *The Palm-Wine Drinkard*. Le sentiment général semble être que les ressources structurales de la langue et des traditions littéraires anglaises peuvent supporter sans s'en porter plus mal tous les mauvais traitements que voudront leur infliger les écrivains et locuteurs de l'un quelconque des anglais qui prospèrent aujourd'hui. Tant de confiance est peut-être mal placée, mais entre-temps — en attendant que la langue explose définitivement en plusieurs formes nouvelles, comme ce fut le sort du latin — il serait bon d'étudier la situation actuelle.

S'il est un signe évident des grands changements subis par la littérature de langue anglaise à l'approche de l'ère post-impériale, c'est bien le nom des personnages et des lieux. On peut lire, à la deuxième page de *The River Between*, de Ngugi wa Thiong'o : « (...) Kikouyou et Wumbi y séjournèrent avec Murungu sur la route de Mukuruwe wa Gathanga » (1965 : 2). À première vue, cette phrase a l'air de nous renseigner sur deux personnages puisque les noms figurent dans un roman, mais tel n'est pas le cas. Ce qu'on nous apprend, c'est le nom du père et de la mère fondateurs de la tribu des Kikouyous, non pas dans un dessein anthropologique mais aux fins de la fiction.

Cette information intervient de trois façons dans l'oeuvre : elle explique l'antagonisme ancestral qui règne entre les deux villages où se passe l'action : elle oppose ironiquement l'unité père-mère à cet antagonisme et donne à entendre que le héros du roman est un messie, donc, en ce sens, le fils des père et mère de la tribu. Dans un des premiers chapitres de *La Petite Dorrit* de Dickens, on peut lire : « Il y a trente ans se dressait, à quelques portes de l'église de Saint-Georges, dans le quartier de Southwark (...) la prison de Marshalsea » (1967 : 97). Cette phrase aussi présuppose chez ses lecteurs un certain acquis culturel : pour la comprendre, ils doivent savoir ce que sont une prison et une église (dont le Kenya primitif ne connaissait rien), ne pas ignorer que le quartier de Southwark est à Londres, en Angleterre, et que les églises chrétiennes portent souvent des noms de saints. Mais si la majorité de ceux qui lisent l'anglais dans le monde d'aujourd'hui n'est ni chrétienne ni anglaise, il est certain que ces allusions réclament des commentaires. Est-il sûr que tous les lecteurs actuels ont conscience de ce que représente saint Georges? Les données de cette phrase interviennent dans l'intrigue et dans le symbolisme du roman: c'est à l'église que se passera la dernière scène, le mariage de la petite Dorrit. De plus, à ce stade comme dans toute l'oeuvre, saint Georges doit évoquer le dragon qu'est la prison de Marshalsea sans oublier, évidemment, que l'héroïne est la « sainte » à peine humaine du roman.

Si nous comparons ainsi deux romans de langue anglaise publiés à plus d'un siècle d'intervalle, c'est que, visiblement, Ngugi et Dickens recourent, dans la forme littéraire choisie, à des techniques analogues. On peut en conclure, ou que le roman est très semblable dans les années 1960 à ce qu'il était en 1850, ou que la technique de Ngugi est démodée. Cette seconde hypothèse est celle qu'on pose le plus souvent, car on constate qu'à leur apparition, les nouvelles littératures de langue anglaise ont tendance à imiter des formes anciennes empruntées au trésor central de la littérature anglaise traditionnelle, sans doute en raison de l'inévitable retard pris par l'enseignement dans les colonies. Ainsi, jusqu'après la Deuxième Guerre, les cours de littérature anglaise s'arrêtaient à 1830 dans les universités néo-zélandaises, ce qui ne pouvait manquer de se répercuter sur les futurs écrivains.

On pourrait cependant avancer une autre explication: celle que les nouveaux écrivains de langue anglaise, ceux qui ont appris l'anglais dans un contexte colonial ou postcolonial, préfèrent en réalité s'inspirer des formes anciennes. On peut dire, par exemple, que le roman australien n'est sorti de sa période Dickens qu'après 1973, c'est-à-dire après que Patrick White eut reçu le prix Nobel. Ainsi légitimés, les jeunes romanciers écrivirent désormais leurs oeuvres de fiction en prose dans des formes beaucoup plus libres. En se libérant du modèle d'autrefois — celui du roman « bien fait » —, cette forme littéraire achève la révolution déclenchée par les écrivains des XVIIIᵉ et XIXᵉ siècles qui jugèrent tout à coup la vie des gens ordinaires digne de leurs oeuvres et susceptible de prendre, dans le cadre formel du roman, une allure héroïque. Il ne fait aucun doute que ce qui trouble le plus le reste du monde dans la civilisation d'Europe occidentale, c'est son sens aigu de la valeur de l'individu qui peut se révéler particulièrement grisant pour ceux qui apprennent à écrire l'anglais alors qu'ils vivent sous un régime tribal. Les romans africains de langue anglaise se caractérisent essentiellement d'abord par la volonté de ne pas se dégager de l'intrigue, ensuite par le désir de créer des héros dont l'évolution intérieure (introspection, doutes, craintes) occupe au moins autant de place que les actes ; ce dernier trait les différencie nettement des personnages du folklore tribal qui doivent leur statut de héros à leur ruse ou à leurs exploits matériels (et d'ailleurs souvent à leurs proportions physiques). Si les romanciers africains contemporains et les autres littératures très récentes de langue anglaise préfèrent la forme ancienne du roman, c'est que l'intrigue — et les intrigues — qu'elle suppose se retrouvent dans la littérature orale de ces peuples ; les courtes formes orales peuvent se prolonger à l'infini dans le roman sans trame précise ou structuré en épisodes et les héros physiquement agissants se transformer en personnages contemporains vraisemblables en proie à une vie intérieure intense. Ce à quoi ces écrivains touchent rarement, en revanche, c'est à la forme du roman elle-même, comme le font par exemple Ethel Wilson dans *Swamp Angel*, Sheila Watson dans *The Double Hook* ou A.M. Klein dans *The Second Scroll*. Si le symbole et la métaphore structurale pointent parfois, ils sont rarement exploités avec rigueur.

Ce n'est pas critiquer les romanciers africains que de constater le sort qu'ils font à la tradition du roman anglais. S'ils n'agissent pas en avant-garde de l'innovation formelle mais en arrière-garde de la convention, c'est peut-être en partie parce qu'ils souffrent mal les éléments les plus excentriques et les plus instables de l'autonomie personnelle ou de la liberté individuelle totale, si fréquentes dans la fiction contemporaine. La liberté et la responsabilité individuelle des romans occidentaux doivent révolter ou gêner les auteurs issus d'une société tribale, d'une famille polygame et d'une nation naissante. Les écrivains africains sont fortement pénétrés de leurs devoirs envers leur public d'Afrique, comme l'a déclaré il y a 20 ans Chinua Achebe dans un article intitulé « Le romancier professeur ». C'est toujours à ce credo, qui reste à cette heure le seul vrai manifeste des romanciers africains de langue anglaise, que s'en tiennent ses collègues.

Dans cette optique, s'ils goûtent fort l'effet assez immédiat que le roman leur permet de faire sur le public, c'est vers une de ses autres possibilités qu'ils se tournent, apparue, celle-là, avec l'essor du genre au XVIIIᵉ siècle — celle de mettre en scène des héros sensibles portés à l'introspection, pour cerner et peut-être représenter la condition intérieure de leur société. Diagnostiquant les maux de leur civilisation, ils les exposent dans leurs oeuvres dans l'espoir de les guérir, un peu comme le fit en son temps *La case de l'oncle Tom*.

Pour poser ce diagnostic, ils font notamment appel à la religion. D'après une thèse récente de Mary Ann Hawkes, la fréquence des allusions à Dieu dans les nouvelles antillaises, indiennes et africaines de langue anglaise est plus forte que dans les oeuvres contemporaines équivalentes d'Amérique du Nord. Dieu, dans ces fictions, a une double utilité : il peut amorcer ou clôturer l'action prévue par un événement que les personnages ne peuvent s'expliquer que par son origine extra-humaine, ce qui, vraisemblablement, reste acceptable au sein d'une société où les croyants restent majoritaires, et surtout, jouer son rôle dans les réflexions des protagonistes qui peuvent ainsi extérioriser leur agitation intérieure par des questions comme : « Dieu existe-t-il ? », « Dieu m'aime-t-il ? » et tout particulièrement : « Pourquoi Dieu m'a-t-il fait ça ? » et non : « Pourquoi cela m'arrive-t-il ? » De toute évidence, la société africaine pourrait être qualifiée de préfreudienne dans son refus d'expliquer par la psychologie les mobiles et les actes des hommes. Toutefois, parler ainsi, c'est présumer qu'elle finira par intégrer Freud dans sa conscience profane, comme ce fut le cas en Occident, ce dont on peut douter. Il est beaucoup plus probable que Freud sera un jour considéré comme significatif pour les Européens de l'Ouest à l'exclusion du reste de l'humanité.

Freud, vous étonnerez-vous, Freud, manifestation régionale et non universelle ? Et pourquoi pas ? En resserrant ses frontières, le monde nous fait constater nos singularités, et notamment celle de supposer, dans notre impérialisme aveugle, que ce qui opère pour nous doit en faire autant pour toute notre espèce. Pour reprendre un argument cité plus tôt, c'est en découvrant précisément qu'à notre manière, nous sommes aussi « différents » que toute autre culture du globe, que nous dégagerons mieux les traits distinctifs de notre culture dans le contexte mondial. Nous pourrons définir la qualité de notre littérature — y compris l'étrangeté de ce qui y est considéré comme acquis (l'« église de Saint-Georges », par exemple) — en fonction du monde et nous cesserons de juger les autres en fonction de la nôtre. Nous ne pourrons plus nous contenter de qualifier la littérature africaine de didactique, nous devrons nous faire à l'idée d'Achebe, celle que le romancier africain de langue anglaise étant un rouage de sa société comme tous les autres artistes des civilisations africaines, il a une tâche bien précise à effectuer. Sommes-nous si certains du rôle que jouent chez nous Margaret Atwood ou Margaret Laurence ?

Pour comprendre les métamorphoses opérées par la tradition littéraire anglaise sous la plume d'écrivains éparpillés aux quatre coins du globe, il nous faut en savoir bien davantage sur cette tradition — sur la nature de ses structures plus que sur son histoire — et prendre bien conscience du sens des termes que notre critique applique à ces nouvelles littératures, en particulier quand nous les qualifons de démodées et les jugeons de structure simple.

Le roman africain moderne de langue anglaise semble victorien à trois égards au moins: il est ouvertement didactique, use arbitrairement de l'intrigue dans le récit, surtout dans le dénouement, et fait fréquemment allusion à la religion. Victorien, il l'est aussi sous un autre rapport, sans qu'on s'en rende toujours compte: il essaie, l'estimant nécessaire au sens de l'identité culturelle de la société dont il émane, de faire revivre le passé. Ce dessein, à coup sûr, n'était pas étranger à Scott, Thackeray, George Eliot, Dickens ou Hardy. On pourrait prétendre que sur les quatre plans, Ngugi et Dickens montrent des similitudes parce que leurs sociétés se ressemblent: là où le roman de Ngugi met en scène un héros qui sera le « messie noir » de son peuple, Dickens fait une « sainte » de sa petite Dorrit parce que les deux cultures font crédit aux saints et aux messies.

En fait, le sort de la tradition littéraire de langue anglaise sur la scène mondiale semble l'exact contraire de celui de la langue. Si celle-ci connaît une différenciation multiforme, la première manifeste la force des formes anciennes et refuse le divorce entre littérature et société qui naît de l'excès d'autonomie accordée à l'oeuvre d'art. Son effet, en réalité, est de contenir la prolifération des formes et des structures.

Face à cette situation, la critique occidentale réagit souvent en décrétant que le roman africain de langue anglaise est « simple », en fin de compte, alors qu'il est évidemment « complexe » en Occident. Dans leur récente étude de l'oeuvre de Ngugi, *Ngugi wa Thiong'o: An Exploration of his Writings*, David Cook et Michael Okenimkpe adoptent une attitude défensive quand il est question du style du romancier. Tout en prétendant qu'en raison de sa simplicité, ses livres ne sont pas d'une lecture « difficile » ni « laborieuse », ils reconnaissent que ses phrases courtes (si courtes qu'il y en a fréquemment autant que de lignes dans le paragraphe) sont « concentrées » et « souvent grammaticalement complexes ». Le style de Ngugi leur suggère également d'autres commentaires: l'attaque des phrases, disent-ils, est très variée, l'auteur ménage ses effets par des questions de pure forme. Ils refusent toutefois de regarder en face le vrai problème, qui réside en fait dans leur esprit. Dans notre société, les termes de « simple » et de « complexe » sont chargés de connotations: « simple » évoque la campagne, « complexe » la ville. Il est donc tout naturel (voire indiqué) que les auteurs africains adoptent un style simple. Les deux critiques auraient mieux fait de parler plutôt de « court » et de « long », mais ils n'ont pas pu, parce que nous connaissons mal l'interaction des unités brèves et des unités longues dans l'analyse structurale.

Ici encore, il est donc utile de considérer l'anglais comme un phénomène mondial, non seulement pour essayer de saisir ce qui se passe dans cette langue sur notre planète, mais pour comprendre où nous nous situons nous-mêmes par rapport à ce phénomène, pour constater la singularité de la tradition littéraire anglaise et surtout celle de la situation canadienne. De tous les pays du Commonwealth (dont la langue officielle est l'anglais, comme on le voit aux Jeux du Commonwealth), seul le Canada possède deux langues fédérales. En admettant que le statut et la force actuelle de l'anglais comme langue mondiale et langue littéraire mondiale procèdent du métissage, autrement dit du contact entre l'anglo-saxon et le franco-normand, que pourra-t-il bien sortir du contact permanent entre les deux langues fédérales du Canada?

Bibliographie

AVIS, Walter S. (1978), « Canadian English in its North American Context », dans: Thomas Vincent, George Parker et Stephen Bonnycastle, *Walter S. Avis: Essays and Articles*, Kingston (Ont.), Royal Military College of Canada.

BAILEY, Richard et Manfred GÖRLACH (1982), *English as a World Language*, Ann Arbor, University of Michigan Press.

BAMGBOSE, Ayo (1982), « Standard Nigerian English: Issues of Identification », dans: Braj Kachru (éd.), *The Other Tongue*, Urbana, University of Illinois Press.

BROWN, Lalage (1973), *Two Centuries of African English* (African Writers Series, n° 132), Londres, Heineman Educational Books.

CHAMBERS, J.K. (éd.) (1979), *The Languages of Canada*, Montréal, Didier.

COOK, David et Micheal OKENIMPKE (1983), *Ngugi wa Thiong'o: An Exploration of His Writings*, Londres, Heineman Educational Books.

CRAIG, Dennis R. (1982), « Toward a Description of Caribbean English », dans: Braj Kachru (éd.), *The Other Tongue*, Urbana, University of Illinois Press.

DICKENS, Charles (1967 [1857]), *Little Dorrit*, Harmondsworth, Penguin Books.

DITTMAR, Norbert (1976), *Sociolinguistics: A Critical Survey of Theory and Application*, Londres, Edward Arnold.

FISHMAN, Joshua A., Robert L. COOPER et Andrew W. CONRAD (1977), *The Spread of English*, Rowley (Mass.), Newbury House.

GLEASON, H.A. Jr. (1965), *Linguistics and English Grammar*, New York, Holt, Rinehart and Winston.

HAUGEN, Einar (1979), « The Stigmata of Bilingualism », dans: J.B. Pride (éd.), *Aspects of Language Learning and Teaching*, New York, Oxford University Press.

HALLIDAY, M.A.K., A. McINTOSH et P. STREVENS (1964), *The Linguistic Sciences and Language Teaching*, Londres, Longmans Green.

HAWKES, Mary Ann (1984), « Silent as Light: The Use of the Supreme Divinity in Selected Commonwealth Short Stories », University of Saskatchewan Masters' Thesis.

IRELAND, Robert John (1979), *Canadian Spelling: An Empirical and Historical Survey of Selected Works*, inédit, York University.

KACHRU, Braj (1969), « English in South Asia », dans: Thomas A. Sebeok (éd.) *Current Trends in Linguistics*, La Haye, Mouton.

_____ (1982), « South Asian English », dans: Richard W. Bailey et Manfred Görlach (éds), *English as a World Language*, Ann Arbor, University of Michigan Press.

_____ (éd.), (1982), *The Other Tongue*, Urbana, University of Illinois Press.

LABOV, William (1972), *Sociolinguistic Patterns*, Philadelphie, University of Pennsylvania Press.

NGUGI wa Thiong'o [NGUGI, James] (1965), *The River Between*, dans: « African Writers Series », n° 17, Londres, Heineman Educational Books.

OZOLINS, Uldis (1984), « Language Planning in Australia: The Senate Inquiry into Language Policy », dans: *Language Planning Newsletter*, vol. 10, n° 1, pp. 1-7.

PALMER, David John (1965), *The Rise of English Studies*, University of Hull, Oxford University Press.

ROBERTSON, R.T. (1977), « The Multicultural Commonwealth », dans: *Summary of Proceedings of « Francophonie et Commonwealth, Myth or Reality »* Université Laval, Québec, Centre québécois de relations internationales.

SMOLICZ, J.J. (1984), « Minority Languages and the Core Values of Culture: Changing Policies and Ethnic Response in Australia », dans: *Journal of Multilingual and Multicultural Development*, vol. 5, n° 1, pp. 23-41.

SRIDHAR, Kamal K. (1982), « English in a South Indian Urban Context », dans: Kachru, Braj, *The Other Tongue*, Urbana, Illinois University Press.

TURNER, G.W. (1966), *The English Language in Australia and New Zealand*, Londres, Longmans.

VII

La crise de l'allemand *

par Helmut Glück (Université d'Osnabrück) et
Wolfgang Sauer (Université de Hanovre)

---

* Traduit de l'allemand par la Direction de la traduction du ministère des Communications, révisé par Joseph Pattee et Jolanthe Remmert Laporte.

Avant-propos

En Italie, comme l'écrivait en 1965 l'important metteur en scène, auteur et philologue amateur P.P. Pasolini, il n'y a aucun observateur linguistique qui fasse des recherches sociolinguistiques sur une base régulière, systématique et intensive et qui puisse nous prédire à intervalles fixes ce que devient la langue, à la manière des rapports météorologiques qui nous informent à l'avance sur ce que sera le temps. En Allemagne, nous avons de pareils météorologues en matière de langue. Ils n'observent pas seulement comment évolue la langue: ils savent également, sans observation, comment elle évoluera si l'on ne prend pas dès maintenant en considération leurs exhortations, leurs avertissements et leurs verdicts: elle court à la catastrophe. De ce point de vue, ces observateurs linguistiques ne sont plus comparables aux météorologues: en effet, un météorologue qui prophétiserait de manière automatique pluie, grêle et tempête perdrait assez rapidement son emploi. Mais même une comparaison avec les astrologues — le rapprochement est facile — serait boîteuse: il existe là aussi une chance pour que l'avenir soit positif — autrement personne n'aurait recours à leurs services. Avons-nous alors affaire à des Cassandres, à des flagellants qui entendent sauver le monde en retardant la dégénérescence de la langue? Même pas! Ces pénitents s'imposent un châtiment à eux-mêmes, tandis que nos météorologues de la langue infligent toujours des coups aux autres, aux tutti quanti, à la majorité composée d'idiots; de surcroît, ils occupent généralement des postes très confortables, ceux de professeur, de journaliste de pointe ou de politicien. Nous ne nous contenterons pas de parler de cette confrérie curieuse que constituent les sauveurs de la langue; nous nous efforcerons aussi de présenter sous leurs angles les plus différents les discussions entourant la crise de la langue. Nous serons alors à même de constater qu'il existe des points de vue plus sérieux que ceux de tels sauveurs, tant sur le plan linguistique que politique. Pour montrer à nos lecteurs non allemands dans quels contextes se situent les réflexions et polémiques à l'intérieur du domaine linguistique allemand, nous consacrerons le premier chapitre à un tableau de la situation politique (et culturelle). Par la suite, nous traiterons des aspects linguistiques de l'allemand parlé et écrit au sens strict. Nous consacrerons la section « Critique de la langue et politique linguistique » à l'analyse de l'évolution actuelle de la langue, puisque les discussions idéologiques tatillonnes qui ont pour objets les phénomènes linguistiques constituent l'aspect le plus important de la critique linguistique au cours des 10 ou 15 dernières années. Nous ne traiterons pas séparément de thèmes classiques comme « la langue des médias, de la publicité, de l'Administration » mais nous en parlerons quand le contexte s'y prêtera. Nous procéderons de la même manière en ce qui a trait au parler dialectal et à l'évolution de l'allemand en République démocratique allemande. Nous parlerons alors à maintes reprises des problèmes liés à l'utilisation des mots étrangers et des vocabulaires spécialisés.

Sous le titre « Nouvelles crises linguistiques ? », nous traiterons de quelques tendances évolutives qui ont fait, certes, l'objet de nombreux écrits mais qui, selon nous, ont toutes les chances d'être à l'origine d'une nouvelle crise de la langue.

Plus loin, nous présenterons un résumé de toutes les mesures institutionnelles ayant pour objet la défense, la préservation et l'amélioration de la langue allemande.

Quelques remarques seront présentées en conclusion afin de mieux préciser notre position face à la crise de la langue allemande.

Dans notre exposé, nous nous limiterons, dans la mesure du possible, aux plus récents développements. Les aspects historiques de l'établissement de la norme linguistique actuellement en vigueur, ceux de l'usage linguistique ainsi que les débats antérieurs portant sur la norme linguistique sont traités en détail par Gessinger et Glück (1983).

I. Cadre général : questions allemandes

I.1 Géographie linguistique et division politique

L'allemand est aujourd'hui la langue maternelle de près de 100 millions d'êtres humains. De ce nombre, 80 % habitent dans les deux États allemands : la République fédérale d'Allemagne (R.F.A.) et la République démocratique allemande (R.D.A.). L'allemand est l'unique langue officielle de la République d'Autriche et de la principauté de Liechtenstein.

Dans la Confédération helvétique et dans le grand-duché de Luxembourg, l'allemand est une des trois langues officielles égales en droits.

L'allemand est une langue minoritaire avec statut officiel de langue administrative dans certaines régions de Belgique (Eupen, Saint-Vith) et de la République italienne (Tyrol du Sud).

Enfin, l'allemand — sous une forme dialectale — est parlé par une partie de la population de l'Alsace et de la Lorraine et par une minorité vivant dans la région frontalière entre la R.F.A. et le Danemark.

La plupart des pays d'Europe de l'Est comptent une population germanophone relativement importante, même si la proportion de germanophones par rapport à l'ensemble de la population a fortement diminué après la Deuxième Guerre mondiale, cette tendance se poursuivant depuis. En U.R.S.S., en Tchécoslovaquie, en Roumanie, en Pologne, en Yougoslavie et en Hongrie, on compte environ 2,5 millions de personnes de langue maternelle allemande et s'exprimant dans les divers dialectes de l'allemand. Dans la plupart des cas, ces minorités ont des journaux et des revues rédigés en (haut-)allemand ainsi que leurs propres programmes de radio et de télévision. Le statut officiel de l'allemand dans ces pays varie d'un endroit à l'autre.

On trouve également des groupes importants de germanophones dans la plupart des pays des deux Amériques ainsi qu'en Australie, en Namibie et dans la République d'Afrique du Sud.

Dans cet article, nous nous limiterons à la « crise de la langue » dans les deux États allemands, où vit la grande majorité des germanophones et dont les institutions culturelles et sociales sont déterminantes dans l'évolution de la langue allemande. La situation dans la République d'Autriche, dans la Confédération Helvétique, dans le grand-duché de Luxembourg et dans les autres pays mentionnés ne se comprend souvent qu'à travers celle des deux États allemands. Les phénomènes propres à ces pays nécessiteraient une étude spéciale et doivent être ici laissés de côté.

Nous voudrions maintenant parler brièvement de la complexité politique qui caractérise les relations entre les deux États allemands et discuter de quelques questions terminologiques qui reflètent bien la situation actuelle.

La R.F.A. compte (1981) 61,7 millions d'habitants, dont environ 4,7 millions (environ 7,8 %) sont des immigrants d'Europe du Sud (principalement des Turcs, des Kurdes, des Grecs, des Macédoniens, des Albanais, des Serbo-Croates, des Italiens, des Espagnols et des Portugais). La minorité danoise et frisonne au nord (Schleswig) est faible numériquement (respectivement 30 000 et de 5 à 10 000 personnes) et jouit de garanties quant à ses droits linguistiques et culturels. Les quelque 30 000 Tsiganes ne jouissent pas de tels droits. Juridiquement, la ville de Berlin (Ouest) ne fait pas partie de la R.F.A. mais elle entretient avec cette dernière des liens politiques et économiques très étroits. Berlin (Ouest) ne possède qu'une autonomie restreinte, elle a toujours le statut de ville occupée par les quatre puissances alliées victorieuses en 1945. Le « Land de Berlin » n'est représenté au Parlement de la R.F.A. — le *Bundestag* — que d'une manière formelle : les voix des parlementaires berlinois sont comptées à part et n'influencent pas les décisions du Parlement.

La R.D.A. compte (1980) 16,7 millions d'habitants, 99 % d'entre eux étant germanophones. La minorité sorabe (dans le sud-est du pays, dans les districts de Cottbus et de Karl-Marx-Stadt) compte entre 50 000 et 60 000 personnes. Elle jouit de la protection garantie aux minorités par la Constitution. Le statut de la capitale de la R.D.A. (Berlin-Est) est controversé. Selon l'interprétation occidentale, Berlin (R.D.A.) (tout comme Berlin-Ouest) a un statut de ville occupée ; selon l'interprétation des pays de l'Est, Berlin (R.D.A.) fait partie intégrante de la R.D.A. Les députés de Berlin (R.D.A.) ont les mêmes droits que les autres députés au Parlement de la R.D.A., la Chambre du Peuple (*Volkskammer*). La situation des deux parties de Berlin provoque périodiquement des conflits politiques internationaux.

La situation politique confuse de l'Allemagne, qui détermine également toutes les données culturelles, ne peut être comprise sans un bref rappel de l'histoire récente. La R.F.A., qui compte aujourd'hui 10 *Länder* (11 avec Berlin-Ouest), fut fondée en juillet 1949 en tant qu'état fédéral partiellement souverain et ce, avec l'accord des puissances alliées d'occupation, à la suite de la réforme monétaire qui eut lieu dès l'été 1948 dans les zones d'occupation alliées et qui mit fin à l'unité politique et financière avec la zone soviétique. La R.D.A. a été fondée en octobre 1949 en réaction à la création de l'État occidental. Le territoire de la R.F.A. couvre les zones autrefois occupées par les États-Unis d'Amérique, la Grande-Bretagne et la France ; le territoire de la R.D.A., celle qui était occupée par l'Union soviétique.

Berlin, l'ancienne capitale du Reich, fut alors séparé en deux. La R.D.A. est, depuis sa fondation, un état avec administration centralisée dont les institutions sont concentrées à Berlin. La partie est de la ville est considérée aussi comme la « capitale de la R.D.A. ». Les décisions politiques sont ainsi prises essentiellement à Berlin-Est et ce, dans les domaines aussi bien culturel qu'éducatif. La R.F.A. est un état fédéral dont la capitale est Bonn.

La conception fortement fédéraliste qui prévaut en R.F.A. fait que les politiques culturelle et scolaire sont du ressort exclusif des *Länder*. Les ministères fédéraux centraux (ministère de l'Éducation et des Sciences, ministère de la Recherche et de la Technologie) n'ont d'influence sur la politique culturelle des *Länder* que dans des domaines limités: cette situation engendre occasionnellement des conflits de compétence ou de programmes politiques, particulièrement lorsque le gouvernement d'un *Land* est formé par un parti qui se trouve dans l'opposition à l'échelle fédérale. Par conséquent, il est souvent difficile de formuler des jugements globaux sur la situation en R.F.A., puisque les différences entre les divers *Länder* sont considérables, par exemple, en ce qui concerne les programmes de cours et la structure du système d'enseignement ou la formation des enseignants; il arrive que ceux qui quittent l'école ou l'université dans un *Land* ne soient pas acceptés dans un autre *Land* parce que leurs diplômes ne sont pas reconnus. Ces faits créent des bases différentes pour les processus de décision dans les deux États allemands. Ainsi, en R.D.A., le programme d'études pour l'enseignement de l'allemand dans les écoles de formation générale est déterminé de manière centralisée: il est obligatoire pour toutes les écoles. En R.F.A., y compris Berlin-Ouest, il existe 11 programmes d'études pour l'enseignement de l'allemand, qui varient parfois considérablement les uns par rapport aux autres. Quelles connaissances un écolier de dix ans doit-il acquérir en grammaire allemande par exemple? Il est facile de le savoir en R.D.A. En R.F.A., les conceptions les plus divergentes se font concurrence dans les différents programmes d'études.

I.2 Le système d'enseignement

La scolarisation obligatoire générale existe dans les deux États allemands. Elle commence à l'âge de 6 ans. Les écoles sont administrées par des représentants publics; ce sont des écoles publiques. En R.F.A., il existe également un certain nombre d'écoles privées.

La structure du système d'enseignement est très différente: en R.F.A., on a instauré le « système scolaire à trois degrés », organisé comme suit: l'école primaire élémentaire (*Grundschule*) comprend les classes de 1 à 4; elle est une école uniforme que doivent fréquenter tous les enfants indistinctement. Ensuite, les écoliers se voient offrir trois types d'écoles: premièrement, la *Hauptschule* (deuxième cycle de l'école primaire) dont la durée est de 5 ans, de 6 ans dans quelques *Länder*; deuxièmement, la *Realschule* (appelée également école secondaire de niveau un) qui se termine avec la dixième année et, troisième-ment, le *Gymnasium* (école secondaire de niveau deux) qui doit être fréquenté jusqu'à la treizième année.

Dans quelques *Länder*, on a essayé de retarder le processus de différenciation à la fin de la sixième année, mais cette mesure se heurte à une forte opposition de la part d'associations conservatrices de parents et d'enseignants. Le système à trois degrés avec la différenciation la plus précoce possible est défendu depuis des décennies comme étant garant de ce qu'il est convenu d'appeler la société de productivité. Des conceptions élitistes et le désir de maintenir la répartition de privilèges sociaux peuvent en être en grande partie tenus pour responsables.

Depuis la fin des années 60, il existe des efforts pour contrer le système à trois degrés grâce aux *Gesamtschulen**. Dans les *Gesamt-schulen*, les écoliers ne sont pas séparés selon les différents types d'écoles mais reçoivent un enseignement commun. Ce concept de *Gesamtschulen* est contesté et même rejeté, notamment par les associa-tions conservatrices de parents et d'enseignants.

Les trois types d'écoles offrent toutefois à la fin des études un certificat spécifique qui décide de la formation (professionnelle) ulté-rieure : le certificat de fin d'études du deuxième cycle de l'école primaire (*Hauptschulabschluß*) est un préalable pour l'apprentissage d'un métier (manuel), tel celui de mécanicien ou de jardinier ; le brevet élémentaire (*Realschulabschluß*) offre la possibilité d'une formation dans un métier plus « noble » comme celui d'assistante en technique médicale ou celui d'employé de banque. Le certificat de fin d'études du lycée ou baccalauréat (*Abitur*) permet d'entreprendre des études univer-sitaires.

Mais le bachelier ne peut entreprendre toutes les études qu'il souhaite. Les universités de la R.F.A. sont surpeuplées ; l'accès à l'université est limité depuis plusieurs années et ce, dans maints pro-grammes, par le *numerus clausus*. Cela signifie que les places d'étu-diants dans des domaines recherchés comme la médecine, la pharmacie ou la psychologie sont allouées principalement aux candidats ayant obtenu des notes exceptionnelles au baccalauréat. Cette forme d'orienta-tion de l'emploi et des besoins — efficace à n'en pas douter — est contestée.

---

* Écoles intégrant le deuxième cycle de l'école primaire et les deux niveaux de l'école secondaire (*Realschule* et *Gymnasium*) dans un système unitaire, différencié du dedans selon des règles diverses et compliquées.

Structure de l'enseignement en R.F.A.

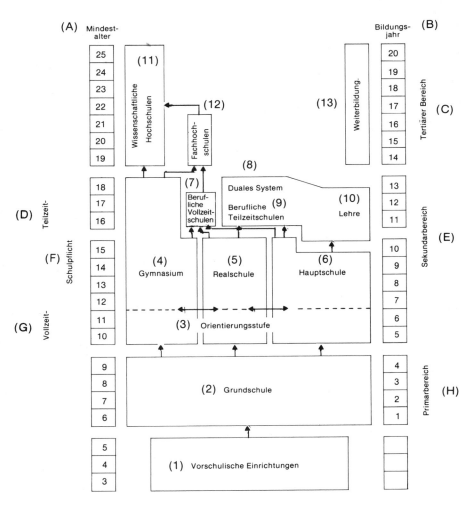

(A) Mindestalter, (B) Bildungsjahr, (C) Tertiärer Bereich, (D) Teilzeit-, (E) Sekundarbereich, (F) Schulpflicht, (G) Vollzeit-, (H) Primarbereich, (1) Vorschulische Einrichtungen, (2) Grundschule, (3) Orientierungsstufe, (4) Gymnasium, (5) Realschule, (6) Hauptschule, (7) Berufliche Vollzeitschulen, (8) Duales System, (9) Berufliche Teilzeitschulen, (10) Lehre, (11) Wissenschaftliche Hochschulen, (12) Fachhoch-schulen, (13) Weiterbildung.

(A) Âge moyen, (B) Année de formation scolaire, (C) Supérieure, (D) À temps partiel, (E) 2e niveau, (F) Scolarité obligatoire, (G) À temps plein, (H) Élémentaire, (1) Jardin d'enfants, (2) École élémentaire, (3) Niveau d'orientation, (4) Lycée, (5) Realschule (enseignement secondaire court), (6) École secondaire élémentaire, (7) Écoles professionnelles (à temps plein), (8) - Système dualiste, (9) - Écoles professionnelles (à temps partiel), (10) - Apprentissage, (11) Université et hautes écoles, (12) Hautes écoles techniques, (13) Seconde voie de formation.

Extrait de :   Groupe de travail de l'Institut Max-Planck 1984 : 13

La situation actuelle en R.F.A. se caractérise également par le fait que les élèves sortant des écoles ne poursuivent pas nécessairement une formation professionnelle conforme à leurs qualifications : de nombreux bacheliers renoncent aux études universitaires et entreprennent un apprentissage. Pour plusieurs métiers recherchés, qui étaient traditionnellement ouverts aux élèves sortant de la *Hauptschule* (deuxième cycle de l'école primaire), on demande maintenant des qualifications supérieures. Ces jeunes gens ne trouvent souvent aucune place d'apprenti et doivent travailler sans apprentissage ou même renoncer à trouver du travail. Le chômage élevé qui frappe également plusieurs professions qui peuvent être exercées après les études universitaires, comme l'enseignement et l'architecture, est responsable de cette évolution.

Une orientation vers une future pratique professionnelle est inexistante ou presque dans les trois types d'écoles de la R.F.A. En R.D.A., en revanche, l'école a essentiellement pour fonction de préparer au marché du travail : tous les écoliers fréquentent une « école secondaire polytechnique de formation générale » dont la durée est de dix ans. La scolarisation obligatoire commence à l'âge de six ans, comme en R.F.A. ; la formation polytechnique étant le principe d'enseignement, transcendant les matières particulières, de toute aptitude scolaire, les enfants sont initiés dès la première année aux « principes de la production » de deux manières : d'une part, des connaissances techniques et manuelles sont transmises à l'école même et, d'autre part, les écoliers sont directement actifs dans la production. À partir de la septième année, chaque écolier apprend sur les lieux mêmes, pour une durée de deux à quatre heures par semaine, ce qu'est le « travail productif dans les usines socialistes ». Cette conception de la formation polytechnique sert à la fois à la préparation et à l'orientation professionnelles.

En R.D.A., les places pour l'*erweiterte allgemeinbildende polytechnische Oberschule* (École supérieure polytechnique de formation générale) qui, au bout de deux autres années d'études, décerne le certificat de fin d'études supérieures (*Hochschulreife*), sont attribuées selon la réussite scolaire. En R.D.A., on compte également parmi les facteurs de réussite scolaire une participation active à des groupes sportifs, culturels ou de jeunesse ainsi que le concours volontaire des écoliers plus âgés durant les vacances à des « camps de repos et de travail productif » ou au travail en usine.

Le système d'enseignement de la R.D.A. est marqué par la conception marxiste de la « formation universelle de la personnalité socialiste ». L'orientation de l'enfant ou de l'adolescent en vue d'un emploi commence donc dès l'école tandis qu'en R.F.A., elle est du ressort des parents, n'étant influencée que très indirectement par l'école. En R.D.A., il est donc possible d'orienter davantage les aspirations professionnelles.

On trouve dans les deux États allemands des écoles spéciales pour enfants qui ont des difficultés d'apprentissage ainsi que la possibilité pour les adultes d'acquérir une formation supérieure et d'obtenir des diplômes dans le cadre de cours du soir ou d'autres programmes.

I.3 L'« allemand » : qu'est-ce donc en fait ?

La situation politique nous force à fournir quelques précisions terminologiques indispensables.

Nous utilisons le terme « allemand » (*deutsch*) sans autre précision lorsque nous nous référons à des phénomènes qui ne s'appliquent pas uniquement à un des deux États allemands, par exemple : « langue allemande », « journaux allemands en Hongrie », « la question allemande ». Nous désignons également du qualificatif « allemand » (*deutsch*) les choses qui ont existé avant 1945 sur le territoire de l'ancien Reich, par exemple, « le Kaiser allemand », « la littérature expressionniste allemande ».

Nous n'utiliserons les déterminations « R.F.A. » (*BRD*) et « R.D.A. » (*DDR*) que lorsque nous nous référerons à des faits qui ne concernent exclusivement qu'un des deux États.

Les expressions « concernant l'ensemble des territoires de langue allemande » (*gesamtdeutsch*), « interallemand » (*deutsch-deutsch*) et « intra-allemand » (*innerdeutsch*) se réfèrent dans le langage courant aux relations politiques et juridiques entre les deux États allemands (par exemple, dans des formulations comme « frontière intra-allemande », « solution valable pour l'ensemble des territoires de langue allemande », « négociations interallemandes »). Nous n'utilisons les adjectifs « est-allemand » (*ostdeutsch*), « ouest-allemand » (*westdeutsch*), « moyen-allemand » (*mitteldeutsch*), etc., et leurs composés que dans leurs sens purement géographiques et dialectologiques.

Nous prions le lecteur de nous excuser pour ces détails d'ordre terminologique ; quelques exemples pratiques démontreront qu'ils sont utiles non seulement pour la clarté de l'exposé mais également pour des raisons de politique linguistique.

Il arrive que des journaux ou des chaînes de télévision annoncent un match de football interallemand ainsi : « Allemagne — R.D.A. ». Quand un lecteur de la R.F.A. lit dans un journal que « toutes les équipes allemandes ont été éliminées de la Coupe d'Europe de football », il comprend par là que toutes les équipes de la R.F.A. ont été éliminées ; cette nouvelle ne veut absolument pas dire que les équipes de la R.D.A. aient été éliminées. Quand il est question de « politiciens allemands », de « chorales allemandes » ou d'« universités allemandes », on comprend toujours en R.F.A. qu'il s'agit de politiciens de la R.F.A., de chorales de la R.F.A. et d'universités de la R.F.A., la R.F.A. incluant alors Berlin (Ouest). En R.D.A., de telles expressions ne font pas partie du vocabulaire officiel. Lorsque les médias de la R.F.A. croient utile de renoncer à leur prétention à la représentation unique par rapport à la langue, ils utilisent des expressions comme « allemand fédéral » (*bundesdeutsch*), « ouest-allemand » (*westdeutsch*).

En voici quelques exemples :

— « Le premier Allemand de la R.F.A. (*der erste Bundesdeutsche*) dans l'espace » (ici, la spécification est nécessaire car le premier Allemand dans l'espace était un Allemand de la R.D.A.), ou

— « Accident survenu en Bulgarie à des vacanciers ouest-allemands (*westdeutsche Urlauber*) » (Il se peut ici que le lecteur entende l'expression non marquée « vacanciers allemands », *deutsche Urlauber*, dans le sens erroné de « vacanciers de la R.D.A. », en raison de l'appartenance de la Bulgarie au Pacte de Varsovie) ;

— En revanche, la formulation « Accident survenu en Italie à des vacanciers allemands (*deutsche Urlauber*) » laisse entendre qu'il s'agit évidemment de vacanciers de la R.F.A.

À Berlin (Ouest), le mot *bundesdeutsch* (« allemand fédéral ») ne se justifie pas : il n'existe pas de Berlinois de la R.F.A. (qui s'opposerait au Berlinois de la R.D.A.). Le mot *westdeutsch* (« ouest-allemand »), par contre, est une désignation collective pour toutes les personnes ou pour toutes les choses originaires de la R.F.A., par exemple, aéroports ouest-allemands = tous les aéroports de la R.F.A. sans Berlin (Ouest), aéroport Tegel. « Vacanciers ouest-allemands » signifie à Hambourg ou à Cologne « vacanciers originaires de la R.F.A. et de Berlin (Ouest) ».* En R.F.A., on peut dire « Je vais à Berlin » : on comprend

---

* Mais à Berlin (Ouest) « vacanciers de la R.F.A. » renvoie uniquement à des vacanciers de la R.F.A.

presque toujours un voyage à Berlin (Ouest). Si l'on veut dire qu'on rend visite à des amis à Berlin (R.D.A.), on doit le préciser. À Berlin (Ouest), on ne peut, bien sûr, que dire « Je vais à Berlin (R.D.A.) » ou, ironiquement, « dans la capitale » ou bien simplement « à l'Est ».

À Hanovre ou à Munich, « un voyage à l'Ouest » signifie entreprendre « un voyage dans la Ruhr »; à Berlin (Ouest), cela signifie aller n'importe où sur le territoire fédéral (R.F.A.).

Dans le parler courant, les expressions « Est » et « Ouest » sont répandues dans les deux États allemands, par exemple « mark de l'Est » (*Ostmark*) pour la monnaie de la R.D.A. ou « télévision de l'Ouest » (*Westfernsehen*) pour les chaînes de télévision de la R.F.A.

Ces remarques préliminaires d'ordre terminologique nous permettent d'éclairer un aspect important (et spécifiquement allemand) de la discussion sur la « crise de la langue ». Dans le texte qui précède, nous avons utilisé l'expression « R.F.A. », pour désigner la République fédérale d'Allemagne. Si notre ouvrage était publié en allemand, nous nous trouverions au milieu d'une querelle linguistique puisque nous devrions décider si nous voulons utiliser ou non l'abréviation *BRD* pour *Bundesrepublik Deutschland*. En effet, en 1974, le gouvernement fédéral et les gouvernements des *Länder* ont décrété officiellement qu'il fallait s'abstenir d'utiliser l'abréviation *BRD* parce qu'elle « ne permet plus de reconnaître l'identité historique des Allemands au point que les mots *Allemagne* et *Allemand* font de moins en moins partie du vocabulaire politique de nos écoliers et de nos adolescents, comme, du reste, de la plupart des gens au pays et à l'étranger ».

Ainsi, on lit par exemple dans une « Circulaire du gouvernement du Land de Basse-Saxe en date du 11 septembre 1978, Bulletin officiel de Basse-Saxe nº 46/1978, p. 1857 » que, le cas échéant, il est préférable d'utiliser le sigle automobile « D » ou l'abréviation anglaise « GER » et que, dans la mesure du possible, il serait préférable d'utiliser *BR Deutschland* ou *Deutschland* sans nom d'État.

L'affaire « BRD » a même préoccupé le Parlement — le *Bundestag*. Dans un débat (12 avril 1978), il a été question des problèmes spécifiques liés à l'abréviation des noms d'État lors de manifestations sportives et sur les formulaires et les billets de chemin de fer. L'affaire a connu, en quelque sorte, son point culminant lorsque l'équipe d'athlétisme de notre pays a refusé de participer aux cérémonies d'ouverture des Championnats d'Europe en août 1978 parce qu'on ne pouvait accepter l'abréviation « FRG » (= *Federal Republic of Germany*); on exigea le sigle « GER ».

Il est facile d'expliquer le rôle de cette querelle dans la « crise de la langue ». Dans chacun des deux États allemands, il est de tradition de soupçonner l'autre État de manoeuvres de diversion, de sabotage, etc., et cela vaut également pour les problèmes linguistiques. Depuis la fin des années 50, on a constamment signalé en R.F.A., sous forme de mises en garde, « l'infiltration communiste » dans la langue allemande.

En R.D.A., la situation de crise s'est déclarée plus tard ; vers la fin des années 60 ont paru les premiers travaux de Georg Klaus à ce sujet : Klaus révélait la présence d'agitateurs « impérialistes », « revanchards », etc., qui empoisonnaient l'allemand et il exhortait à la prudence face à leur production en matière de langue. Un autre ouvrage caractéristique qui porte sur l'allemand correct et qui échappe à de telles influences a été écrit par D. Faulseit et G. Kühn en 1974 : *Die Sprache des Arbeiters im Klassenkampf* (« La langue du travailleur dans la lutte des classes »).

L'affaire « BRD » citée ci-dessus s'est terminée lorsque quelqu'un a eu l'idée que l'abréviation « BRD » pourrait être un instrument de guerre idéologique de la R.D.A. ; un tel soupçon, une fois formulé, crée une dynamique propre difficile à contenir, même si tout laisse croire que la majorité de la population ne sait pas exactement si elle doit s'étonner ou rire de telles agitations. Pour montrer concrètement de quelle manière on peut se servir de ces arguments, nous citons un extrait d'une lettre adressée par une association conservatrice de professeurs à un collègue qui, inconsciemment ou par indifférence, avait employé l'abréviation « BRD » dans une lettre :

> Comme vous le savez sûrement, l'expression « BRD » est une arme sémantique de la R.D.A. contre la République fédérale d'Allemagne éprise de liberté. Cette arme est utilisée également en République fédérale par les forces extrémistes qui n'ont que faire de notre constitution basée sur la liberté, constitution qu'elles combattent. Vous devriez voir avec quel plaisir ceux qui veulent transformer le système politique (les gauchistes, les auteurs) prononcent l'expression « BRD » (...).

> (Lettre de l'« Association pour la liberté de la science » à un professeur de Hanovre en date du 6 juillet 1978, reproduite dans : *Glottomane* 4/1979 : 6).

La lutte sur le mot « allemand » et sur le nom à donner à l'État peut sembler ridicule — surtout au yeux des étrangers — mais elle a une longue tradition en Allemagne (cf. Berschin, 1979) et constitue un aspect de la guerre sémantique dont nous reparlerons plus loin[1].

---

1. Voir aussi Greiffenhagen (1980 : 19) ; Heringer (1982 : 20 ss.) ; Berschin (1979).

II. Aspects linguistiques

II.1 Considérations préliminaires

Lorsqu'on discute des données linguistiques sur lesquelles se fondent ceux qui croient reconnaître les caractéristiques d'une crise de la langue, on doit prendre en considération les points suivants :

1. Des grammaires descriptives de type structuraliste et générativiste sont en principe « monistes », conformément à leurs idéaux scientifiques, c'est-à-dire qu'elles décrivent le système d'une langue donnée sans tenir compte de restrictions fonctionnelles auxquelles sont soumis les divers éléments du système. Aussi de telles grammaires considèrent-elles d'une manière identique des faits linguistiques ayant une valeur fonctionnelle tout à fait différente.

2. Le système linguistique décrit par de telles grammaires est donc formé par les grammaires des différents parlers propres à une classe sociale, à une région, à une profession, à une spécialité, etc. ; cet ensemble fait totalement abstraction des conditions d'utilisation des éléments particuliers qui entrent dans la description en tant que « faits linguistiques ». Ces grammaires considèrent plus ou moins indistinctement les structures qui sont à tous égards au centre du système linguistique (c'est-à-dire celles qui sont présentes dans toutes les variantes fonctionnelles à considérer, par exemple la structure de la phrase simple en allemand) et celles qui, du point de vue fonctionnel, sont strictement limitées à des langues de spécialité, à des sociolectes ou à des manières spéciales de s'exprimer. En allemand, ce sont par exemple des propositions subordonnées du troisième ou du quatrième degré ou certaines locutions prépositives comme :

   Infolge von ohne Mitwirkung der Handwerkskammer zustandegekomme-nen Lehrverträgen hat sich die Lehrstellensituation entspannt (« À la suite de contrats d'apprentissage passés sans l'intervention de la Chambre des métiers, la situation en ce qui concerne les places d'apprentis s'est améliorée »).

3. Si nous voulons être conséquents, il nous semble difficile de nous servir des faits « purement linguistiques » comme critères relativement objectifs pour ensuite greffer sur eux des jugements de valeur. Les faits linguistiques portent eux-mêmes des traits fonctionnels dans la mesure où ils sont « marqués » du point de vue fonctionnel, c'est-à-dire dans la mesure où ils sont soumis à des restrictions dans leur utilisation. Nous ne pouvons nous étendre davantage ici sur le problème de la constitution d'un corpus en linguistique et nous

renvoyons le lecteur aux travaux fondamentaux de Labov (1977, 1978).

4. Nous considérons comme acquis que toute description de faits linguistiques doit donner obligatoirement un aperçu des contextes et des conditions dans lesquels est utilisé son objet (ce qui était tout naturellement le cas dans les grammaires normatives préstructuralistes, par exemple dans la grammaire Duden de 1966). Ce principe est sans aucun doute plus ou moins important, selon que l'on a affaire au « centre » ou à la « périphérie » du système linguistique (pour utiliser les expressions des fonctionnalistes de Prague)[2]. Le germaniste P. von Polenz a suggéré de traiter ce problème en supposant l'existence d'interdépendances immanentes entre le *système linguistique* et la *compétence linguistique* d'une part (en tant que manifestation de la « langue » au niveau social et individuel) et l'*échange linguistique* et l'*usage linguistique* d'autre part (en tant que formes d'existence empiriques de la langue dans la « parole »); cette solution nous apparaît discutable[3]. Nous ne pouvons malheureusement pas nous étendre davantage ici sur les aspects théoriques du problème; nous devons nous contenter de constater que la construction du « fait linguistique » livre déjà un artefact scientifique possédant — *nolens volens* — des particularités fonctionnelles, et nous renvoyons le lecteur pour une discussion poussée de cette question au modèle des « *Koexistierende Grammatiken* » (grammaires coexistantes) de S. Kanngießer (1972), à la « *Varietätengrammatik* » (grammaire des variétés) de W. Klein (1974) et aux « *Normtheorien* » (théories des normes) de K. Gloy (1975) ainsi qu'au livre *Kommunikation und Sprachvariation* (Communication et variation linguistique) paru en R.D.A. (Hartung et Schönfeld, 1981) afin d'indiquer dans quelle direction on pourrait chercher des solutions (cf. Gessinger et Glück, 1983 : 227-233).

II.2 Allemand parlé

Une fois ces remarques préliminaires faites, nous nous consacrerons à un problème qui a une importance primordiale pour notre sujet : les divergences du point de vue du système et des fonctions entre la langue parlée et la langue écrite. Il faut tout d'abord faire une remarque : il existe bien sûr en allemand des normes pour la langue parlée, fixées

---

2. Voir l'anthologie de Vachek (1964).

3. Voir Polenz (1979).

dans des ouvrages détaillés (le dictionnaire de la prononciation allemande de Siebs). Les normes s'appliquent non seulement à la prononciation et à l'intonation de l'allemand (« prononciation soignée »,
« prononciation haut-allemande modérée ») mais elles mettent en cause
également la « responsabilité pédagogique » qui incombe aux commentateurs de radio et de télévision sur le plan linguistique (Siebs, 1969 :
153). Il existe également une multitude de livres de règles stylistiques
et rhétoriques où l'on donne des indications pratiques sur le lexique et
la syntaxe en vue de parler une langue soignée, un « bon allemand en
toutes situations », etc., et il est difficile d'évaluer exactement l'impact
de ces livres. Il est toutefois certain que la norme orthoépique n'est pas
très coercitive, contrairement à ce qui se passe en France ou au Québec.
L'écart par rapport à la « prononciation haut-allemande » est chose
courante ; seuls les milieux du théâtre, de la scène lyrique et des médias
audio-visuels observent en partie cette prononciation. De manière générale, dans la langue de tous les jours prévalent des conventions qui
varient considérablement d'une région à l'autre et qui sont fortement
influencées par les dialectes, particulièrement en Allemagne du Sud et
en Allemagne centrale. Une personne qui, lorsqu'elle s'exprime oralement, laisse transparaître de quelle région elle provient ne fait l'objet
d'aucune désapprobation ; du point de vue linguistique, personne n'est
frappé par le fait que le Chancelier fédéral actuel est originaire de la
région de Ludwigshafen — impossible de ne pas s'en apercevoir à
l'accent — et qu'il parle le palatin, que le ministre des Affaires
extérieures de la R.F.A. a un léger accent saxon, que le ministre de
l'Intérieur parle un allemand teinté d'un fort accent bavarois. Si, dans
les milieux intellectuels, on se moque à l'occasion du fait que plusieurs
politiciens sont incapables de s'exprimer en haut-allemand, ces critiques
ne sont pas l'expression d'une crainte face à l'avenir de la langue
allemande ; on cherche bien davantage, par ce moyen, à montrer qu'à la
carence linguistique correspond une carence dans des domaines qui
n'ont rien à voir avec la langue. En général, on note que :

> enfreindre la norme de la prononciation littéraire n'est pas un délit grave ;
> il n'est pas rare que la société accepte et tolère avec bienveillance les
> infractions comme étant un particularisme local ou régional, ce qui n'est
> certes pas le cas de l'orthographe (Nerius et Scharnhorst, 1980 : 51).

En revanche, la société considère de façon négative les variantes de
prononciation d'ordre sociolectal et les variétés d'allemand parlées par
les immigrants, ce à quoi on reconnaît qu'ils sont « étrangers ». Il faut
reconnaître que les jugements de valeur portés sur les variétés non
standard (de la langue parlée) et les réactions en face des sujets qui
commettent des écarts sont généralement libéraux — il existe évidem-

ment des exceptions. Mais on est ici sûrement beaucoup plus conciliant qu'en France (vis-à-vis des Belges par exemple) ou qu'au Québec (par rapport aux personnes s'exprimant en « joual ») (cf. Piou, 1979: 25ss.).

C'est pourquoi, en R.D.A., le *Wörterbuch der deutschen Ausspra-che* (Dictionnaire de la prononciation allemande) choisit une prononciation modérée du haut-allemand comme prononciation idéale; on s'est donc écarté des exigences parfois peu réalistes de Diels et de Boor. Malgré tout, on ne peut constater d'effets tangibles sur l'allemand parlé dans les deux États. Les normes de la langue écrite sont appliquées avec beaucoup plus de rigueur (cf. la section sur l'orthographe).

Les remarques faites jusqu'ici concernent la substance de l'expression orale, pour utiliser un terme glossématique. Mais il est beaucoup plus important de savoir comment sont utilisées certaines formes linguistiques dans l'expression orale et dans l'expression écrite. Dans le cadre de nos réflexions, nous partons du fait qu'il faut postuler pour chaque langue une grammaire uniforme (avec les restrictions mentionnées au début) valable essentiellement pour les deux formes d'expression linguistique. Nous nous opposons donc à des conceptions selon lesquelles la langue écrite dérive simplement de la langue parlée mais en utilisant d'autres moyens matériels (par exemple, l'école de Pike et de Nida)[4], ainsi qu'aux modèles qui posent le principe de deux systèmes virtuellement autonomes qui exigent des descriptions et des explications grammaticales séparées; on en arrive à scinder le concept de « langue » en une dichotomie: au bout du compte, la langue parlée et la langue écrite se comportent l'une envers l'autre comme deux langues étrangères (c'est ce que considèrent quelques théoriciens tchécoslovaques comme Vachek et Jedlička)[5]. Nous partons du principe que la langue parlée et la langue écrite présentent des différences entre elles non seulement aux niveaux inférieurs du système linguistique, c'est-à-dire au double niveau phonématique-graphique, mais à tous les niveaux du système linguistique; par conséquent, les grammaires ne peuvent être envisagées comme des modèles de l'une ou l'autre des deux formes d'expression, mais doivent tenir compte dès le début des deux composantes.

---

4. Voir aussi Gudschinsky (1976), Pike (1947).

5. Voir aussi Vachek (1973), Jedlička (1978).

II.3 Grammaire I : formation du pluriel, flexion nominale, système des temps

Cette partie traitera concrètement de quelques aspects du système grammatical de l'allemand qui subit depuis quelque temps des transformations. L'utilisation de ce système modifié entraîne des infractions aux règles grammaticales ou des entorses au « bon allemand ». Ces infractions sont perçues, selon le point de vue de l'observateur, soit comme étant des transformations se produisant actuellement et qui affectent le système grammatical de la langue, soit comme des modifications de certaines normes ou de l'usage linguistique, ou précisément comme étant des phénomènes liés à une crise de la langue.

Nous traiterons de quelques-uns des cas importants parce qu'ils sont fréquemment discutés. Leur importance est variable et leur impact sur les normes en vigueur est plus ou moins fort.

Par ailleurs, nous devrons considérer un problème plus en détail, celui du subjonctif allemand et des « règles » relatives à son utilisation. Ce mode revient constamment dans les discussions sur la *Sprachpflege**. Nous en parlerons à la fin de ce chapitre.

Il est inutile de préciser que notre « liste de cas » est incomplète.

Le premier exemple concerne la *formation du pluriel* dans une série de noms qui sont considérés comme mots étrangers ; selon le « degré de germanisation » (*Grundzüge*, 1981 : 597), il existe des « doublets » : le mot, d'une part, a une forme de pluriel qui est identique à celle de la langue de départ et, d'autre part, une forme qui l'intègre à un des paradigmes de pluriel de l'allemand. Voici quelques exemples :

(1) *Index* → *Indices (Indizes) / Indexe*
(2) *Atlas* → *Atlanten / Atlasse*
(3) *Komma* → *Kommata / Kommas*
(4) *Thema* → *Themata / Themen*
(5) *Famulus* → *Famuli / Famulusse* (analogue à *Omnibusse*, *Fidibusse*, etc.)

---

* Sprachpflege : le terme de *Sprachpflege* est habituellement rendu en français par « culture de la langue », « surveillance de la langue », « défense de la langue » ou « maintien de la langue ». À ce mot sont liées des connotations de purisme extrême, de xénophobie, de protection et de promotion de la langue.

En revanche, il existe des cas où des formations analogiques de pluriel sont perçues comme étant contraires au système allemand ou inappropriées par rapport à la norme, par exemple :

(6)   *Album*   →   *Alben (*Albums / *Alba)*
(7)   *Abstraktum*   →   *Abstrakta, (*Abstraktums, *Abstrakten)*
(8)   *Tempus, Modus,*   →   *Tempora, Modi, Genus (*Tempusse...)*
       Genus
(9)   *Tempo*   →   *Tempi (*Tempos, Tempos* < pluriel de
                                 Tempo^R, mouchoirs de papier)

Les hésitations, et par conséquent les « fautes », ne sont pas rares dans de tels cas ; comme il s'agit d'un vocabulaire relativement restreint relevant essentiellement de différentes langues de spécialité, le fait de maîtriser les formes « correctes » doit être de prime abord considéré comme une preuve de l'instruction de l'utilisateur.

Dans le même ordre d'idées, on peut mentionner également le cas des doublets qui ne peuvent être considérés ni comme des emprunts à une langue étrangère ni comme appartenant à une langue de spécialité. Il s'agit de cas comme :

(10)   *Wort*   →   *Worte / Wörter*
(11)   *Ding*   →   *Dinge / Dinger*
(12)   *TOP*   →   *TOPs / TOPe*

L'exemple (10) revient fréquemment dans les écrits portant sur la crise de la langue. Le dictionnaire Duden (18ᵉ édition, Mannheim) donne la description lexicographique suivante au mot *Wort* :

(...) *Wörter für : Einzelwort oder vereinzelte Wörter ohne Rücksicht auf den Zusammenhang, z.B. Fürwörter (...).*

Worte für : Äußerungen, Ausspruch, Beteuerung, Erklärung, Begriff, Zusammenhängendes, z.B. Begrüßungsworte ; auch für bedeutsame einzelne Wörter, z.B. drei Worte nenn' ich euch, inhaltsschwer ; (...)*

Dans ce cas, une des deux variantes est marquée sémantiquement et peut et doit même faire l'objet d'un choix lorsque le sujet parlant ou l'auditeur considère le contenu des mots (*Wörter*) dont il s'agit comme étant suffisamment « chargés de sens » pour en faire des paroles (*Worte*) ; il est clair que les opinions peuvent très facilement diverger

---

* (...) *Wörter* pour : mot séparé ou mots isolés sans considération de contexte, ex. : *Fürwörter* (pronoms)

(...) *Worte* pour : déclaration, jugement, affirmation, explication, concept, ensemble cohérent de mots, ex. : *Begrüßungsworte* (formule de salutation) ; aussi pour des mots isolés significatifs, lourds de portée, ex. : *drei Worte nenn' ich euch* (je vais vous dire deux mots) ; (...).

dans un tel cas. L'exemple (11) représente un doublet dont la différence sémantique correspond à une différenciation entre la langue standard et la langue familière plus relâchée ; la forme *-er* relève du langage familier et ne serait probablement pas acceptée dans le cadre d'un texte standard à moins qu'elle n'ait une fonction expressive.

TOP (12) est l'abréviation de *Tagesordnungspunkt* (point à l'ordre du jour). Dans la forme (plus rare) *TOPe*, la désinence de pluriel du mot d'origine a été conservée. La forme *TOPs* accorde à l'abréviation un statut de mot et lui permet d'entrer dans la catégorie des pluriels en *-s*.

Il existe enfin un autre groupe de doublets qui présente peu d'intérêt dans la mesure où il s'agit là d'alternances libres du point de vue sémantique (*Generale/Generäle, Bogen/Bögen, Rohre/Röhren*).

L'exemple suivant concerne la flexion nominale. On a manifestement de plus en plus tendance à remplacer les formes marquées de l'accusatif par les formes non marquées du nominatif :

(13) *Kein Schutt abladen* (défense de jeter des gravats, panneau d'interdiction sur le bord d'un lac à Berlin)
(forme correcte : *Keinen...*)

(14) *Greift Euer Vorteil* (Saisissez l'occasion, publicité d'un restaurant de Hanovre)
(forme correcte : *Greift Euren...*)

(15) *Der Oberst hat niemand, der ihm schreibt* (forme correcte : *Der Oberst hat niemanden, der ...*)
(Titre d'une traduction allemande du roman de Gabriel García Márquez : « *El coronel no tiene quien le escriba* », « Personne n'écrit au colonel ». Le livre a été traduit de l'espagnol par le célèbre traducteur Curt Meyer-Clason et est paru en 1976 aux Éditions Kiepenheuer et Witsch.)

On observe très souvent cette tendance dans la conversation familière. En voici un exemple :

(16) *Pump mir mal ein Zehner!* (Passe-moi donc un [billet de] dix [marks] !) (forme correcte : *... einen Zehner*).

On peut supposer que ces orthographes sont dues au fait que, dans la langue parlée, de telles désinences ne sont souvent pas prononcées et que, lorsqu'elles sont prononcées, elles ne le sont que sous une forme réduite. Une phrase comme :

(16') *Kannst Du Rita zehn Mark leihen ?* (Peux-tu prêter dix marks à Rita ?)

peut prendre ainsi dans le langage familier informel la forme suivante :

(16″) *Pump Rita mal n Zehner* (Passe donc un dix à Rita)

où la réduction de la forme d'accusatif *einen* en *n* ou *-n* ne permet plus de savoir s'il s'agit d'une forme d'accusatif ou d'une forme de nominatif, laquelle, réduite, présente la même forme phonétique, par exemple:

> (17) *N'Zehner is viel zu viel, n Fünfer tuts auch* (« Un [billet de] dix, c'est beaucoup trop; un [billet de] cinq fera l'affaire »)

On peut supposer que la tendance à remplacer les formes de l'accusatif par les formes du nominatif, qui va à l'encontre des règles de l'allemand standard, est due à ce que des phénomènes de contamination qui affectent le langage familier informel passent dans le langage écrit par transposition directe. En outre, il existe également des motifs d'ordre dialectal qui ne sont évidemment pertinents que pour une aire dialectale donnée. Les dialectes du sud-ouest de l'Allemagne connaissent depuis longtemps la fusion du nominatif et de l'accusatif: on appelle ce phénomène « l'accusatif palatin ».

La disparition des formes marquées de l'accusatif n'est toutefois pas aussi dramatique que le recul du génitif. L'emploi correct de ce cas est déjà en régression depuis longtemps dans la langue tant parlée qu'écrite. Dès le début des années 50, Ludwig Reiners, bien connu comme *Sprachpfleger*, exhortait ses lecteurs, dans son *Stilfibel* (ABC du style), à sauver le génitif. Il condamnait de manière péremptoire le remplacement du génitif par *von* (de) suivi du datif. De nos jours, on entendra, probablement:

> (18) *Der neue Freund von Sylvia ist doof* (« Le nouvel ami de Sylvia est stupide »)

plus souvent que:

> (18′) *Der neue Freund Sylvias ist doof*

ou encore que:

> (18″) *Sylvias neuer Freund ist doof.*

Mais l'exemple (18) est considéré comme du « mauvais allemand ».

Certes, cette évolution se manifeste plutôt dans l'allemand parlé que dans l'allemand écrit, mais il arrive qu'on puisse lire des phrases comme:

> (19) *Die Wertvorstellungen von Helmut Kohl sind äußerst konservativ* (« Les conceptions d'Helmut Kohl sont des plus conservatrices »).

En revanche, des phrases comme:

> (20) *Du hast aus Versehen meinem Freund sein Bier ausgetrunken* (« Tu as bu par inadvertance la bière de mon ami »)

relèvent, sans doute possible, du langage familier.

Dans le cas des prépositions qui régissaient à l'origine le génitif, comme *wegen* (à cause de), le datif est déjà plus fréquent que le génitif. Dire :

(21)   *Wegen Urlaub geschlossen* (Fermé pour cause de vacances)

est devenu la règle générale et

(22)   *wegen dieses Mistes* (à cause de ces inepties)

a déjà disparu de l'usage courant.

Le Duden de Mannheim, tout comme celui de Leipzig, autorise le datif. En résumé, on peut dire qu'en ce qui a trait à l'allemand écrit — surtout à l'école — on préfère encore les formes casuelles dans leur emploi traditionnel mais que leur recul, particulièrement dans la langue familière, ne doit pas être négligé.

Un autre problème, cité à l'occasion comme exemple de déclin de la langue, est la tendance à utiliser des formes verbales analytiques. On déplore plus souvent la mode qui veut qu'on utilise les formes composées du subjonctif, ce dont nous parlerons plus loin ; mais on peut citer ici également la « disparition du prétérit », cette forme étant refoulée au profit du passé composé tant dans la langue écrite que parlée ; le fait que l'on respecte de moins en moins, du point de vue stylistique, la concordance des temps dans des phrases complexes et l'emploi de plus en plus répandu du passé composé au détriment du plus-que-parfait ; l'expression des rapports temporels dans le futur par le biais d'un adverbe de temps accompagné du verbe au présent au détriment de l'emploi du futur I analytique et la disparition graduelle des formes du futur II (futur antérieur). D'un autre côté, une construction exprimant l'aspect imperfectif gagne toujours plus de terrain ; on la désigne à l'occasion du terme *Verlaufsform* (« forme progressive ») :

(23)   *sein + **am** + Verb (Infinitiv)* (être + *en train de* + verbe à l'infinitif), par exemple :

(24)   *Otto ist am schreiben/Schreiben* (Otto est en train d'écrire)

(25)   *Ewald war noch am kochen/Kochen, als wir kamen/gekommen sind, wir konnten erst um halb zwei essen* (Ewald était encore en train de cuisiner lorsque nous sommes arrivés ; nous n'avons pu manger qu'à 13 h 30).

Cette construction est largement répandue dans la langue parlée, tandis qu'elle est (encore ?) rare en allemand écrit, étant perçue comme relevant de la langue familière. Il y a tout lieu de croire qu'elle servira à illustrer la crise de la langue, il est possible qu'elle marque le début d'une restructuration de l'ensemble du système des temps.

Dans le domaine de la syntaxe au sens strict, il faut souligner l'emploi de *trotzdem* (malgré) comme conjonction introduisant des phrases concessives (aux côtés de *obwohl*, *obgleich* « bien que », etc.); cet usage est de plus en plus considéré comme conforme au système et à la norme. Dans la grammaire Duden de 1966, on trouve encore la remarque selon laquelle l'emploi de *trotzdem* dans cette fonction

> (…) est apparu très récemment (et) (est) encore contesté de nos jours par plusieurs grammairiens, sans que cela soit toutefois justifié (p. 341);

dans ce cas, on fait référence expressément aux effets des processus de transformation de la langue. Il en est de même de l'usage de l'infinitif avec certains verbes de modalité, notamment *brauchen* (avoir besoin de, se servir de, utiliser); la « règle » traditionnelle trouve son expression dans la maxime suivante : « Celui qui utilise *brauchen* sans *zu* n'a aucunement besoin d'utiliser *brauchen* », *Wer brauchen ohne zu gebraucht, braucht brauchen gar nicht zu gebrauchen.*

Après avoir cité ces quelques exemples, nous voudrions nous consacrer maintenant plus en détail au sujet de discussion le plus courant : le *subjonctif et son utilisation*, qui crée des problèmes dans les deux États allemands. Le litige porte sur son emploi à la fois dans la langue parlée et dans la langue écrite. Selon le point de vue adopté, les changements qui affectent ce mode seront vus comme des faits linguistiques ou déplorés comme une manifestation de la crise de la langue. Cette divergence d'opinion est un phénomène récent mais les problèmes eux-mêmes ne datent pas d'hier.

II.4 Grammaire II : le subjonctif

Dans la grammaire Duden de 1959, on trouve encore à l'article 1144, relatif au changement de mode dans le style indirect (subordonnée) :

1. L'indicatif de la phrase principale *devient* un subjonctif.
2. L'indicatif d'une subordonnée quelconque *devient* également un subjonctif (assimilation).
   La *faute* consistant à ne pas toujours employer la forme subjonctive est fréquente (Grebe, 1959 : 44, souligné par les auteurs).

Dans l'édition révisée du même ouvrage, en date de 1973, on formule à l'article 248 une « règle de base » selon laquelle « le style indirect *devrait* être au subjonctif ».

Il n'est plus fait mention, dans cette grammaire, d'un usage fautif du mode dans le style indirect. On indique plutôt que la règle systématique est souvent enfreinte pour des raisons liées à l'intuition stylistique personnelle, à des données de géographie linguistique, à la préférence envers des formes déterminées du subjonctif dans la langue de tous les jours, etc. (§ 258).

La grammaire Duden tient ainsi compte de l'usage linguistique réel. On ne dirait plus, actuellement :

(26)   *Claus sagt, er nehme seinen Hut und gehe endgültig, bevor er etwas Unüberlegtes tue* (Claus dit qu'il prend son chapeau et qu'il part pour de bon avant de faire quelque chose d'irréfléchi).

Une telle phrase serait l'objet d'un jugement négatif, elle serait jugée trop correcte et précieuse. Il est plus probable que le sujet parlant opterait pour le subjonctif II :

(26')   ... *er ginge* ... ou ... *er würde gehen* ..., etc.

Dans la langue parlée, le subjonctif I n'est donc utilisé de nos jours que très rarement ; on lui préfère nettement le subjonctif II ou l'indicatif (cf. Grebe *et al.*, 1973 : 109 ss.). Dans certaines phrases, il faut considérer l'emploi du subjonctif II comme consacré par l'usage :

(27)   *Leo sagte, er täte ihm leid* (et non : *tue*) (Léo dit qu'il lui fait de la peine) ;

(28)   *Manfred fragte unsere Freunde, ob sie ein Bier mit ihm trinken würden* (et non : *mittränken*) (Manfred a demandé à nos amis s'ils désiraient boire une bière avec lui).

Dans des textes écrits, l'utilisation du subjonctif I est plus fréquente, bien qu'on observe ici également un recul dans l'emploi de telles formes et qu'on constate une adaptation de l'usage écrit à celui de la langue parlée. Dans des phrases longues, plus particulièrement, il arrive souvent que le subjonctif ne soit pas maintenu dans tout le texte :

(29)   *In der SPD wurde betont, man wolle die Komission nicht unter Zeitdruck setzen, die Fraktion richtet sich darauf ein* ... (*Frankfurter Rundschau*, 20 janvier 1984) (On a insisté, au sein du Parti social-démocrate d'Allemagne, sur le fait qu'on entendait ne pas faire pression sur la commission quant aux délais, que le groupe s'y appliquait...).

Si on regarde l'ensemble des exemples qui sont donnés dans la grammaire Duden de 1973 pour les diverses possibilités d'utilisation des modes (indicatif, subjonctif I et II) dans le style indirect, on pourrait formuler la règle suivante : n'importe quel mode peut être utilisé dans la phrase subordonnée.

Que l'on se place au point de vue du fonctionnement, de la communication ou de l'esthétique, il est possible de justifier le choix de la forme quelle qu'elle soit.

La grammaire Duden ne fait pas état d'une distinction (possible) entre l'usage linguistique oral et écrit. Les auteurs utilisent plutôt, pour classer leurs exemples, des catégories imprécises, plutôt d'ordre stylistique, comme « langue familière », « langue de tous les jours », et concluent en disant que :

> le subjonctif I *devrait* être utilisé en haut-allemand lorsqu'il s'agit uniquement d'indiquer que l'on a recours au style indirect en tant que tel (§ 258).

Les formulations de Grebe *et al.* (1973) montrent que l'on est passé d'une conception normative à une conception descriptive. Mais leur présentation est l'expression d'un malaise face à l'usage contemporain. Cela est particulièrement remarquable du fait qu'ils s'appuient exclusivement sur des sources écrites et qu'ils ne font pas mention de l'extrême rareté de l'emploi (autrefois correct) du subjonctif I en particulier et du mode subjonctif en général dans le style indirect.

Dans la grammaire Duden de mars 1984, dont nous devons la révision à Günther Drosdowski, l'utilisation du subjonctif II dans le style indirect n'est justifiée que sur une base exclusivement fonctionnelle. La position de la rédaction du Duden peut être considérée comme descriptive. Elle ressemble en cela à la position des deux linguistes est-allemands, Gerhard Helbig et Joachim Buscha, qui, dès 1970, procèdent de manière descriptive dans leur grammaire. Ils définissent comme caractéristiques du style indirect :

> Outre le subjonctif, servent à caractériser le style indirect : des verbes propres à introduire le discours indirect, la forme de la subordonnée et le changement de pronom. Aucun de ces moyens n'est obligatoire, mais, en règle générale, au moins un d'entre eux est présent afin de signaler le style indirect en tant que tel.

Cependant, Helbig et Buscha ne font pas de distinction entre les différentes formes du subjonctif (I ou II, c'est-à-dire subjonctif présent ou passé). Ils s'en tiennent à la position de Walter Jung qui, dès 1967, renonce aux règles normatives dans sa *Grammatik der deutschen Sprache* (Grammaire de la langue allemande) largement répandue en R.D.A. Comme ils refusent la distinction entre indicatif et subjonctif I et II, ils en viennent à citer les exemples de la façon suivante :

> (30) *Er sagt, daß er krank ist/sei/wäre* (p. 165) (Il dit qu'il est malade).

Du point de vue « stylistique », ils reconnaissent, certes, que les diverses formes se répartissent selon des critères fonctionnels précis mais ne les décrivent que du point de vue de la concordance des temps.

De sorte que, en incluant l'indicatif, on aboutit à six formes :

(31)   *Er sagt, er kommt / wird kommen* (Il dit qu'il viendra)
   er komme / käme
   er werde / würde kommen (p. 165).

Il n'est ainsi plus possible de dégager une norme contraignante pour ce qui est de l'utilisation du mode dans le style indirect.

Mentionnons au passage qu'en allemand l'emploi du subjonctif dans les subordonnées correspondait historiquement aux règles de concordance des temps du latin. Les « tendances au relâchement » esquissées ne sont aucunement récentes ; le germaniste Hermann Paul constatait, dès 1920, dans sa grammaire allemande que l'usage « actuel » prévalait déjà au milieu du XIXe siècle : on retrouve autant le subjonctif présent après le passé que le subjonctif passé après le présent (Paul, 1959 [1920] / IV : 311).

Seul l'emploi de plus en plus fréquent de l'indicatif semble être un phénomène récent.

La situation dans les écoles allemandes est confuse. Le subjonctif fait certes partie intégrante de tous les programmes d'études ; il est objet d'enseignement surtout au niveau intermédiaire. Toutefois, la manière de l'enseigner pose souvent des problèmes aux enseignants.

Cela mène parfois, dans les faits, à une simplification des règles. Ainsi, dans un lycée de Hanovre, on recommande aux élèves de toujours utiliser le subjonctif I pour le style indirect. Une autre enseignante du même lycée recommande d'utiliser le subjonctif I dans une subordonnée dont la principale est au présent et le subjonctif II dans une subordonnée dont la principale est au passé.

Le subjonctif compte depuis des décennies parmi les objets privilégiés de la *Sprachpflege*, ce qui s'explique facilement par le fait que les transformations qu'a subies la langue, qui se sont reflétées ces dernières années dans les « libéralisations » des normes que nous avons esquissées, font sentir leurs effets depuis bien plus longtemps et déjà, jadis, étaient considérées comme source importante de « fautes » et condamnées en tant que telles. Actuellement prédomine, non sans résistance, la tendance à abandonner la norme stricte ; d'un point de vue conservateur, cette tendance représenterait un pas supplémentaire vers la dislocation de la langue allemande ; nous citerons à ce propos un court extrait du

« Livre blanc pour la sauvegarde de la langue » :

> Il (le spécialiste de la publicité, l'auteur) n'a besoin d'aucun subjonctif, aucun *wäre* (serait), aucun *hätte* (aurait), aucun *könnte* (pourrait), aucune forme privilégiée permettant de nuancer les pensées et les réflexions. Sa langue doit être claire et simple; il n'y a pas de place pour les demi-tons (Maus, 1977: 39).

Les formes du subjonctif sont toujours présentées comme un des signes du « bon allemand » ou comme des indices de retour à la barbarie. En émettant de tels jugements, on pense rarement qu'on aurait avantage à distinguer, dans le cas de ce mode, ses fonctions strictement grammaticales de ses fonctions sémantico-pragmatiques. Et cela est d'autant moins étonnant que même dans les descriptions grammaticales, on n'a pas pris la peine jusqu'à tout récemment de faire cette distinction; en s'efforçant de reproduire le modèle gréco-latin, on a inclus dans le subjonctif certaines catégories qui n'existent pas dans la morphologie de l'allemand (optatif, conditionnel, irréel, etc.), ce qui devait inévitablement créer des problèmes. Dans une étude qui paraîtra bientôt sur les formes et les fonctions du subjonctif, Otto Ludwig montre très bien l'impasse à laquelle on est alors conduit.

Pour les tenants de la *Sprachpflege*, le problème du subjonctif est simple: à leur avis, avec le subjonctif disparaît un moyen de nuancer les pensées, d'assurer la souplesse de l'esprit, d'exprimer des demi-tons. Le subjonctif rend « la langue plus humaine », comme l'écrivait un certain J.G. dans la *Frankfurter Allgemeine Zeitung* du 5 décembre 1973; on a manifestement affaire ici à un pendant de « l'accusatif inhumain » (cf. Gessinger et Glück, 1983: 220). D'autre part, toutes ces attentions se limitent aux formes conjuguées du subjonctif. Les constructions analytiques avec *würde* + *infinitif* sont catégoriquement rejetées (cf. Hommel, 1984: 200ss.), de même que certains verbes propres à introduire le discours indirect où la construction avec *würde* (souvent accompagnée de certains adverbes et particules) est employée comme moyen pragmatique en vue d'exprimer une distanciation entre le sujet parlant et l'interlocuteur ou par rapport au contenu de ses propos, par exemple:

> *ich würde schon meinen wollen, daß* ... (je serais certes d'avis...)
> *würdest Du nicht auch meinen, daß doch* ... (ne penserais-tu pas également que ...)

Tandis que Hildebrecht Hommel, par exemple, attribue le choix du « subjonctif timoré » au lieu du « fier indicatif » à la peur face au destin ou aux puissances divines, faisant montre par là de sa perspicacité psychologique, d'autres auteurs voient dans le subjonctif « distanciateur » un signe de fuite devant les responsabilités, de désir de ne pas s'engager, de « recul dicté par la lâcheté devant une déclaration nette » (Hommel, 1984 : 201, remarque 11), de peur face à une position claire. Dans la linguistique féministe, on accuse le subjonctif d'être un moyen typique d'asservir les femmes de façon intériorisée : les femmes utiliseraient des formes du subjonctif pour ne pas se faire remarquer, pour se ménager des portes de sortie, pour valoriser leurs interlocuteurs, etc. Comme on le voit, le subjonctif est un vaste champ de bataille où s'engagent de rudes combats.

En tout dernier lieu, mentionnons qu'un des plus importants projets de recherche de l'Institut Goethe, qui étudie les « structures fondamentales de la langue allemande », cite nommément le subjonctif comme une des structures grammaticales dont on peut se demander s'il est réellement nécessaire d'acquérir le maniement (Ross, 1977 : 13), ce qui revient à dire que l'organisme de la R.F.A. qui donne le ton dans l'enseignement de l'allemand à l'étranger est d'avis que le subjonctif ne fait pas partie de l'« allemand fondamental ».

II.5 Allemand écrit I : le Duden

Les normes de l'orthographe allemande sont en vigueur depuis au moins 80 ans. Elles sont généralement bien observées et leur non-respect est considéré par beaucoup comme un signe d'intelligence limitée, de manque de caractère ou d'une position inférieure dans la société.

Il est question depuis longtemps d'une réforme de l'orthographe allemande (cf. Nerius, 1975 ; Mentrup, 1979 ; Nerius et Scharnhorst, 1980) mais, en définitive, rien n'a été changé jusqu'à présent. La diversité des régimes politiques dans les pays germanophones en est responsable, tout comme le fait qu'il existe deux livres de règles concurrents, le Duden de Mannheim et celui de Leipzig, l'un publié à l'Ouest, l'autre à l'Est. Nous dirons quelques mots de ces ouvrages avant de traiter du problème particulier de l'orthographe allemande à notre époque.

L'orthographe allemande en vigueur est codifiée dans le Duden. Depuis 1954, il y a deux éditions de ce livre,

- en R.F.A. : « Duden. Orthographe de la langue allemande et des mots étrangers ». Publié par la rédaction du Duden, en collaboration avec l'*Institut für deutsche Sprache* (Institut de la langue allemande). Volume I de la série « Le Duden en 10 volumes. L'ouvrage de référence pour la langue allemande ». 18e édition 1980 : *Bibliographisches Institut*. Mannheim, Vienne, Zurich.

● en R.D.A. : « Le grand Duden. Dictionnaire de l'allemand et précis d'orthographe allemande ». Publié par la rédaction du Duden du *Bibliographisches Institut* de Leipzig. 24ᵉ édition, 1983 (réimpression de la 17ᵉ édition de 1976).

Les deux rédactions se comportent l'une envers l'autre comme des sœurs ennemies. Une querelle juridique existe depuis des décennies autour des marques de commerce *Duden* et *Bibliographisches Institut* (Institut bibliographique) ; on insiste sur le fait que les deux éditions sont indépendantes l'une de l'autre ; on souligne les différences. On note, effectivement, des différences dans le choix de nouveaux mots-vedettes, des définitions et de quelques règles d'orthographe.

Si l'on s'en tient à une comparaison strictement statistique de la quantité de mots-vedettes contenus dans chacun des dictionnaires, la différence apparaît importante. Mais une telle comparaison chiffrée ne dit pas grand-chose en soi puisque, par exemple, le Duden de Mannheim fait une plus large place aux mots composés — une particularité de l'allemand — que celui de Leipzig. Ainsi, il y a dans la dix-huitième édition du Duden de Mannheim 90 mots composés avec *Staat* (État) ; dans la dix-septième édition, il n'y en avait que 74, tandis que dans l'édition de Leipzig de 1983, on n'en compte que 22.

Dans le domaine des mots radicaux, les différences entre les deux Duden sont minimes. On constate des divergences surtout en ce qui a trait au vocabulaire politique ou aux mots à la mode, ce qui s'explique en partie par la différence de développement social entre les deux États allemands.

Comme les deux rédactions se copient mutuellement avec application, les mots-vedettes parus uniquement dans un Duden sont généralement repris peu de temps après par l'autre.

Les définitions sont très souvent différentes, mais cela reste sans effet sur l'évolution de l'orthographe allemande. D'une édition à l'autre, les deux Duden offrent chaque fois plus de définitions mais on discerne mal selon quel principe un terme est expliqué et un autre pas. Ainsi le Duden de Mannheim explique le mot *Klempner* (plombier) mais le Duden de Leipzig renonce à en donner une définition. « Communisme » est expliqué en détails à Leipzig, pas du tout à Mannheim ; la signification de « socialisme » en revanche est décrite de façon différente dans les deux éditions, mais de façon très détaillée dans les deux cas. En ce qui a trait à l'orthographe des mots, les deux livres sont parfaitement équivalents. Il y a de légers écarts entre le Duden de la R.D.A. et celui de la R.F.A. dans les cas de graphies doubles comme *Photographie/Fotographie*; la première variante n'est plus inscrite dans le Duden de Mannheim.

Malgré toute l'insistance mise à souligner l'autonomie de chaque rédaction et en dépit de toutes les sombres prophéties de linguistes et de journalistes conservateurs, on ne peut constater de « clivage linguistique » entre les deux Duden en matière d'orthographe. Les deux Duden veillent sur les règles de l'orthographe allemande et s'en tiennent aux règles établies en 1901. Dans l'édition de Leipzig, le « Précis d'orthographe allemande et de ponctuation avec renvois aux difficultés grammaticales » comprend 491 numéros indicatifs (= règles); l'édition de Mannheim, en comparaison, ne compte que 212 « règles d'orthographe, de ponctuation et de forme ». Le nombre moins élevé de règles dans le Duden ouest-allemand est dû à une concentration et à un agencement des règles plus rigoureux. Dans leur contenu, les deux Duden sont presque équivalents.

II.6 Allemand écrit II : réforme de l'orthographe

La codification de l'orthographe allemande est uniforme dans tous les pays germanophones. Le code qui a été adopté et déclaré obligatoire lors de la deuxième conférence sur l'orthographe, en 1901, a survécu à deux guerres mondiales et à tous les changements politiques et territoriaux qui ont suivi. Cela est d'autant plus étonnant que l'ouvrage de 1901 a été dès le début fortement critiqué et continue à être critiqué sans répit. L'ensemble des règles est le résultat d'un compromis entre les différents États allemands qui tient compte des particularités autrichiennes; il a été considéré — entre autres par Konrad Duden — comme une solution provisoire à laquelle il faudrait apporter des améliorations. Elles n'ont jamais été apportées et le code de 1901, qui n'a connu aucun changement majeur, régit encore aujourd'hui l'orthographe allemande.

Wolfgang Mentrup, collaborateur à l'*Institut für deutsche Sprache* (Institut de la langue allemande) et à la rédaction du Duden de Mannheim, a posé la question suivante :

Faudra-t-il encore un millénaire pour que la communauté allemande, avec son orthographe désormais réglementée, puisse se libérer du système de règles fignolé durant des siècles, consacré officiellement et imposé systématiquement dès l'école aux membres de la communauté sous la menace de douloureuses sanctions et pour qu'elle puisse en venir — revenir — à une solution plus simple, plus humaine et plus accessible à l'ensemble de la communauté? (Mentrup, 1979: 16).

Étant donné l'éternelle discussion portant sur une réforme et l'absence de gestes en ce sens, il est difficile d'accuser Mentrup de peindre la situation en noir.

Les problèmes que pose le système orthographique actuel peuvent être classés en deux groupes:

1. Les corrélations entre les phonèmes de l'allemand et leurs graphèmes ne sont pas de simples « correspondances graphème-phonème » pouvant être entièrement décrites par des « règles CGP ». L'orthographe de l'allemand n'est pas phonématique mais est dictée par des raisons non seulement phonologiques, mais aussi morphologiques et syntaxiques.

2. Il y a des règles orthographiques qui n'ont aucune incidence sur l'image graphématique, mais qui, en même temps, sont déterminantes pour le système orthographique actuel.

On peut citer, en relation avec le point 1:

a) la non-uniformité des signes de quantité vocalique;

b) l'orthographe des diphtongues;

c) les différentes orthographes du / ks / ⟨x, ks, cks, chs, gs, cs⟩;

d) les graphies de / s /;

e) les graphèmes ⟨c⟩, ⟨v⟩ et ⟨y⟩, superflus d'un point de vue phonographique, et la consonne double superflue ⟨dt⟩;

f) les graphies de mots étrangers avec ⟨ph⟩, ⟨th⟩, ⟨rh⟩ et ⟨rrh⟩;

g) les doublets orthographiques;

h) la différence de graphie entre mots ayant une même racine (*Hand — behende*, « main — adroit »).

En relation avec le point 2:

a) la majuscule et la minuscule;

b) la composition graphique des mots;

c) la séparation des syllabes;

d) la ponctuation.

Une réforme s'attaquant aux problèmes mentionnés au point 1 signifierait une modification du système orthographique beaucoup plus profonde qu'une réforme se limitant aux problèmes du point 2. Ces réformes seraient donc très difficiles à imposer. L'apparence habituelle d'un texte en serait très fortement modifiée:

Erster Schritt: Wegfall der Groβschreibung — einer sofortigen einführung steht nichts im wege.
zweiter schritt: wegfall der dehnungen — dise maβname eliminirt vile felerursachen.
dritter schritt: wegfall der konsonantenverdoppelung — den sin oder unsin der verdopelung hat onehin nimand kapirt.
virter schrit: ersetzung der überflüsigen grapheme — das alfabet wird flux fil karakteristischer, di fereinfachung der schwirigen gramatik mus iezt anfisirt werden*.

Des changements de cette nature, qui affectent le nombre de caractères écrits ou suppriment des correspondances conventionnelles entre phonèmes et graphèmes, ne sont à peu près plus discutés sérieusement. Depuis les années 20, on assiste à un net déplacement de l'objet des discussions et les points mentionnés en 2 sont nettement au premier plan (cf. Nerius, 1975: 2.3).

On peut dire sans exagérer que, surtout dans le public non spécialiste, le problème de la réforme de l'orthographe s'est réduit à la question « Écriture partiellement ou entièrement en minuscules? ». Même Wolfgang Mentrup discute exclusivement de nouvelles règles d'emploi des majuscules et des minuscules. Même l'opposition conservatrice qui s'oppose à l'écriture entièrement en minuscules, « archaïque et réactionnaire », discute d'une « écriture en majuscules simplifiée ».

Personne ne conteste que les fautes portant sur l'emploi des majuscules et des minuscules constituent la part du lion de l'ensemble des fautes d'orthographe. Les données varient certes considérablement à cause de la diversité des tests, mais un taux de 30 % peut être considéré comme réaliste. De nombreux tests, menés à divers moments dans des écoles de Hanovre et à l'université de cette ville à l'aide d'un ensemble relativement diversifié de méthodes, ont montré que le tiers de toutes les fautes d'orthographe est dû à ce que les règles actuelles d'emploi des majuscules et des minuscules ne sont pas observées.

---

* **Première étape:**
suppression des majuscules — il n'y aurait aucun obstacle à l'introduction immédiate de cette mesure.
Deuxième étape:
suppression des allongements de voyelles — cette mesure élimine plusieurs causes de fautes.
Troisième étape:
suppression du redoublement des consonnes — personne n'a jamais compris le sens de ce redoublement.
Quatrième étape:
remplacement des graphèmes superflus — l'alphabet devient aussitôt beaucoup plus caractéristique; il faut maintenant viser la simplification de la grammaire compliquée.

Pourquoi n'a-t-on pas procédé à cette réforme de l'écriture des majuscules et des minuscules, relativement simple à effectuer? Divers facteurs sont déterminants à cet égard et ils joueraient sûrement davantage si l'on voulait procéder à des réformes plus profondes:

1. Une réforme affecterait en premier lieu les quatre États où l'allemand est la seule langue parlée ou parlée par la majorité. Jusqu'à présent, aucun de ces pays ne veut faire cavalier seul, les facteurs politiques jouant ici un rôle important. La R.F.A. et la R.D.A. ont toujours de la difficulté à adopter une politique commune et il n'en va pas autrement dans cette question. En 1979, des spécialistes de la Suisse, de l'Autriche et de la R.D.A. sont arrivés à un consensus sur l'écriture en minuscules, mais la R.F.A. s'est opposée à une réforme commune.

2. Les liens qui unissent la communauté linguistique à ses traditions ne devraient pas être négligés dans le cadre d'une telle réforme. Mais la proposition d'écriture partiellement en minuscules qui semble prévaloir actuellement tient largement compte des traditions. On ne doit pas prendre trop au sérieux les opposants qui affirment que certaines phrases — qu'ils donnent toujours en exemple — ont un double sens. Par exemple:

    1. *der gefangene floh* = *der Gefangene floh* (le prisonnier s'échappa) ~ *der gefangene Floh* (la puce emprisonnée)

ou

    2. *ich habe liebe genossen in Moskau* = *ich habe liebe Genossen in Moskau* (j'ai des camarades qui me sont chers à Moscou) ~ *ich habe Liebe genossen in Moskau* (j'ai rencontré de l'amour à Moscou).

En contexte, le sens de ces phrases est tout aussi clair que celui de la phrase suivante qui peut avoir deux sens:

    3. *Das Schloß ist kaputt* (la serrure est cassée ~ le château est détruit).

3. Les raisons pour lesquelles on refuse la réforme sont d'ordre idéologique plutôt que d'ordre linguistique. Des cercles conservateurs influents y voient depuis longtemps l'oeuvre d'idéologues de gauche. Il y a trente ans déjà, la célèbre didacticien de l'allemand Fritz Rahn voyait venir l'heure où « le peuple serait nivelé au niveau des sous-doués et des non-éducables »; le journal *Welt am Sonntag* a le pressentiment que le « conflit des générations » va s'aggraver; la *Frankfurter Allgemeine Zeitung* y voit un « coup typique d'une pseudo-gauche qui entend faire table rase (entendez par là, la révolution), grâce au stratagème de l'orthographe ».

4. Même des scientifiques en principe favorables à une réforme s'appliquent à la retarder : la discussion portant sur les règles de l'écriture en majuscules encore en vigueur est menée avec ardeur — par exemple, comment peut-on reconnaître les noms communs (qui doivent être écrits avec une minuscule) des noms propres ou des marques (qui doivent être écrits avec une majuscule) ? (cf. Eisenberg, 1981).

5. On met volontiers de l'avant, surtout chez les éditeurs, les effets économiques qu'aurait une modification de l'orthographe en utilisant l'argument selon lequel tous les livres devraient être réimprimés. On oublie que les deux variantes pourraient coexister sans nuire à la lecture. Dans le cas du passage des caractères gothiques aux caractères d'imprimerie latins, qui eut lieu dans les années 40, il n'y a pas eu de difficulté.

On peut faire appel ici à l'exemple danois ; au Danemark, on a procédé en 1948 à une réforme de l'orthographe où l'usage de la majuscule pour les substantifs a été aboli pour l'essentiel. L'expérience danoise montre donc que les craintes d'éventuelles conséquences négatives sont pour la plupart sans objet.

Le fait de reporter à plus tard la réforme de l'orthographe nous achemine peu à peu vers une crise de l'apprentissage de l'écriture. Pour des raisons de politique d'éducation, la réforme aurait dû être faite depuis longtemps, comme le rappellent constamment les spécialistes ainsi que les syndicats d'enseignants. On pourrait faire cesser le déploiement d'efforts insensé auquel on assiste dans les écoles, écarter les barrières sociales et donner à un plus grand nombre de personnes l'envie de s'exprimer par écrit. Des motifs politiques et idéologiques, à considérer comme typiquement allemands, nuisent au changement. On ne discute même pas de la possibilité d'assouplir le caractère trop normatif des règles de l'orthographe et d'en permettre un accès un peu plus individuel.

III. Critique de la langue et politique linguistique

III.1 La *Sprachpflege*: une tradition

Les pages précédentes ont montré que l'évolution de la langue allemande ne permet guère de parler d'une crise ni d'une dégradation de la langue. Les changements dans le domaine de la syntaxe sont peu nombreux et de peu d'importance; en gros, l'orthographe reste ce qu'elle était au tournant du siècle. Il n'y a pas de différences dignes de mention d'un État allemand à l'autre. Mais le fait que les normes d'évaluation soient devenues moins sévères ou que l'on discute d'une réforme modeste fait déjà accourir les donneurs de conseils et d'avertissements.

Plusieurs auteurs estiment que la langue allemande tombe en décadence, est corrompue, abâtardie, massacrée, déchue, à bout de forces et victime d'un cancer incurable. En guise d'illustration, voici une liste d'expressions qui ont été utilisées pour décrire la crise à laquelle elle fait face:

Déchéance de la langue, bourbier de la langue, usure de la langue, mauvaises habitudes linguistiques, dépravation de la langue, souillure de la langue, tumeur de la langue, mauvaise herbe linguistique, pourrissement de la langue, langue devenue grossière, langue eau de vaisselle, cochonnerie de la langue, outrage à la langue, incurie de la langue, désordre de la langue, dégradation de la langue, sabotage de la langue, barbarie de la langue, dévastation de la langue.

Les principaux domaines dans lesquels les défenseurs de la langue puisent leurs analogies sont ceux de la maladie, du cancer, de la déchéance physique, de l'hygiène, des erreurs d'éducation, des délits criminels, de la sexualité brutale, de l'anarchie et d'autres comportements qui causent de l'aversion (voir Ivo, 1975: 157). L'emploi de mots si énergiques ne peut pas avoir pour unique cause les évolutions esquissées plus haut car de tels jugements supposent des motifs plus sérieux du point de vue idéologique.

La situation actuelle de la critique de la langue, critique explicite et pratiquée selon des modèles traditionnels, peut être caractérisée en gros comme suit:

La critique de la langue n'est pratiquée que rarement comme une discipline scientifique. La critique philologique contemporaine se réclame d'une vieille tradition; la façade a beau être ravalée périodiquement, on ne saurait s'y tromper (voir Heringer, 1982).

Les germanistes des universités vont jusqu'à refuser presque toujours de participer à des discussions en vue d'établir des normes. Ils s'en tiennent à la description et laissent les jugements aux non-scientifiques.

Cette attitude est très critiquée par les *Sprachpfleger* (défenseurs de la langue). On reproche à la linguistique universitaire de défendre un idéal de description qui mène au libéralisme et au pur laisser-faire et qui méconnaît le fait que la *Germanistik* a vis-à-vis de la langue allemande « un rôle de gardien » à jouer, selon l'expression consacrée. On envie des pays comme la France où les académies jouent à la fois le rôle de juges et de policiers de la langue.

> En Allemagne, nous ne sommes pas dans cette heureuse situation même si nous disposons d'une [...] gouvernante de la langue, le dictionnaire Duden de Mannheim avec son service de « consultation », qui s'occupe surtout d'orthographe mais qui se garde bien d'intervenir en matière d'utilisation des mots et de correction grammaticale et qui se défend férocement et formellement de jouer de quelque façon que ce soit un rôle actif en matière de langue (Hommel, 1984 : 220).

Il existe des critiques actifs en dehors des milieux universitaires qui se distinguent par leur tolérance vis-à-vis des tendances évolutives de la langue actuelle. C'est le cas, par exemple, de la revue satirique *Titanic* en R.F.A., qui s'en prend toujours de façon sarcastique à la langue des pouvoirs publics, au langage publicitaire ainsi qu'aux déclarations de groupes culturels. Les auteurs qui, à la radio ou dans les illustrés, se moquent des phénomènes qui ont rapport à la langue connaissent également beaucoup de succès. Parmi ceux-ci il y a Eike Christian Hirsch qui, comme chroniqueur à la radio de l'Allemagne du Nord (*NDR*), délecte régulièrement ses auditeurs de commentaires méchants et spirituels. Hirsch s'en prend notamment aux distinctions pédantes entre des mots comme *Worte/Wörter* (paroles/mots), *trotzdem/obwohl* (quoique/bien que), *hinauf/herauf* (vers le haut/en montant) et *anscheinend/scheinbar* (apparemment/vraisemblablement), et attire l'attention sur le fait que les auteurs allemands utilisés comme modèles (Goethe, Kleist, Thomas Mann, etc.) ne pouvaient même pas faire la différence :

> Toutes ces distinctions ont été inventées par des instituteurs de la fin du XIXe siècle. Nos classiques ne les utilisaient pas. Ce qui est apparemment important pour beaucoup d'instituteurs n'est en fait que de la mesquinerie (Hirsch, 1976 : 115).

Le journaliste Wolf Schneider adopte le même point de vue dans son livre *Deutsch für Profis — Handbuch der Journalistensprache — wie sie ist und was sie sein könnte* (L'allemand pour les professionnels

— Manuel de la langue journalistique telle qu'elle est et telle qu'elle pourrait être). Schneider décrit la langue des pouvoirs publics sous un angle fonctionnel et critique la tendance à s'exprimer de façon imprécise comme une manière de camoufler les choses. Le jésuite et théoricien des sciences Rupert Lay traite aussi de ce thème mais il émet en plus des jugements de valeur. Dans son livre *Manipulation durch Sprache* (Manipulation par le langage), il se sert des critères de « bon » et de « mauvais » sans cependant vouloir « prescrire de façon pédante ».

Cette attitude se retrouve davantage chez les auteurs de la génération précédente comme Lutz Mackensen qui traite de la langue d'un point de vue normatif. Mackensen est dans la tradition des auteurs comme Sternberger, Storz, Süskind, Korn et Reiners qui, sous le couvert de critique linguistique, ont exprimé dans des chroniques de journaux et dans des livres de poche à gros tirage leur malaise face à l'évolution de la société d'après-guerre. Ces traditionalistes éminents ont certes perdu de leur influence ces dernières années mais ont — comme il faudra le démontrer — trouvé des successeurs avec quelques auteurs ouvertement de droite.

En R.F.A., les deux quotidiens conservateurs *Der Tagesspiegel* de Berlin-Ouest et la *Frankfurter Allgemeine Zeitung* font régulièrement, dans des chroniques, de la critique linguistique conjointement à une critique culturelle verbeuse. On n'accordera cependant pas une grande influence à leurs propos; ils sont une concession à un public vieillot de formation bourgeoise. La situation en R.D.A. est semblable. Le périodique satirique *Eulenspiegel* se moque souvent de phénomènes linguistiques et la *Wochenschrift für Politik, Kunst und Wissenschaft, die Weltbühne* a une section *Kohl* (sottises) dans laquelle on pourfend chaque semaine « de mauvaises habitudes linguistiques ». Ces pointes qui visent aussi bien la langue parlée que la langue écrite constituent pour un public cultivé un divertissement agréable et qui n'engage à rien. Karl Kraus et Kurt Tucholsky n'ont trouvé personne pour les remplacer dans les deux États allemands.

Faire de la critique linguistique est devenu une chose sérieuse et une affaire politique en R.F.A. En dehors des chroniques de journaux, de la vulgarisation et des programmes d'études germaniques dans les universités, les auteurs qui exercent cette critique parlent de langue mais ont autre chose en tête. On peut très bien subsumer cet aspect du débat sur la crise de la langue sous l'expression de « sémantique politique ». Les défenseurs de la langue représentent des intérêts politiques bien particuliers et la critique linguistique sert de prétexte à des luttes idéologiques où l'on tire à boulets rouges et où l'on ne ménage ni les hommes ni le matériel.

III.2 Sémantique politique

Avant de présenter de façon tant soit peu détaillée les discussions de ces dernières années sur la « sémantique politique » que H.J. Heringer (1982: 14) appelle aussi « lutte sémantique » et M. Greiffen-hagen (1980) « lutte des mots », nous ferons quelques commentaires sur le contexte politique.

En 1966, après 17 ans de gouvernements conservateurs-chrétiens, se forma en R.F.A. la « grande coalition » des partis chrétiens et des sociaux-démocrates. En 1969 commença la période des coalitions entre sociaux-démocrates et libéraux qui dura jusqu'en 1982. À la fin des années 60, il y eut en R.F.A. et à Berlin-Ouest, comme dans plusieurs autres pays, une agitation étudiante provoquée, bien sûr, par la guerre menée par les États-Unis au Viêt-nam mais dont plusieurs causes étaient liées à la politique intérieure. Les étudiants furent à l'origine d'un mouvement social relativement vaste et exigèrent des réformes dans de nombreux secteurs de la vie sociale et surtout dans les écoles et les universités. Le gouvernement Brandt (1968-1973) accepta de céder à certaines de ces exigences; il y eut quelques réformes scolaires (importance accrue du concept de *Gesamtschule*) et certains changements de structure dans les universités. Un résultat de cette « euphorie de réforme », comme on la désigna plus tard sur un ton polémique ou résigné, fut que, dans les discussions publiques portant sur la politique en matière d'éducation, on pouvait dégager des idées progressistes à un degré à peine imaginable auparavant. Chez les réformistes, ce qui déplut aux conservateurs, ce ne furent pas seulement les idées mais aussi le vocabulaire utilisé. Le reproche de manipulation par la langue était bien répandu à cette époque: on s'accusait réciproquement de tromper le public par certaines formules ou certaines terminologies quand on utilisait dans de sombres et pernicieux desseins des euphémismes positifs et optimistes comme « démocratie », « coexistence pacifique » ou « égalité des chances pour tous » dans le clan des réformistes et « avantages pour les gens doués », « culture de l'Occident » ou « nivellement » (par opposition à « démocratisation ») dans l'autre clan. Cela nous mènerait trop loin de citer d'autres exemples ici. Nous nous limiterons donc à commenter un peu plus en détail un ouvrage paru en 1977 dans lequel les discussions sur l'abus « politique de la langue » ont donné lieu à des attaques furieuses contre la « gauche »; il s'agit du *Weissbuch zur Rettung der Sprache* (Livre blanc pour la sauvegarde de la langue). Le « Livre blanc » a été édité par Otto Zierer à la demande du *Deutscher Autorenrat (DAR)* (Conseil allemand des auteurs) et du *Freier Deutscher Autorenverband (FDA)* (Association libre des auteurs allemands). Les deux groupements se considèrent comme conservateurs et beaucoup d'auteurs sont membres des deux. Le *FDA* se considère en concurrence avec le *Verband deutscher Schriftsteller (VS)* (Association des écrivains allemands), syndicat dont font partie de nombreux auteurs connus de la République fédérale. De l'avis de Karl Steinbuch, membre du *FDA*,

> certains membres du FDA sont lésés sous plus d'un rapport dans la presse et à la radio ..., ils jouissent de beaucoup moins d'avantages financiers accordés par l'État que certains membres du VS (p. 214).

L'association se sent opprimée, réduite au silence, sans pourtant qu'elle se demande si cela ne pourrait pas être dû à la valeur des ouvrages de ses membres. Il est certain en tout cas que le *FDA* jouit de l'appui de personnes et d'organismes influents de la droite politique.

Derrière le prétendu objectif de « sauver la langue », formulé de façon pathétique, ne se cache rien d'autre que le dessein de propager des valeurs conservatrices. La critique linguistique n'est alors qu'un moyen de faire de l'agitation politique : « Nous voyons l'agression qui est dirigée actuellement de façon toujours plus nette contre l'*esprit* et la *notion de valeur* de notre langue » (p. 11). De l'avis de l'éditeur Zierer, la langue est sur le point de « devenir un instrument de révolution mondiale ». Pour les auteurs du *Livre blanc*, nous vivons en Allemagne une époque de « décadence morale, historique et politique » (p. 15) qui va de pair avec une « décadence de la langue ». À titre de preuve, on évoque des périodes de l'histoire allemande qui ressemblent, croit-on, à l'époque actuelle — la fin de la guerre de Trente Ans avec sa décadence générale — ou celles où il en allait tout autrement, selon l'auteur — l'époque classique allemande. La langue était alors vénérée et liée à la « grâce »; « dans la langue des poètes doués, nous sentons passer ce souffle divin » (p. 24). Il est presque superflu de dire que cette « présence divine » (p. 27) a été chantée surtout par Goethe qui, encore de nos jours, est synonyme de « culture » pour 84,5 % de la population de la République fédérale, comme nous l'a révélé une enquête du magazine *Stern* au printemps de 1984[6].

Si on dénie à l'ancien temps son historicité, si on lui enlève son caractère concret, si on le réduit à des modèles normatifs, on décrit le présent de façon beaucoup plus précise : on engage une polémique contre la réforme de l'orthographe, on maudit la sociolinguistique, on

---

6. *STERN. Das deutsche Magazin* (La revue allemande), n° 21 du 17 mai 1984 : « *Von Goethe reden, aber J.R. sehen. Was die Deutschen an ihrer Kultur lieben* » (Parler de Goethe mais voir J.R. Ce que les Allemands aiment dans leur culture), p. 24-28, ici p. 26.

calomnie ceux qui ont des difficultés d'apprentissage, on attaque ceux qui critiquent les manuels de lecture, on déclare la guerre à toute réforme scolaire. On évoque des valeurs positives comme le pays, la patrie, la famille, les amis et la joie. On trouve partout dans le *Livre blanc* des attaques virulentes contre « la gauche politique et les gauchistes comme Böll, Grass, Enzensberger, Lenz, Anna Seghers, Peter Weiß » (p. 85). Dans son article du *Livre blanc*, Karl Steinbuch explique franchement ce que les auteurs de l'ouvrage veulent dire lorsqu'ils écrivent : « la lutte politique est aussi une lutte de la langue » (p. 211) ; la haine contre tout ce qui est de gauche,

> voilà la conviction politique de ces auteurs : celui qui tente de détruire cet État (que ce soit par des bombes ou par une révolution de conscience) est notre ennemi (p. 221).

Ce livre blanc au titre prétentieux n'est pas isolé. Depuis quelques années, il y a une nouvelle situation en matière de critique linguistique qui n'est plus simplement d'essence conservatrice comme c'était le cas de la *Sprachpflege* des années 1950 et 1960 associée aux noms de G. Storz, D. Sternberger, W. Süskind et K. Korn, mais que l'on doit caractériser comme politiquement de droite. À notre avis, la différence réside dans le fait que la nouvelle critique linguistique de droite intervient directement dans les débats politiques sur des problèmes d'actualité et exerce une *Sprachpflege* pour ainsi dire opérationnelle. Il s'agit pour eux d'atteindre l'adversaire politique et non de sauver la langue ou quelque chose de ce genre, comme le voulaient leurs prédécesseurs conservateurs qui, tout élitistes qu'ils étaient, ne craignaient pas d'attaquer des personnes ou des publications qui leur étaient politiquement proches lorsqu'ils étaient d'avis que cela était nécessaire pour des raisons de *Sprachpflege* (voir Gessinger et Glück, 1983 : 220 et ss.). La nouvelle « politique linguistique de droite » est un phénomène nouveau, non seulement parce qu'elle a des fondements politiques mais également parce qu'elle entretient des liens directs personnels et tout au moins partiellement officiels avec la CDU et les institutions de la droite politique. Ce qui est frappant, c'est que ces discussions publiques, qui étaient et qui sont l'instrument de cette politique linguistique, ont été largement menées sans le concours de linguistes. Il est à supposer que des linguistes y ont participé, du moins dans les coulisses comme conseillers, mais nous ne les avons pas vus prendre part ouvertement à la discussion. Il s'agit d'une nouvelle évolution : des politiciens, non des linguistes ou des amateurs éclairés, mènent les débats sur la langue et engagent dans ce but des spécialistes qui leur fournissent des mots d'ordre ou qui écrivent leurs discours.

En 1969, pour la première fois depuis la fondation de la R.F.A., les chrétiens-démocrates se retrouvèrent dans l'opposition et, bien entendu, cherchèrent des raisons à leur échec électoral. Ils en découvrirent une importante dans le fait que leurs opposants auraient réussi à s'emparer des principaux termes politiques. Ces termes font l'objet d'une analyse approfondie de la part de journalistes, d'hommes politiques et de scientifiques dans les articles de l'anthologie publiée par Martin Greiffenhagen (1980). Cet ouvrage peut être considéré comme une tentative désespérée pour contrôler l'application politique de notions alors que l'on discute de mots. Voici quelques exemples de termes discutés :

> Égalité des chances, socialisme démocratique, émancipation, détente, liberté, rendement, état constitutionnel, réforme, solidarité, économie sociale de marché, croissance.

George Orwell, dans son ouvrage sur la crise de la langue anglaise, dit que de telles notions constituent un « catalogue d'escroqueries et de perversions » (1946: 343). Ce jugement est peut-être trop tranché ; quoi qu'il en soit, il semble indiscutable que les médias et la propagande, grâce à une large diffusion, ont chargé d'émotion un tel vocabulaire et qu'on ne saura le rendre plus rationnel par une critique des termes eux-mêmes, ni le rendre apte à servir à la communication selon les règles de conversation de Grice ; au contraire on cherche plutôt à garder certaines notions floues afin de pouvoir mener des pseudo-polémiques politiques : cela nous semble donc une des conditions les plus importantes liées à la possibilité de télédiffusion des débats parlementaires, ce qui n'est pas un fait propre à la R.F.A. La CDU croyait en tout cas que, par une « guerre sémantique » menée de façon raffinée, ses adversaires avaient gagné du terrain dans le domaine de la propagande et du journalisme politique, ce qui serait politiquement déterminant. Le secrétaire général de la CDU, l'économiste K. Biedenkopf, déclara (de façon très imagée) dans son discours de 1973 à l'occasion du Congrès du parti que :

> Les révolutions se font aujourd'hui d'une tout autre façon. Au lieu d'occuper les locaux du gouvernement, on « occupe » les notions avec lesquelles on gouverne (Biedenkopf, 1973: 61).

Il était donc nécessaire de reconquérir le terrain perdu, de trouver une langue « à soi » dont on contrôlerait les notions clés ; il s'agissait de faire en sorte que le citoyen moyen associe automatiquement ces notions au programme de la CDU. Dans ce but, le parti mit sur pied un groupe de travail consacré aux problèmes de sémantique politique pour procéder à des analyses et définir des stratégies. On leur donna comme autre tâche de dénoncer, dans des écrits politiques, « l'occupation de la langue par les gens de la gauche », de stigmatiser « les changements de sens imposés aux mots[7] ». De ce point de vue, cette stratégie fut tout d'abord plutôt défensive ; elle constituait une réponse aux campagnes alors virulentes contre « la manipulation par la langue » qui visaient non seulement l'université et l'école mais même les journaux et la vie quotidienne et qui au moins avaient du succès dans leurs attaques contre le journalisme sauvage pratiqué par le consortium Springer, proche de la CDU. Toutefois, on ne rendrait pas justice aux faits si on disait que, dans sa contre-offensive, la CDU a simplement pris sa revanche. Elle a notamment, pour ne pas être évincée, non seulement pris sa revanche mais modernisé ses armes. Il y eut des difficultés de démarrage, comme cela arrive avec les nouvelles technologies, mais il faut reconnaître que la stratégie suivie dans la guerre sémantique a été couronnée de succès — surtout parce que l'ennemi n'a pas su lui opposer quelque chose d'équivalent.

Durant la campagne pour l'élection du *Landtag* de Bade-Würtemberg, en 1980, la CDU émit le communiqué suivant :

La famille comme « agent de socialisation » ? Les enfants comme « personnes à charge à vie » ? Les parents comme « personnes de référence » ? L'amour comme « mécanisme d'intégration » ? Paroles [*Worte (sic!)*)] du rapport officiel du gouvernement de Bonn sur la famille. Celui qui parle (et pense) ainsi détruit nos familles, notre ordre de valeur. Dans le Bade-Würtemberg, on fait tout pour assurer la survie de la famille. Pour la fortifier. Dans notre *Land*, la CDU est au pouvoir. Avec le Président du Conseil Lothar Späth. Avec cœur (d'après Greiffenhagen, 1980 : 22).

On peut considérer comme un chef-d'œuvre la façon dont la CDU s'est emparé de la notion de « solidarité » dans la campagne pour l'élection du *Bundestag* pendant l'hiver 1982-1983. « Solidarité » est, traditionnellement, un des éléments essentiels qui entre dans la définition même du syndicalisme ouvrier et de la social-démocratie.

Nous aimerions donner un exemple des difficultés dont nous avons parlé, survenues lors du lancement de la nouvelle stratégie. En 1976, il y eut des élections au parlement du *Land* de Rhénanie-Westphalie qui compte près de 30 % de la population de la R.F.A. En vue de la campagne électorale, la CDU avait fait rédiger par un groupe de linguistes (demeuré anonyme) un rapport sur « l'emploi de la langue politique dans la Ruhr » (la Ruhr est le cœur industriel du pays — c'est là que se gagnent ou se perdent les élections). Dans cette région, dont la population est surtout constituée d'ouvriers et de petits employés, on

---

7. Voir aussi Fekeler-Lepszy (1983).

parle un dialecte qui, en plus de particularités de lexique, offre aussi certaines particularités de grammaire et de style sur lesquelles il n'existe pas d'études très détaillées mais qui sont généralement connues grâce, entre autres, à des histoires drôles et à des émissions de divertissement à la télévision[8]. Dans le rapport en question, quelques particularités de ce dialecte furent donc retenues et on recommanda de les copier pour attirer la sympathie au cours de la campagne électorale. Cette stratégie n'eut aucun succès. Dans le *Spiegel*, la revue politique la plus importante de la R.F.A., on se moqua du rapport et on dit qu'il constituait « un cours accéléré sur la manière de se comporter avec des écoliers de village présentant des difficultés d'apprentissage » (*Spiegel* 38, 13 septembre 1976 : « *Wahrnehmbar schmutzig machen* », « Rendre visiblement sale », d'Hermann Schreibert, p. 37 et ss.) : les tentatives de ces politiciens en quête de suffrages pour parler comme des mineurs de la Ruhr soulevèrent l'hilarité générale. Le plus important quotidien de la province écrivit ce qui suit sous le titre « *Mit großen Worten ist im Ruhrgebiet nichts zu holen* », « Il n'y a rien à aller chercher dans la Ruhr avec de grands mots » (*Westdeutsche Allgemeine Zeitung* du 2 décembre 1976) :

> Voici ce qu'on recommande aux politiciens : concision des mots, des phrases et des textes allant jusqu'à la parcimonie. Les mots devront comporter tout au plus 2 syllabes, les phrases de 10 à 20 mots ; les structures de phrase compliquées avec une série interminable de subordonnées sont à éviter. Les discours ne devraient […] durer que 30 minutes tout au plus.
>
> Les déclarations devraient partir d'exemples et revenir toujours à des exemples. On préférera des exemples à des tournures grammaticales abstraites ou compliquées. Si l'on juge approprié d'avoir recours à des affirmations à valeur universelle ou conformes au programme, il faudrait en toutes circonstances qu'elles proviennent d'éléments locaux. Dans la mesure où cela serait justifié du point de vue rhétorique, les connaissances générales pourraient être transmises au moyen d'expressions idiomatiques, de locutions et de proverbes. On devrait remplacer les magnifiques tableaux oratoires par des gravures sur bois sans artifices. Comme forme idéale de communication, on propose la conversation entre quat'z'yeux ou le bistrot du coin !

Ce journal a un tirage quotidien d'environ 500 000 exemplaires. C'est cette large diffusion qui a valu à cette affaire son retentissement. D'ailleurs, la CDU perdit nettement ces élections ; mais il s'avère impossible d'établir une relation entre cette campagne ratée et le fait de déguiser au moyen de la langue des politiciens en ouvriers.

---

8. Voir aussi Fekeler-Lepszy (1983).

IV. Nouvelles crises linguistiques?

IV.1 La langue et l'origine sociale

Dans les discussions sur la crise de la langue, on ne fait presque jamais allusion, abstraction faite de plaisanteries méchantes, à ces groupes sociaux pour lesquels la langue dont ils disposent constitue, de façon existentielle, un problème. Nous pensons aux enfants qui éprouvent d'énormes difficultés dans l'apprentissage de la langue écrite; depuis quelques années, on les désigne sous le nom de *Legastheniker* et ils ont suscité des recherches en pathologie et en rééducation du langage (abandonnées depuis) ainsi que de nombreuses études. Ces enfants sont effectivement victimes d'une « crise de la langue ». Il ne s'agit pas ici d'une accumulation de défauts individuels et il y a des raisons d'espérer de la réforme de l'orthographe une réduction importante de ces problèmes. Un changement des normes de la langue écrite ne serait plus seulement, de ce point de vue, un impératif logique mais bien un moyen de régler partiellement un problème psychosocial, dont il est toujours difficile d'évaluer l'ampleur.

Un autre groupe auquel il faut penser ici est celui des adultes analphabètes. Les chiffres actuels pour la R.F.A. varient entre 600 000 et 3 millions (selon le critère utilisé); pour la R.D.A., on pense pouvoir avancer un pourcentage de 1 % (correspondant à 160 000). Évidemment, ces personnes appartiennent aux couches sociales inférieures; il s'agit de gens qui, à cause des deux guerres mondiales et de leurs conséquences, n'ont pas eu une formation scolaire normale et d'inadaptés scolaires au sens large. Eux aussi sont très directement frappés par une crise de la langue[9].

Le dernier groupe qu'il faut mentionner ici est celui des ouvriers immigrés du sud de l'Europe et leurs familles. Il y a en R.F.A. et à Berlin-Ouest 4,6 millions d'étrangers, dont 4 millions désignés comme *Gastarbeiter* (travailleurs immigrés). La première génération de ces immigrés n'a reçu, tout au moins pour 90 %, aucun enseignement organisé de l'allemand. À leur lieu de travail ou, dans certains cas, dans les quartiers où ils habitent, ils ont appris tout simplement des variétés d'allemand immédiatement identifiables comme « étrangères ». Cet « allemand de travailleurs immigrés » permet une communication rudimentaire; ceux qui le parlent sont socialement marqués. Le problème des enfants est à peine moins sérieux. Ceux-ci sont souvent nés en

---

9. Voir aussi Giese et Gläβ (1983).

R.F.A. ou à Berlin-Ouest, y ont grandi, mais ils parlent la plupart du temps, dans leur famille, la langue maternelle des parents et pour cette raison leur allemand présente des lacunes; c'est cet allemand qu'ils parlent à la maternelle ou à l'école. Les maternelles et les écoles ont — en raison de moyens financiers limités et par manque de personnel qualifié — réagi trop tard et en général de façon insuffisante aux problèmes et aux exigences de ces enfants, de sorte qu'ils forment une sorte de « nouveau prolétariat ». Pas même la moitié d'entre eux ne termine le premier cycle de la *Hauptschule* (école obligatoire).

Nous voudrions maintenant aborder deux phénomènes que, de prime abord, on ne peut envisager comme expression d'une « crise de la langue » que sous réserve; il s'agit de la « langue au masculin ou au féminin » et de la « langue des jeunes ».

Les deux problèmes sont particulièrement d'actualité en R.F.A. si l'on en juge par le grand nombre d'ouvrages scientifiques, d'ouvrages de vulgarisation et de chroniques de journaux qui en traitent.

IV.2 La langue et le sexe

Les phénomènes linguistiques qui font l'objet de discussions ne sont en aucun cas nouveaux mais le grand intérêt qu'ils suscitent actuellement montre que les sujets sur lesquels porte la critique linguistique changent. Le changement d'attitude vis-à-vis de certains groupes sociaux spécifiques provoque également en général un changement de l'angle sous lequel la linguistique et le public mis en cause les voient. En R.D.A., il existe des tendances analogues, mais à un degré moindre. Depuis la parution en 1972 de la pièce *Die neuen Leiden des jungen W.* d'Ulrich Plenzdorf (« Les nouvelles souffrances du jeune W. »), on traite très souvent des particularités de la langue des jeunes de la R.D.A., par exemple dans la « Discussion sur Plenzdorf » parue dans le périodique *Sinn und Form* ou dans l'article d'Ewald Lang (1980). Même si le thème de la langue des jeunes n'est traité visiblement qu'au niveau littéraire, il reste que ces tendances sont bien dans la langue même. La « langue des jeunes » fait depuis quelques années l'objet d'une recherche empirique en R.D.A. mais rien n'a encore été publié à ce sujet. Le thème de la langue au masculin ou au féminin se rattache, en R.D.A., à la discussion qui porte sur la culture (écrite) féminine provoquée par le livre de Christa Wolf, *Kassandra*. Le sujet du débat ne s'est pas réduit presque exclusivement au système linguistique et à l'utilisation de la langue comme en R.F.A. Et les deux façons de traiter le sujet ne peuvent être comparées que sous certaines réserves. Dans les lignes qui suivront, nous voudrions parler des discussions actuelles qu'ont suscitées, en R.F.A., les deux problèmes en question, qui ne sont certes pas encore l'expression d'« une crise de la langue » mais qui sont en passe de devenir des problèmes de première importance grâce aux professionnels de la critique linguistique et au public qui y a été sensibilisé.

Au cours des dernières années, en R.F.A., dans le cadre de la « linguistique féministe », la critique linguistique a trouvé un nouveau thème : les formes de la langue ont été interprétées comme l'expression d'une disparité entre les sexes ; bien plus, elles ont été interprétées comme la cause de cette disparité, qu'elles accentuent. On voit le signe d'une crise actuelle de la langue dans le fait que, dans la morphologie surtout (formation de noms dotés de la caractéristique [+ humain]) et dans la syntaxe des groupes nominaux (règles d'accord, pronominalisation, etc.), il y a souvent contradiction entre le genre naturel (sexe) et le genre grammatical. Cet état de choses fait l'objet de critiques, comme on le sait, depuis longtemps ; il s'agit de la question de l'exactitude des mots et de la transposition, dans la langue, de l'ordre naturel ou conforme des choses, problème dont déjà Platon traite dans le *Cratyle*. Dans les études germaniques, le problème n'est pas nouveau ; déjà en 1847, J. Grimm dit ironiquement d'un contemporain :

> Il se sent le plus souvent dans sa nature [...] lorsque la connaissance du sujet lui donne la possibilité d'améliorer la langue ; il ne conseillera pas à sa femme phtisique de boire du lait d'âne (*Eselsmilch*) mais du lait d'ânesse (*Eselinnenmilch*) [...] (cité par Polenz, 1973-1982 : 75 et ss.).

Nous ne nous attarderons pas davantage sur les objectifs de la linguistique féministe ; il s'agit ici en gros de la découverte et de l'élimination de certaines données structurelles ou de certains usages linguistiques auxquels on attribue le caractère de « sexiste ». Les noms d'agent ont été, en particulier, la cible d'une telle critique ; comme en français et en anglais, il y a en allemand des masculins génériques dont on ne dérive habituellement une forme féminine grâce à un suffixe précis (surtout -*in*) que lorsqu'une référence à des personnes concrètes y oblige. Habituellement, on dit par exemple :

1. *Ausländerbevölkerung* (Population d'étrangers)
2. *Arbeiterverräter* (Traître à la classe ouvrière)
3. *Ärzteschwemme* (Médecins en surnombre)

parce que les formes féminines seraient soit non grammaticales comme dans :

(1′) *Ausländerinnenbevölkerung* (population d'étrangères)
soit ne pourraient avoir de sens que dans des contextes très spéciaux ;
    (2′) *Arbeiterinnenverräter* (traître aux ouvrières)
renverrait à une personne qui se limite à trahir des ouvrières ; en
employant :
    (3′) *Ärztinnenschwemme* (femmes-médecins en surnombre)

le sujet parlant ou écrivant constate un surplus de personnel médical
mais uniquement de personnel féminin. Il existe sûrement une multitude
de cas qui ne posent pas de problème, mais on peut constater que
l'usage a considérablement changé sur ce point au cours des dix
dernières années. Ce qui reste problématique, c'est la conception selon
laquelle les formes génériques impliquent nécessairement la catégorie du
sexe ; les tentatives souvent acharnées pour améliorer l'allemand de ce
point de vue, là où c'est possible, aboutissent parfois à un résultat un
peu ridicule. Quelques cas posent un problème particulier : là où
l'opposition des sexes n'est pas marquée morphologiquement mais bien
lexicalement (par exemple, *Schwester*, soeur vs *Bruder*, frère). Dans
quelques cas de ce genre, il y a des restrictions naturelles qui empêchent
la dérivation (par exemple, *Amme*, nourrice) ; une série d'autres cas est
fortement limitée à cause des données sociales : par exemple, *Obermaat
(quartier-maître), Domkapitular (chanoine capitulaire), Hebamme
(sage-femme* ; le pendant masculin fut appelé *Geburtshelfer* « accou-
cheur »). Quelques règles de pronominalisation créent aussi des difficultés, notamment pour certains pronoms comme *jemand (quelqu'un), wer
(qui), man (on)*, etc. Voici des exemples :

4. *Jemand hat seine Seidenstrümpfe in der Umkleidekabine liegengelas-
   sen* (Quelqu'un a laissé ses bas de soie dans la cabine d'habillage).
5. *Wer empfände das Stillen nicht als Bereicherung seiner persönlichen
   Erfahrungen*? (Qui ne ressentirait pas l'allaitement comme une expérience personnelle enrichissante ?).

En citant ces cas, nous ne voudrions d'aucune façon prendre
délibérément position contre les points de vue qui ont été présentés dans
les discussions sur la crise de la langue ; il s'agit pour nous d'illustrer
ces points de vue et d'exprimer nos réserves : nous croyons qu'il existe
des formes indifférentes à la notion de sexe bien qu'un genre soit
exprimé et nous pensons qu'on ne peut pas se débarrasser des génériques en disant tout simplement qu'ils sont une invention sexiste [10].

---

10. Voir aussi Andresen *et al* (1978), (1979) et Trömel-Plötz (1984).

IV.3 La langue et l'âge

Les travaux sur le thème de la « langue de la jeunesse » ont connu une grande diffusion ces dernières années et sont un autre exemple de l'intérêt immense que l'on porte aux variantes linguistiques propres à certains groupes : « langue de la *scène** », « langue des discothèques », « langue des punks », etc., l'appellation varie selon le sous-groupe que l'auteur doit étudier. Il existe quelques dictionnaires spécialisés de cette « langue de la scène » où on propose des équivalents en allemand standard, ce qui suppose manifestement que l'on adopte le point de vue selon lequel cette variante est un genre de sociolecte de la jeunesse que les non-initiés ne pourraient en principe comprendre ; les glossaires garantissent alors, suivant cette logique, l'intelligibilité réciproque des deux variétés « allemand de la jeunesse » et « allemand des gens âgés », ce qui est un non-sens manifeste. On a affaire ici à un vocabulaire spécial, thématiquement cernable, fonctionnellement limité, complété par quelques échantillons rares de formation de mots et de dérogations à la syntaxe (par exemple, certaines inversions, effacement du pronom sujet — ce dernier trait était d'ailleurs une caractéristique propre au corps des officiers prussiens avec lequel la « scène alternative » n'aimerait certainement pas voir comparer sa « langue »). La limitation fonctionnelle réside dans le fait que ce vocabulaire est essentiellement restreint à des situations informelles, ce qui signifie pour la plupart des jeunes que la « langue de la scène » est une manière de s'amuser avec des néologismes (sémantiques ou formels) durant leurs loisirs ; il y a toutefois des situations, par exemple les conversations dans des cafés d'un type déterminé offrant habituellement un mauvais service, où s'exerce une pression sociale considérable pour s'afficher comme jeune si on ne veut pas perdre tout prestige et être considéré *out*. Gessinger et Glück (1983 : 204) mentionnent déjà qu'il existe des journaux, des périodiques (en particulier dans le domaine de la musique, de l'écologie, de la vie « alternative ») dans lesquels ces formes de langue parlée passent à l'écrit — obéir à ces conventions est un gage de jeunesse, de non-conformisme et de conscience critique. On en trouve des exemples remarquables surtout dans le domaine de l'orthographe des mots étrangers (« *äkschn* » pour *Aktion* ; « *schecken* » pour *verstehen*, c'est-à-dire *to check*, avec des dérivations : « *gescheckt* », participe passé, « *die Schecke haben* », nominalisation).

---

* « Scène » = sous-culture.

La linguistique universitaire s'intéresse à la « langue des jeunes »
dont elle fait un sujet d'études descriptives, mais on cherchera en vain
une critique sérieuse. Vu qu'il s'agit, comme nous l'avons dit, de
phénomènes datant de quelques années seulement, il n'existe pas encore
de recherches poussées auxquelles nous pourrions faire référence ici ; le
sujet en est encore au stade des articles de périodiques, des thèses de
maîtrise et de doctorat. Le marché du livre de poche a de l'avance et a
exploité le sujet par tous les moyens. Ainsi, la maison d'édition Heyne
annonce la parution d'une nouvelle série :

« *Scene* » : un reflet de la scène dans laquelle nous vivons.

Avant-gardiste, progressiste, alternatif.

Des livres dont les titres sont *Edel sei der Mensch, Zwieback und
gut — Szene-Sprüche* (Que l'homme soit noble, biscotte et bien —
Maximes de la scène) ou *Von Anmache bis Zoff — Wörterbuch der
Szene-Sprache* (De la drogue à la chicane — Dictionnaire de la langue
de la scène) doivent paraître. Les profits que rapporte la langue de la
« scène » sont liés au fait qu'elle est passée sans difficulté dans la
publicité des produits dont les jeunes sont les principaux consommateurs. Dans les agences de publicité, on se casse la tête pour savoir
comment on arrivera à composer des textes calqués sur cette langue. La
tendance ne se limite d'ailleurs pas à la publicité des produits de
consommation spécifiques aux jeunes (par exemple, blue-jeans, tissus
synthétiques de certaines couleurs, tabac « à rouler », et ces produits
américains faits de farine de blé, de viande hachée, d'ingrédients divers
qui sont mis sur le marché sous le nom d'aliments, etc.) ; cette tendance
se manifeste aussi dans la publicité de produits et de services qu'on ne
peut associer à des groupes d'âge particuliers. Des banques sérieuses
font de la publicité avec le mot *Typ* (« type, mec ») ; des supermarchés
conseillent à leurs clients de ne pas se laisser « *blöffen* » (bluffer) par la
concurrence (du germano-anglais « *bluffen* » — *to bluff*).

Des critiques qui s'attaqueraient à cette langue, à l'heure actuelle,
ne feraient que provoquer l'hilarité : celui qui s'en prendrait à cet argot
propre aux jeunes et généralement apprécié serait jugé comme un
professeur sclérosé et sans humour et serait tourné en ridicule. Quelques
champs sémantiques, la sexualité et la politique, font à la rigueur
exception. Il faut bien sûr attirer l'attention sur le fait qu'il existe
d'autre part un consensus non exprimé et tenir compte des limites
fonctionnelles : utiliser la langue de la « scène » n'est absolument pas
admis dans des situations qui ne la requièrent pas.

Il va de soi que la « langue des jeunes » n'est pas une création
originale de la jeunesse d'aujourd'hui, mais la manifestation la plus

récente du phénomène connu selon lequel les jeunes d'une époque tentent de se démarquer de la génération de leurs parents en utilisant la langue comme un moyen parmi d'autres; qu'on songe, ici, aux études qui ont été faites autrefois sur « l'allemand militaire », « l'allemand des lycées », « l'allemand des potaches », « l'allemand des jouvencelles », etc. Pour ce qui est des travaux plus récents, il faut citer ceux du lexicographe H. Küpper qui fait autorité pour l'« allemand familier ». Ce qui est nouveau cependant, c'est la réaction exceptionnellement modérée et compréhensive des universitaires et des pédagogues face à la langue parlée actuellement par les jeunes. Encore au début des années 1970, au moment où le jargon du mouvement étudiant avait connu une certaine diffusion dans toute la jeune génération (il est comparable alors à la langue de la « scène », mais uniquement sous le rapport de ses fonctions sociales), les réactions étaient de désapprobation, de refus et de panique (« infiltration de la gauche dans la langue allemande »). Ce n'est pas le cas actuellement; le libéralisme pratiqué consiste plutôt à exercer le nouvel art politique qu'est l'*Aussitzen* (l'usure): ne plus prendre au sérieux ni le conflit ni l'adversaire (on ne saurait dire encore si cette attitude constitue un jugement explicite ou si elle correspond à l'incapacité de juger une situation).

V. Conclusions

V.1 Mesures

Autant les opinions de ceux qui constatent une crise de la langue allemande sont variées, autant est restreint le nombre des mesures qui, en dehors des écoles ou autres milieux officiels, ont pour but d'influencer ou d'améliorer l'usage public ou individuel de la langue et de faire observer les normes existantes.

1. En raison de la structure fédérale de la R.F.A., il n'existe pas d'organisme responsable en matière de *Sprachpflege* dont l'action s'étendrait à l'ensemble du pays.

2. Même les programmes obligatoires dans les écoles ne sont pas fixés par un organisme central mais relèvent des autorités des *Länder*.

3. L'observation de la norme de l'écrit constitue la grande préoccupation des autorités de l'Instruction publique dans tous les *Länder*. Le fait que l'on ait remis à plus tard la réforme de l'orthographe alors qu'elle aurait dû avoir lieu depuis longtemps et le caractère coercitif de la norme en vigueur font qu'effectivement les élèves maîtrisent de moins en moins le système orthographique.

4. La *Gesellschaft für deutsche Sprache* (Société pour la langue allemande), organisme succédant à l'*Allgemeiner deutscher Sprachverein* (Association générale pour la langue allemande) autrefois influente, édite une publication axée sur la langue pratique, *Sprachdienst* (Service linguistique), et organise des consultations en matière de langue.

5. De même, la rédaction du Duden donne des renseignements sur des cas grammaticaux douteux. L'influence réelle de ce service est limitée.

6. Le *Verein für Sprachpflege* (Association pour la surveillance de la langue) de Hambourg qui se veut l'« héritier spirituel » de l'*Allgemeiner deutscher Sprachverein* (Association générale pour la langue allemande) et qui poursuit les mêmes buts conservateurs peut être considéré comme une entité insignifiante.

7. La *deutsche Akademie für Sprache und Dichtung* (Académie allemande pour la langue et la poésie) de Darmstadt est — malgré son nom pompeux — un organisme qui n'est connu à toutes fins utiles que dans les cercles de la bourgeoisie cultivée dont les membres sont des écrivains et des philologues de la génération plus âgée. En 1980-1982, elle a publié un ouvrage en trois volumes, *Der öffentliche Sprachgebrauch* (L'usage officiel de la langue), qui traite de problèmes de norme linguistique.

8. Des programmes et des cours visant à améliorer l'usage individuel sont offerts par un grand nombre d'organismes communaux ou d'utilité publique, comme les *Volkshochschulen* (cours du soir). Celui qui organise le cours définit son contenu; on ne distingue pas, cependant, une politique d'ensemble contraignante.

9. Il existe des possibilités semblables offertes par des firmes privées. Toutefois, l'appât du gain est là le motif principal; le marché de la langue a suscité plus d'un programme douteux.

10. En R.D.A., il existe pour toutes les écoles de formation générale des programmes homogènes obligatoires qui, du point de vue de la *Sprachpflege* — étude de la norme linguistique littéraire —, sont comparables aux programmes des *Länder* de la République fédérale.

11. L'Académie des Sciences de la R.D.A ne se soucie guère d'avoir un rôle pratique.

12. Le *VEB Bibliographisches Institut* (Institut bibliographique VEB) de Leipzig publie, en plus du Duden, le périodique *Sprachpflege* (Surveillance de la langue) ainsi qu'un grand nombre de publications à bon marché sur les aspects pratiques de la *Sprachpflege*. Cet institut a aussi un service de consultation.

13. En R.D.A. également, des établissements communaux et d'autres organismes publics, comme les *Volkshochschulen* (universités populaires) et l'organisme de formation *Urania*, offrent des cours de langue comparables en substance à ce qui est offert dans les organismes correspondants en R.F.A.

14. En R.D.A., il n'existe pas de commercialisation de la langue dans un but lucratif au niveau de l'entreprise privée, en raison des conditions sociales.

15. Dans les deux États allemands, il y a des tentatives isolées pour rendre plus « compréhensibles » les langues de spécialité de l'Administration et de la justice qui sont souvent critiquées dans le public comme incompréhensibles et autoritaires. Il existe des directives internes pour une « langue proche des citoyens » dans les administrations municipales de Nuremberg et de Brême; elles n'ont pas été publiées.

16. Finalement, il y a un grand nombre de manuels de correspondance, d'écoles de style (« le bon allemand parlé et écrit »), de directives pour apprendre à s'exprimer avec facilité, dans le genre *Handbuch der kommunalen Redepraxis* (« Manuel pratique du discours »), ou pour écrire de façon soignée; ces livres et ces brochures sont surtout vendus dans les supermarchés, les grands magasins et par correspondance. Il n'existe plus de stylistique généralement acceptée (par exemple, L. Reiner, *Stilfibel*, « ABC du style », dans les années 50 et 60 en R.F.A.).

V.II.2 Opinions

L'allemand connaît-il une crise?

En juillet 1984, le plus important magazine politique ouest-allemand, *der Spiegel*, déclarait tout net en page couverture: « Un pays industrialisé perd sa langue ». Quelques semaines plus tard, l'agence de presse est-allemande, ADN, publiait un communiqué selon lequel l'orthographe laissait de plus en plus à désirer dans les écoles de la R.D.A.

On ne saurait nier que, depuis quelques années, la maîtrise du système orthographique de l'allemand est le fait de moins en moins de gens.

Il est permis de douter que les « réformistes » (qui ont découvert que la langue était un « instrument de pouvoir ») soient responsables de cette situation — comme le prétend le *Spiegel* (p. 130). En effet, les analyses scientifiques sur lesquelles s'appuie le *Spiegel* ont été faites soit par d'anciens « réformistes » comme le pédagogue de Hanovre Klaus Bayer, soit par des conservateurs comme le didacticien de Cologne Hans Messelken qui a servi de conseiller auprès de la CDU lors de la tentative manquée d'utiliser la langue de la Ruhr à l'occasion de la campagne électorale. Le cortège des Cassandres est donc assez bigarré.

C'est précisément dans un pays industrialisé que la télévision et la vidéo tendent à remplacer la lecture, ainsi que les formules toutes faites l'écriture. À la radio, les programmes parlés se font rares, diminuent de longueur et sont continuellement interrompus par des « pauses » pendant lesquelles on impose à l'auditeur de la « musique de détente ».

Les nouvelles technologies deviennent de plus en plus des fétiches, le langage des ordinateurs fait partie des cours obligatoires dans les écoles. La plume et le papier n'arrivent plus à concurrencer l'écran cathodique.

Et cela semble dérisoire, voire ridicule, quand, à l'été 1984, le ministre de la Culture de la Basse-Saxe, le conservateur Oschatz, croit trouver une solution en décrétant que les enfants devront faire une dictée tous les jours et apprendre par coeur davantage de poèmes.

Si l'on devait en croire les météorologues de la langue, l'orage s'abat sur le pays avec une force inouïe. Mais sous prétexte de parler de phénomènes linguistiques, ces critiques défendent des idées rétrogrades. La magie des mots remplace les arguments, de modestes projets de réforme de l'orthographe passent pour des programmes révolutionnaires. On parle beaucoup trop peu des vrais problèmes, on feint d'ignorer leurs causes et leurs conséquences sociales, on refuse le moindre changement. Il nous paraît risible d'avoir à nous demander si *Balletttruppe* (troupe de ballet) et *fetttriefend* (dégoulinant de graisse) s'écrivent avec trois « t » (comme le veut le Duden) ou seulement avec deux.

Les exemples de fautes d'orthographe donnés par le *Spiegel* ne constituent pas la preuve qu'on assiste au commencement de la fin de la culture écrite, mais sont le signe que des changements s'imposent. Dans le *Spiegel*, on ne dit pas grand chose du problème de la réforme de l'orthographe ; en revanche, on trouve à pleine page des exemples de la façon dont des administrations et des entreprises choisissent les candidats à un poste ou à un cours de perfectionnement selon leurs résultats à l'écrit. Orthographe, expression et « bon style » sont devenus des instruments de gestion du chômage. N'est-ce pas cela, le véritable scandale ?

La crise de la langue allemande, à notre avis, est moins un problème de langue qu'un problème politique. Les changements qui affectent la structure et l'emploi de la langue moderne s'inscrivent parfaitement dans l'évolution historique de l'allemand. Ces changements ne sont le signe d'une crise que si on choisit de les voir ainsi. Si le *Spiegel* avait fait des analyses plutôt que de ressortir de vieux préjugés, il n'aurait pas eu à se faire tant de soucis sur « l'avenir de la langue allemande, un des plus anciens et peut-être le plus important des biens culturels qu'ait à préserver le pays » (p. 129).

Nous verrions une des causes du désarroi général dans le fait que les linguistes des universités ne cherchent pour ainsi dire pas à avoir une influence sur l'évolution de la langue et qu'ils ne prennent pas part aux discussions. La linguistique se pratique, la plupart du temps, comme une science descriptive. La rareté des travaux scientifiques portant sur la langue en tant que phénomène culturel a pour effet que le malaise grandit vis-à-vis du « bon allemand » au sein de la communauté linguistique. Parce que chacun sait parler, beaucoup croient être en mesure de parler de la langue et quelques-uns arrivent même à créer une « crise de la langue » à force d'en parler.

Bibliographie

J. GESSINGER et H. GLÜCK (1983), « Histoire et état du débat sur la norme linguistique en Allemagne », *in* É. Bédard et J. Maurais, *La norme linguistique*, Québec et Paris, Le Robert, 203-253.

P.P. PASOLINI (1972), Article dans *Il Giorno*, mars 1965, repris dans *Empirismo eretico*, Milan, 33-35.

I. Cadre général: questions allemandes

Les données concernant la géographie linguistique, la répartition des langues et le monde de l'éducation sont tirées des ouvrages de référence et des exposés suivants:

Arbeitsgruppe am Max-Planck-Institut für Bildungsforschung: Das Bildungswesen in der Bundesrepublik Deutschland. Ein Überblick für Eltern, Lehrer, Schüler, Reinbek, 1984.

W. FLEISCHER *et al.* (Hg.) (1982), *Kleine Enzyklopädie Deutsche Sprache*, Leipzig.

P.C. LUDZ (1975), *DDR Handbuch*, Cologne.

G. MICHLER et R. PAESLER (Hg.) (1983), *Der Fischer Weltalmanach 1983*, Francfort-sur-le-Main.

STAATLICHE ZENTRALVERWALTUNG FÜR STATISTIK (Hg.), *Statistisches Taschenbuch der Deutschen Demokratischen Republik 1983*, Berlin (DDR), 1983.

Les auteurs suivants s'expriment sur l'usage actuel de la langue en R.F.A. et en R.D.A. :

H. BERSCHIN (1979), *Deutschland–ein Name im Wandel. Die deutsche Frage im Spiegelbild der Sprache*, Munich et Vienne.

D. FAULSEIT et G. KÜHN (1974), *Die Sprache des Arbeiters im Klassenkampf*, Berlin (DDR).

DIE GLOTTOMANE (1979), *Linguistisches Intelligenzblatt zur Verbreitung aktueller Berichte*, Heft 4, Hanovre.

M.H. HELLMANN (1973), *Zum öffentlichen Sprachgebrauch in der Bundesrepublik und in der DDR*, coll. « Sprache der Gegenwart » vol.18, Düsseldorf.

G. KLAUS (1969), *Die Macht des Wortes, Ein erkenntnistheoretisch-pragmatisches Traktat*, Berlin (DDR), 5ᵉ édition.

——————— (1971), *Sprache der Politik*, Berlin (DDR).

P.v. POLENZ (1979), *Geschichte der deutschen Sprache*, Berlin, 9ᵉ édition.

II. Aspects linguistiques. Problèmes généraux :

K. GLOY (1975), *Sprachnormen I, Linguistische und soziologische Analysen*, Stuttgart-Bad-Canstatt.

W. HARTUNG et H. SCHÖNFELD (Hgg.) (1981), *Kommunikation und Sprachvariation*, coll. « Sprache und Gesellschaft », vol. 17, Berlin (DDR).

S. KANNGIEβER (1972), *Aspekte der synchronen und diachronen Linguistik*, Tübingen.

W. KLEIN (1974), *Variation in der Sprache. Ein Verfahren zu ihrer Beschreibung*, Kronberg.

W. LABOV (1977), *The Unity of Sociolinguistics*, Trier.

——————— (1978), « Some Principles of Linguistic Methodology », dans Language in Society, vol. 1, 97-120.

Sur la culture de la langue, le style et la langue parlée:

S. GUDSCHINSKY (1976), *Literacy, The Growing Impact of Linguistics*, La Haye et Paris.

A. JEDLIČKA (1978), *Die Schriftsprache in der heutigen Kommunikation*, Leipzig.

K.L. PIKE (1947), *Phonemics*, Ann Arbor (Mich.).

N. PIOU (1979), « Linguistique et idéologie: ces langues appelées créoles », dans *Dérives*, 16: 13-30.

L. REINERS (1963), *Stilfibel. Der sichere Weg zum guten Deutsch*, Munich.

E. RIESEL (1970), *Der Stil der deutschen Alltagsrede*, Leipzig.

SIEBS (1969), *Deutsche Aussprache. Reine und gemäßigte Hochlautung mit Aussprachewörterbuch*, éd. par H. de Boor, H. Moser et C. Winkler, Berlin.

J. VACHEK (ed.) (1964), *A Prague School Reader in Linguistics*, Bloomington, Ind.

———— (1973), *Written Language, General Problems and the Problems of English*, La Haye et Paris.

Wörterbuch der deutschen Aussprache, Leipzig, 1981.

Questions grammaticales:

G. DROSDOWSKI (Hg.) (1984), *Grammatik der deutschen Gegenwartssprache*, Duden, vol. 4, Mannheim.

P. GREBE (Hg.) (1973 [1959]), *Grammatik der deutschen Gegenwartssprache*, « Der große Duden » vol. 4, Mannheim, 3ᵉ édition revue.

K.E. HEIDOLPH *et al.* (Hg.) (1981), *Grundzüge einer deutschen Grammatik*, Berlin (DDR).

G. HELBIG et J. BUSCHA (1974), *Deutsche Grammatik. Ein Handbuch für den Ausländerunterricht*, Leipzig.

W. JUNG (1967), *Grammatik der deutschen Sprache*, Leipzig.

O. LUDWIG, « *Ein Plädoyer für den Konjunktiv im Deutschunterricht* », dans *Praxis Deutsch*, à paraître en 1985.

H.J. MAUS (1977), « Werbedeutsch » *in Weissbuch zur Rettung der Sprache*, 29-48.

H. PAUL (1959 [1919-1920]), *Deutsche Grammatik*, 5 vol., Halle a. S., 5ᵉ et 6ᵉ éd..

W. ROSS (1977), *Service für Deutsch. Die Arbeitsstelle für wissenschaftliche Didaktik und die Medienreferate des Goethe-Instituts*, GI-Spracharbeit nº 2, Munich.

Sur l'orthographe allemande :

I. DREWITZ et E. REUTER (Hg.) (1974), *vernünftiger schreiben. reform der rechtschreibung*, Francfort-sur-le-Main.

DUDENREDAKTION (Hg.) (1980), *Duden. Rechtschreibung der deutschen Sprache und der Fremdwörter*, Duden, vol. 1, Mannheim.

DUDENREDAKTION DES VEB BIBLIOGRAPHISCHEN INSTITUTS (Hg.) (1983), *Der große Duden. Wörterbuch und Leitfaden der deutschen Rechtschreibung*, Leipzig.

P. EISENBERG (1981), « Substantiv oder Eigenname ? Über die Prinzipien unserer Regeln zur Großschreibung », dans *Linguistische Berichte*, 72 : 77-101.

W. KLUTE (Hg.) (1974), *Orthographie und Gesellschaft. Materialien zur Reflexion über Rechtschreibnormen*, Francfort-sur-le-Main.

W. MENTRUP (1979), *Die Groß- und Kleinschreibung im Deutschen und ihre Regeln. Historische Entwicklung und Vorschlag zur Neuregelung*, Forschungsberichte des Instituts für deutsche Sprache, vol. 47, Tübingen.

D. NERIUS (1975), *Untersuchungen zu einer Reform der deutschen Orthographie*, Sprache und Gesellschaft, vol. 6, Berlin (DDR).

D. NERIUS et J. SCHARNHORST (1980), « Grundpositionen der Orthographie » dans Nerius et Scharnhorst (Hgg.), *Theoretische Probleme der deutschen Orthographie*, Sprache und Gesellschaft, Berlin (DDR).

III. Critique de la langue et politique linguistique :

W. BETZ (1975), *Sprachkritik. Das Wort zwischen Kommunikation und Manipulation*, Zurich.

_____ (1977), *Verändert Sprache die Welt ? Semantik, Politik und Manipulation*, Zürich.

K. BIEDENKOPF (1974), *Bericht des Generalsekretärs auf dem 22. Bundesparteitag der CDU*, Hambourg, 18-20 janvier 1973, Bonn, Protokolle, 53-63.

_____ (1975), « Politik und Sprache », dans B. Vogel (Hg.), *Neue Bildungspolitik*, Herford, 21ss.

E. FEKELER-LEPSZY (1983), *Gesprochene Sprache im Ruhrgebiet*, Gelsenkirchen.

I. FETSCHER et H.E. RICHTER (1976), *Worte machen keine Politik, Beiträge zu einem Kampf um politische Begriffe*, Reinbek.

M. GREIFFENHAGEN (Hg.) (1980), *Kampf um Wörter? Politische Begriffe im Meinungsstreit*, Munich.

H.J. HERINGER (Hg.) (1982), *Holzfeuer im hölzernen Ofen, Aufsätze zur politischen Sprachkritik*, Tübingen.

E.C. HIRSCH (1976), *Deutsch für Besserwisser*, Hambourg.

H. HOMMEL (1984), « Bemerkungen zur deutschen Sprachverwilderung », dans *Festschrift für Antonio Tovar*, Tübingen, 199ss.

H. IVO (1975), *Handlungsfeld: Deutschunterricht, Argumente und Fragen einer praxisorientierten Wissenschaft*, Francfort-sur-le-Main.

G.K. KALTENBRUNNER (Hg.) (1975), *Sprache und Herrschaft. Die umfunktionierten Wörter*, Munich.

R. LAY (1980), *Manipulation durch Sprache*, Reinbek.

L. MACKENSEN (1973), *Verführung durch Sprache, Manipulation als Versuchung*, Munich.

H. MAIER (1977), *Sprache und Politik, Essay über aktuelle Tendenzen*, Zürich.

G. ORWELL (1961 [1946]), « Politics and the English Language », dans *Collected Essays*, London, 337 ss.

W. SCHNEIDER (1983), *Deutsch für Profis, Handbuch der Journalistensprache. Wie sie ist und was sie sein könnte*, Hambourg.

D. STERNBERGER *et al.* (1972), *Aus dem Wörterbuch des Unmenschen*, Munich.

O. ZIERER (Hg.) (1977), *Weissbuch zur Rettung der Sprache*.

IV. Nouvelles crises linguistiques?

Nous citerons d'abord quatre anthologies qui sont représentatives de nombreux écrits.

Sur les difficultés de lecture et d'écriture:

M. ANGERMAIER (Hg.) (1976), *Legasthenie. Das neue Konzept der Förderung lese-rechtschreibschwacher Kinder in der Schule und im Elternhaus*, Francfort-sur-le-Main.

Sur l'analphabétisme en R.F.A.:

H. W. GIESE et B. GLÄβ (Hgg.) (1983), *Analfabetismus in der BRD, OBST 23*, Osnabrück.

Sur le thème de la langue et du sexe:

H. ANDRESEN *et al.* (1978-1979), *Sprache und Geschlecht*, 3 vol., *OBST*, 8, 9 et Beiheft 3, Osnabrück.

S. TRÖMEL-PLÖTZ (Hg.) (1984), *Gewalt durch Sprache. Die Vergewaltigung von Frauen im Gespräch*, Francfort-sur-le-Main.

En outre, citons:

W. GIRNUS (1983), « Wer baute das siebentorige Theben? », dans *Sinn und Form*, 2.

H. KÜPPER (1972), *Jugenddeutsch von A bis Z*, Vol. 6 de *Wörterbuch der deutschen Umgangssprache*, Hambourg et Düsseldorf.

H. KÜPPER et M. KÜPPER (1972), *Schülerdeutsch*, Hambourg et Düsseldorf.

E. LANG (1980), « *Die Sprache Edgar Wibeaus, Gestus, Stil, fingierter Jargon* », *in Connaissance de la R.D.A.*, n° 11, spécial Plenzdorf, Paris.

U. PLENZDORF (1973), *Die neuen Leiden des jungen W.*, Rostock.

P.v. POLENZ (1973), *Sprachkritik und Sprachnormen*, dans Heringer (1982).

C. WOLF (1983), « Zur Information », dans *Sinn und Form*, 4.

Finalement, il nous faut citer deux ouvrages où il est fait une description de l'allemand actuel et de l'état de la *Sprachpflege*:

P. BRAUN (1979), *Tendenzen der deutschen Gegenwartssprache*, Stuttgart.

I. HILLEN (1982), *Untersuchungen zu Kontinuität und Wandel der Sprachpflege im Deutschen Reich, in der Bundesrepublik und in der DDR (1885 bis zur Gegenwart)*, Bonn (thèse).

Les auteurs suivant traitent des aspects pratiques de la *Sprachpflege* en R.D.A. :

D. FAULSEIT (1980), *Gutes und schlechtes Deutsch. Einige Kapitel praktischer Sprachpflege*, Leipzig.

E. ISING *et al.* (1977), *Sprachkultur = warum, wozu? Aufgaben der Sprachkultur in der DDR*, Leipzig.

H. LUDWIG (1983), *Gepflegtes Deutsch. Unterhaltsame Sprach- und Stillektionen für die Alltagspraxis*, Leipzig.

G. MÖLLER (1983), *Praktische Stillehre*, Leipzig.

H. SCHMIDT et G. VOLK (1977), *ABC der deutschen Rechtschreibung und Zeichensetzung. Ein Regel- und Übungsbuch*, Leipzig.

VIII

Le norvégien: des problèmes, mais pas de crise véritable

par Dag Gundersen

Université d'Oslo

Traduit de l'anglais par André Catafago

Je remercie mes collègues Frøydis Hertzberg et Magne Rommetveit, respectivement chercheur et professeur à l'Université d'Oslo, de m'avoir fourni des renseignements et des exemples utiles. Je suis également reconnaissant à monsieur Einar Haugen, professeur émérite à l'Université Harvard, d'avoir bien voulu lire le présent article et de m'avoir fait part de ses précieux commentaires.

Au niveau des individus, une véritable crise de la langue est ressentie par un grand nombre des travailleurs immigrés, qui forment un peu moins de 2 % de la population de la Norvège ; quant à la minorité « same » (traditionnellement connue sous le nom de Lapons), qui ne constitue qu'environ 0,85 % de la population, elle a été durant des siècles l'objet d'une discrimination culturelle. Malgré l'amélioration très nette de son sort, l'un de ses porte-parole ne se plaignait pas moins en 1983 que « même dans les districts à majorité lapone, le lapon n'est pas encore utilisé dans la communication écrite d'ordre administratif[1] ».

Dans le présent article, je ne traiterai que du norvégien en tant que langue maternelle de ceux qui l'écrivent et le parlent. Quant à la question de la crise de la langue, je l'aborderai d'un point de vue national plutôt qu'individuel. Y a-t-il crise de la langue ? Tout dépend de la façon dont nous répondrons, entre autres, aux questions suivantes :

1. En matière d'usage, y a-t-il des écarts qui provoquent des difficultés de communication entre générations ou entre groupes ?

2. La littérature norvégienne du XIXᵉ siècle est-elle en train de devenir inaccessible pour les lecteurs d'aujourd'hui (et de demain) ?

3. Notre langue est-elle suffisamment productive pour permettre la création de mots et d'expressions susceptibles de remplacer les emprunts et de décrire les nouveaux phénomènes ?

4. La langue de la justice et de l'Administration est-elle adéquate ? N'est-elle pas excessivement traditionnelle, trop difficile à comprendre pour le commun des mortels ?

5. L'enseignement du norvégien dans les écoles, les collèges et les universités est-il efficace ?

a) Donne-t-il une description adéquate de la langue ?

b) Ses priorités sont-elles les bonnes ?

c) Encourage-t-il et développe-t-il l'usage créatif de la langue chez les enfants et les jeunes ?

d) Tient-il compte des besoins des entreprises et des industries, des nécessités de la vie quotidienne ?

e) Y a-t-il un bon choix de manuels ? Sont-ils de bonne qualité ?

Ces questions sont de temps en temps soulevées dans le vif débat linguistique qui depuis longtemps fait couler beaucoup d'encre dans nos

---

1. O.H. Magga, *Samisk språk*, dans B. Molde et A. Karker (éd.), *Språkene i Norden*, Oslo, Cappelen, 1983, p. 111.

journaux et auquel s'intéressent aujourd'hui les autres médias. Pour ce qui est de l'état actuel des choses, il a ses critiques pessimistes, mais aussi ses défenseurs optimistes. Les premiers répondront avec pessimisme aux questions énumérées ci-dessus et en concluront qu'il y a indiscutablement crise de la langue. Les optimistes, dont je fais partie, tout en admettant l'existence de certaines faiblesses, en viendront à la conclusion qu'en dépit des problèmes qui se posent, la situation n'est certes pas grave au point d'être appelée crise.

Pour entrer dans le détail de ces problèmes, je m'attacherai de façon plus particulière à trois questions :

1. La concurrence entre normes
2. L'enseignement et l'apprentissage du norvégien
3. Le problème des emprunts et l'avenir d'une « petite » langue.

La concurrence entre normes

Tout au long du XIXᵉ siècle, le norvégien écrit fut plus ou moins identique au danois écrit; c'est pourquoi il est communément appelé dano-norvégien (*dansk-norsk* ou *norsk-dansk*). Vers 1850, Ivar Aasen, un autodidacte, lança son *landsmål* (nommé de nos jours *nynorsk* ou néonorvégien), langue fondée sur les dialectes ruraux qui avaient survécu aux quatre siècles d'union avec le Danemark et conservaient encore ou du moins reflétaient la structure du vieux-norrois et du moyen-norvégien. Parmi les raisons invoquées par Aasen pour justifier l'adoption de cette langue en remplacement du dano-norvégien, il en est une que lui-même rattache à une véritable crise de la langue et qu'il a décrite en ces termes :

> Alors que l'enseignement des connaissances élémentaires devrait se faire dans une langue aussi proche que possible du parler populaire, il s'est fait ici dans une forme étrangère, de sorte que ce que l'on enseignait était souvent compris de travers ou à moitié, ou bien pas du tout. Qui plus est, il était difficile de se souvenir de ce que l'on avait appris et encore plus de le transmettre aux enfants et à la parenté dans la conversation de tous les jours. Conséquence immédiate de cette situation : le commun des mortels n'apprenait pas plus de choses qu'il n'en fallait, laissant aux esprits brillants le soin de faire des études et d'apprendre ce que bon leur semble.
>
> On comprendra donc facilement qu'il est néfaste pour un peuple d'avoir à s'instruire dans une langue qui n'est pas la sienne[2].

---

2. Citation traduite de D. Gundersen, « The Reformation of Norwegian Orthography », dans Joshua A. Fishman (éd.), *Advances in the Creation and Revision of Writing Systems*, La Haye/Paris, Mouton, 1977, p. 250.

Il y a donc deux variétés de norvégien écrit. Certains des champions inébranlables du *nynorsk* vont même jusqu'à soutenir que nous avons deux langues, thèse difficile à défendre lorsque l'on sait que le vocabulaire est à peu près le même dans les deux variétés.

La standardisation officielle du norvégien durant notre siècle est marquée par une planification qui vise à réduire les écarts entre langue parlée et langue écrite et, jusqu'à ces dernières années, entre le *nynorsk* et le dano-norvégien actuel, appelé *bokmål*. Cette standardisation s'est accomplie progressivement, par l'intermédiaire des réformes orthographiques entreprises en 1907, 1917, 1938, 1959 et 1981 par notre ministère de l'Éducation avec l'approbation du Parlement. Depuis janvier 1952, deux organismes officiels se sont occupés du côté pratique du travail de standardisation et ont également eu pour tâche de conseiller le ministère de l'Éducation ; ce sont, de 1952 à 1972, la Commission de la langue norvégienne et, depuis 1972, le Conseil de la langue norvégienne. Outre le rôle qu'ils jouent dans les grandes réformes, ces organismes publient chaque année un nombre non négligeable de modifications d'ordre orthographique et flexionnel. Il s'ensuit que listes de mots et manuels scolaires doivent être approuvés tous les cinq ans.

Les activités de standardisation de la langue en Norvège ont également eu pour effet de multiplier considérablement le nombre des options orthographiques et flexionnelles. Si l'on voulait pousser les choses jusqu'à l'absurde en épuisant toutes les possibilités, il serait facile de former des combinaisons faisant intervenir une quarantaine d'options ; on aurait par exemple, dans le cas de l'expression néonorvégienne *køyretyrekkjefølgje* (« succession ou ordre des véhicules »), les combinaisons suivantes : *køyre/kjøre* + *ty/tøy* + *rekkje/rekke* + *følgje/følge/fylgje/fylge/følgd/fylgd*[3]. Si l'on sait (a) que nombre de Norvégiens ont connu au moins trois grandes réformes de l'orthographe, (b) que des modifications mineures sont publiées chaque année et (c) que depuis la réforme de 1981 le nombre d'options est plus grand que jamais, on devine que l'usager moyen de la langue se trouve devant une situation dont il ne peut saisir toute la complexité et qui a quelque chose de chaotique. Et pourtant, il réussit à s'en accommoder en suivant la tendance générale et sait même reconnaître des mots dont l'orthographe ou la flexion ne lui sont pas familières. Compte tenu de cette

---

3. Les combinaisons de cette nature peuvent avoir toutes sortes de longueurs. Bien qu'inusitée, la longueur de mon exemple demeure tout à fait possible.

évolution, qui depuis des générations suscite de vives controverses, on peut aujourd'hui distinguer au moins six variétés de norvégien:

1. Le *nynorsk* traditionnel (conservateur).
2. Le *nynorsk* modernisé (radical).
3. Le *bokmål* traditionnel (modéré).
4. Le *bokmål* modernisé (radical).
5. Le norvégien commun (ou *samnorsk*, sorte de *bokmål* unifié avec structure de type *nynorsk*).
6. Le « *riksmål* » (variété non officielle, plus traditionnelle encore que la variété 3).

Le *nynorsk* (variétés 1 et 2) compte environ 16 % d'adeptes dans les écoles élémentaires et 10 % dans la population adulte. Le *riksmål* a pour sa part de nombreux partisans, entre autres dans le monde des affaires et de l'industrie, ainsi que dans plusieurs grands journaux et dans l'Administration; ce sont précisément ceux-là que l'on entend affirmer par exemple:

— que la planification linguistique actuelle soulève de graves difficultés dans les écoles;

— que la littérature d'autrefois deviendra illisible pour la jeune génération;

— que le *nynorsk* ne devrait pas être une matière obligatoire dans les écoles secondaires.

De façon générale, on regrette que ce qui est sans doute la plus importante des variétés de la langue écrite (le *riksmål*) n'ait pas de caractère officiel. Depuis 1972 cependant, les organisations linguistiques « conservatrices » appartenant à l'une et l'autre tendances ont été amenées à collaborer aux activités officielles de planification du Conseil de la langue norvégienne, de sorte que la réforme de 1981 a permis d'incorporer dans le système officiel de nombreuses variantes orthographiques et flexionnelles du *riksmål*, à titre de formes dont l'usage demeure facultatif. De leur côté, les responsables de la standardisation du *riksmål* ont accepté certaines des formes officielles qui étaient autrefois exclues de leur norme linguistique.

L'enseignement et l'apprentissage du norvégien

Il y a 100 ans, dans une directive adressée aux écoles secondaires, le ministère du Culte et de l'Éducation écrivait:

> Non seulement chez nous, mais aussi dans d'autres pays dont les écoles secondaires ont le même type d'organisation que les nôtres, on se plaint de la maladresse et de la pauvreté d'expression des jeunes au terme de leur scolarité, et de leur inaptitude à manifester leur pensée, toutes choses qui semblent contraster avec le niveau de développement intellectuel qu'ils sont censés avoir atteint[4].

On entend souvent les mêmes reproches de nos jours: les jeunes, à l'école primaire comme à l'université, commettent plus de fautes et d'impropriétés que leurs parents, écrivent dans un style plus monotone et plus terne, ont un vocabulaire plus pauvre. Dans une certaine mesure, il y a là malentendu, le remplacement des syntagmes et des mots traditionnels par des expressions et des tours nouveaux étant considéré par l'ancienne génération comme une forme de faute assimilable à un vulgarisme. D'autres aspects de la question doivent également être pris en compte.

Ainsi, jusqu'en 1969, nous avions un enseignement primaire obligatoire d'une durée de sept ans, auquel succédait une enseignement secondaire facultatif comportant deux cycles: un premier de deux ou trois ans (« *realskole* ») et un second de trois ans (« *gymnas* ») au terme duquel l'élève passait l'*examen artium* (épreuve d'entrée à l'université). L'enseignement secondaire professionnel formait un système distinct. En 1969, les deux premières années de l'enseignement secondaire furent incorporées dans l'enseignement primaire, portant ainsi à neuf ans la durée de la scolarité obligatoire. En 1974[5], les trois dernières années du secondaire et l'enseignement professionnel du second degré furent réunis en un seul système d'enseignement secondaire. Cette réforme visait (1) à rendre obligatoire une partie de l'enseignement secondaire auparavant facultatif et (2) à faire de la partie restante, toujours facultative, quelque chose de plus intéressant ou de moins évitable, selon le point de vue adopté. En outre, les examens et les principes d'évaluation ont fait l'objet de modifications destinées à les rendre plus acceptables et moins éprouvants, mentalement et physiquement, pour l'élève.

---

4. Directive du 30 octobre 1886, dans *Universitets- og Skoleannaler 1886*.
5. Sanctionnées en 1969 et 1974, les lois entrèrent en vigueur en 1971 et 1976.

À mon avis, on ne peut parler d'un prétendu déclin de la compétence linguistique sans se rappeler d'abord que notre système scolaire
est dans l'obligation d'absorber des sujets dont l'ancien système d'enseignement facultatif pouvait se débarrasser, les condamnant ainsi à une
vie où l'on écrivait et lisait le moins possible, ce qui n'a d'ailleurs pas
empêché certains de réussir. Mais dans la société moderne, où paperas-
serie et règlements se multiplient sans cesse, les choses ne peuvent
désormais plus se passer de la sorte. Il nous faut donc reconnaître à
chacun le droit de tirer le plus grand profit de ses cours de norvégien;
mais comme ce profit se réduit à peu de chose dans le cas de certains
sujets, les « statistiques » s'en ressentent, et nous parlons alors de
déclin de la compétence linguistique.

En novembre 1982, le Service de psychologie des forces armées
norvégiennes publiait une étude intitulée « Les tests du conseil de
révision révèlent-ils quelque chose sur le niveau de compétence atteint
dans les établissements scolaires?[6] » En ce qui concerne la compétence
linguistique (notamment au terme de l'enseignement obligatoire de neuf
ans), objet d'une partie de l'étude seulement, les auteurs en arrivaient à
la conclusion, sans doute surprenante, que les résultats des tests n'indiquaient aucun déclin, mais au contraire une tendance générale au
progrès. Il faut noter que cette conclusion s'applique à la période 1968-
1980 et se dégage, par exemple, des résultats d'un test portant sur le
vocabulaire et appelé « Similitude des mots (U 6) ». Qui plus est, le
service de psychologie précité fait remarquer qu'il lui avait fallu
augmenter, d'année en année, le degré de difficulté des tests afin de leur
conserver leur caractère significatif.

Dans l'incessant débat sur le système scolaire et sur l'enseignement
du norvégien à l'école, ni l'un ni l'autre ne sont épargnés, et les
critiques viennent de tous côtés. On reproche par exemple aux programmes et aux manuels d'accorder trop d'importance à l'enseignement
des règles (orthographe, ponctuation, grammaire) et pas assez au processus de la communication[7]. De plus, la créativité des enfants est
insuffisamment encouragée et les cours de norvégien sont ennuyeux et
impopulaires parmi les élèves. Un groupe de travail a trouvé que le
Danemark est, de tous les pays scandinaves, celui qui consacre le plus

---

6. *Forsvarets Psykologitjeneste: Hva kan Forsvarets sesjonstester fortelle om prestasjonsnivået i skolen?* Paru dans *Skoleforum* 22, 1982.

7. *Grunnskolerådets fagplandebatt: Norsk. Innstilling fra ei arbeidsgruppe.* Universitetsforlaget, Oslo, 1983.

de leçons à l'enseignement de la langue maternelle (26,3 %), et la Norvège, celui qui en consacre le moins (18,7 %)[8].

L'enseignement de la grammaire, d'orientation beaucoup moins formaliste aujourd'hui qu'il y a 20 ans, continue néanmoins d'être critiqué. On lui reproche notamment :

— D'être de tendance trop normative, donc de perpétuer les préjugés d'ordre linguistique.

— De se fonder sur des concepts qui remontent à l'époque où le mot « grammaire » désignait la grammaire du latin, modèle qui a pour effet de cacher des aspects importants de la langue moderne.

— De faire appel à des notions et à une classification tellement vagues qu'elles finissent toujours par conduire l'usager en terrain dangereux pour peu qu'il veuille faire preuve de cohérence dans leur utilisation[9].

Bien entendu, ce point de vue n'est pas unanime. Bon nombre — la plupart peut-être — des parents et des enseignants, voire des élèves, veulent un enseignement plus rigoureux des règles de la langue et des techniques, un système d'évaluation d'une plus grande sévérité et des programmes qui tiennent davantage compte des besoins des entreprises, de l'industrie et de l'Administration. Autrement dit, ils souhaitent voir inculquer aux jeunes de rigoureux principes de rédaction professionnelles et l'art de savoir distinguer clairement entre ce qui est « correct » et ce qui ne l'est pas. Ils ne trouvent les programmes actuels ni trop rigoureux ni trop techniques, mais redoutent au contraire les changements de cap prononcés, qui pourraient être mauvais pour les élèves, les plus faibles surtout, que chacun veut aider, et finiraient par provoquer un recul de la compétence linguistique[10].

8. *Norskfaget i skole og lærerutdanning. Landslaget for norskundervisning*, Oslo, 1984, 221 pages. Interview (J. Lippestad) publiée dans *Aftenposten*, 12 avril 1984 : *Norge legger minst vekt på morsmålet* (Importance accordée à la langue maternelle : la Norvège au dernier rang des pays scandinaves).

9. Abrégé de F. Hertzberg, *Grammatikk — norskens problembarn* (La grammaire, enfant difficile de l'enseignement du norvégien). Dans K.-A. Madsen (éd.), *Norsk-didaktikk*, Oslo, Cappelen, 1981. Hertzberg conclut que la grammaire traditionnellement enseignée à l'école est peu utile, tandis qu'une grammaire moins normative serait plus utile, en dépit de son imprécision et de contradictions, comme moyen de décrire la langue jusqu'à un certain point.

10. F.-E. Vinje, *Grunnskolerådet og de formelle ferdighetene. Aftenposten*, 2 mai 1983. R. Romøren s'oppose fortement, et non sans parti pris, aux points de vue de ce genre, qu'il résume dans *Språklig Samling* 3, 1984, p. 3 et suivantes.

On devine dans ces divergences de vues l'influence des options politiques et du modèle de société qu'elles préconisent. Cela est tout aussi évident dans le débat sur la question du norvégien parlé à l'école et ailleurs, où s'opposent les concepts de *pluralité* et de *norme unique*. Au sein du Conseil de la langue norvégienne, champ de bataille représentatif, l'une des factions souhaite faire exclure des listes de mots utilisées dans les écoles l'information que l'on y a traditionnellement donnée sur l'accentuation dans les mots étrangers. Dans les régions très peuplées de l'Est, c'est en général la première syllabe qui est accentuée (comme dans les dissyllabes de ces régions). En revanche, dans nombre d'autres dialectes, et par-dessus tout dans la tradition de la « bonne » prononciation, ce n'est en général pas la syllabe initiale qui porte l'accent. Adopter cette prononciation, c'est en somme qualifier de « mauvaise » celle où l'on accentue la première syllabe. La solution retenue par le Conseil de la langue norvégienne consiste à admettre l'accentuation traditionnelle, tout en exigeant du rédacteur de la liste de mots qu'il précise dans une préface qu'une autre forme d'accentuation est également acceptable [11]. La question de la « standardisation de la langue parlée » a été débattue dans d'autres tribunes. Les tenants de la normalisation font remarquer qu'elle facilite la communication et permet d'assurer la cohésion du pays. Ses adversaires rétorquent, non sans raison, qu'en n'admettant qu'une seule prononciation, on condamne par le fait même toutes les autres et, par voie de conséquence, tous ceux qui s'expriment en dialecte [12].

La langue de l'Administration n'est pas non plus épargnée par les critiques. Si les lois sont, en règle générale, rédigées dans une langue simple, leurs modalités d'application sont au contraire souvent noyées dans un jargon administratif que l'on reconnaît à ce qu'il est:

— trop impersonnel

— trop prudent

— trop traditionnel

— trop précis

— trop dense [13].

---

11. L'importance des recueils de mots n'est sans doute pas aussi évidente pour les étrangers qu'elle l'est à nos yeux. Étant donné les réformes, grandes et petites, et le nombre considérable de formes facultatives, le recueil de mots est l'inséparable compagnon du rédacteur moyen.

12. La question a été débattue dans la presse, et une sélection d'articles publiée par G. Wiggen (éd.), *Ny målstrid*, Oslo, Novus, 1974, 141 pages.

13. U. Teleman et A.M. Wieselgren, *ABC i stilistik*, Lund, Gleerups, 1970, p. 97 et suivantes.

Entre deux expressions, la moins courte est immanquablement choisie (par exemple, dans la paire « aujourd'hui/à l'heure actuelle »), ce qui a pour effet d'allonger singulièrement les phrases. En outre, le recours fréquent à l'hypotaxe finit par obscurcir le message, et l'on préfère, pour dire telle ou telle chose, des mots étrangers difficiles alors que l'on aurait très bien pu utiliser des termes simples de la langue du pays.

L'Administration elle-même n'ignore pas que la langue qu'elle emploie est inadéquate. Elle cherche donc à l'améliorer par divers moyens: établissement de principes directeurs pour les forces armées et pour la rédaction des lois; présence de deux conseillers linguistiques à la radio-télévision norvégienne, l'un pour le *bokmål*, l'autre pour le *nynorsk*; révision, par le Conseil de la langue norvégienne, d'un très grand nombre de publications officielles et de tous les manuels destinés aux écoles primaires et secondaires. En outre, le ministère de la Consommation et de l'Administration a parrainé en 1979 la diffusion d'un manuel et d'un cours par correspondance traitant du langage administratif et parus en 1977-1978 sous le titre *Norsk i embets medfør*; il a également organisé des cours de norvégien d'une journée pour les chefs de service des 16 ministères de l'époque, dans l'espoir que ceux qui auront suivi ces cours en organiseront de semblables pour en faire bénéficier le personnel de leur service. Le ministère ainsi que divers organismes de l'État et organisations professionnelles organisent encore de nos jours des cours de ce type, tant au niveau central que local. Bien que l'on n'ait pas décelé jusqu'ici de progrès spectaculaire, il s'agit malgré tout d'un effort considérable, qui jouit d'une bonne publicité et de l'unanimité politique. Et qui finira peut-être un jour par porter fruit.

Le problème des emprunts et l'avenir d'une « petite » langue

Le norvégien a de tout temps intégré de nombreux emprunts. Aujourd'hui, il emprunte surtout à l'anglais, le suédois ne venant qu'au deuxième rang. Les emprunts à cette dernière langue sont d'ailleurs facilement assimilés, en raison de l'étroite parenté qui lie les différentes langues scandinaves et permet à celui qui en connaît une de comprendre les autres. Il y a certes quelques faux amis (*stille fritt*, qui veut dire en norvégien « donner le choix », et *friställa*, qui signifie en suédois « virer, licencier »), mais on peut dire que les emprunts au suédois ne soulèvent guère de difficultés importantes. Les différences de structure entre le norvégien et l'anglais, beaucoup plus nombreuses et évidentes, permettent de distinguer nombre d'anglicismes par leur orthographe, leur inflexion et leur prononciation. Il s'ensuit que l'usager doit apprendre à maîtriser, outre la structure du norvégien, tout un système distinct de phonèmes (par exemple, des *r*, *v*, *a*, *ei* et *au* différents), d'affixes (*s* du pluriel par exemple) et de particularités orthographiques (par exemple, emploi beaucoup plus fréquent des lettres *c*, *q*, *w*, *x*, *z*, qui, en norvégien, ne donnent pas de phonèmes séparés).

Le flot d'anglicismes est plus facilement accepté par les jeunes et les adultes d'âge moyen, qui connaissent généralement bien l'anglais, que par la plupart des personnes âgées, qui bien souvent ne le savent guère. On peut donc dire des emprunts qu'ils ont pour effet de creuser le fossé qui sépare les générations. La littérature scientifique et technique, y compris les manuels utilisés dans les universités, est uniquement de langue anglaise dans bien des cas. Enfin, l'introduction des techniques nouvelles se fait dans la langue du pays où elles sont nées, c'est-à-dire, une fois de plus, l'anglais.

Cette situation a conduit nombre de Norvégiens à sous-estimer leur propre langue, à croire, par exemple, qu'elle exprime moins bien les choses que l'anglais, qu'il est inutile de penser à une quelconque « norvégianisation » des emprunts et que l'anglais est indispensable à qui veut avoir une audience internationale. Les techniciens norvégiens peuvent s'enorgueillir d'avoir créé plus d'un produit ou d'un procédé, mais ne se sont jamais souciés d'en établir la terminologie norvégienne.

Des efforts considérables visent aujourd'hui à renverser la vapeur: l'État engage des ressources financières importantes dans la production de manuels destinés surtout à des publics peu nombreux; le Conseil de la langue norvégienne développe la terminologie norvégienne par divers moyens, au nombre desquels se trouve la création récente d'une banque de terminologie. Divers organismes, publics et privés, ont publié des dictionnaires et recueils de termes en langue norvégienne. Le plus actif d'entre eux est sans doute le Conseil de la terminologie technique (*Rådet for teknisk terminologi*, RTT), qui a déjà fait paraître près d'une cinquantaine de volumes. Parmi les publications récentes de ces organismes, on compte des lexiques ou dictionnaires intéressant les domaines suivants: informatique (3ᵉ édition), pétrole, marketing, télécommunications, métallurgie, agriculture. Dans le domaine de la langue générale, on peut citer la publication d'un dictionnaire de néologismes. Un programme relativement important de repérage et d'enregistrement permanents des néologismes est d'autre part mené à l'Université d'Oslo par l'Institut norvégien de lexicographie en collaboration avec le Conseil de la langue norvégienne.

Quelles conséquences tous ces travaux auront-ils? Cela dépend de deux facteurs, que l'on pourrait résumer par les mots continuité et acceptation. Il faut en effet du temps et de l'argent pour établir une terminologie, élaborer des dictionnaires et les publier pour un marché restreint. Il faut en outre que nos techniciens restent entièrement libres d'utiliser les termes qui leur sont proposés dans de tels ouvrages. Autrement dit, nous ne pouvons être coercitifs en la matière, mais devons simplement espérer que ces termes seront acceptés. Comme on peut le voir, beaucoup de facteurs restent mal connus, et l'on ne peut se hasarder à faire un pronostic définitif.

*   *   *

Débats et controverses sur les questions de langue font partie de la vie culturelle norvégienne depuis 150 ans au moins. Déplorable aux yeux de certains, le phénomène est au contraire stimulant pour d'autres. Il serait donc téméraire de vouloir se faire le porte-parole du pays et d'affirmer qu'il y a (ou qu'il n'y a pas) en Norvège de crise de la langue. Le titre du présent article traduit les conclusions que je tire personnellement de la situation décrite au lecteur. Une crise est quelque chose qui menace la vie du patient; dans le cas qui nous intéresse, le patient ne se porte certes pas à merveille, mais au moins n'est-il pas gravement malade. Et on le fait soigner! Il se publie et se vend constamment en Norvège des ouvrages qui traitent de questions linguistiques et s'adressent à des lecteurs profanes en la matière, ce qui prouve assez que le public est conscient de la situation. Et dans les médias, notre « combat pour la langue » est un thème qui se porte encore fort bien.

IX

La crise de la langue standard au Danemark

par Erik Hansen

Université de Copenhague

Traduit de l'anglais par André Catafago

Le Danemark forme une communauté linguistique de quelque cinq millions et demi d'âmes. Si l'on fait abstraction de l'infime minorité danoise qui vit en territoire allemand, tout près de la frontière germano-danoise, on peut affirmer que le Danemark est l'un des rares exemples de correspondance complète entre langue et nation.

Le Danemark peut être considéré comme une communauté linguistique ne présentant qu'une modeste variation régionale. Les différences dialectales d'autrefois se sont en quelque sorte atténuées par suite de l'exiguïté du pays, de l'efficacité de son système d'enseignement, de sa très grande centralisation politique et du développement des médias électroniques. Quant aux dialectes, ils semblent évoluer dans le sens d'une transformation en variantes régionales du danois standard.

Standardisation officielle

La seule forme de standardisation officielle de la langue danoise se trouve dans le dictionnaire orthographique (*Retskrivningsordbogen*) publié par un organisme gouvernemental, la Commission de la langue danoise (Dansk Sprognævn). L'orthographe se trouve ainsi sanctionnée, de même que la partie de la morphologie et du lexique enregistrée dans le dictionnaire orthographique officiel. Il n'existe en revanche pas de standardisation officielle en matière de prononciation, syntaxe, sémantique, stylistique, etc.

La plupart des Danois n'en ont pas moins une idée très claire de ce qu'est le danois standard. En règle générale, dans les écoles, comme dans le matériel pédagogique qu'elles emploient, c'est assurément l'usage de la forme standard qui est préconisé. Pour sa part, la Commission de la langue danoise n'a jamais éprouvé de grande difficulté à faire accepter par le public ses recommandations en ce qui concerne l'usage du danois standard. Enfin, tout écart commis par une personnalité (un homme politique par exemple), surtout s'il s'agit d'un dialectalisme, est vite remarqué par la population et provoque moqueries et critiques. La plupart des textes imprimés sont rédigés en danois standard, c'est-à-dire suprarégional.

On peut donc dire que le Danemark forme une communauté linguistique relativement stable et homogène. Le danois n'est aucunement menacé de l'extérieur, ni politiquement ni culturellement, pas plus qu'il ne l'est de l'intérieur, aucune tendance à la désintégration ne s'y faisant sentir.

En un mot, il n'y a pas de crise de la langue au Danemark.

Crise ou évolution

La question, néanmoins, est source de préoccupation et soulève maintes controverses, notamment dans les quotidiens, où ce sont surtout des lecteurs inquiets qui donnent l'alarme devant ce qu'ils considèrent comme le déclin de la langue et la désintégration du danois standard, principalement sur le plan de l'orthographe, de la prononciation et du lexique.

C'est particulièrement dans le système d'éducation (au primaire comme au secondaire), mais également à la radio et à la télévision, que la situation du danois standard est jugée critique. Elle le serait aussi, jusqu'à un certain degré, dans les médias écrits, tandis que la langue de l'Administration, restée suffisamment conservatrice, a su échapper aux accusations de laxisme.

L'orthographe

Parce qu'il est incohérent, et que les mots ne s'y prononcent pas comme ils s'écrivent, le système orthographique du danois peut se comparer à celui de l'anglais. Les problèmes d'orthographe n'ont donc fait qu'augmenter sous l'effet de la rapide évolution phonétique qu'a connue le danois au cours de notre siècle. Il s'ensuit qu'il est difficile d'orthographier correctement.

Nombreux sont ceux qui soutiennent, cependant, que le problème n'existait pas autrefois, à l'époque où, justement, le système d'éducation réussissait vraiment à enseigner l'orthographe aux enfants; alors que de nos jours, les fautes d'orthographe sont monnaie courante dans les journaux, les brochures, les annonces publicitaires, les affiches collées sur les vitrines, etc.

Il n'existe pas d'études comparatives portant sur la connaissance de l'orthographe chez l'écolier d'aujourd'hui et celui d'il y a 30 ou 50 ans, de sorte qu'il nous est impossible de savoir s'il y a eu recul en la matière. Mais ce que l'on sait fort bien, c'est que les ouvrages publiés de nos jours dénotent une orthographe nettement plus incertaine qu'autrefois, phénomène facilement explicable par la multiplication des personnes qui s'expriment par écrit et le fait que la connaissance de l'orthographe a cessé d'être la barrière qui séparait naguère la société en deux : ceux à qui il était permis de s'exprimer et ceux à qui cela était interdit.

La prononciation

C'est un fait fort bien établi que le système phonétique du danois a évolué avec une extrême rapidité au cours de notre siècle. Cela signifie qu'il existe d'importantes variations chronolectales, non seulement d'une génération à l'autre, mais également, au sein d'une même génération, d'un individu à l'autre. Il ne faudrait cependant pas en déduire que les Danois ont de la difficulté à se comprendre entre eux.

Cette évolution présente une grande régularité et rappelle beaucoup celle qui, selon les spécialistes de la linguistique diachronique, a marqué la langue à l'époque médiévale. Ainsi, nous ne nous dirigeons pas vers le chaos le plus total, mais avons plutôt affaire à une évolution naturelle, encore qu'extraordinairement rapide, du danois standard.

L'inquiétude et les critiques suscitées par l'évolution de la prononciation sont attribuables à deux réactions : (1) parce qu'il représente un écart par rapport aux normes linguistiques, tout fait de langue nouveau est initialement considéré comme une déformation de la langue standard ; (2) parce qu'ils sont pour la plupart issus de traits qui caractérisent depuis longtemps l'idiome des catégories sociales inférieures de Copenhague, les changements survenus dans la prononciation du danois standard sont facilement assimilés à des vulgarismes.

On tolère certes beaucoup plus les variations chronolectales et sociolectales que les écarts d'ordre dialectal. Ainsi les nouvelles prononciations sont acceptées à la radio et à la télévision, et leur usage par les hommes politiques et ceux qui ont à parler en public ne suscite pas de critiques. En d'autres termes, les changements survenus dans la prononciation n'ont pas conduit à la détérioration du danois standard ; ils l'ont plutôt fait évoluer d'une certaine façon.

Le lexique

En ce qui concerne le lexique, certains s'inquiètent de la tendance actuelle à modifier le sens des mots, ce qui, à la longue, risque de diminuer la précision de la langue. Mais n'a-t-elle pas connu ce genre de changements sémantiques tout au long de son histoire ? Qui plus est, rien n'indique qu'elle présente de nos jours un degré d'instabilité sémantique plus prononcé qu'autrefois. Au contraire, on peut affirmer sans se tromper que la quasi-totalité du vocabulaire est sémantiquement stable, exactement comme dans d'autres langues.

Autre sujet d'inquiétude : l'influence des langues étrangères, notamment des emprunts à l'anglais. Mais l'emprunt n'a-t-il pas toujours été une chose tout à fait normale dans l'histoire du danois? Au Moyen Âge, notre langue empruntait à l'allemand; plus tard, ce fut au français et au latin; de nos jours, c'est à l'anglais.

D'un point de vue national, sentimental et puriste, il va de soi qu'une telle influence semble plutôt alarmante. Ce qui est plus grave cependant, c'est qu'en dépit de l'enseignement de l'anglais dans les écoles, les emprunts se révèlent sans doute plus difficiles à manier que les mots danois pour tous ceux qui sortent d'un milieu non littéraire. Tout compte fait, la facilité avec laquelle le danois réussit à assimiler les emprunts doit au contraire être considérée comme un atout. Grâce à cet avantage, la langue danoise a pu être conservée, même au sein du Marché commun; rien ne justifie qu'on l'abandonne au profit de l'anglais.

Ainsi, ce que beaucoup voudraient considérer comme une crise du vocabulaire de la langue danoise n'est en fait que la suite naturelle et nécessaire de l'évolution qui a débuté à la fin de l'époque viking.

Explication

Que l'on tienne le phénomène pour une crise de la langue ou, comme la plupart des linguistes le pensent, pour une évolution relativement rapide du danois standard, il s'explique par un certain nombre d'idées et de tendances décelables dans les politiques culturelles et éducationnelles que le Danemark a mises en oeuvre au cours des 20 dernières années.

Au scepticisme à l'égard des valeurs nationales traditionnelles et à la recherche d'une plus grande orientation internationale est venue s'ajouter l'influence de langues étrangères, notamment de l'anglais. Et la lutte contre les discriminations sociales, dans les écoles par exemple, a eu pour effet de faire accepter les variétés sociolectales inférieures de la langue parlée, que l'on se sentait naguère obligé de condamner. Enfin, l'importance accordée dans les écoles à la valeur des activités langagières indépendantes et créatives a été néfaste à l'enseignement de l'orthographe, dorénavant considéré comme une perte de temps, voire comme une espèce de formalisme très nuisible.

Deux types d'écarts

Ni les linguistes, ni les éducateurs, ni les autorités n'admettent l'existence d'une crise de la langue au pays. L'évolution du danois standard dans certains domaines et la plus grande tolérance dont on fait preuve de nos jours pour ce qui est des écarts, n'ont pas donné naissance à de véritables problèmes de compréhension ou de communication, si ce n'est qu'il arrive parfois à des jeunes à l'orthographe encore incertaine d'éprouver des difficultés à interroger un ordinateur, la machine ne pouvant répondre qu'à des interrogations correctement orthographiées !

Il est cependant permis de se demander si cette plus grande tolérance à l'égard de l'évolution du danois standard emprunte la bonne voie, si elle s'exerce dans de bonnes conditions, par exemple dans les établissements scolaires et les programmes de formation des enseignants dans les écoles normales et les universités.

Il existe deux grands types d'écarts par rapport au danois standard. Il y a d'abord ceux qui découlent de l'évolution naturelle de la langue et sont (ou seront) communs à l'ensemble des membres de la communauté linguistique. Puis il y a les écarts imputables au laisser-aller des usagers de la langue, autrement dit à une certaine forme de paresse et de négligence qui finit par desservir la communauté linguistique.

En matière d'enseignement scolaire et de politique linguistique du pays, il est important de distinguer entre le développement de la langue, qui est à encourager, et le laisser-aller, qui est à combattre.

On n'a pas toujours l'impression que la population du pays et ses enseignants réussissent à faire ce genre de distinction.

Bibliographie

BRINK, Lars et Jørn LUND (1975), *Dansk Rigsmål*, 1-2, Copenhague.

HANSEN, Erik (1981), *Skrift, stavning og retstavning*, Copenhague.

PETERSEN, Pia Riber (1984), *Nye ord i dansk 1955-1975*, Copenhague.

Retskrivningsordbog, *Dansk Sprognævn*, Copenhague, 1955.

X

LA CRISE DES LANGUES EN YOUGOSLAVIE

A — Problèmes de la culture de la langue en Yougoslavie

par Ranko Bugarski

Université de Belgrade

Traduit de l'anglais par André Catafago

La Yougoslavie est un pays fortement multinational et plurilingue. Occupant une superficie égale à celle de la Grande-Bretagne et comptant à peu près autant d'habitants que le Canada, elle présente une variété remarquable sur le plan culturel et historique, ainsi que sur celui de la structure nationale, ethnique et linguistique. Recréée sur de nouveaux principes durant et après la dernière guerre, la Yougoslavie est aujourd'hui une République fédérative socialiste qui comprend six républiques : Serbie (y compris les provinces autonomes de Vojvodine et du Kosovo), Croatie, Bosnie-Herzégovine, Slovénie, Macédoine et Monténégro. Elle regroupe six nations (Serbes, Croates, Slovènes, Macédoniens, Monténégrins et Musulmans) et nombre de minorités nationales appelées « nationalités » (Albanais, Hongrois, Turcs, Slovaques, Roumains, Ruthéniens, Bulgares, Italiens, Ukrainiens, Tchèques, etc.). La vingtaine de langues parlées dans le pays correspond à une gamme considérable du point de vue de la genèse aussi bien que de la typologie. Parlé par quatre des nations yougoslaves (Serbes, Croates, Monténégrins et Musulmans), le serbo-croate est incontestablement la langue maternelle du plus grand nombre, c'est-à-dire de quelque 16,5 millions d'habitants dans un pays qui en compte 22,5 millions. Le slovène et le macédonien, langues de deux autres nations, sont respectivement parlés par 1,7 et 1,3 million d'habitants. Quant aux langues des diverses nationalités, elles vont de l'albanais, parlé par 1,7 million d'habitants, au ruthénien, langue de quelque 20 000 personnes, en passant par le hongrois, parlé par 0,4 million de Yougoslaves. (Ces chiffres, tous arrondis, sont tirés du recensement de 1981). Parmi les cinq langues les plus parlées, le slovène, l'albanais et le hongrois emploient l'alphabet latin et le macédonien l'alphabet cyrillique, tandis que le serbo-croate fait usage des deux.

La politique linguistique de la Yougoslavie repose sur le principe de l'égalité, qui exclut l'existence d'une ou de plusieurs langues officielles ou « fédérales ». Officiellement, les langues sont toutes égales : quel que soit le nombre de sujets qui parlent telle ou telle langue, la loi n'en place aucune au-dessus des autres. Ainsi, les langues des nationalités sont employées dans l'enseignement scolaire, voire universitaire ; elles sont bien représentées dans les médias, l'Administration, la justice, la littérature et la culture des territoires au sein desquels elles sont parlées ; certaines sont même employées au niveau fédéral. En pratique cependant, il est des langues qui ont plus de prestige sur le plan fonctionnel, même si, aux yeux de la loi, elles sont placées sur le même pied que les autres. C'est notamment le cas du serbo-croate, langue maternelle de près de 75 % de l'ensemble des Yougoslaves et langue seconde de la plupart des autres, ce qui en fait une sorte de langue commune non officielle, employée dans la communication interethnique d'un bout à l'autre du pays.

En règle générale, il n'y a pas de correspondance parfaite entre républiques, nations et langues, de sorte que coexistent, à des degrés divers, plusieurs langues et plusieurs nations dans chacune des républiques. Cet état de choses a conduit à l'extension du plurilinguisme sur le plan social et du bilinguisme chez les individus, notamment dans les régions fortement multinationales de Vojvodine et de Kosovo. Une telle situation pose des problèmes d'une complexité peu commune en matière de politique linguistique, d'aménagement et de normalisation linguistiques, de culture de la langue. Et ces problèmes portent aussi bien sur les grandes questions relatives aux droits linguistiques que sur les divers aspects sociolinguistiques des langues en contact (y compris ceux qui touchent aux influences linguistiques s'exerçant dans des directions diverses, au plurilinguisme, à la diglossie, etc.), sur la stratification linguistique (territoriale, sociale, fonctionnelle), le choix de la langue dans les interactions verbales entre groupes et individus, etc.

De tels problèmes provoquent-ils une « crise des langues » comme on l'entend dans le présent ouvrage? J'hésite pour ma part à employer ce genre d'expression, qui me frappe par son accent puriste et alarmiste. Il n'en demeure pas moins que certaines des questions auxquelles il est fait allusion dans le document m'invitant à contribuer à l'élaboration du présent recueil posent de véritables problèmes en Yougoslavie également. (Comme on peut facilement s'en rendre compte à la lecture de cette entrée en matière, la situation linguistique de la Yougoslavie pose nombre d'autres problèmes, sur lesquels je ne me pencherai pas car ils débordent le cadre du présent volume). Le reste de cette courte contribution portera donc sur des questions que l'on peut classer sous l'étiquette « culture de la langue ». En outre, comme on trouvera dans cet ouvrage un article distinct sur la situation du serbo-croate, je m'attacherai à faire des commentaires que j'estime généralement valables et applicables aux langues parlées en Yougoslavie.

Ces langues ont fort bien réussi à s'adapter aux changements rapides qui se sont produits dans le mode et le rythme de vie des habitants, notamment sous l'effet du nouveau système économique et politique, des migrations, de l'industrialisation et de l'urbanisation, des moyens de communication et des médias, etc. Cette adaptation a entraîné un assouplissement des normes linguistiques, et la codification a dû tenir compte de tout un ensemble de domaines nouveaux du vocabulaire général et des vocabulaires de spécialité, ainsi que de la naissance de processus morphologiques, modèles syntaxiques et procédés stylistiques nouveaux, toutes choses qui se sont concrètement traduites par une modernisation plus poussée et une internationalisation partielle. Le rythme auquel se poursuit la codification n'est cependant pas le même dans toutes les langues. Ainsi, elle semble se poursuivre un peu plus vite dans le cas du macédonien (la plus jeune des langues littéraires slaves) et du slovène (généralement considéré comme un grand garant de la nation slovène) que dans celui du serbo-croate, qui a tendance depuis quelque temps à se laisser distancer dans ce domaine, sous l'effet de la standardisation polycentrique dont il est l'objet, c'est-à-dire de la naissance en son sein de nouvelles variantes, processus qui engendre, bien entendu, des complications sur le plan des rapports entre les normes générales et celles qui ont trait aux variantes. Pour ce qui est des langues des nationalités, on ne cherche pas à leur appliquer de normes yougoslaves distinctes, même si les caractéristiques spécifiques de la vie en Yougoslavie engendrent inévitablement des particularités terminologiques et phraséologiques, surtout dans les domaines lexicaux de la politique et de l'économie. C'est ainsi que le hongrois parlé en Yougoslavie diffère du hongrois de Hongrie dans les champs sémantiques pertinents. Dans le même ordre d'idées, il convient de signaler l'importante influence qu'exercent les grandes langues européennes (surtout l'anglais) sur les langues yougoslaves, ainsi que les effets non négligeables du serbo-croate sur les autres langues du pays.

Quant aux aspects moins positifs de l'évolution langagière, il y a longtemps que l'on déplore, en Yougoslavie comme dans bien d'autres pays, la détérioration de l'usage, la rareté des personnes capables ou soucieuses d'écrire et de parler correctement, la responsabilité des médias dans la baisse de niveau subie par l'expression linguistique et la communication, pour ne citer que quelques maux. On a traditionnellement imputé cet état de choses à deux grandes causes : l'urbanisation, qui aurait conduit à remplacer la langue pure et saine du terroir par l'idiome corrompu de la ville, et l'influence pernicieuse qu'ont exercée les façons de parler et les mots étrangers sur les langues d'origine du pays (les plus grands coupables étant, ici, dans l'ordre chronologique, le turc, l'allemand et l'anglais). Aucune de ces accusations, que les puristes ont l'habitude de porter, ne peut de nos jours être fondée, sans compter qu'elles sont l'une et l'autre largement étrangères à la réalité contemporaine. C'est ailleurs que l'on doit rechercher les vraies causes des difficultés auxquelles se heurte la culture de la langue. La première de ces causes est le taux d'analphabétisme et de semi-analphabétisme inexcusablement élevé de certaines parties du pays. La deuxième réside dans la pauvreté relative des outils normatifs de base : grammaires, dictionnaires et manuels. La troisième est l'insuffisance du développement de l'aménagement linguistique en Yougoslavie, souvent alliée à une organisation inadéquate et à une mauvaise coordination des efforts. Dans ces conditions, il devient difficile de lutter efficacement contre les vrais dangers que représente, par exemple, l'envahissement progressif de la langue, parlée aussi bien qu'écrite, par le jargon bureaucratique qui, sortant de son domaine propre, c'est-à-dire la rhétorique politique et administrative, est en train de contaminer les médias et les écoles, voire la conversation ordinaire.

L'enseignement des langues maternelles standard n'est pas non plus exempt de problèmes, notamment en raison de la diversité dialectale des systèmes linguistiques qui les sous-tendent, ce qui entraîne, à des degrés divers, une différence entre le dialecte parlé à la maison et la langue standard que l'on cherche à enseigner ; dans l'ensemble cependant, cet écart est moins important en Yougoslavie que dans bien d'autres pays. Mais le problème est d'autant moins facile à régler que l'on continue traditionnellement à insister sur le caractère sacré des normes transmises de génération en génération, même quand elles ne s'accordent visiblement plus avec la réalité linguistique de notre temps. Les normes des variantes du serbo-croate posent un problème en ce qui concerne son enseignement, surtout comme langue étrangère.

De toute évidence, il n'existe pas de solutions simples pour régler les questions évoquées ci-dessus. À l'avenir, il faudra compter également sur l'appui de plusieurs éléments : école, institut des langues, services de consultation des médias et des maisons d'édition, etc. Ces efforts ne pourront toutefois être couronnés de succès sans une meilleure coordination des divers facteurs qui sont en cause, surtout dans un pays décentralisé comme la Yougoslavie. À l'heure actuelle, elle ne compte pas d'organisme fédéral d'aménagement linguistique. La création d'un tel organisme permettrait d'apporter une solution rationnelle aux problèmes abordés dans ces pages, ainsi qu'aux autres questions pouvant relever de sa compétence. Il n'est que juste d'ajouter ici, en guise de conclusion, que l'on s'est beaucoup dévoué à la cause qui nous préoccupe et que l'on continue de faire du bon travail. Quoi qu'il en soit, la culture de la langue demeure une question brûlante.

Bibliographie

Les publications figurant dans la présente liste contiennent des références à d'autres textes et sont donc susceptibles de fournir au lecteur une introduction sélective à la connaissance du contexte sociolinguistique yougoslave en général et aux questions abordées dans cet article, dont les passages initiaux sont une adaptation de Bugarski 1984. On peut également consulter avec profit des revues comme *Naš jezik* (Belgrade), *Jezik* (Zagreb), *Književni jezik* (Sarajevo), *Makedonski jazik* (Skopje) et *Jezik in slovstvo* (Ljubljana), ainsi que la publication périodique *Godišnjak Saveza društava za primenjenu lingvistiku Jugoslavije* (Annuaire de l'Association des sociétés yougoslaves de linguistique appliquée), notamment les volumes 3 (1979), Belgrade, R. Bugarski (éd.) et 4-5 (1981-82), Zagreb, V. Ivir (éd.).

Aktuelna pitanja naše jezičke kulture (Problèmes actuels de la culture de notre langue), 1983, Belgrade, Prosvetni pregled.

BUGARSKI, R. (1983), « Sociolinguistic Issues in Standardizing Linguistic Terminology », *Language in Society*, Londres/New York, 12: 65-70.

——————— (1984), « Aspects of Language Standardization in Yugoslavia. » Communication faite au 17ᵉ Congrès annuel de la Societas Linguistica Europaea, Manchester/Salford, septembre 1984 (à paraître).

——————— V. IVIR et M. MIKEŠ (éd.), (1976), *Jezik u društvenoj sredini* (La langue dans son contexte social), Novi Sad, Društvo za primenjenu lingvistiku Jugoslavije.

Jezik u savremenoj komunikaciji (La langue dans la communication contemporaine), Belgrade, Centar za marksizam Univerziteta u Beogradu, 1983.

MIKEŠ, M. (1983), « Instruction in the Mother Tongues in Yugoslavia », *Prospects*, Paris, XIV/1: 121-131.

Naš jezik danas i sutra (Notre langue aujourd'hui et demain). Articles de D. ŠKILJAN, M. RADOVANOVIĆ, D. JOVIĆ, R. BUGARSKI, V. ANIĆ, S. JANKOVIĆ, M. PUPOVAC. *Naše teme*, Zagreb, XXIV/5 (1982): 805-862.

RADOVANOVIĆ, M. (1983), « Linguistic Theory and Sociolinguistics in Yugoslavia », *International Journal of the Sociology of Language*, Amsterdam, 44: 55-69.

VUČKOVIĆ, P. (éd.) (1984), *Srpskohrvatski jezik kao strani* (Le serbocroate comme langue étrangère), Belgrade, Institut za strane jezike.

B — Les tendances actuelles du serbo-croate*

par Djordje Kostić (Belgrade)

* Traduit de l'anglais par la Direction de la traduction du ministère des Communications.

Langue des Serbes, des Croates et des Monténégrins, le serbo-croate constitue une seule langue même si, comme bien d'autres, elle manque d'homogénéité. Elle comporte des variantes dialectales, et en outre, on y décèle une propension à se polariser en deux variantes principales, celle des régions de l'est et celle de l'ouest. Ce phénomène découle de l'évolution culturelle qui a marqué l'histoire des Croates, des Serbes et des Monténégrins, trois histoires distinctes en somme, mais qui ont un dénominateur commun: la préservation jusqu'à ce jour d'une seule et même langue.

La norme linguistique soulève une tout autre question. Certaines différences, assez négligeables, qui marquent les deux versions du serbo-croate, sont fortement inspirées par les sentiments nationaux. Notons ici deux tendances divergentes: d'une part, on distingue la langue des Croates de celle des Serbes; d'autre part, on soumet les deux langues aux mêmes normes. Il y a plus d'un siècle et demi, Vuk Stefanović Karadžić parvenait à faire rejeter la vieille langue littéraire en proposant que la langue du peuple — les Serbes et les Croates — soit la base de la langue littéraire et de la langue officielle de communication. Sous l'influence de Karadžić, Serbes, Croates, Bosniens et Monténégrins adoptèrent le dialecte alors prédominant en Bosnie-Herzégovine centrale, région où la contamination par les langues étrangères s'était le moins fait sentir. Karadžić ouvrait ainsi la voie à la littérature serbe, croate et monténégrine du XIXᵉ siècle, qui devait être véhiculée en deux dialectes: *ekavski* et *ijekavski*. On avait là, semblait-il, un fondement stable sur lequel on allait pouvoir établir des normes littéraires. Ainsi, les grammairiens serbes et croates allaient pouvoir se livrer à des études philologiques et dialectologiques de la langue d'abord appelée serbe ou croate, puis, au cours du présent siècle, serbo-croate.

Dès la fin du siècle dernier, le philologue Toma Maretić, dans son ouvrage intitulé « Grammaire et stylistique de la langue serbe ou croate », décrivait cette langue en détail. Des grammairiens serbes, tels que Novaković, Stojanović et Belić, publièrent eux aussi des grammaires de la nouvelle langue. D'un côté comme de l'autre, on utilisait comme source la langue populaire des deux peuples — les Croates et les Serbes. Après la Première Guerre mondiale, Belić publiait des grammaires destinées aux classes secondaires, tandis que Ivan Broz et Boranić — tout comme Belić, d'ailleurs — faisaient paraître des résumés des règles de la langue écrite qui allaient servir de fondement aux normes littéraires.

Pendant l'entre-deux-guerres, la controverse sur les deux variantes de la langue subsista. Certains linguistes en sous-estimaient les ressemblances et en surestimaient les différences ; d'autres adoptaient la position contraire.

Après la Deuxième Guerre, il devint tout à fait évident que les normes antérieures étaient trop étroites pour faire place aux influences dialectales croissantes dues à la grande mobilité des habitants du pays. Si les linguistes insistaient pour maintenir les anciennes normes, un heurt entre les masses, d'une part, et les intellectuels, d'autre part, était inévitable. En outre, les forces culturelles nationales libérées n'étaient pas prêtes à se conformer aux anciennes normes centralisatrices. Alors même que le serbo-croate est demeuré pratiquement inchangé au cours des 40 dernières années, on peut y déceler la création de diverses formes liées aux différentes cultures dont la langue maternelle est le moyen d'expression. On s'est rendu compte que les Serbes, les Monténégrins et les Bosniens, tout comme les Croates, produisaient des ouvrages littéraires dans leur propre langue, et que les normes existantes étaient insuffisamment flexibles pour couvrir tous les aspects de la création langagière, que ce fût dans le domaine de la littérature, de la vie courante ou des communications. Ainsi, les différences dialectales liées aux sentiments nationaux et le besoin d'un moyen d'expression moderne ont été un facteur important de diversification linguistique.

Pendant l'après-guerre, le réseau radiophonique — puis celui de télévision — s'est étendu à tout le pays. Le résultat fut tel que, pratiquement, chaque village s'est trouvé relié aux grands centres culturels. Par ailleurs, le réseau d'enseignement s'est élargi de façon à inclure un grand nombre d'enfants jusqu'ici d'âge préscolaire, tandis que le réseau universitaire a débordé les capitales des républiques pour atteindre plusieurs grandes villes et centres industriels d'un bout à l'autre du pays. Tout cela a eu une influence telle sur la dynamique de la communication linguistique que les tendances diversificatrices ont été renforcées.

Sous l'influence de la langue de la télévision, du cinéma, de la radio, du théâtre, etc., les gens cessèrent de parler une langue uniforme. À titre d'exemple, l'annonceur de télévision, qui a plusieurs millions d'auditeurs, exerce sur le plan de la langue une influence beaucoup plus grande que le locuteur moyen. C'est ainsi qu'aujourd'hui, au lieu de normes universelles, nous avons les normes des annonceurs de radio et de télévision, celles des journalistes, celles des administrateurs, etc. Cette situation a favorisé une diversification langagière que l'école n'a pas su enrayer. À l'heure actuelle, l'évolution de la langue est marquée par un conflit entre les forces centrifuges et les forces centripètes.

Je ferai remarquer toutefois que ces tendances ne sont pas exclusives au serbo-croate: d'autres peuples sont enclins à se distinguer et à s'identifier en tant que nations par le biais des normes linguistiques.

La langue s'adapte aux besoins des locuteurs. Nous vivons dans un monde que l'on dit informatisé, où la communication s'affranchit des formes narratives, où la phrase se simplifie et où certaines formes grammaticales se font de plus en plus rares. Mes recherches, tant sur la langue de la presse quotidienne que sur celle de la poésie moderne, ont montré que bon nombre de formes grammaticales ont tout simplement disparu et que d'autres se rencontrent très rarement. L'adjectif ne précède plus aussi souvent le nom, tandis que le système verbal se transforme rapidement. Le système des accents tend à se simplifier, la différence entre l'accent montant et l'accent descendant va diminuant, tandis que les voyelles longues raccourcissent. La prosodie, elle aussi, se transforme à mesure qu'augmente le rythme d'articulation. Sur le plan phonologique, on note une déstabilisation des consonnes affriquées, une tendance des $/e/$ et $/o/$ médians, courts et postérieurs à devenir plus ouverts. Ainsi $/e/$ devient $/\varepsilon/$ et $/æ/$, tandis que le $/o/$ postérieur se rapproche du $/a/$. Certains noms changent de genre. De nombreux mots anglais sont empruntés aussi bien dans la langue scientifique que dans la langue courante. En outre, certains mots empruntés à l'allemand ont disparu, tandis que les turcismes et les arabismes tombent en désuétude.

Ces changements ne sont liés ni à un dialecte, ni à une région, une nation ou une culture particulières: ils sont généraux. La langue se ramifie dans toutes les directions et chaque ramification établit graduellement ses propres normes. Bref, on remarque une sorte de croisement entre deux genres de tendance: d'une part, la tendance qui consiste à exprimer ses sentiments nationaux en explorant sa culture nationale et en l'établissant sous forme de normes linguistiques; d'autre part, la force unifiante imposée par le besoin de décrire des phénomènes nouveaux communément répandus.

Ce relâchement des normes linguistiques a entraîné une hausse de fréquence des troubles du langage au cours des 40 dernières années. Selon les recherches menées par l'Institut de phonétique expérimentale et de pathologie du langage, la proportion des enfants de 6 à 10 ans qui sont atteints de troubles du langage est passée de 8 à 20 % au cours des 20 dernières années. Et la situation est la même parmi les populations urbaines et rurales.

La formation des spécialistes en linguistique semble constituer un problème de plus. Avant la Deuxième Guerre mondiale, la formation universitaire offerte aux futurs professeurs de serbo-croate était axée principalement sur les aspects philologiques de la langue. Aujourd'hui, les experts s'engagent dans des recherches spécialisées dans les diverses branches de la linguistique. De ce fait, la préservation de la langue maternelle et la préservation des normes suscitent très peu d'intérêt.

C'est là, de façon générale, l'état actuel du serbo-croate. Et je n'ai pas mentionné le problème du bilinguisme dans les régions où il se mélange avec les autres langues yougoslaves, et avec celles des autres peuples yougoslaves.

Cette dynamique de la langue ne doit toutefois pas être considérée comme une « crise de la langue ». C'est dans cet état d'esprit que les linguistes yougoslaves s'efforcent d'enrichir la langue sur divers plans. Des études approfondies sont menées auprès de la jeune génération afin de comprendre ce qui se passe sous la surface linguistique. Et les connaissances que nous acquerrons ainsi, ajoutées à d'autres, nous permettront de planifier l'avenir de la langue.

À l'heure actuelle, on s'efforce d'attribuer un rôle plus important aux linguistes travaillant dans les médias, les maisons d'édition, etc. On organise des conférences sur l'importance de la communication linguistique ; des revues et des guides sont mis à la disposition des parents afin de leur permettre d'aider leurs enfants à développer leurs aptitudes langagières. On tente par tous les moyens de créer un climat de tolérance à l'égard des formes linguistiques et particulièrement des mots qui peuvent paraître étrangers à certaines couches sociales ou à certains dialectes. En d'autres mots, on s'applique sérieusement à créer des normes linguistiques souples.

Il semble que la langue évolue tantôt rapidement, tantôt lentement, parfois même de façon imperceptible. Notre époque semble caractérisée par une évolution rapide, si l'on compare avec ce qui se passait il y a 100 ans. Mais ce dynamisme, si troublant qu'il puisse paraître, ne doit pas être vu comme une « crise de la langue ». Rien ne dit que nous sommes incapables d'y faire face. Il existe toujours un conflit entre les changements qui touchent le système langagier et ceux qui concernent les normes. Si les normes ne suivent pas les changements touchant la langue, un écart inévitable surgira entre les deux. En revanche, si la langue change sans subir l'influence des normes, alors on peut s'attendre à ce que la diversification linguistique ait des tendances plutôt anarchiques. Le problème, donc, à notre avis, consiste à savoir comment maintenir notre patrimoine linguistique dans l'état actuel des choses, et assurer sa continuité dans l'avenir.

XI

La prétendue crise de la langue: l'espagnol d'Espagne

par Gregorio Salvador

Universidad Complutense (Madrid)

Traduit de l'espagnol par Francine Bertrand-González

Voici comment je vois le problème de la « crise » de l'espagnol, à partir de la perspective de l'Espagne, plus précisément de Madrid, après avoir comparé ma vision avec celle de plusieurs collègues, notamment des linguistes et des sociologues.

Bien sûr, on parle de « crise de la langue » en Espagne. Dans des articles de journaux, dans certains livres, dans des manifestations publiques de linguistes et d'écrivains, ou même de simples citoyens qui font part à la presse, dans la section du courrier du lecteur, de leur inquiétude face à la dégénérescence du langage et dénoncent des situations concrètes qui semblent illustrer ce phénomène. Mais il faut tout de suite ajouter que ce n'est pas là un phénomène qui date d'aujourd'hui, mais plutôt une constante depuis le XVIIIe siècle, quand Juan Pablo Forner écrivait rien de moins que *Exequias de la lengua castellana* (« Funérailles de la langue castillane ») ; c'est donc dire qu'il y a environ deux siècles qu'on parle de crise de la langue.

Le lexique (pauvreté de ressources, impropriétés, imprécision sémantique) et la syntaxe (usages arbitraires des prépositions, concordances défectueuses, constructions anomales) sont les aspects les plus censurés et qui donnent lieu aux plus fréquentes lamentations. Dans l'enseignement, on se plaint également de l'orthographe, dont on considère que la qualité a baissé ces derniers temps ; on insiste surtout sur la négligence de l'accentuation graphique.

Les médias (presse, radio, télévision) ainsi que l'Administration et le monde politique sont les milieux qui semblent le plus affectés par la « crise », et en même temps les plus grands responsables de son développement, à cause de leur diffusion naturelle et de leur influence évidente. Parmi les médias, la télévision attire, plus que tout autre, l'attention des censeurs, précisément à cause de sa plus grande diffusion et de l'influence qu'elle peut exercer sur les foules. D'autre part, on suppose que la télévision nous familiarise avec le jargon politique et toutes les ambiguïtés et les imprécisions qu'il comporte.

Le dernier livre paru en Espagne sur ce thème de la crise linguistique est une série d'articles de Ramon Carnicer ; il s'intitule *Desidia y otras lacras en el lenguaje de hoy* (« Négligence et autres vices dans le langage d'aujourd'hui ») (Planeta, Colección Ensayo, Barcelone, 1983). Or, le premier mot du titre est une synthèse exacte des explications qu'on donne au sujet de la prétendue crise : négligence envers l'instrument d'expression et inertie conduisant à se laisser entraîner, sans réfléchir, par le courant du mauvais usage ou de l'usage erroné, notamment dans la traduction. Les dépêches des agences internationales de nouvelles sont traduites trop rapidement et sans trop porter attention, en se guidant souvent sur le signifiant plutôt que sur le signifié; on consacre ainsi, dans la rédaction des nouvelles, les calques syntaxiques et ce qu'on appelle, en théorie de la traduction, les « faux amis », ce que nos auteurs classiques appelaient la traduction mécanique. On suppose donc qu'une grande partie des maux dont souffre l'espagnol proviennent d'une traduction négligente d'autres langues, notamment de l'anglais, et, à un moindre degré, du français, favorisée et propagée par l'impérieuse vitesse de l'information.

Les hérauts de la crise sont essentiellement apocalyptiques et, par conséquent, n'y voient pas de remède ou, tout au moins, une possibilité d'application du remède. On réclame généralement l'intervention des pouvoirs publics, car on considère que garder en bon état un instrument collectif de communication, comme la langue, n'est pas seulement l'affaire des individus mais également du gouvernement qui doit s'occuper de son enseignement, promouvoir son étude et surveiller son utilisation. Se faisant l'écho de ces opinions, le vice-président du gouvernement, à l'occasion de l'inauguration du cours d'été à l'Université de Salamanque, au mois de juillet 1983, a annoncé l'élaboration d'une loi sur la protection de la langue, dont on n'a plus entendu parler. Plus tôt, en 1982, l'Institut officiel de radio et de télévision, conscient des critiques et désireux d'offrir aux professionnels aide et orientation, avait créé un séminaire permanent sur le bon usage de la langue, dont on m'avait confié la direction. De janvier à juin, à raison de deux séances par semaine d'une durée de deux heures et demie chacune, divers linguistes, académiciens et professeurs ont parlé de ces problèmes devant une assistance très nombreuse, active et intéressée, composée d'annonceurs et de présentateurs. Un changement dans la direction de l'Institut, au début de l'année scolaire suivante, a mis un terme à ce séminaire.

Personnellement, je ne crois pas qu'il existe de crise de la langue. Je ne crois pas non plus que le fait d'en parler représente une nouveauté. Comme je l'ai signalé plus haut, la crise de la langue a été un sujet de lamentations continuelles, au moins depuis le XVIIIᵉ siècle. La langue est un instrument et, comme pour tout instrument, la capacité de l'utiliser présente une gradation très étendue. Dans la perspective de ceux qui maîtrisent son usage, reconnaissent ses nuances et admirent sa précision, tout comportement discordant est quelque chose qui fait grincer des dents la conscience linguistique. Si ces vertueux ont une tendance au pessimisme, ils concluent, devant l'extension de certains usages critiqués, que la dégénérescence de la langue est irréversible, et ils proclament alors que la langue est en crise. Or, si par crise nous n'entendons qu'un moment décisif ayant des conséquences importantes, la langue est, historiquement, une succession de crises, parce qu'elle est une succession d'états, et chaque passage d'un état à un autre requiert une crise. En ce sens, il serait acceptable de parler de crise, mais le terme semble plutôt indiquer que ses conséquences sont non seulement importantes mais graves et lamentables; et, en vérité, je ne m'identifie pas à ce catastrophisme linguistique.

Ce qui existe à notre époque, c'est un plus grand retentissement, un écho plus grand de ce qui est dit et écrit. Les fautes se transmettent rapidement: le mauvais usage, encouragé par son utilisation dans les journaux, à la radio ou à la télévision, se propage vite. Mais, en se propageant, le mauvais usage devient tout simplement l'usage; tout jugement est donc de trop, et l'erreur linguistique, à force d'être répétée, cesse d'être une erreur pour devenir un fait accepté. D'autre part, il faut considérer que ces médias ne transmettent pas que le mauvais usage, jusqu'à ce qu'il cesse de l'être, mais qu'ils transmettent également, et surtout, le bon usage, la norme généralisée, et qu'ils contribuent davantage à la cohésion linguistique qu'à une désagrégation perturbatrice. Il faut simplement accepter l'existence de ces médias et admettre que l'avenir de la langue passe par eux, qu'ils sont les nouveaux créateurs de la norme linguistique. Si nous faisons un bilan d'ensemble, cela est positif et participe plus à l'affirmation de la langue qu'à sa détérioration.

Le plus grand retentissement de ce qui est dit et écrit dans le monde actuel nous permet également de découvrir qu'on parle simultanément de crise linguistique dans des endroits très distants et au sujet de langues très différentes. Quelle est la signification de ce fait? Il faudrait, dans chaque cas, jeter un regard sur le passé avant de décider qu'il s'agit d'un phénomène propre à notre époque. Ce qui est propre à notre époque — et c'est peut-être là que réside la clé des dangers entrevus — c'est peut-être un changement d'attitude face à l'expression linguistique parfaite, parce que l'incapacité à bien parler et à bien écrire a cessé d'être dénoncée socialement; au contraire, comme l'a signalé Kenneth Hudson à l'occasion de la présentation de son dictionnaire de l'anglais malade, celui qui possède un lexique varié, qui écrit correctement et s'exprime avec aisance, est vite accusé d'élitisme et même de réaction. Si la prétendue crise de la langue va dans ce sens, l'affaire est plus sérieuse, et ce qu'il faudrait savoir, c'est qui a semé cette idée et dans quel but. Si des voix s'élèvent ici et là pour dénoncer des maux, des impropriétés, des incorrections et des défauts, c'est parce que la maîtrise de la langue est encore appréciée comme un bien, et si survenait la crise réelle à laquelle conduirait une inversion des valeurs, on ne parlerait plus alors de crise. Tant qu'on parlera de crise, eh bien ! je crois que nous pouvons dormir tranquilles.

XII

Y a-t-il crise de la langue en Uruguay?

par Luis E. Behares

Universidad de la República (Montevideo)

Traduit de l'espagnol par Bohumil Kratky

Quand le terme « crise » est appliqué aux réalités linguistiques, il reçoit trois acceptions :

a) *crise intralinguistique des variantes régionales et locales par rapport à la norme établie* (manque de cohérence, perméabilité excessive aux emprunts et autres phénomènes semblables) ;

b) *crise fonctionnelle*, c'est-à-dire de l'accroissement du champ d'action de la langue (vocabulaires de spécialité et néologismes techniques créés ou obtenus par dérivation ainsi que divers phénomènes reliés à l'utilité réelle de la langue face aux exigences de la société) ;

c) *crise des attitudes* (par rapport à la langue comme un tout, aux valeurs qui y sont attachées, aux tendances innovatrices ou conservatrices et autres phénomènes de même nature).

Dans l'ensemble, nous pouvons répondre, en principe, affirmativement à la question posée au sujet de l'existence d'une crise de la langue, car les trois acceptions susmentionnées couvrent les problèmes auxquels chacun est souvent confronté et que les linguistes constatent à l'occasion.

La plupart de ces « problèmes » apparaissent comme le résultat des écarts toujours plus grands entre l'espagnol parlé et écrit et la norme dite académique qui est établie de manière inflexible pour tous les pays de langue espagnole. Malgré le fait que les variétés « standard » et « sous-standard » de l'espagnol uruguayen ne s'opposent ni entre elles ni par rapport à la norme académique dans la même mesure que dans d'autres pays sud-américains (surtout dans les pays où il y a un substrat ou un adstrat indigène), les discordances ne manquent pas. Si nous nous en tenons aux campagnes officielles et privées menées par des puristes, il semble que le phénomène se situe au niveau d'aspects marginaux n'ayant aucun rapport entre eux et ne représentant franchement aucun danger pour l'avenir de la langue et la valeur de la communication. En revanche, si nous nous en rapportons à la bibliographie spécialisée en la matière (surtout Elizaincín, 1981 ; Elizaincín et Behares, 1981a ; Pedretti de Bolón, 1983 et Elizaincín, 1983), nous constatons que l'Uruguay suit, presque sans aucun apport innovateur, la transformation de l'espagnol sud-américain en général et de celui de la région du Río de La Plata en particulier, notamment du point de vue phonologico-phonétique et morpho-syntaxique.

Quant au lexique, il y a déjà certains dictionnaires qui réunissent des uruguayismes, termes originaires de notre pays ou d'usage normal chez nous (cf. Granada, 1957; Guarnieri, 1979)[1]. Toutefois, la crise est due, dans ce domaine, à la présence de plus en plus fréquente d'emprunts aux langues étrangères (surtout anglicismes) qui, à l'occasion (mais pas toujours), portent atteinte à l'homogénéité de la langue. En outre, on a remarqué une tendance toujours plus prononcée à introduire des néologismes, ce qui doit être considéré en rapport avec l'insuffisance de l'espagnol, déjà traditionnellement reconnue, à avoir recours à la création des mots par dérivation.

Malgré son origine démographique très hétérogène, la société uruguayenne se distingue par une stabilité marquée et une homogénéité linguistique favorisée pour différentes raisons dont il convient de signaler les plus évidentes:

a) *Absence de contacts linguistiques* à l'intérieur du territoire national, exception faite d'une région située aux frontières du Brésil dans laquelle on retrouve un ensemble de parlers basés soit sur le portugais, soit sur l'espagnol et subissant sans cesse des fluctuations et des transformations (cf. Rona, 1965; Elizaincín, 1979, 1982; Elizaincín et Behares, 1981b et Elizaincín, Behares et Barrios, 1983).

b) *Structure sociale caractérisée par un important brassage de la population*, avec prédominance des classes moyennes urbaines.

c) *Éducation généralisée*, avec un taux d'analphabétisme très faible par rapport aux autres pays sud-américains.

Malgré le fait qu'on trouve déjà un assez grand nombre d'études (mais il en faudrait encore d'autres) portant sur le rapport entre la norme et les différentes variétés de l'espagnol parlé, on en connaît mal les aspects fonctionnels. Quoique les vocabulaires spécialisés existent, le développement technologique insuffisant du pays, comparé avec d'autres pays, ne donne pas de résultats spectaculaires dans ce domaine. Naturellement, n'importe quel technicien ou scientifique de notre milieu a déjà dû faire face aux difficultés de l'espagnol (qui est beaucoup moins souple que l'allemand ou l'anglais) en matière de création de mots nouveaux. Cela mène à l'utilisation massive d'emprunts aux langues étrangères (en particulier d'anglicismes) dans les vocabulaires spécialisés; tout cela s'accompagne de déformations ou de pseudo-adaptations qui passent ensuite dans la langue parlée de tous les jours une fois que les objets ou concepts correspondants se sont diffusés.

---

1. Deux projets de recherche sont en voie de réalisation, l'un à l'Académie nationale des lettres et l'autre au Département de linguistique de l'Université de la République.

Dans le domaine du journalisme (sous toutes ses formes), on a souvent remarqué la présence constante de figures de style capricieuses. Dans certains cas, et cela est très évident dans le journalisme sportif, cette « déviation » frôle la pyrotechnie verbale parsemée d'incorrections et d'hypercorrections flagrantes.

Block de Behar (1969) a étudié ce qu'elle appelle l'« insurrection linguistique » dans la littérature romanesque. Sous cette étiquette, elle range certains thèmes qui ne sont en rien linguistiques, tels que les « irrévérences envers les conventions littéraires » et le « mépris destructif des automatismes de l'expression », ainsi qu'un problème linguistique important, la tendance à transcrire directement la langue courante en « textes sérieux ». Naturellement, cette dernière caractéristique propre au réalisme sous toutes ses formes ne constitue pas en soi une crise de la langue, mais peut-être plutôt une crise des attitudes envers le langage.

Un autre phénomène qu'on remarque couramment est cette sorte de « pandialectalisme » ou « pluridialectalisme » qui est introduit par le doublage à l'étranger des émissions de télévision américaines. En effet, outre le style de Buenos Aires dont certains traits caractéristiques se sont déjà largement répandus grâce à la télévision, nous subissons, à l'heure actuelle, l'« influence » des parlers vénézuéliens, mexicains et portoricains et, dans une mesure moindre, même d'autres. Ce phénomène est récent, mais certains résultats pratiques sont dus au changement des habitudes linguistiques des Uruguayens.

C'est dans le domaine qui touche l'éducation que les problèmes d'attitudes envers la langue sont les plus évidents. On peut facilement mettre en opposition deux courants de pensée bien différents : *les puristes* souhaitant maintenir la norme académique, avec le critère le plus rigide, et *les innovateurs* qui font passer la fonctionnalité communicative avant la « correction idiomatique ». Dans aucun des deux cas, on ne peut dire que les thèses avancées soient exemptes de formulations idéologiques. Dans un travail exploratoire préliminaire, Külh de Mones (1981) présente certaines données numériques qui nous indiquent ce que pensent les Uruguayens de Montevideo de leur propre façon de parler. Elle arrive à la conclusion que toutes les personnes interrogées dans le cadre de son enquête ont une conscience claire de leur appartenance à une communauté linguistique, avec prédominance d'attitudes conservatrices à l'égard des innovations et d'attitudes défensives par rapport aux variétés « étrangères », surtout en ce qui concerne l'espagnol de Buenos Aires considéré comme le « pire ».

Dans le chapitre final de son livre, Pedretti de Bolón (1983) prétend que l'Uruguayen est convaincu de mal parler l'espagnol, car il considère comme un modèle de perfection l'espagnol académique (langue panhispanique, mais fondamentalement propre à l'Espagne). Selon l'auteur, cette attitude s'explique principalement par une sorte de prêche puriste scolaire.

La crise de la langue dans les écoles est un phénomène qui mérite d'être signalé tout particulièrement.

En premier lieu, l'école uruguayenne a toujours suivi une orientation puriste. Prenons comme exemple le maintien absolu de l'interdiction de l'emploi du « voseo »[2] pronominal et verbal à tel point que la personne utilisant l'expression « tú tienes » (« tu as ») est tout de suite cataloguée comme un étranger ou un professeur. Ce fait concret (utilisé en guise d'exemple graphique) contraste avec l'utilisation courante où l'on ne rencontre que les formes de « voseo » pronominal et verbal. On crée ainsi une séparation très conflictuelle entre la langue réelle et celle que le système d'enseignement prétend employer.

La crise de la langue employée dans les écoles comporte un deuxième aspect, celui du lexique. Selon les enseignants, les difficultés rencontrées dans ce domaine sont les suivantes : « manque de vocabulaire », « impropriété » de certains termes et « imprécision » d'autres. Ces défauts constatés chez les enfants pourraient être considérés comme un fait aléatoire s'ils n'étaient pas liés à ce que les enseignants appellent le « rejet de la lecture ». Il est évident que l'enfant a remplacé la lecture par l'image de la télévision. Toutefois, les enseignants ont tort de rattacher ce fait à la déperdition du lexique, car la télévision constitue un instrument potentiel d'enrichissement du vocabulaire au même titre que le livre.

En revanche, la télévision (ou, à plus forte raison, la crise de la lecture) suscite de graves difficultés dans le domaine de l'utilisation de la langue écrite par les enfants et par les jeunes. Outre les fautes d'orthographe (dues, en partie, à un système d'orthographe inadapté à la langue réelle et à des méthodes inadéquates d'apprentissage de la lecture et de l'écriture), on observe une nette régression quant aux niveaux de rédaction et de compréhension d'un texte lu, ce qui se manifeste maintenant même au niveau universitaire.

---

2. « Voseo » = emploi du pronom personnel « vos » à la place de « tú » (dans certains pays d'Amérique latine : Argentine, Uruguay, etc.) pour exprimer le tutoiement. N.d.T.

Si quelque chose de très général peut se dégager de cet aperçu, c'est un sentiment de détresse éprouvé pour tout ce qui concerne la langue en Uruguay. À l'absence d'une politique de planification linguistique s'ajoutent tout un ensemble de préjugés concernant presque tous les points déjà soulignés et la diffusion massive de pseudo-connaissances au cours de campagnes « de correction idiomatique »[3]. Malheureusement, ces campagnes et le travail solitaire de recherche effectué par les linguistes sont les seules solutions appliquées pour résoudre la crise de la langue en Uruguay.

Bibliographie

BLOCK DE BEHAR, Lisa (1969), *Análisis de un lenguaje en crisis*, Montevideo, Nuestra Tierra.

ELIZAINCÍN, Adolfo (1979), « Estado actual de los estudios sobre el dialecto fronterizo uruguayo-brasileño », *Cuadernos del Sur*, Bahía Blanca, 12 : 119-140.

——————— (ed.) (1981), *Estudios sobre el español del Uruguay*, Montevideo, Universitad de la República.

——————— (1982), « Contacto de lenguas y variabilidad lingüística », *Proceedings of the 10th World Congress of Sociology*, Mexico.

——————— (1983), « ¿Existe un español uruguayo? », *Khipu*, Munich, 12 : 43-46.

——————— et Luis E. BEHARES (1981a), « Español de América y Español del Uruguay: rasgos comunes y rasgos discrepantes », *Locos semánticos. Studia linguistica in Honorem E. Coseriu*, Madrid et Berlin, Gredos-Du Gryter, v : 413-423.

——————— (1981b), « Variabilidad sintáctica de los dialectos portugueses del Uruguay », *Boletín de Filología de la Universidad de Chile*, XXXI : 401-417.

———————, ——————— et Graciela BARRIOS (1983), *Los dialectos portugueses del Uruguay*.

GRANADA, Daniel (1957), *Vocabulario rioplatense razonado*, Montevideo.

---

3. Voir les exemples donnés à la suite de la bibliographie.

GUARNIERI, J. Carlos (1979), *Diccionario del lenguaje rioplatense*, Montevideo, Mosca.

KÜLH DE MONES, Ursula (1981), « Actitudes lingüísticas frente al español de Montevideo », *Revista de la Facultad de Humanidades y Ciencias*, Série linguistique, 1/3 : 37-60.

PEDRETTI DE BOLÓN, Alma (1983), *El idioma de los Uruguayos*, Montevideo, Banda Oriental.

RONA, José Pedro (1965), *El dialecto « fronterizo » del norte del Uruguay*, Montevideo, Universidad de la República.

**Exemples d'une campagne publicitaire
dans les journaux uruguayens**

— Notre langue nous facilite la communication. Donc parlons bien pour mieux nous comprendre.

— « Chaque livre qui inculque des habitudes de bon langage, c'est un ami. » — Arturo Capdevilla.

— Quand les habitants d'un pays parlent bien, on parle bien de ce pays.

— José Enrique Rodó a donné à notre langue des pages inoubliables. Sauvons son héritage en parlant correctement.

XIII

La langue espagnole et son enseignement : oppresseurs et opprimés

par Raúl Ávila

Colegio de México

Traduit de l'espagnol par Francine Bertrand-González

Ce que disent mes amis

J'ai, comme quiconque, bon nombre d'amis. Par goût personnel d'abord, et par mon travail de linguiste ensuite, j'ai eu l'occasion de parler avec des personnes de divers milieux : des gens de la ville et de la campagne ; des gens avec et sans moyens financiers ; des enfants, des jeunes et des vieillards ; des gens de la capitale et des gens de province ; des compatriotes et des hispanophones d'autres pays. J'ai pu communiquer avec toutes ces personnes dans ma langue maternelle, l'espagnol, parfois après un peu de pratique, comme c'est le cas avec mes amis andalous et leurs semblables — linguistiquement parlant —: les Cubains, les Chiliens ou les Argentins, par exemple.

Je veux maintenant me référer à un seul groupe de mes amis. Ce ne sont pas des experts en langage, mais étant donné qu'ils parlent une langue qu'ils ont apprise depuis leur enfance — leur langue maternelle —, ils ont une opinion toute faite à son sujet. Ainsi, ils corrigent la prononciation de leurs enfants — « on ne dit pas *cabo*, mais bien *quepo* », « ne dis pas *kuerta* ni *puchara*, mais plutôt *puerta* et *cuchara* ». Quant à la façon de parler des jeunes, ils croient que la langue dégénère avec tous ces idiotismes censément superflus —ils n'aiment pas, par exemple, qu'on dise *¡Qué onda!* au lieu de *¡Qué pasa!*, ou que l'on préfère *chava* à *novia*. Quant aux personnes âgées, ils considèrent certains de leurs usages linguistiques comme dépassés, tel *recordar* au lieu de *despertar*, ou *vistas* au lieu de *fotos*.

Les amis auxquels je fais allusion vivent dans la capitale, où ils sont nés ou bien où ils vivent depuis leur enfance. Pour cette raison leur oreille discrimine ceux qui viennent de province, et il leur semble incorrect que quelqu'un dise *juites* au lieu de *fuiste*, ou *chiquío* au lieu de *chiquillo*.

De même, ils ont l'oreille attentive pour évaluer, quand quelqu'un leur parle au téléphone, si l'interlocuteur a fait des études ou pas. Il leur suffit d'entendre *váyamos* ou *haiga* au lieu de *vayamos* et *haya*, pour imaginer la suite : que la personne avec qui ils parlent n'a peut-être même pas terminé ses études primaires.

Mes amis n'aiment pas non plus les expressions recherchées, bien qu'ils les préfèrent sans doute à d'autres qu'ils jugent vulgaires. Dans ce cas, le style — ce qui est actuellement connu comme *registre*— qu'emploie l'interlocuteur est très important. Ainsi, si quelqu'un dans un bar utilise des expressions recherchées, mes amis, quand ils le pourront, feront certains commentaires sur la « mauvaise conduite linguistique » de cette personne, et diront qu'elle tentait sûrement d'impressionner son auditoire en s'exprimant ainsi.

Parfois mes amis remarquent, quand quelqu'un dit « ***Ensemafori-zaron** las calles de la ciudad* » (« on a placé des feux de circulation dans les rues de la ville »), que c'est la première fois qu'il entendent le terme *ensemaforizar*, et signalent que « ce mot n'existe pas » et qu'à la place, on devrait dire « *llenaron de semáfaros...* ». Et quand on leur demande pourquoi ils pensent ainsi, ils répondent, si réponse il y a, que ce mot n'existe pas parce qu'il n'est pas dans le dictionnaire — comme ça, rien de moins, sans aucune référence bibliographique au dictionnaire auquel ils font allusion.

Le lecteur a sûrement déjà commencé à imaginer mes amis. Pourtant, il convient d'ajouter certains détails au sujet de leurs caractéristiques linguistiques. Une langue vivante comme l'espagnol est forcément sujette à des changements, selon les besoins de ceux qui la parlent. Et mes amis parlent l'espagnol. Ce qui se produit, c'est que quand ce sont eux qui apportent les changements, ils ne les remarquent pas, ou ils leur semblent normaux. Comme les jeunes et comme tout le monde, ils ont ajusté leurs expressions en fonction de leurs besoins de communication. C'est ainsi que l'ancien terme *retrete* (« toilettes, salle de bain ») — ancien au Mexique, en tout cas — a été changé en faveur de *excusado*. Ce mot, déjà euphémique, a fini par être considéré comme trop évident et a cédé la place à l'anglicisme *water closet*, qui a ensuite été réduit à *W.C.* Maintenant, mes amis ont commencé à mettre cette expression de côté et lui préfèrent *baño* (« bain »), même s'il n'y a pas de douche, ou encore *sanitario*. Mes amies mères de famille, pour leur part, quand elles doivent mentionner cet endroit à leurs jeunes enfants, leur apprennent à dire que « *tienen ganas del uno* » (« ils ont envie du *un* ») pour faire référence — euphémiquement, comme je le fais maintenant — à un besoin mineur. Quand le besoin est majeur, les enfants s'habituent à dire que « *tienen ganas de hacer del **dos*** » (« ils ont envie du *deux* »). J'ai même entendu une dame dire à son fils, en pointant vers la salle de bains : « *Mira, allí está el dos* » (« Regarde, le *deux* est là »).

Mes amis ont passé plusieurs années à étudier et, à force de subir tant d'*examens*, ils ont été atteints d'une espèce de psychose. Ainsi, le mot a fini par devenir quelque chose de si terrifiant que, afin que les élèves de mes amis professeurs ne souffrent pas trop, le terme *examen* a été peu à peu remplacé par *evaluación*.

Il y a bien d'autres mots encore qui ont changé grâce aux besoins d'expression de mes amis. Au lieu de l'ancien *sostén* « soutien-gorge », ils préfèrent maintenant le gallicisme *brassiere*, qui est probablement venu du Canada à travers l'anglais des États-Unis. Pour la *braga* (« petite culotte ») espagnole — que l'on comprendrait difficilement au Mexique —, on dit *pantaletas* ou encore *blumers*, par influence de l'anglais tout proche.

Il y a d'autres formes non académiques que j'entends souvent dans la bouche de mes amis : « *no me forces a hablar* » (au lieu de *fuerces*), « *el agua está calientita* » (au lieu de *calentita*), ou encore « *este regalo yo se los traje a ustedes* » (au lieu de *se lo*), usage qui, d'autre part, s'étend à toute l'Amérique hispanique.

Au Mexique, comme on se l'imagine facilement, la première langue étrangère qu'on apprend est l'anglais. Naturellement, mes amis connaissent cette langue à des degrés divers, surtout dans sa forme écrite, bien qu'ils essaient de la parler chaque fois qu'ils en ont l'occasion. Comme il s'agit d'une langue de prestige, ce qu'on dit ou écrit en anglais est teinté de ce prestige. C'est pourquoi mes amis préfèrent acheter dans des magasins portant des noms anglais, réels ou fictifs, et dans des centres commerciaux où abondent les noms de commerces non hispaniques.

Mes amis, comme presque tout le monde, discriminent ceux qui ne parlent pas comme eux. Et comme presque tout le monde, si quelqu'un leur faisait remarquer qu'une expression ne se dit pas d'une telle façon, ils répondraient probablement : « Mais moi je le dis comme ça, et après ? » Voilà pourquoi si un Madrilène ose les corriger — même si certains aimeraient bien prononcer le *z* à l'espagnole, ne serait-ce que pour faire moins de fautes d'orthographe — ils lui répondront peut-être qu'il devrait lui-même commencer par prononcer correctement les mots et ne pas dire *ojeto*, *aksoluto*, ou *cansáo*, mais bien *objeto*, *absoluto* et *cansado*, selon la norme mexicaine, dans ce cas plus châtiée. Ou s'ils se souviennent de l'Argentin Jorge Luis Borges, ils diront avec lui :

J'ai voyagé en Catalogne, dans la région d'Alicante, en Andalousie, en Castille ; j'ai vécu une couple d'années à Valldemosa et un an à Madrid ; je n'ai jamais remarqué que les Espagnols parlaient mieux que nous [...] L'espagnol est très facile. Il n'y a que les Espagnols qui le considèrent difficile [...] ; ils confondent l'accusatif et le datif : ils disent *le mató* au lieu de *lo mató*, et sont généralement incapables de prononcer *Atlántico* ou *Madrid* [...].

Mes amis — est-il besoin de le dire? — sont consciemment ou inconsciemment des oppresseurs, linguistiquement parlant, et refusent d'être des opprimés. Ils sont des modèles du bon parler, les utilisateurs de l'espagnol mexicain standard qui, même s'il n'est parlé que par une minorité, est entendu et, dans une bonne mesure, compris par une majorité. C'est l'espagnol qui est transmis par la radio et la télévision à tout le pays, qui est écrit dans les livres et les journaux et qu'on entend quand on se réunit autour d'une table, quelle que soit sa forme.

Mes amis ont plusieurs caractéristiques en commun: ils sont de la capitale, d'âge mûr; ils ont fait des études universitaires, ils jouissent d'une certaine indépendance financière et d'influence culturelle et politique. Le groupe auquel appartiennent des gens comme eux — et comme moi, à la seule différence que je suis linguiste — pourrait être considéré comme central. Quant au langage, ceux du groupe central discriminent les autres groupes que, par opposition, on pourrait considérer comme périphériques ou marginaux. Et je crois que, s'ils étaient plus au courant des problèmes de l'espagnol du Mexique, ils seraient de ceux qui posent des questions comme celles-ci: « Y a-t-il crise de l'enseignement de l'espagnol au Mexique? Et si elle existe, en quoi consiste-t-elle? Est-elle si grave? » Comme il fallait s'y attendre, mes amis m'intéressent. Voilà pourquoi je vais tenter de répondre à ces questions comme si c'étaient mes amis qui me les posaient et non les spécialistes. Dorénavant, je vous exposerai certaines de mes idées sur la question. Et pour cela je commencerai par

Les symptômes

Une langue est un système de communication inventé par l'homme pour se référer au monde des objets réels et mentaux ainsi qu'à leurs rapports, et évoquer ce monde. En d'autres termes, un signe linguistique — par exemple, un mot — évoque quelque chose de différent de la série de sons qui le forme: de par sa fonction de signe, un mot est quelque chose qui se trouve à la place d'autre chose, d'un objet auquel il fait référence. Voilà pourquoi cette fonction de base du langage s'appelle *référentielle (représentative* dans la terminologie de Bühler, 1934).

Normalement, les gens pensent à cette fonction quand on leur fait étudier l'espagnol à l'école. On ne mentionne que de temps en temps certains usages pour les condamner, au nom du bon parler, avec des anathèmes tel « barbarisme »[1] ou autres mots du même acabit. Cependant, même si actuellement ces mots sont moins utilisés qu'autrefois, le savoir linguistique de la communauté, à l'instar d'autres traditions, se maintient vivant et alerte. N'importe qui est capable de détecter linguistiquement une personne qui n'est pas de son groupe et, s'il y a lieu, la discriminer ou la considérer comme un modèle. Cette fonction de la langue, agissante mais peu enseignée de manière organique et systématique, peut avoir des conséquences importantes, et même de vie ou de mort. Voyons cet exemple biblique :

> Et quand des fuyards d'Ephraïm disaient: « Laissez-moi passer », les gens de Galaad demandaient: « Es-tu Éphraïmite ? » S'il répondait: « Non », alors ils lui disaient: « Eh bien, dis *shibbolet* ». Il disait « *sibbolet* » car il ne pouvait pas prononcer correctement. Alors on le saisissait et on l'égorgeait près des gués du Jourdain (*Le Livre des Juges*, 12, 5-6).

L'opposition *shibbolet/sibbolet*[2] permettait de distinguer les étrangers des nationaux. Plus récemment, au siècle dernier, au cours des guerres d'indépendance des pays hispano-américains, on a profité de la symptomatologie linguistique en Colombie pour identifier les soldats espagnols — qui disaient *Francisco* en prononçant le *c* interdental — et les distinguer des américains — qui prononçaient le *c* comme *s*: les premiers étaient immédiatement jetés au fleuve Magdalena (Montes, 1970: 21, n.). Une opposition du même genre se retrouve dans la forme standard de l'espagnol *papás* (« parents ») et la forme non standard

---

1. Selon Nebrija (1492), « Le barbarisme est un vice intolérable dans une partie de la phrase ; et cela s'appelle barbarisme parce que les Grecs appelaient Barbares tous les peuples sauf eux-mêmes ; à leur tour les Latins appelèrent Barbares toutes les autres nations sauf eux-mêmes et les Grecs. Et parce que les étrangers qu'ils appelaient Barbares corrompaient leur langue quand ils voulaient la parler, ils nommèrent barbarisme ce vice qu'ils commettaient dans un mot. Nous pouvons appeler Barbares tous les étrangers à notre langue, excepté les Grecs et les Latins ; et nous appellerons Barbares même ceux de notre langue s'ils font des fautes dans la langue castillane. On commet un barbarisme, dans l'écriture ou la prononciation, en ajoutant, en retranchant, en changeant ou en déplaçant une lettre, une syllabe ou un accent dans un mot. Comme quand on dit *Peidro* au lieu de *Pedro*, on ajoute la lettre *i*; *Pero* au lieu de *Pedro*, on retranche la lettre *d*; *Petro* au lieu de *Pedro*, on change le *d* en *t* (...) » (pp. 211-212). On donne un sens similaire au terme barbarisme dans le *Diccionario de la Real Academia Española* (1970).
2. Ce mot (qui s'écrit *shibbolet*) est passé à l'anglais avec des sens dérivés de l'usage biblique. Entre autres acceptions, j'ai trouvé les suivantes : « *A password, phrase, custom or usage that reliably distinguishes the members of one group or class from another* » (The American Heritage Dictionary of the English Language, 1981); et « *petty or arbitrary test of social correctness; formula, tenet, attitude, custom, etc. enforced by all the members of a group* » (Penguin English Dictionary, 1965). Chambers et Trudgill (1980, p. 15) offrent un exemple plus récent de discrimination linguistique : « *United States customs officials are said to identify Canadians crossing the border by their use of eh in sentences like ‹Let's hope we have this kind of weather all the way to Florida, eh?›* ».

papases; ou dans le présent standard *salimos* (« nous sortons ») et la forme non standard *salemos*. Il n'y a pas de différence de fonction référentielle entre les deux formes; en revanche, pour ce qui est de leur fonction *symptomatique (expressive*, selon Bühler, 1934), elles servent à différencier des groupes de locuteurs. Au moyen d'oppositions symptomatiques comme celles que j'ai mentionnées, le locuteur d'un certain dialecte d'une langue peut, en se basant sur son expérience linguistique, décider si son interlocuteur est ou n'est pas de son groupe : par exemple, même s'il parle espagnol, qu'il est d'une autre région ou d'un autre pays; s'il parle ou non comme ceux de sa génération; s'il est d'un niveau socioculturel similaire. C'est une fonction qu'on pourrait appeler identificatrice. Le lecteur peut s'imaginer qu'il entend quelqu'un parler au téléphone ou à la radio. Il n'est pas nécessaire que cette personne mentionne ses antécédents personnels pour qu'on imagine, avec un bon degré de certitude, son niveau de scolarisation, si elle est jeune, d'âge mûr ou avancé et à quel groupe social elle appartient. Il est même possible de déterminer si elle a ou non une bonne conduite linguistique, selon le registre ou le style qu'elle utilise en parlant.

La référence biblique fait allusion à une situation qui, comme on le suppose bien, est encore d'actualité. Mais aujourd'hui, il s'agit d'une approche différente, avec de nouvelles précisions et de nouvelles conséquences. Ainsi, Doris R. Entwistle (1970) la présente comme un problème de sociabilisation linguistique et de mobilité sociale, cette dernière étant entendue comme les possibilités relatives qu'a un individu d'occuper différents postes dans une communauté :

> Quand des personnes de condition inférieure entrent en relation avec des membres des classes plus favorisées dans des circonstances impersonnelles et publiques, elles attirent d'abord l'attention par leur tenue vestimentaire et leur façon de parler. Le vêtement est en train de disparaître comme indice d'appartenance à une classe sociale (...). La façon de parler, cependant, continue de fournir des indices sûrs, car on retient, de façon surprenante, les habitudes linguistiques qui remontent à l'enfance. Dix à quinze secondes de conversation suffisent à juger du statut social d'un interlocuteur.

Les conséquences sont prévisibles. Si une personne parlant comme un ouvrier ou un paysan demande un taxi par téléphone, il est possible qu'on ne le lui envoie pas. Si elle demande un renseignement à un bureau, on ne le lui donnera peut-être pas, ou on l'enverra à un autre poste téléphonique, ou encore on raccrochera. Ainsi, si la façon de parler identifie une personne comme appartenant à un groupe marginal, la discrimination linguistique amène à préjuger et supposer qu'elle se comportera comme nous imaginons que se comportent les membres de ce groupe. Si celui qui parle est identifié comme un paysan, on supposera qu'il sait à peine lire, qu'il n'a ni argent ni prestige social, et qu'il sera peu efficace au travail.

Nous distinguons ceux qui ne parlent pas comme nous au moyen de la fonction symptomatique, et nous identifions en même temps ceux de notre groupe, envers qui nous avons également des préjugés. Par exemple, nous considérons a priori qu'ils ont une éducation et une façon de penser semblables aux nôtres, et qu'ils sont aussi honnêtes que nous croyons l'être nous-mêmes. Nous serions même disposés à partager notre maison avec eux, car ils sont comme nous: ils méritent, en principe, d'être nos amis.

Ce qui précède montre la nécessité de donner aux symptômes la place qui leur revient au point de vue linguistique. La capacité communicative est basée essentiellement sur la fonction référentielle. À ce propos, il est indifférent d'utiliser la forme mexicaine *banqueta*, espagnole *acera* ou sud-américaine *vereda* (« trottoir »). En Espagne, les enfants demandent des *rosetas* (« maïs éclaté, pop corn ») quand ils vont au cinéma; les Mexicains, par contre, demandent des *palomitas*; les Vénézuéliens, des *cotufas*; les Cubains, des *goyorí*; les Argentins, des *ancuas*; les Chiliens, des *cabritos*; les Paraguayens, du *pororó* et les Péruviens, des *canchas*. Et tous mangent la même chose: des grains de maïs qui, en grillant, s'ouvrent en forme de fleurs.

Les exemples cités correspondent à ce qu'on connaît comme synonymes: des formes distinctes qui désignent la même chose. Voilà pourquoi ils sont aussi appropriés les uns que les autres pour désigner un même objet. D'autre part, ces synonymes comportent des différences symptomatiques: ils nous indiquent, dans les cas que nous avons cités, que ceux qui les utilisent sont originaires de pays différents. J'imagine que mes amis du groupe central n'auraient pas d'objection à les accepter comme valides pour ces endroits. En revanche, ils rejetteraient des mots employés par les groupes marginaux de leur pays, tels que *téinico* (*técnico*) ou *apreta* (*aprieta*), bien que ces formes soient standard dans d'autres pays. Ils n'oseraient pas accepter non plus des prononciations telles que « *noh vemoh a lah doh en punto* » (*nos vemos a las dos en punto*, « on se voit à deux heures ») ou « *opital* » (*hospital*), car on parle ainsi sur la côte mais non à Mexico. Encore une fois, ces prononciations sont standard dans d'autres pays ou d'autres régions, comme l'Andalousie ou les Antilles; et du fait qu'elles sont utilisées dans ces endroits par des personnes de prestige, l'élimination du *s* jouit de prestige social (au fait, la prononciation *opital* a tout le prestige en français, qui a perdu ce *s* avant l'espagnol, ce qui se réflète dans l'orthographe).

Les signes linguistiques, comme le dit Saussure, sont des conventions : ils ne sont pas motivés par l'objet auquel ils se réfèrent. Par là même, un mot en soi ne peut avoir du prestige ou le perdre : le prestige lui vient de ceux qui l'utilisent. Le statut social d'une personne s'étend à ses usages linguistiques, qui seront prestigieux parce que la communauté qui les utilise les considère comme tels. Le Chilien Salvador Allende disait *pueblo* avec un *b* qui sonnait presque comme un *u*, et *conocernos* avec le son *r* assimilé au *n* (*conocennos*) ; le Cubain Fidel Castro et l'Andalou Felipe González aspirent fréquemment le *s* en finale de syllabe ou de mot. Aucun d'eux ne prononce le *z* ou le *ll*, et cependant, toutes ces formes jouissent de prestige dans ces pays, parce qu'elles sont utilisées par leurs présidents et sans doute parce que les personnes du groupe social auquel ils appartiennent parlent ainsi.

De plus, certains usages considérés comme non standard sont plus appropriés du point de vue référentiel que les formes standard. Par exemple, la distinction temporelle du présent et du passé dans les verbes en -*ir* est absente de l'usage savant à la première personne du pluriel (*Nosotros salimos hoy/... salimos ayer*, « nous sortons aujourd'hui/... nous sommes sortis hier »), tandis que le parler populaire conserve la différence (*salemos hoy/salimos ayer*). D'autre part, l'aspiration ou la perte du *s* à la fin d'une syllabe ou d'un mot — non standard à Mexico — permet, en parlant, de faire la distinction entre « *Nos vemos a las dos en punto* » (prononciation : ... *dóh em punto*) et « *Nos vemos a las doce en punto* » (prononciation : ... *dósem punto*). Ces deux énoncés se prononcent de la même façon dans la modalité standard du Mexique (... *dósem púnto*).

On peut dire que là où il existe une communauté dont les membres ont une interaction directe, il y a un système linguistique efficace et pertinent. La langue est un organisme autoréglé par l'action de ceux qui la parlent. S'il se présente un cas possible de confusion, les usagers y trouvent une solution. Le français et l'espagnol ont fait dériver *abeille* et *abeja* du diminutif latin *apicula*, parce que s'ils étaient partis de *apem*, ce serait probablement devenu *é*[3] en français (avec peu de support phonique et des homophones, tel *et*) et *abe* en espagnol (homophone : *ave*). Les Andalous — et avec eux les Hispano-américains — ne font pas la distinction, phonologiquement, entre le *z* interdental et le *s*

---

3. Forme effectivement attestée dans quelques dialectes du nord de la France. N.D.L.R.

alvéolaire comme les Castillans. Voilà pourquoi, face à l'homophonie *cocer* (« cuire ») et *coser* (« coudre »), il se crée de nouveaux termes comme *cocinar* (« cuisiner »), comme il arrive en Uruguay et en d'autres endroits en Amérique du Sud, ou encore *costurar* (« *couturer* »), solution qu'on retrouve au Yucatán et en d'autres endroits au Mexique.

C'est donc l'usage prestigieux qui décide quelles sont les formes standard et non pas forcément le caractère plus ou moins fonctionnel du système. Les formes jugées incorrectes, comme le signale Hall (1960: 13), ne le sont pas « en vertu d'une condamnation universelle, et encore moins à cause de leur incompréhensibilité; en fait, certaines formes *incorrectes* peuvent être plus claires et plus simples que les formes *correctes* correspondantes. Tout cela se ramène, en fin de compte, à la question de ce qui est acceptable à certaines classes de notre société, celles qui dominent et donnent le ton aux autres ». Comme on peut le remarquer, la notion de correction fonctionne en rapport avec les symptômes linguistiques caractéristiques des couches d'une certaine société. L'ambassadeur d'Espagne au Mexique peut très bien prononcer *aksoluto* — qui n'est sans doute pas jugé vulgaire à Madrid — même si les gens cultivés de mon pays disent *absoluto*: ces derniers ne condamneront pas cette prononciation parce qu'ils l'ont entendue de la bouche de l'ambassadeur, mais ils la condamneront sûrement si c'est un paysan mexicain qui l'utilise.

Le prestige social d'un individu ou d'un groupe devient ainsi la principale source d'où émane le prestige des formes linguistiques. Un certain dialecte aura du prestige selon les personnes qui le parlent. Le dialecte andalou semble avoir, en Espagne, autant de prestige que le dialecte madrilène, entre autres raisons parce que les Andalous jouissent de prestige. Comme le constate le linguiste andalou Gregorio Salvador (1964: 186), quand il enseigne l'espagnol à León, il emploie le dialecte castillan auquel il s'adapte, pour des raisons professionnelles. « Mais, dit-il, si demain je retourne à Grenade, en descendant du véhicule qui m'y amènera, je prononcerai de nouveau à l'andalouse. Et je le ferai parce que j'aurais honte d'avoir un accent castillan. » Et il poursuit en disant: « Comme il n'y a pas d'Andalous cultivés qui soient gênés de leur prononciation andalouse, et qu'au contraire, ils sont prêts à l'exhiber et à la pratiquer amplement, aussi bien de leur chaire d'université qu'en public ou dans un sermon, la conclusion est claire: l'andalou jouit d'un plus grand prestige social que le castillan en Andalousie, et n'est pas moins prestigieux que ce dernier en Castille. »

Face à cette situation, les groupes marginaux auraient raison de se vexer si on prétendait leur faire apprendre, sans autre choix, la langue des élites. Ils auraient raison de dire, comme me le faisait remarquer un étudiant d'origine ouvrière, que « les membres de la classe dominante ont l'habitude d'être maîtres de tout, et que la langue ne semble pas faire exception. Ces derniers oublient que la langue savante qu'ils prétendent parler était, il y a quelques siècles, du latin vulgaire. Dans ce cas, ce sont eux qui corrompent la langue avec leur style grandiloquent et ambigu ». L'attitude de cet étudiant est logique car, en général, les groupes centraux essaient de changer la prononciation ou la syntaxe des groupes marginaux, sans avoir pour but une plus grande efficacité dans la communication: il s'agit simplement que ces derniers leur ressemblent. Mais cette ressemblance est illusoire et est aussi naïve que les paroles que Bernard Shaw met dans la bouche du professeur Higgins pour justifier la nécessité qu'Elisa Doolittle apprenne à prononcer l'anglais: selon le professeur, simplement en changeant quelques sons, on pourrait combler la brèche sociale. Il y a sans doute autre chose qui fait la différence; quelque chose qui a amené une longue discussion sur les caractéristiques linguistiques des classes inférieures. Il s'agit de voir si, par rapport aux autres classes sociales, elles sont

Déficientes ou différentes

Les aspects symptomatiques auxquels j'ai fait référence plus tôt pourraient porter à croire que les différences linguistiques entre les groupes sociaux ne sont que formelles et que, dans ce sens, elles touchent uniquement l'usage de certaines règles syntaxiques et phonologiques. Cependant, il ne semble pas en être ainsi. Les rapports verticaux, ou de classe sociale, qui existent entre les membres du groupe que j'ai dénommé central et ceux du groupe marginal, de l'avis de chercheurs comme Basil Bernstein, ne semblent pas être que symptomatiques, mais également référentiels. Les idées de Bernstein concernant l'usage d'un code étendu dans le groupe central — ou classe moyenne, pour le sociologue anglais — face à l'emploi d'un code restreint dans le groupe marginal — classe ouvrière ou classe inférieure — ont été amplement commentées, surtout aux États-Unis et en Angleterre. Elles ont été tellement diffusées que les termes *code élaboré* et *code restreint* sont devenus communs parmi les professeurs et les chercheurs; ils semblent avoir pris, dans les années 60, la place du concept de quotient intellectuel qui prévalait jusqu'alors. Comme le fait remarquer Rosen (1972: 3), tandis qu'auparavant « on étiquetait les enfants grâce au Q.I., dans les années 60, cette étiquette a été de plus en plus remplacée par celle de *code élaboré* ou *code restreint*. On était parvenu à combler le vide idéologique ». Plus encore: non seulement ce vide idéologique a-t-il été comblé, mais également celui qu'on a créé en démontrant que les dialectes non standard sont aussi efficaces, linguistiquement, que les dialectes standard. Les théories de Bernstein ont conduit à un autre type de problème: les différences entre les dialectes sociaux sont beaucoup plus profondes. Il ne s'agit pas de différences grammaticales, mais d'une apparente incapacité des groupes marginaux à comprendre les objets et leurs rapports, et à les évoquer à travers le langage.

Il n'est pas facile de résumer en quelques paragraphes les idées de Bernstein, avec toutes les nuances qu'il y met lui-même. On court toujours le risque de simplifier les problèmes et de proposer ce qui intéresse particulièrement le chercheur. Le lecteur étant prévenu, je commenterai ce qui me semble essentiel dans la différenciation entre code élaboré et code restreint.

a) Le code élaboré ne s'appuie pas sur le contexte — la situation communicative du locuteur-auditeur — comme le code restreint: il le dépasse. Cela permet au locuteur d'atteindre un des buts essentiels du langage: transcender le temps et l'espace, la situation immédiate, le *hic et nunc*. C'est précisément ce que fait un enfant qui commence à former ses premiers énoncés et demande à sa mère de lui apporter du pain, même si cet aliment n'est pas en vue; ou quand, plus tard, il se réfère à ce qu'il a fait la veille ou désire faire le lendemain.

b) Par conséquent, les significations qui sont transmises par le code élaboré sont de type universaliste, dans la mesure où non seulement elles font référence à ce qui est absent, mais où elles sont également comprises par ceux qui ne partagent pas l'expérience du locuteur, puisqu'ils ne le connaissent pas. En revanche, le code restreint, à cause de sa dépendance par rapport au contexte, amène à des significations particularistes qui ne peuvent être comprises que par ceux qui partagent l'expérience du locuteur, ceux qui participent à la situation.

c) Les usagers du code élaboré sont orientés vers l'expression linguistique, et pour cette raison ils peuvent verbaliser leurs pensées et leurs émotions. Au contraire, ceux qui utilisent le code restreint trouvent des difficultés dans l'expression linguistique de leurs idées et de leurs sentiments.

d) Le code élaboré est explicite et recherche l'expression rationnelle, tandis que le code restreint est implicite et condensé, ce qui fait
que le discours manque apparemment de logique et de sens; ainsi, pour
un observateur qui n'est pas du groupe, l'organisation des idées peut
sembler confuse.

e) Dans les deux codes, le dialogue peut être abondant, mais le
code élaboré présente un plus grand nombre d'options syntaxiques et
lexicales; il n'est donc pas facile de prévoir ce que dira le locuteur. En
revanche, le code restreint est plus prévisible, vu qu'il s'appuie sur des
ressources linguistiques plus limitées.

f) Il est probable que le contenu de ce qui est exprimé en code
restreint soit plus concret et descriptif que ce qui est communiqué en
code élaboré.

g) Finalement, tandis que les locuteurs en code élaboré recherchent
l'expression individuelle, ceux qui utilisent le code restreint s'orientent
vers le statut linguistique, ce qui se rapporte à la fonction symptomatique à laquelle j'ai fait allusion plus tôt.

Comme je l'ai dit, les usagers des deux codes ont été caractérisés
par Bernstein par rapport aux classes sociales. En ce qui a trait à ces
dernières, il se limite à en opposer deux: la classe inférieure, composée
de travailleurs non spécialisés, ou non experts, et de paysans, et la
classe moyenne. Le rapport entre classe et code, tel que le présente
Bernstein, consiste en ce que la classe moyenne — et avec elle la classe
élevée — a accès tant au code élaboré qu'au code restreint, tandis que la
classe inférieure utilise surtout le code restreint. Il signale en outre que
la socialisation que reçoit l'enfant dans sa famille le prédispose aussi à
l'emploi de l'un ou l'autre code: les familles de classe moyenne
favorisent la variabilité des rôles et la discussion verbale, ce qui les
amène à former des enfants indépendants qui emploient le code élaboré,
tandis que les familles de classe inférieure conservent des rôles fixes,
conversent moins et forment des enfants dépendants, utilisateurs du
code restreint.

En plus de mon exposé si peu nuancé sur les théories de Bernstein,
je crois qu'il faut considérer ces dernières comme une probabilité qui
nécessiterait des recherches plus approfondies qui les corroboreraient.
Le code restreint, comme le fait remarquer Bernstein lui-même, a son
esthétique propre et est plus économique que le code élaboré dans une
situation communicative spécifique. Dans ce sens, la critique que fait
Rosen de deux narrations archétypes d'enfants de cinq ans, issus de la
classe inférieure et de la classe moyenne, est beaucoup plus claire.

Après avoir présenté quatre photographies aux enfants, on leur demanda de raconter ce qu'ils voyaient. L'enfant de la classe moyenne fut beaucoup plus explicite et sa narration permit de reconstituer l'histoire sans avoir à recourir aux photos, ce qui ne fut pas le cas pour l'enfant de classe inférieure. Ainsi, commente Rosen, on veut nous amener à penser que l'enfant de la classe élevée utilise des expressions qui ont un sens plus universaliste, caractéristiques du code élaboré, ce que ne fait pas celui de la classe inférieure. Cependant, dans cette situation, « si l'on se rappelle qu'enfant et chercheur regardent tous deux le même jeu de photos, il est clair que c'est l'enfant issu de la classe ouvrière qui répond le mieux à l'adulte. Ce qu'il reste à expliquer, c'est pourquoi l'enfant de la classe moyenne ignore ce dernier » (Rosen, 1972 : 13), et j'ajoute que, par conséquent, sa verbalisation est moins économique et efficace que celle de l'enfant de la classe inférieure.

On peut opposer plusieurs objections à Bernstein. Labov a signalé que les enfants noirs des ghettos urbains reçoivent autant sinon plus de stimulations et entendent plus d'énoncés bien formulés que les enfants blancs de classe moyenne ; ils possèdent un vocabulaire de base semblable et ont la même capacité de logique et d'apprentissage que les autres. En partant de là, il signale que « le mythe de la carence verbale est particulièrement dangereux en ce qu'il détourne l'attention des défauts réels de notre système d'éducation pour la concentrer sur les défauts imaginaires de l'enfant » (Labov, 1972 : 179). De son côté, Halliday, au sujet de l'idée de la déficience linguistique, considère qu'une telle affirmation n'a pas de sens ; bien au contraire, elle peut avoir des conséquences dangereuses : « Il n'existe pas de sociolecte déficient. Mais si, en revanche, un enseignant croit que cela peut exister, et qu'un nombre plus ou moins grand de ses élèves parlent un tel dialecte, il oriente alors les enfants vers l'échec linguistique. C'est ce que l'on connaît sous le nom d'"*hypothèse du stéréotype*" : les enfants, tout autant que les adultes, se conforment aux stéréotypes auxquels on les assimile » (Halliday, 1978 : 23).

Quant au stéréotype, non seulement Bernstein semble en avoir créé un pour la classe inférieure, mais également un pour la classe moyenne. À cette dernière, il attribue en général certaines vertus intellectuelles, mais il ne semble pas très disposé à voir ses défauts. Il faudrait signaler qu'un grand nombre de ses membres s'expriment de façon tellement compliquée, surtout à l'écrit, qu'il semble que le but consiste à ne pas se faire comprendre, pour éviter la critique et en même temps impressionner les gens par un style grandiloquent et pompeux. Il s'agit non seulement de parler ou d'écrire, mais de dire quelque chose qui puisse être compris par les autres. Cette caractéristique du code élaboré — sa qualité universaliste — semble absente chez bon nombre de personnes instruites, même si, dans mon pays, on enseigne, à partir des études secondaires, qu'une des caractéristiques de la pensée scientifique est de pouvoir être communiquée. Voici un exemple que j'ai recueilli dans les actes d'un congrès qui a eu lieu à Mexico. Dans ce cas, il ne s'agit pas de grandiloquence, mais plutôt d'imprécision et de maniement inadéquat de la syntaxe. Le texte a été rédigé par un docteur en médecine et traite des méthodes anticonceptionnelles. Dans le paragraphe qui précède celui que je cite, on mentionne la méthode du rythme et le groupe de femmes qui la connaît. Il continue ainsi :

> Este grupo fue el grupo que se confesó [?] o que se dijo [sic] en el que hubo mayor número de mujeres que lo conocían [¿a quién?], la mayor parte de las mujeres decían [sic] que conocían el ritmo, una de ellas dijo que no los conocía todos [¿cuáles?], pero que no sabían [sic] de gente que se hubiera embarazado bailando [tal vez por lo del ritmo], ahora bien, la píldora representó [sic] quizá el grupo mayoritario de mujeres que lo conocían [sic], había 59 mujeres que la usaron regularmente, el lavado vaginal 7, 5 lo usaban y 2 [lo que suma 7] se embarazaron durante el uso [sic][4].

Que le lecteur compare le paragraphe précédent avec celui que je présenterai maintenant, et qui est écrit par un paysan de 27 ans qui s'est inscrit à un des cours primaires pour adultes qui se donnent régulièrement au Mexique. Comme j'ai participé à l'édition du livre où est publié ce texte, je peux affirmer que tout ce qu'on y a fait, c'est de normaliser l'orthographe. Le voici :

> Vivo en un pueblo muy querido, llamado Santa María Tocatlán. Es un pueblo muy bonito que tiene sus campos extensos. Sus campos se ven muy bonitos en primavera: las mariposas van volando, los pajaritos cantan. Los campesinos se alegran de ver sus campos frondosos, sus flores. Y hasta sus sueños son dorados, y sueñan que cosecharon una gran cosecha; ya sueñan que comerán un cacho de carne, un pedazo de pan con su leche, y hasta arreglar un poco su casa que ya tiene agujeros por donde sea.
> Pero se desesperan al ver que sus sueños sólo fueron ilusiones, que sus siembras se helaron y que no tienen ni qué comer. Pero se alegran al ver

---

4. « Ce groupe a été le groupe qui s'est avoué [?] ou qui s'est dit [sic] qu'il y a eu le plus grand nombre de femmes qui le connaissaient [qui?], la plupart des femmes disaient [sic] qu'elles connaissaient le rythme, l'une d'elles a dit qu'elle ne les connaissait pas tous [lesquels?], mais qu'elles ne connaissaient [sic] personne qui soit devenue enceinte en dansant [peut-être à cause du rythme], or la pilule représentait [sic] peut-être le groupe majoritaire de femmes qui le connaissaient [sic], il y avait 59 femmes qui l'utilisaient régulièrement, le lavage vaginal 7, 5 l'utilisaient et 2 [ce qui fait 7] sont devenues enceintes durant l'usage [sic]. »

que están en un pueblo muy querido, y que su pueblo los ayudará[5].
(Extrait de *Manos a la palabra*, Instituto Nacional para la Educación de
los Adultos, México, 1984).

De même qu'il est nécessaire de rompre le stéréotype de la classe
moyenne — et de la classe supérieure —, il est nécessaire d'en finir
avec le stéréotype de la classe inférieure. Dans les deux textes que j'ai
cités plus haut, il est évident que c'est le dernier qui est le mieux rédigé
et le plus clair, et qui exprime les sentiments individuels — qui sont des
caractéristiques du code élaboré. Cependant, même si nous ne savions
pas qui l'a écrit, le texte lui-même nous porterait à penser qu'il s'agit
d'un paysan. Le premier, en revanche, s'il ne remplit pas de façon
appropriée sa fonction référentielle, atteint pourtant un autre objectif:
nous faire savoir que celui qui l'a écrit a une certaine instruction et,
comme le dit Labov, nous inciter à penser qu'il dit quelque chose
d'intelligent: le locuteur de la classe moyenne « réussit à nous faire
savoir qu'il est instruit mais à la fin, nous ne savons pas ce qu'il essaie
de nous dire, ni lui non plus d'ailleurs » (*ibid.*, p. 179).

La possibilité de savoir par les symptômes linguistiques qu'un
locuteur a un certain niveau d'instruction, c'est précisément la recherche
du statut, une des caractéristiques de ceux qui utilisent le code élaboré.
La classe moyenne ne serait-elle pas la plus préoccupée à ce sujet? Ce
sont les plus gros consommateurs de dictionnaires, ceux qui sont prêts à
violer n'importe quel règlement de la circulation de Mexico mais qui, en
revanche, n'osent pas violer les règles du bon parler, même s'ils
pourraient le faire sans risquer de contravention. Il serait impossible de
réglementer le langage par des lois, car il est employé par tous, partout
et à toute heure. Le contrôle serait possible si chaque locuteur devenait
le surveillant de son interlocuteur. C'est précisément ce que semblent
faire les groupes centraux et ce qui maintient leur unité linguistique. On
ne doit pas violer la norme de l'usage parce qu'il y a une sanction, non
pas économique mais sociale: le risque consiste à être exclu du groupe.
Voilà pourquoi, même si on ne dit rien, il faut le dire bien. On
s'explique ainsi les mots du professeur Higgins.

---

5. « Je vis dans un village qui est très aimé et qui s'appelle Santa María Tocatlán. C'est un village
très joli qui a de grands champs. Ses champs sont très jolis au printemps: les papillons volent et
les petits oiseaux chantent. Les paysans sont heureux de voir leurs champs luxuriants, leurs
fleurs. Et même leurs rêves sont dorés, et ils rêvent qu'ils ont moissonné une grande moisson;
ils rêvent déjà qu'ils mangeront un morceau de viande, un bout de pain avec leur lait, et même
d'arranger un peu leur maison qui a des trous partout.
Mais ils sont désespérés en voyant que leurs rêves n'ont été que des illusions, que leurs
semences ont gelé et qu'ils n'ont même pas de quoi manger. Mais ils se réjouissent en voyant
qu'ils sont dans un village très aimé, et que leur village les aidera. »

On pourrait conclure, à partir de cela, que le rapport entre code et classe sociale n'est pas clair, ou ne semble pas l'être si nous nous en tenons aux théories de Bernstein et aux critiques qu'on en a faites. Comme l'a signalé Rosen (1972), les idées du sociologue anglais s'appuient sur un concept inadéquat de classe qui requiert une meilleure base théorique. De plus, il ne semble pas y avoir une délimitation précise entre l'emploi de l'un ou de l'autre code par les différents groupes sociaux. D'autre part, si les dialectes sociaux ne sont que des façons différentes de dire la même chose (Halliday, 1978 : 35), on pourrait penser que sont seulement symptomatiques du langage ceux qui distinguent les groupes centraux des groupes marginaux. Mais le problème n'est pas aussi simple. Les recherches de Laurence Lentin (1977) confirment que les enfants des groupes socioculturels les plus favorisés reçoivent plus de stimulation linguistique au foyer et que, en conséquence, leur expression est plus explicite. Il est probable que quelques-uns de ces enfants se rendront à l'université. La valorisation qu'on leur donnera dans ce cas est en rapport étroit avec leur capacité d'organiser et d'expliciter leur pensée. En outre, la langue ne sert pas qu'à parler : c'est également un instrument de base pour l'apprentissage de la science et de la culture. Il semble donc nécessaire de reprendre le sujet à partir des

Différences

Les aspects que j'ai mentionnés plus tôt peuvent être inclus dans ce que j'ai appelé oppositions symptomatiques et oppositions référentielles. Les données symptomatiques visent la normativité linguistique et, en même temps, l'unité de la langue, si l'on se place du point de vue des groupes centraux. Le symptôme — ou plus spécifiquement, son inexistence — est un facteur d'identité linguistique qui va du groupe au pays et à la communauté des nations. Nous découvrons ainsi qu'une personne est de notre groupe parce qu'elle ne produit pas de symptômes : elle parle comme nous ; ou nous savons qu'une personne est d'un pays de langue espagnole parce que ses symptômes linguistiques nous indiquent que sa langue maternelle est l'espagnol. D'autre part, on pourrait dire que les oppositions référentielles distinguent, dans les limites où je présente cet article, des aspects de type conceptuel ou dénotatif, comme ceux qui pourraient se présenter dans les codes élaboré et restreint.

Je me référerai en premier lieu aux aspects symptomatiques, connus depuis longtemps et dont se sont occupées dans une bonne mesure la dialectologie et, plus récemment, la sociolinguistique. Déjà en 1625, l'Espagnol Gonzalo Correas faisait une excellente synthèse de ce qu'étudient aujourd'hui ces disciplines:

> On doit remarquer qu'une langue a certaines différences, en plus des dialectes particuliers de provinces, selon l'âge, la qualité et l'état de ses habitants: paysans, peuple de la ville, personnes de classe élevée et de la Cour, l'historien, le vieillard et le prédicateur, et même les personnes plus jeunes, les hommes et les femmes: la langue embrasse toutes ces différences.

Remarquons, pour le moment, dans ce que présente Correas, quatre différences: régionales (« provinces »), de génération (« selon l'âge »), sociales (« le peuple » et « la Cour ») et de sexe (« les hommes et les femmes »), et essayons de voir quelles sont les plus grandes et les plus petites.

Une langue qui est parlée sur un territoire aussi vaste que l'espagnol présente naturellement des différences importantes, même dans le système, entre les régions ou pays où elle est utilisée. Les différences s'expliquent surtout par le fait que les habitants de ces pays ne sont pas en communication directe les uns avec les autres, n'ont pas d'interaction linguistique. Cette absence d'interaction est visible surtout chez les gens économiquement faibles: il est très difficile pour une personne de ce niveau de voyager dans les différents pays hispanophones pour parler avec ses égaux. En revanche, ceux qui ont un niveau socio-économique ou socioculturel plus élevé ont cette possibilité qui, pour différentes raisons, devient un besoin. Dans ces groupes, pour des motifs géographiques, les différences sont moindres. Les plus favorisés assistent à des congrès et à des réunions internationales à caractère culturel ou économique, visitent leur famille, leurs collègues, leurs associés ou leurs amis d'autres pays, lisent les revues et les journaux écrits par des gens comme eux dans d'autres endroits, produisent des émissions de radio et de télévision, envoient des lettres et font même des appels téléphoniques quand ils le jugent nécessaire. Ainsi, l'unité et la diversité de la langue espagnole peuvent être visualisées comme une pyramide semblable à celle que présentait le libéralisme économique au siècle dernier. Au sommet se retrouvent les groupes sociaux les plus favorisés et qui communiquent le plus entre eux. Là, l'unité linguistique de l'espagnol se maintient, du moins pour l'essentiel. À la base se trouvent les groupes sociaux ayant moins de ressources et moins de possibilités d'intercommunication. Voilà où se retrouve la plus grande diversité linguistique.

Approchons-nous maintenant d'une communauté hispanophone plus petite, une localité de 10 000 habitants de la République mexicaine. Voyons, là où peuvent s'exercer des interactions linguistiques directes, quels sont les symptômes, dans quels groupes on retrouve les plus grandes différences. Dans une recherche que j'ai effectuée à Tamazunchale, dans l'état de San Luis Potosí (Ávila, 1976), j'ai présenté un questionnaire linguistique à un groupe d'informateurs de différents niveaux socioculturels (élevé, moyen et inférieur); de générations différentes (personnes jeunes, d'âge mûr et vieillards), et des deux sexes. Quant aux données morphologiques et syntaxiques du questionnaire — qui ont trait à des aspects essentiels du système linguistique —, j'ai fait les découvertes suivantes: sur la totalité des réponses présentant des différences symptomatiques (100 %), la plupart se retrouvaient entre les groupes socioculturels (98 %); suivaient les groupes d'âge (44 %) et, en dernier lieu, les groupes de sexe différent (18 %). Cela implique que c'est entre les groupes socioculturels qu'il y a le moins d'interaction linguistique et entre les hommes et les femmes qu'il y en a le plus. Les différences en pourcentage sont telles qu'on a tendance à croire que les divers groupes socioculturels ne se parlent pratiquement pas, ou très peu. Apparemment, le travail serait leur seule occasion de rencontre, mais, même là, il semble qu'il y ait peu d'échanges linguistiques.

Pour ce qui est des formes académiques — celles qui sont consignées dans les grammaires — parmi les groupes socioculturels, ce sont ceux de niveau élevé qui les emploient le plus (93 %), suivis de ceux du niveau moyen (63 %). Derrière eux, mais à une bonne distance en pourcentage, apparaissent ceux du niveau inférieur (14 %). Selon ces données, ce sont encore ceux qui, comme je l'ai dit plut tôt, se trouvent au sommet de la pyramide qui favorisent l'unité linguistique panhispanique; et ceux qui présentent la plus grande diversité occupent la base de cette pyramide.

Finalement, ceux qui maintiennent la norme linguistique de la communauté — l'usage le plus fréquent, du point de vue statistique — sont les personnes du niveau socioculturel moyen (89 %), suivis de celles du niveau élevé (61 %). Ceux qui s'éloignent le plus de la norme sont les membres du niveau inférieur (39 %). Comme on peut le remarquer, les gens du niveau moyen sont les plus attachés à l'usage normal de la ville, ils sont ceux dont on pourrait dire qu'ils conservent la tradition ou l'identité linguistique de la communauté. De leur côté, ceux du niveau élevé semblent rechercher un cadre national ou international d'identité linguistique: leur parler contient plus de formes académiques et moins de formes locales. L'autre groupe, celui formé par des paysans et des ouvriers non spécialisés, peu scolarisés ou analphabètes, ne suit pas la norme de la localité et n'utilise pas autant de formes académiques que les autres. Mais il a un atout en sa faveur: c'est parmi ses membres qu'on trouve les informateurs *normaux*[6] des dialectologues.

Tandis que ceux qui occupent les parties supérieures de la pyramide se soucient de l'unité linguistique et en même temps ferment, de façon symptomatique, le passage à ceux de la base, ces derniers — certes démographiquement majoritaires — semblent toujours avoir peu de possibilités d'acquérir les connaissances linguistiques nécessaires pour atteindre une meilleure conceptualisation, un emploi plus efficace du langage référentiel. Malgré ses imprécisions, Bernstein ne semble pas le seul à avoir de telles théories. L'objection que présente Rosen à propos des séquences de photos (*supra*, p. 345) est dépassée par les expériences de Lentin. Celle-ci a demandé à des enfants d'observer les photographies à travers un stéréoscope, de sorte que le chercheur ne participait pas directement à l'expérience. Encore une fois, les enfants du niveau socioculturel plus élevé ont fourni une information plus complète. Dans les milieux où ils vivent, on valorise la verbalisation, et l'interaction linguistique entre eux et les adultes est constante et nécessaire dans la relation familiale: « Sauf exceptions (qui confirment la règle) la vie dans une famille de milieu socioculturel favorisé repose en grande partie sur les échanges verbaux; et la matière de ces échanges étant souvent complexe, riche, nuancée, voire abstraite, elle nécessite un langage explicite » (Lentin, 1977: 83).

Si on considère qu'en France les différences socioculturelles sont moins grandes qu'au Mexique, on doit supposer que dans mon pays la situation est plus aiguë. Au cours d'une recherche que nous avons menée au Mexique sur le lexique des enfants, je me suis proposé de vérifier l'hypothèse voulant que les enfants des couches élevées utilisent un lexique plus abondant que ceux des couches inférieures. À cette fin, sur la totalité des concepts connus de la majorité des enfants interviewés, j'ai obtenu les pourcentages de réponses appropriés à leur niveau

---

6. « *Perhaps the most typical feature shared by all of the major projects in dialect geography is the type of informant selected. No matter how diverse the culture, how discrepant the socioeconomic climate, and how varied the topography, the majority of informants has in all cases consisted of nonmobile, older, rural males. For want of an established term to characterise this population here and elsewhere throughout this book we will refer to them as NORMs, an acronym based on the description given in the preceding sentence* » (Chambers et Trudgill, 1980: 33).

socioculturel[7]. Sur les 150 questions utilisées dans le test de vocabulaire, j'ai découvert que, pour l'ensemble des enfants, le pourcentage moyen de bonnes réponses était de 78 %. Selon les couches socioculturelles, ceux du groupe supérieur ont obtenu 90 % de bonnes réponses, ceux du groupe moyen, 84 %, ceux du groupe inférieur urbain, 71 %, et ceux du groupe inférieur rural, 70 %. En d'autres mots, l'utilisation du lexique par les enfants du niveau élevé était de 12 % supérieure à la moyenne et de 6 % supérieure à ceux du groupe du niveau moyen. Les enfants du groupe inférieur urbain et rural se situaient respectivement à 7 et 8 % en dessous de la moyenne. Considérées dans leur ensemble, les différences entre les deux groupes du niveau supérieur et les deux du niveau inférieur montrent que les premiers utilisent 87 % du lexique qu'on cherchait à retrouver par ce test, et les seconds, 70,5 %. La différence en pourcentage entre les deux est de 16,5 %. Comme je l'ai dit plus tôt, ces résultats sont basés sur les concepts les mieux connus des enfants. Pour ce qui est des concepts moins connus[8], les différences ont été encore plus marquées : les enfants des niveaux inférieurs ont utilisé 28,5 % moins de vocables que ceux des niveaux moyen et élevé.

L'hypothèse se confirme, ce qui pourrait sembler évident pour plusieurs. D'accord, mais il est parfois important de souligner ce qui est évident, surtout que les données de la langue parlée, à cause du degré d'inconscience avec lequel elles sont utilisées, peuvent être un indicateur beaucoup plus profond — et moins évident — que celui qu'on pourrait obtenir par d'autres approches. Les différences sociolinguistiques, comme j'ai tenté de le démontrer, apparaissent dans la langue parlée, tant dans les aspects symptomatiques que dans les aspects référentiels du langage. Je vais maintenant considérer certaines questions relatives à

---

7. Le projet original avait pour but de recueillir le lexique d'enfants de 6,5 ans à 7,5 ans, afin de l'utiliser dans l'enseignement de la lecture et de l'écriture. Pour la compilation, on a employé un questionnaire conceptuel par lequel on posait des questions indirectes afin que les enfants utilisent leur lexique actif dans les réponses. Les résultats que je commente ici sont basés sur une recherche personnelle (Ávila, 1978). J'y compare les résultats du questionnaire auquel la majorité des enfants (entre 59 et 90 %) ont répondu de façon adéquate. Les couches où nous situons les enfants sont basées sur les études et l'emploi du père, ou du chef de famille. Cependant, quant au nombre d'informateurs, l'enquête était limitée ; elle n'est donc statistiquement pas très valable.

8. Dans ce cas, j'ai choisi 51 questions — celles pour lesquelles j'avais obtenu le moins de réponses — sur les 150 originales. Le pourcentage moyen de bonnes réponses fut de 69 % chez tous les enfants. Ceux du niveau élevé ont eu 88 % de bonnes réponses ; ceux du niveau moyen, 81 % ; ceux du niveau inférieur urbain, 57 %, et ceux du niveau inférieur rural, 55 %.

La langue parlée et la langue écrite

Selon ce que je viens de dire, le lecteur pourrait être enclin à penser qu'une langue, si elle n'est que parlée et n'a pas la possibilité de se fixer par l'écriture, tend à la diversification. En effet, c'est là un des facteurs qui ont mené à la diversification des langues indigènes au Mexique. Les alphabets permettant leur transcription graphique ont été établis, récemment pour la plupart, mais non pas pour toutes les langues. Voilà pourquoi — et pour d'autre raisons de type culturel — dans certains cas les habitants de villages rapprochés ne se comprennent pas, même s'ils parlent des dialectes de la même langue.

Comme je l'ai dit plus tôt, l'alphabet est un facteur, mais non le seul, et il n'est pas suffisant pour conserver la stabilité d'une langue. Le latin s'écrivait, et cependant il a donné naissance aux langues romanes. Sa période de stabilité s'est également appuyée sur d'autres bases, comme l'hégémonie politique et culturelle de l'Empire romain. On pourrait même dire que le latin écrit n'a pas joué à ce point de vue un rôle aussi important, car l'immense majorité des Romains parlait le latin mais ne l'écrivait pas : elle était constituée d'analphabètes. Le latin était transmis fondamentalement sous forme orale. Cela, en plus du fait que la langue des conquérants a mis autour de quatre siècles à atteindre toutes les provinces de l'Empire et que dans chacune de celles-ci elle entrait en contact avec différentes langues, explique, entre autres causes, la formation de l'espagnol et des autres langues dérivées du latin. De plus, une fois rompue l'unité de l'Empire romain, les anciennes provinces devinrent indépendantes. Le latin ne se maintint que grâce à certaines institutions comme l'Église, ce qui n'empêcha pas l'éloignement de plus en plus grand entre ce qui s'écrivait en latin et ce qui se parlait en roman. Exprimé en termes actuels, il se créa une situation de *diglossie* (Ferguson, 1959) : ceux qui parlaient le roman devaient pratiquement apprendre une langue seconde pour pouvoir lire et écrire en latin. La diglossie fut éliminée postérieurement quand, à cause de l'éloignement de plus en plus grand entre la langue parlée et la langue écrite, on commença à écrire en langue romane. Ainsi apparurent des documents et des oeuvres littéraires dans les nouvelles langues qui, en se basant sur le dialecte de prestige[9], se stabilisèrent et finirent par devenir officielles.

---

9. Il ne faudrait pas oublier les aspects politiques. Comme le signale Ferreiro (1979 : 128), « L'histoire des langues est une histoire politique, et la distinction entre langue et dialecte est une histoire des vicissitudes de la domination interne. Voilà pourquoi la définition de Max Weinreich est parfaitement correcte, même si elle semble être un sarcasme : *une langue est un dialecte qui a une armée et une marine.* »

L'invention de l'imprimerie, à la fin du XVe siècle, ouvrit les portes à la diffusion massive de documents produits par ce moyen. Comme il n'y avait plus besoin de copistes pour écrire les documents, ceux-ci devinrent accessibles à un plus grand nombre de personnes. La possibilité de lire augmentant, la population alphabétisée augmenta également, consolidant la stabilité des langues européennes en général.

La langue espagnole a conservé un degré élevé de stabilité du XVIe siècle jusqu'à nos jours, grâce aux facteurs que j'ai mentionnés. Comme disait Nebrija en 1492, la langue « compagne de l'Empire » s'étendit avec celui-ci dans le monde. Elle était basée sur le castillan, dialecte dominant qui, empreint de l'andalou innovateur, prédominait dans un grand nombre de régions et finit par s'imposer dans ce que nous connaissons aujourd'hui comme l'Amérique hispanique.

La langue écrite donne de la stabilité à la langue parlée : elle la fixe, mais non de façon absolue ni pour toujours. L'espagnol parlé et l'espagnol écrit ne sont pas pareils parce que, pour commencer, la forme écrite s'appuie fondamentalement sur le dialecte castillan. En revanche, la forme parlée ne peut éviter un plus haut degré de démocratie : elle est le moyen d'expression de tous les hispanophones et, par le fait même, de tous leurs dialectes. Indépendamment de cela, c'est un fait que tous les hispanophones — plus particulièrement tous ceux qui ont fait des études universitaires et possèdent une culture similaire — peuvent lire et comprendre pratiquement sans difficulté n'importe quel texte écrit en espagnol actuel. Mais ils auraient des problèmes pour comprendre le parler d'un Portoricain ou d'un Chilien, surtout si ces derniers n'ont pas poursuivi des études aussi avancées.

D'autre part, la langue parlée et la langue écrite ne sont pas pareilles parce que la situation communicative dans laquelle elles se produisent est différente. Pour écrire, il faut tenir compte de l'expérience d'un interlocuteur non immédiat : le lecteur qui, normalement, est un inconnu. L'autorégulation de celui qui écrit pour s'ajuster à la capacité de compréhension du lecteur possible ne peut pas tenir compte des réactions immédiates de l'autre comme dans la langue parlée, parce qu'elles n'existent pas. Dans un premier temps, quand l'écrivain produit un texte, il ne compte que sur un monologue intérieur pour s'autoréguler. Voilà pourquoi un seul énoncé écrit peut prendre une heure de réflexion. En plus de devoir considérer la culture du lecteur, l'écrivain ne peut, comme dans la langue parlée, s'appuyer sur un contexte situationnel : il doit plutôt le créer. Il doit aussi envisager une portion de discours normalement plus étendue que quand il parle : il doit se rappeler ce qu'il a écrit plusieurs pages auparavant — ou le relire — et prévoir ce qu'il

écrira plus loin et comment il terminera. L'écriture suppose une organisation de la pensée plus rigoureuse que la langue parlée ; elle requiert
explicitation et économie à la fois : on ne peut s'appuyer sur des
suppositions ou répéter la même phrase, ou encore tomber dans la
redondance excessive. Finalement, l'écrit implique un engagement plus
grand que la langue parlée, car les mots restent.

Comparativement, parler est très facile. Tellement que toute personne normale peut le faire, et très bien. Nous acquérons le système de
communication le plus complexe inventé par l'homme parce que nous
commençons très tôt : les mots nous accompagnent depuis notre naissance et nous suivent jusqu'à la mort. Nous pratiquons le langage 24
heures par jour, même quand nous rêvons, et toute la communauté est
disposée à nous aider dans cet apprentissage. Quand un enfant de deux
ans réussit à formuler la question clé pour élargir son univers conceptuel
— « qu'est-ce que c'est ? » — il n'est pas un inconnu qui se refuserait à
lui répondre : « c'est une fleur ». L'enfant utilisera immédiatement le
nouveau mot : « fleur ? », et l'inconnu, transformé en maître, lui confir-
mera ce qu'il vient d'apprendre : « oui, petit : *fleur* ». En revanche, il y
en a bien peu qui soient disposés à nous apprendre à lire, et encore
moins à écrire. Ce dernier exercice est si difficile que, même au niveau
des 2ᵉ et 3ᵉ cycles universitaires, on se plaint que les étudiants ne savent
pas rédiger.

En plus d'être basée sur le dialecte standard, la langue écrite, à
cause des caractéristiques qui lui sont propres, est essentiellement une
transcription du code élaboré ; elle le dépasse même. Ce n'est donc pas
une surprise que de constater, dans une recherche récente sur la langue
écrite réalisée chez des élèves du niveau secondaire de Mexico, que le
plus haut taux d'échec se retrouve chez les élèves des groupes sociaux
inférieurs. « Le langage riche et complexe, selon O'Dogherty (1983 :
100), apparaît chez les élèves appartenant à des niveaux sociaux élevés,
chez qui l'indice d'échec est bas [...]. La plus grande *rentabilité
scolaire* des groupes sociaux élevés reflète le caractère *non neutre* de
l'école. C'est-à-dire que les groupes sociaux défavorisés font face non
seulement à des problèmes de ressources financières, de discipline ou de
contenus culturels étrangers à leur développement scolaire, mais aussi à
un langage qui ne correspond pas à la forme d'expression de leur
groupe. Ils ont tendance à utiliser un langage qui leur est étranger [...],
de là la difficulté de leur apprentissage. »

Pour être en mesure d'utiliser la langue écrite, les groupes sociaux
inférieurs doivent franchir plusieurs obstacles, dont certains sont de
véritables sauts de la mort. En premier lieu, ils doivent passer de la

langue parlée à la langue écrite, ce qui implique un grand effort, si l'on tient compte des différences entre les deux formes que j'ai mentionnées plus haut. En second lieu, on s'attend à ce que, quand ils écrivent, ils ne s'appuient pas sur leur dialecte, mais plutôt sur le dialecte standard. Socialement, on n'accepte pas qu'un paysan, qui a appris depuis son enfance à dire *aigre*, *actobús*, *dispués*, *emprestar* ou *quiéramos*, écrive ces mots de cette façon: il doit écrire *aire*, *autobús*, *después*, *prestar* et *queramos*, pour qu'ils reflètent la prononciation du modèle dominant. Pour emprunter les mots de Ferreiro (1979: 315), « la prononciation censée *correcte* ignore les variantes dialectales, impose la norme du parler de la classe dominante (norme réelle ou idéalisée) et, ce faisant, introduit un contenu idéologique à partir du début de l'apprentissage de la lecture ».

Il y a un troisième obstacle dont je veux parler: l'orthographe. Dans le cas de l'espagnol, le système orthographique, encore une fois, reproduit plus fidèlement, dans le rapport phonème-graphie, le dialecte qui a été imposé historiquement. Voilà pourquoi il conserve le *z* et le *ll* du castillan, même si dans l'Amérique hispanique — à part quelques îlots dans le cas du *ll* — et dans certaines régions d'Espagne, les phonèmes correspondants n'existent pas. Cependant, pour ce qui est de l'espagnol du Mexique, il reproduit avec une plus grande fidélité le dialecte mexicain standard. Ceux qui l'utilisent sont, de plus, en contact constant avec du matériel imprimé: celui-ci fait partie de leur culture. Voilà pourquoi l'hypothèse est évidente: les couches élevées ont tendance à faire moins de fautes d'orthographe que les couches inférieures. Cela a été confirmé par mes recherches[10] chez des enfants de troisième année du cours primaire. Dans les données que j'ai recueillies jusqu'à présent se trouvent celles qui correspondent aux lettres *b* et *v* qui, en espagnol, constituent un seul phonème bilabial sonore $/\beta/$. Sur le nombre de fois que ces lettres apparaissent dans les textes, calculé par ordinateur, les enfants de la couche supérieure ont eu 9,4 % de fautes d'orthographe; ceux de la couche moyenne, 15,1 %, et ceux du niveau inférieur, 19,9 %. Les différences statistiques sont significatives, et il est probable qu'elles seront plus grandes quand le recomptage des autres fautes d'orthographe sera fait. Les conséquences, pour le niveau secon-

---

10. En 1982, nous avons recueilli un échantillon statistique stratifié de textes d'enfants de la troisième à la sixième année de toutes les écoles primaires du pays. Les recherches dont je suis le coordonnateur sont effectuées grâce à l'aide de la Direction générale de la planification du ministère de l'Éducation publique, et du Centre des Études linguistiques et littéraires du *Colegio de México*. Les textes sont traités par ordinateur. Jusqu'à présent, les textes de troisième année ont été traités, mais les résultats n'ont pas encore été publiés.

daire, sont présentées par O'Dogherty (1983 : 96) : « Plus l'indice d'échec est élevé, plus les fautes d'orthographe sont nombreuses. » En Argentine, de l'avis de Hilda Basurto, le problème « est devenu sérieux, presque alarmant ces derniers temps, surtout chez les étudiants » (*apud* Polo, 1974 : 36). Il semble qu'il en soit de même au Chili, selon Lidia Contreras, qui signale la rébellion et l'indifférence de la jeunesse face à l'orthographe (*ibid.*). Et, bien entendu, l'Espagne ne fait pas exception : « Une sorte de mépris entoure aujourd'hui l'orthographe, dit Lázaro Carreter. Le discrédit social dont était l'objet, il n'y a pas si longtemps, celui qui faisait des fautes, s'est transformé en indifférence. On dit que tout le monde en fait et que, en réalité, elles ne sont pas graves. Elles ont perdu de la valeur même dans le système d'éducation » (*apud* Polo, 1974 : 42).

J'ai dit plus tôt que la langue écrite fixe la langue parlée, mais non de façon absolue ni pour toujours. Face à la langue parlée, la langue écrite apparaîtra toujours comme conservatrice. C'est précisément le déphasage phonème-graphie dans les langues à écriture alphabétique qui explique les erreurs orthographiques. Ces fautes peuvent être interprétées, selon Alarcos (1968 : 565), par le « désir inconscient de celui qui écrit de rester fidèle au principe phonographique : quiconque ne fait pas de différences phoniques ne fait pas non plus de différences graphiques ; en conséquence les fautes d'orthographe sont l'élimination occasionnelle des phénomènes que nous avons appelés polyvalence [des graphies] et polygraphie [des phonèmes], caractéristiques des systèmes qui manifestent une inadéquation partielle entre la graphie et la phonie ».

L'inadéquation partielle du système phonologique et du système orthographique est plus grande dans certaines langues, comme le français et l'anglais, que dans d'autres, comme l'espagnol et l'italien. Dans le cas des premières, certains auteurs trouvent même des composantes idéographiques [11] comme celles du chinois. Les conséquences, si le déphasage s'accentue, pourraient mener à une nouvelle situation de diglossie, sinon à la formation de différentes langues parlées. Le système idéographique chinois, par exemple, bien qu'il ait quelques références phonologiques, ne fixe pas suffisamment la prononciation, car il représente le signifié des mots plutôt que le signifiant ou les phonèmes. Voilà pourquoi actuellement en Chine, bien qu'il n'y ait

---

11. Voir les références et commentaires de Ferreiro et Teberosky (1979 : 328 *ss.*). Voir aussi Alarcos (1968 : 557 *ss.*).

qu'une seule langue écrite, il y a plusieurs langues parlées : le canton-
nais et le pékinois sont aussi différents que peuvent l'être l'espagnol et
le roumain [12].

Est-ce qu'une réforme orthographique sera nécessaire dans des
langues comme l'espagnol, l'anglais ou le français ? Il faudrait tout au
moins y penser et considérer le niveau de déphasage entre le dialecte
standard et sa transcription alphabétique, ainsi que le coût matériel et
social du projet. Comme je l'ai dit plus tôt, l'espagnol tel qu'il s'écrit
aujourd'hui n'empêche pas la compréhension de ce qui s'imprime dans
n'importe quel pays hispanique. En ce sens, la fonction unificatrice de
la langue écrite est d'une grande importance au sein d'une communauté
aussi nombreuse que la communauté hispanique. Si on ne tente pas une
réforme, on doit tout au moins tenter un changement d'attitude face à la
langue écrite. Le changement suppose la valorisation, en premier lieu,
de la qualité de la rédaction, et en second lieu, de la qualité orthographique du texte.

Je répète, maintenant avec des mots de Casares, que « la correction
orthographique est une manifestation externe et secondaire de la connaissance et de la maîtrise d'une langue » (*apud* Polo, 1974 : 523). Il est
bon de corriger les fautes d'orthographe, mais seulement après que
l'étudiant a dépassé les problèmes stylistiques et logiques de la rédaction, ce qui est plus difficile à corriger, mais aussi plus important. Si un
professeur insiste trop sur l'orthographe, il pourrait se retrouver sans
texte à corriger, car cela pourrait inhiber la production écrite des élèves.
Les données que j'ai présentées sur le haut pourcentage de fautes
d'orthographe apparaissant dans les couches inférieures peuvent être,
dans différentes mains, un instrument de torture ou de libération. Si on
prétend par là justifier que les enfants présentent des pages inutiles avec
des mots écrits correctement, on se retrouvera dans la première situation. En revanche, c'est la deuxième situation qui prévaudra si on
considère que ces enfants nous montrent clairement qu'il y a des
discordances dans l'orthographe espagnole et que cela ne vaut pas la
peine d'être obsédé par le fait de se plier à quelque chose qui est
systématiquement inconsistant.

---

12. Depuis quelques années en Chine, on enseigne le pinyin, système d'écriture alphabétique. La
possibilité de maintenir l'unité linguistique du pays par l'emploi d'une seule langue parlée et
écrite pourrait apparaître seulement si l'on transcrivait orthographiquement le putonghua, le
dialecte de Pékin. Mais les systèmes alphabétiques sont plus démocratiques que les systèmes
idéographiques : avec le pinyin, n'importe qui pourrait écrire dans son propre dialecte.

En modifiant les attitudes, on pourrait concilier

L'enseignement de la langue maternelle et l'unité linguistique

Un des objectifs de l'éducation de base au Mexique consiste à rechercher chez l'élève un développement qui lui permette de s'adapter à l'ambiance familiale, scolaire et sociale. Présenté en termes de langage, si, au sein d'une de ces instances — à l'école, par exemple — on emploie des normes linguistiques différentes, que doit-on faire ? Pour commencer, il faudrait renforcer et maintenir l'attitude qui, depuis 1972, apparaît dans les aides didactiques s'adressant aux enseignants d'espagnol :

> Quant au langage parlé, nous sommes dans une situation de grande insécurité. Plusieurs d'entre nous sommes convaincus que nous parlons mal [...]. Pourquoi ne pouvons-nous pas parler simplement, laisser couler les mots spontanément quand nous avons quelque chose à dire ? [...] Et pourquoi, en écrivant, ne pouvons-nous pas laisser simplement les mots passer spontanément de la plume au papier ? Nous ne le pouvons pas parce qu'on nous a imposé, et nous nous sommes imposé nous-mêmes, une série d'obstacles [...]. En matière de langage, nous sommes toujours en habit de cérémonie, ou nous y tendons. On dit qu'à l'école, on doit enseigner aux enfants à s'exprimer *correctement*, il faut extirper de leur langage ces *barbarismes* : « Mon petit, ne dis pas cela ! » ... Et qui donc lui a montré à utiliser ce langage ? Qui si ce n'est la vie elle-même, la langue vivante, grouillante, de sa communauté ? La langue qui se parle, celle que nous tous entendons et respirons, non pas celle qui s'écrit. La langue telle qu'elle est, avant qu'on lui mette la camisole de force du *doit être* (SEP, 1972 : 14 *ss*.).

Le message est clair : il s'agit de partir de la langue que les enfants utilisent et de s'y appuyer pour développer leurs possibilités de communication, pour leur faciliter, en tout cas, l'accès aux deux codes : élaboré et restreint. Et leur faciliter aussi le difficile passage de la langue parlée à la langue écrite à partir de leur propre modèle parlé. Huit ans plus tard, on a répété des propositions similaires dans le *Livre du maître* :

> La communication orale est une activité que tout être humain normal réalise à partir des premières années de sa vie. L'enseignement scolaire doit s'appuyer sur ce fait. Il est important qu'on permette à l'enfant de s'exprimer librement, sans inhibitions. Cela s'obtient, entre autres moyens, en respectant sa manière de parler, sa propre modalité linguistique, qui est celle qu'il a apprise au sein de sa famille et de sa communauté. L'efficacité communicative de l'individu ne s'appuie pas sur l'usage de formes acceptées ou littéraires, mais fondamentalement sur

la capacité d'organiser la pensée et de l'exprimer de telle sorte que ce qu'il dit soit compris par ceux qui l'écoutent. L'insistance doit donc être mise sur l'efficacité communicative (SEP, 1980: 15).

Ce que l'on recherche, c'est encourager la créativité linguistique de l'enfant, cette caractéristique du langage qui a été soulignée à la fin du XVIIIᵉ siècle par W. von Humboldt et de nos jours par N. Chomsky. Il faudrait, de plus, veiller à ce que l'élève s'exerce dans différentes situations communicatives, de sorte qu'il emploie différents registres ou styles, enrichissant ainsi son expérience linguistique.

Nous, les adultes, nous utilisons différents registres quand nous parlons, par exemple, dans une salle de conférences ou dans une cafétéria, quand nous nous adressons à un supérieur ou à un inférieur, ou quand notre interlocuteur est une personne connue ou inconnue. L'enfant apprendra seul à les utiliser, mais le professeur pourrait l'aider grandement, par des explications, à comprendre pourquoi certains mots, qui ne peuvent pas être dits en classe, peuvent se dire dans la cour de récréation; si on lui expliquait où, quand et avec qui il peut s'exprimer d'une façon ou d'une autre. Cette connaissance aiderait l'élève à s'adapter à sa communauté, si on suppose que le dialecte que l'enfant a appris chez lui est le même que celui de ce groupe.

À l'école, en revanche, on utilise le dialecte standard. C'est celui qui apparaît dans les textes et qu'utilisent normalement les enseignants. Si le dialecte de l'enfant n'est pas le même, il aura des problèmes d'adaptation et d'apprentissage. Il faudrait lui parler franchement et clairement, et lui dire qu'il doit l'apprendre parce que c'est dans ce langage que sont écrits les livres et qu'il lui sera ainsi plus facile de les comprendre; parce que, grâce à l'école, à la radio et à la télévision, c'est le dialecte le plus répandu dans le pays; parce que, par consé-quent, il a plus de prestige, même s'il n'a pas plus de qualités que le sien; et parce que l'unité linguistique du pays s'y appuie.

L'objectif de l'éducation à laquelle je me référais plus tôt serait atteint si l'enseignant acceptait que l'élève, de même qu'il utilise plusieurs registres, utilise deux dialectes: le dialecte standard à l'école et le dialecte non standard chez lui et dans sa communauté; et s'il reconnaissait, et le faisait savoir à l'élève, que les deux variétés sont également efficaces pour la communication, celui-ci pourrait s'adapter aux deux ambiances sans renier son identité linguistique, qui est une partie fondamentale de son identité en tant que personne et membre d'une communauté.

L'éducation bidialectale qui découle de ce que j'ai dit suppose une relation de solidarité entre les deux groupes sociaux, et non une relation d'oppresseurs et d'opprimés. Nous, des couches les plus favorisées, qui avons eu la chance de poursuivre des études universitaires, nous utilisons un langage prestigieux qui nous permet une plus grande mobilité sociale et qui nous identifie. Si nous devions apprendre une langue étrangère, nous aimerions le faire parce que cela nous convient, et non parce qu'on nous l'impose. Et nous saurions quand et où l'utiliser, de sorte que nous ne perdrions pas notre identité linguistique. Dans notre langue maternelle — ou plus précisément dans notre dialecte standard — nous rêvons, ordonnons, imaginons, discutons et nous mettons d'accord; nous disons des vérités et des mensonges et nous exprimons même notre inconscient: telle est l'intimité de la langue.

Imaginons maintenant qu'on nous impose l'apprentissage de l'espagnol de Burgos ou de Buenos Aires et qu'on nous dise que ce sont les seules façons correctes de parler. Cela ne nous plairait pas: nous perdrions notre identité et finirions par manquer d'assurance dans notre expression. Dans un pays comme le Mexique, nous avons trop d'avantages, non seulement économiques: nous faisons les lois, les programmes d'enseignement et les livres. N'imposons pas notre façon de parler: proposons-la comme une option pour celui qui veut nous ressembler et partager notre culture. Autrement, les autres croiront que nous leur enseignons à lire et à écrire seulement pour qu'ils suivent nos instructions par écrit et que nous n'ayons pas à les répéter, et pour qu'ils prennent les messages quand ils répondent au téléphone; ils supposeront que nous voulons qu'ils parlent comme nous seulement pour mieux comprendre nos commandements et devenir des travailleurs plus efficaces. Et ils auront raison.

L'unité de la langue espagnole est fondamentale dans une communauté aussi vaste que celle des pays hispaniques. Cette langue, apportée en Amérique par les anciens conquistadors, nous met en communication, nous permet de partager une culture et nous identifie, nous les hispanophones. Cette langue nous appartient à tous, et non pas à un seul groupe géographique et social. C'est pourquoi l'usage commun, la norme linguistique panhispanique doit provenir de l'apport de tous les pays, et dans chaque pays, du concours de toutes ses régions. L'usage hispanique commun devrait se nourrir de la diversité linguistique et la dépasser en recueillant les meilleures expressions, sans égard à leur origine, pour les remettre ensuite à tous.

« La communauté de langue, dit Porzig (1974: 218), est la première condition pour que soient possibles, en général, les réalisations
humaines communes, c'est-à-dire la culture. Voilà pourquoi, où que
nous trouvions ces oeuvres culturelles, nous trouvons comme condition
préalable la langue, la communauté des locuteurs. » Le mot *communauté* signifie, dans le *Diccionario fundamental del español de México*,
« groupe de personnes qui vivent ensemble, qui possèdent des biens et
des intérêts en commun », et aussi « le fait que plusieurs personnes ou
choses aient quelque chose en commun ou partagent quelque chose ». Il
faudrait récupérer le sens de ce mot, et se rappeler que *communication*
en dérive. Il se produira une crise dans l'enseignement de l'espagnol et
dans l'usage de cette langue au Mexique si nous oublions que c'est notre
langue commune, et non pas seulement celle des minorités. Nous
devons changer d'attitude et ne pas partir de l'idée que nous sommes
disposés à la partager, mais plutôt comprendre qu'il en est ainsi: nous la
partageons et nous la faisons à nous tous. Il y aura crise si la
communauté permet que seuls quelques-uns parlent et que les autres
écoutent. Il est bon de se rappeler la référence biblique sur la tour de
Babel et espérer qu'on puisse édifier une grande ville et une tour qui
atteigne le ciel sans tomber au préalable dans la confusion. Dans ce cas,
la citation se terminerait ainsi: « Voici qu'ils sont un seul peuple, car ils
ont tous une même langue... »

Bibliographie

ALARCOS, Emilio (1968), « Les représentations graphiques du langage », dans A. Martinet, *Le langage*, Paris, Gallimard, 513-568.

ÁVILA, Raúl (1976), *El habla de Tamazunchale*, El Colegio de México, Mexico (Thèse doctorale).

———— (1978), « La investigación del léxico infantil y la enseñanza », *Actas del IV Congreso Internacional de la Asociación de Lingüística y Filología de América Latina, Lima, 1975.* Lima, Universidad Mayor de San Marcos, 195-208.

BERNSTEIN, Basil (1971), *Class, Codes and Control*, t. 1 & 2, Londres.

———— (1974), « Códigos amplios y restringidos: sus orígenes sociales y algunas consecuencias », dans P. Garvin et Y. Lastra (eds.), *Antología de estudios de etnolingüística y sociolingüística*, UNAM, Mexico.

BORGES, Jorge Luis (1960), « Las alarmas del doctor Américo Castro », dans son livre *Otras inquisiciones*, Buenos Aires, Emece, 43-49.

BÜHLER, Karl (1967), *Teoría del lenguaje*, traduit de l'allemand par Julián Marías, 3ᵉ édition, Revista de Occidente, Madrid [première édition originale: 1934].

CHAMBERS, J.K. et Peter TRUDGILL (1980), *Dialectology*, Cambridge, University Press.

Diccionario fundamental del español de México, sous la direction de Luis Fernando Lara, Mexico, El Colegio de México, 1982.

ENTWISTLE, D.R. (1970), « Semantic Systems of Children: Some Assesments of Social Class and Ethnic Differences », dans F. Villiams (ed.), *Language and Poverty*, Chicago, 123-139.

FERGUSON, C.A. (1959), « Diglossia », *Word*, 15: 325-340.

FERREIRO, Emilia et Ana TEBEROSKY (1979), *Los sistemas de escritura en el desarrollo del niño*, Prologue de H. Sinclair, Siglo XXI, Mexico.

HALL, Robert Jr. (1960), *Linguistics and Your Language*, New York, Doubleday.

HALLIDAY, M.A.K. (1978), *Language as Social Semiotics*, Londres, Edward Arnold.

LABOV, W. (1972), « The Logic of Non-Standard English », dans P. Giglioli (ed.), *Language and Social Context*, Londres, Penguin, 179-215.

LENTIN, Laurence (1977), *Apprendre à parler*, Paris, éd. ESS, t. 1, 7ᵉ éd.

MONTES, José Joaquin (1970), *Dialectología y geografía lingüística*, Bogotá, Instituto Caro y Cuervo.

NEBRIJA, Antonio de, *Gramática de la lengua castellana*, édition de Antonio Quilis, Madrid, Editora Nacional, 1980 [édition originale: 1492].

O'DOGHERTY, Laura (1983), *El lenguaje como factor del rendimiento escolar*, Instituto Tecnológico Autónomo de México, Mexico [thèse de licence].

POLO, José (1974), *Ortografía y ciencia del lenguaje*, Madrid, Paraninfo.

PORZIG, Walter (1974), *El mundo maravilloso del lenguaje*, traduit de l'allemand par A. Moralejo, Madrid, Gredos.

REAL ACADEMIA ESPAÑOLA (1970), *Diccionario de la lengua española*, 19ᵉ édition, Madrid.

ROSEN, Harold (1972), *Language and Class: A Critical Look at the Theories of Basil Bernstein*, Bristol, The Falling Wall.

SALVADOR, G. (1964), « La fonética andaluza y su propagación social y geográfica », *Presente y futuro de la lengua española*, tome 2, Oficina de Información del Español, Madrid.

SAUSSURE, Ferdinand de (1916), *Curso de lingüística general*, 4ᵉ édition, Buenos Aires, Losada, 1961. [édition originale: 1916].

Secretaría de Educación Pública (1972), *Español: auxiliar didáctico para el quinto grado [de primaria]*, Mexico.

——————— (1980), *Libro para el maestro, primer grado [de primaria]*, Mexico.

The American Heritage Dictionary of the English Language, Boston, W. Morris (ed.), 1981.

The Penguin English Dictionary, London, G.N. Garmonsway (ed.), 1965.

XIV

La « crise de la langue standard » dans la zone catalane

par Albert Bastardas-Boada

Traduit de l'espagnol par Francine Bertrand-González

Analyser le phénomène de la « crise de la langue standard », appliqué à la langue catalane, présente, pour commencer, des caractéristiques nettement différentes de toute étude de ce genre dont le cadre de référence est une situation d'usage linguistique stable et de longue tradition. L'étape actuelle de la langue standard catalane ne se signale pas par une crise de son système d'enseignement ou dans son utilisation par la population, face à une situation idéale antérieure, mais, bien au contraire, par une simple implantation d'une codification déjà établie au cours du premier tiers du XXe siècle. Fruit des circonstances politiques à partir de 1939 — qui freinèrent radicalement le processus d'enseignement et d'extension de l'usage du catalan commencé au cours des décennies qui précédèrent immédiatement —, l'extension de l'usage de la variété normalisée du catalan doit aujourd'hui faire face à la concurrence inégale du castillan qui a occupé — et occupe encore — la majorité des fonctions sociales réservées à une langue standard dans la région catalanophone.

L'enseignement du catalan écrit — minoritaire, et simplement toléré dans les dernières années du régime du général Franco — a eu une diffusion massive à partir de l'approbation de la nouvelle constitution démocratique de l'Espagne (1978) et des statuts d'autonomie qui s'ensuivirent dans les communautés catalanophones : Catalogne, région de Valence et îles Baléares. Même avec des différences de niveau importantes entre ces trois territoires, la catalan normatif s'introduit progressivement dans leur système scolaire comme matière — apprentissage *du* catalan — et, beaucoup plus timidement, comme langue véhiculaire — apprentissage *en* catalan. De même, on a assisté à l'augmentation de l'édition de livres en catalan et à une plus grande présence de cette langue dans les journaux et périodiques, ainsi que dans les émissions radiophoniques et même, plus récemment, télévisées, quoique sa présence dans ces moyens de diffusion par rapport au castillan soit encore inégale et minoritaire.

Ce processus d'extension de l'usage public du catalan normatif implique des problèmes spécifiques dans la concrétisation de ce que doit être le catalan standard. Ainsi, les problèmes que supposent la création d'un nouveau lexique (tournures, expressions, vocables, phrases, etc.) pour se référer à des situations et à des concepts qui n'ont pas été pris en considération lors de la codification réalisée avant la guerre civile espagnole, ainsi que les efforts pour se libérer des inévitables influences et interférences de l'autre langue standard, le castillan, qui coexiste étroitement avec le catalan sur son territoire historique même.

Dans cette situation de diffusion naissante du niveau normatif du catalan et de l'utilisation/« création » de sa variété standard, rares sont les travaux qui, dans la zone catalanophone, ont été consacrés à l'étude de la problématique de la « crise de la langue », qui fait l'objet de cette recherche collective. L'attention des spécialistes s'est de préférence tournée vers les problèmes causés par le contact des langues, l'éducation bilingue, l'ajustement et la diffusion de la norme, etc. Cependant, dans le cadre de certaines études consacrées aux sujets que nous venons de mentionner, on trouve des références et des allusions se rapportant clairement à la « crise de la langue ».

Un chapitre du travail de Ignasi Riera *Joventut i Comportament Lingüístic*[1] (Jeunesse et comportement linguistique) est un exemple de cette conscience du problème qui afflige aujourd'hui la variété standard des différentes langues, et problablement d'autres aspects de ces langues — tout au moins dans le monde occidental. Sur la même longueur d'ondes que les promoteurs du présent travail, l'auteur s'inquiète de savoir si la jeunesse a été influencée ou non par « un processus de déverbalisation, réelle malgré la caricature alarmiste des macluhaniens » (p. 35). Visant implicitement les causes de cette situation, Riera déclare : « Le mot perd, l'image gagne ; le jeu de mots perd tandis que le mouvement, le geste gagnent et commandent » (p. 36). En considérant la situation actuelle de l'usage linguistique global et en acceptant l'évidence d'une diminution de l'importance sociale du code écrit, cet auteur soutient qu'« il faudrait dépasser les arguments macluhaniens, dans le sens que c'est non seulement la galaxie Gutenberg, celle de la lettre écrite, qui est dépassée, mais aussi la galaxie X, celle du mot objet de conversation (discussion, consultation, admonition, confidence ou marchandage) » (p. 36).

Dans les expressions réelles de cette problématique, Riera recueille les doléances répétées des professeurs de l'enseignement secondaire et professionnel de la Catalogne, au sujet de l'incapacité de leurs élèves de s'exprimer oralement avec un minimum de cohérence logique. Nous pouvons également citer des déclarations d'enseignants catalans qui vont dans le même sens que celles qui ont été apportées par Riera, quoique nuancées selon leur région scolaire d'origine. Il faudrait faire des recherches approfondies pour savoir si cette situation se retrouve dans toutes les couches de la société ou si elle se situe de préférence dans les zones urbaines ayant un pourcentage élevé de travailleurs immigrés, zones avec lesquelles précisément Ignasi Riera est le plus souvent en contact.

---

1. Riera, Ignasi (1983), « Joventut i Comportament Lingüístic », *in La Joventut a la Catalunya dels 80*, Barcelone, Diputació de Barcelona, (1983), 35-42.

Là où je crois qu'il y aurait unanimité, c'est sur la difficulté d'acquisition de l'orthographe par les élèves d'aujourd'hui, par rapport à la situation d'il y a 15 ou 20 ans; ce problème concerne forcément, dans la région catalane, le code écrit de la langue castillane. Une recherche sommaire de cet aspect confirme cette constante, avec une autre : une plus grande « quantité d'expression orale » — et non une « capacité d'expression » — des adolescents d'aujourd'hui, tout au moins dans les zones non spécifiquement situées dans la région métropolitaine de Barcelone. Cependant, il nous faudrait également posséder des données empiriques pour confirmer ou infirmer la généralisation de l'hypothèse à toute la région catalanophone.

Pour appuyer sa thèse, l'auteur en question, Ignasi Riera, souligne — avec raison, je crois — le changement important qui s'est opéré dans les contenus linguistiques des groupes de jeunes d'aujourd'hui par rapport à la situation qui prévalait il y a quelques années, quand les activités de base de ces groupes — excursionnisme, scoutisme, mouvements ouvriers catholiques, groupes de théâtre, de folklore, de discussion, etc. — faisaient une grande place à l'expression orale — essentielle à leur activité — et écrite — publication d'une multitude de bulletins, pancartes et revues. Par contraste, « les nouvelles formes de regroupements semblent accorder très peu d'importance à l'expression orale et écrite ». « Les groupes musicaux, les ensembles actifs ou passifs, bandes, groupes de personnes qui pratiquent le tourisme juvénile — sans parler des groupes marginaux, des drogués, des délinquants ou des prédélinquants — proposent-ils, comme élément essentiel de convivialité, le débat ordonné, la rédaction de manifestes, l'exposé logique de leurs frustrations et de leurs aspirations ? » (p. 36).

Même si ces comportements existent probablement à un degré moindre dans les régions catalanes non métropolitaines, ils n'en sont pas moins caractéristiques de tendances importantes et claires de la réalité linguistique catalane, affectant le domaine linguistique, pleinement imbriqué dans le monde social — un fait tellement connu qu'on a tendance à l'oublier. Pour revenir à notre problème central de la crise de la langue standard, il faut tenir compte du fait que, s'il y a détérioration dans l'usage du code ou des problèmes dans son apprentissage — plus que dans son enseignement —, cela est probablement dû, non à des facteurs intrinsèques de la variété linguistique, mais à des facteurs de changement social. Sans négliger les causes socioculturelles et socio-économiques qui, sans aucun doute, interviennent dans les situations les plus critiques, auxquelles l'auteur précité fait allusion, je crois qu'il existe des arguments suffisants pour affirmer que la cause la plus

universelle des difficultés actuelles que peuvent traverser la connaissance et l'usage d'une langue standard par les locuteurs dans la région
catalane et dans la plupart des pays occidentaux, se trouve dans les
innovations technologiques successives qui ont affecté progressivement
et de façon particulière les usages de la langue écrite. Une revue
sommaire et rapide de certaines de ses fonctions dans divers domaines
de la vie quotidienne confirme cette assertion: l'envahissement du
téléphone, par exemple, a contribué à diminuer le besoin d'écrire des
lettres; la télévision a diminué le temps qu'on consacrait à la lecture —
soit de livres, soit de journaux — et est entrée dans les salles de classe,
comme complément aux textes scolaires, comme l'a fait plus tard la
vidéo, etc. Cette prédominance actuelle des moyens de communication
audio-visuels, face à l'écriture, a probablement des répercussions négatives sur la maîtrise de la langue écrite par la population, qu'elle soit
alphabétisée[2] ou en voie d'alphabétisation. Il semble logique de croire
que l'orthographe — dont l'apprentissage est basé principalement sur la
mémorisation visuelle — sera beaucoup plus difficile à acquérir dans
une société qui passe des heures et des heures devant l'écran de
télévision. De même, le fait de ne pas lire se traduira par un appauvrissement du lexique, surtout que la langue orale de la télévision n'a pas à
se soucier d'être très descriptive puisque sa seule fonction est d'accom-
pagner l'image, elle-même très expressive. Tout semble donc indiquer
que l'apparition des moyens audio-visuels a contribué, dans un degré
plus ou moins élevé, à déséquilibrer la traditionnelle écologie de la
transmission et de l'usage écrit de nos langues.

Comme nous l'avons souligné au début, il existe, dans la région
catalane, peu de recherches empiriques nous permettant d'en arriver à
des conclusions plus ou moins définitives sur les effets et les causes de
ce que nous avons appelé « crise de la langue standard ». La majeure
partie de cette communication n'est basée que sur des intuitions et des
tendances sociales observées de façon imparfaite, mais qui affectent
potentiellement, dans une mesure plus ou moins grande, non seulement
l'usage de la langue écrite mais celui du langage en général. Notre
connaissance de cette problématique en est donc à ses débuts et manque
d'assurance. Il faut avancer résolument vers une recherche théorique et
empirique dans ce domaine pour évaluer correctement l'étendue et la
complexité du phénomène qui nous occupe. Cette première invitation à
la réflexion a donc mis en marche le processus.

---

2. Thankh Koi, Le (1983), « La lluita contre l'analfabetisme », *El Correu de la UNESCO* 61 (juin
   1983): 9-12.

XV

La crise de la langue basque

par Karmele Rotaetxe et Xabier Altzibar

Université du Pays Basque

On parle effectivement d'une crise de la langue basque dans notre pays, aussi bien dans la Communauté autonome (ou Euskadi) comprise dans la géographie espagnole, que dans le Pays Basque compris dans le département des Pyrénées-Atlantiques du Sud de la France. Toutefois, nous pensons qu'il ne s'agit pas de la même crise qui peut affecter les « grandes » langues. On constate, en effet, que, outre les caractéristiques que peuvent présenter les crises de celles-ci, celle qui affecte la langue basque en présente d'autres dues à son caractère de langue minoritaire et minorée.

Bien que la dimension ne soit pas un critère pertinent pour la définition d'une langue quelconque, d'un point de vue linguistique, on a souvent répété que le basque est une « petite » langue, ce qui signifie simplement que notre langue est parlée par peu de personnes. Elle est parlée sur un territoire également réduit : d'après René Lafon (1960), ce territoire s'étend sur 170 km de l'est à l'ouest et sur 60 km du nord au sud. Les régions qui constituent le Pays Basque ne sont pas toutes bascophones, et certaines zones semblent même ne pas l'avoir été à une époque lointaine ; par contre, d'après les données de la toponymie, le basque se serait étendu sur des zones qui ne font pas partie aujourd'hui du Pays.

On y distingue un pays oriental, le Labourd jouxtant le golfe de Biscaye et deux régions intérieures, la Basse-Navarre et la Soule, compris tous les trois dans l'État français, et un pays occidental, le Guipuzcoa et la Biscaye, l'Alava et la Navarre, intérieures, ces quatre régions étant comprises dans l'État espagnol. La population totale desdites régions est de 220 000 (pays oriental) + 2 642 334 (pays occidental) = 2 862 334, dont 1 181 401 habitants se concentrent en Biscaye, qui groupe ainsi 41,17 % du total. Sur ce chiffre, il est habituel de signaler un nombre de 500 000 bascophones (Mitxelena, 1977), mais nous devrons revenir sur le nombre de bilingues.

Si le basque n'est, en termes absolus, ni plus ancien ni plus moderne que les langues qui l'entourent, il est plus ancien « *in situ* » (Mitxelena, 1977), fixé dans un territoire concret de l'Europe. Car l'ouest et le sud de cette zone du monde ont connu, dans leur histoire linguistique, deux faits importants : l'indo-européanisation de large extension, et, plus tard, la romanisation de la partie méridionale. Or, il n'y a que le basque qui n'ait pas été enseveli sous ces deux grandes inondations, et qui ait survécu, comme un îlot, avec des caractéristiques qui lui sont propres (proche d'un type agglutinant, construction ergative...). L'intérêt scientifique qui lui est porté se justifie donc du fait d'être, par rapport aux langues qui lui sont proches et même assez lointaines, une langue isolée tant du point de vue génétique que du point de vue typologique. C'est bien sa « grandeur et sa servitude », comme nous le verrons.

Entourée depuis des siècles de langues bien plus fortes qu'elle, en raison de leur population et de leur pouvoir politique, la langue basque se maintient vivante — bien que dominée — dans des conditions précaires. Concrètement, pour augmenter le nombre de ses usagers dans notre pays, il faut augmenter le nombre de bilingues, puisque le monolinguisme basque est, de nos jours, inexistant. Ceci revient à dire que, si on excepte l'apprentissage de la part des enfants, l'enseignement-apprentissage du basque à des hispanophones ou francophones va se heurter à toutes les difficultés provenant d'une langue cible très différente. Car, s'il est vrai qu'aucune langue n'est plus difficile qu'une autre en tant que système, certaines langues sont, sans aucun doute, plus difficiles à acquérir d'un point de vue relatif: des racines de mots ou des structures similaires relevant de la parenté génétique, ainsi que des concordances typologiques permettent l'acquisition d'une langue à un coût moins élevé. Ainsi, alors que l'apprentissage d'un vocabulaire de base — pour certains rapports rudimentaires, par exemple — peut se faire dans le cas de certains contacts de langues pratiquement par symbiose, cette possibilité n'existe pas dans notre cas. D'après Weinreich (1974), moins les langues présentent d'affinités entre elles et moins elles sont exposées à des phénomènes d'interférences, et c'est là un principe juste. Cependant lorsqu'on veut enseigner, dans le but d'étendre, une langue fort différente de celle connue des usagers (dans notre cas, espagnol ou français), un gros problème se pose dès les premières rencontres. Le basque, dans ce sens, représente pour une grande partie de la population de notre pays une barrière linguistique, et son enseignement-apprentissage doit être spécialement soigné. Car, tout en admettant qu'une langue est bien un trait distinctif, un fait culturel et un instrument de culture, elle est également un instrument de communication qui résulte de la vie en société. Ainsi, tout apprentissage d'une seconde langue ou tout apprentissage second d'une langue dépend pour beaucoup — et particulièrement dans les situations de langues en contact — de la valeur accordée par la société à la langue en question. Il est donc nécessaire d'aborder cet aspect.

Le Pays Basque n'a jamais constitué, tel que nous l'avons décrit, un État indépendant, bien que ses régions aient eu avec les pouvoirs centraux des rapports très particuliers qui justifient un statut juridique spécial qu'elles ont longtemps gardé : conservation des « fors et coutumes» dans les régions orientales jusqu'à leur abolition pendant la révolution de 1789, ces fors s'étant maintenus pratiquement jusqu'en 1876 dans les régions occidentales. Tout spécialement dans ces dernières régions, le peuple basque a montré maintes fois son refus envers un système politique centraliste et centralisateur, en réclamant une autonomie, voire une indépendance. En 1936, sous la IIᵉ République espagnole, le peuple basque arriva à obtenir un statut d'autonomie qui lui permit de compter sur un Gouvernement basque, dont le pouvoir réel se limitait à la Biscaye, en raison de la guerre civile espagnole : c'est à cette époque que furent légalisées les premières « *ikastola* » ou écoles d'enseignement en basque. La longue période du régime franquiste qui suivit a été non seulement une dictature politique, mais aussi une époque de répression de la langue basque, dans ses moindres manifestations : c'est certainement une des causes de la grave situation linguistique actuelle.

En décembre 1978, le gouvernement de Madrid accepta d'accorder au Pays Basque (régions occidentales ou Pays Basque Sud, suivant une terminologie répandue) la préautonomie qui permit de créer le Conseil général du Pays Basque : c'est cet organisme qui assume, entre autres tâches, le problème de la langue. En novembre 1979, le Statut d'autonomie soumis à un référendum populaire est approuvé, et en mars 1980 se constitue le Parlement basque. Le Statut d'autonomie encadre « une Communauté autonome à l'intérieur de l'État espagnol, appelée Euskadi ou Pays Basque » qui comprend l'Alava, la Biscaye et le Guipuzcoa, la Navarre où le référendum n'a pas eu lieu restant exclue. C'est en avril 1980 que se constitue le IIᵉ Gouvernement basque pour une durée de quatre ans, ses membres venant juste de se renouveler.

La présentation antérieure était nécessaire pour montrer que, mise à part la période éloignée et brève de 1936, ce n'est que depuis cinq ans que la langue basque a reçu une reconnaissance officielle. L'article 6 du Statut d'autonomie indique, en effet, que le basque (*euskara*), langue propre du peuple basque, a un caractère officiel en Euskadi au même titre que l'espagnol, en précisant que tous les habitants ont le droit de connaître et d'employer les deux langues. Théoriquement donc, la nouvelle situation politique de la Communauté autonome (et, à partir de maintenant, nous limiterons notre exposé à ce territoire-ci) devrait permettre de redresser une situation de bilinguisme avec diglossie (selon les termes de J.A. Fishman). On remarque, cependant, qu'il s'agit là d'une condition nécessaire mais non suffisante. Car la législation linguistique contenue dans la Constitution espagnole de 1978 est ici d'une grande importance. L'article 3.1 indique, en effet, que l'espagnol, langue de l'État, est la langue que tout Espagnol a le devoir de connaître et le droit d'utiliser. Ainsi, il existe pour l'espagnol un « devoir de connaître » qui n'existe pas dans le cas du basque. Or, il s'agit d'une différence décisive en ce qui concerne une virtuelle résolution de la diglossie, sur le plan politique et social. C'est grâce à cet article que le gouvernement de Madrid peut faire du castillan (ou espagnol) une langue « plus officielle » que d'autres reconnues pourtant officielles par cette même Constitution dans les Communautés autonomes où elles sont parlées (concrètement galicien, catalan, basque). En évoquant cet article de la Constitution espagnole, le président du gouvernement de Madrid, M. Felipe González, a remis le 14 mars 1983 au Conseil constitutionnel la loi sur la normalisation de l'utilisation du basque approuvée par notre Parlement le 24 novembre 1982. Et, bien que dans les centres publics transférés par le gouvernement de Madrid au Gouvernement basque (au niveau de l'éducation, l'enseignement primaire et secondaire, par exemple) la connaissance du basque soit prise en ligne de compte, de la situation politique décrite on conclut que :

a) le basque ne saurait remplir son rôle de langue de communication dans notre pays qu'entre bascophones, les personnes non disposées à l'apprendre en étant légalement dispensées (puisque ce n'est que l'espagnol qu'elles ont le *devoir* de connaître) ;

b) la Constitution espagnole, loin d'encourager un bilinguisme équilibré, se borne à tolérer l'existence du basque, protégeant, par contre, celle de l'espagnol ; cette Constitution fait donc du basque, langue minoritaire, une langue *minorée* ;

c) par son caractère dominant, l'espagnol contraint tout développement du basque, car la situation de diglossie engendre des bilingues composés, multiplicateurs d'interférences. On peut penser, en outre, que ces interférences linguistiques ne sont que le résultat d'interférences de culture et, plus précisément, de civilisation.

Les différents parlers basques n'ont été unifiés qu'à une date récente : c'est en 1968 que l'Académie de la langue basque entreprit l'unification de la langue. Pour ce qui est de la Communauté autonome dont nous nous occupons, les parlers biscaïens (Biscaye et une partie du Guipuzcoa) présentent des divergences importantes par rapport à la norme proposée et diffusée, ce qui a posé et pose des problèmes à l'acceptation générale de celle-ci, dont les journaux du pays se font l'écho.

Bilinguisme

Les pourcentages de bilingues montrent des chiffres très faibles. Diverses enquêtes sociologiques ont donné le chiffre de 25 % de la population de la Communauté autonome distribué très inégalement: Guipuzcoa: 45 %; Biscaye: 15,1 %; Alava: 7,9 % (Siadeco, 1979), ou: Guipuzcoa: 42 %; Biscaye: 18 %; Alava: 4 % (Azterka, 1981). Bien que la distribution des bilingues ne soit pas identique (Rotaetxe, 1984), il reste que les deux enquêtes montrent qu'un quart de la population seulement est bilingue. Je me fais un devoir de signaler qu'il est, malgré tout, très important que nous puissions disposer maintenant de ces données dont la connaissance nous était interdite il n'y a que quelques années. Le Gouvernement basque a publié en 1983 une étude sociologique extrêmement détaillée sur les différents types de connaissance de la langue, ainsi que sur l'utilisation qui en est faite par les bascophones, et sur les comportements de la population face à la langue; nous nous permettons de renvoyer le lecteur à ce travail pour plus de détails (Eusko Jaurlaritza, 1983). Nos autorités actuelles montrent dans ce travail une préoccupation réelle, car il s'agit, tout simplement, de la survie de la langue. Ainsi, un journal récent[1] a publié la communication faite par le responsable des affaires culturelles et linguistiques au Guipuzcoa: une enquête récente dans cette région faite sur les chiffres du recensement montrait 55 % de bilingues (chiffre plus élevé que ceux que nous avons donnés). Mais d'après l'étude sur l'utilisation réelle, la moitié seulement emploierait le basque en toute situation de communication et, ce qui est plus grave, ce chiffre baisserait à 16,4 % parmi les jeunes.

Voilà donc, à notre avis, ce qui est surtout la crise de la langue basque. Le basque présente bien une crise intralinguistique, dont nous nous occuperons ci-dessous, mais il semble indispensable de montrer que la cause principale est à chercher dans sa situation sociopolitique: malgré beaucoup d'efforts de la part de certains, la langue basque survit tout juste dans sa lutte contre le monolinguisme espagnol dans un territoire où, pourtant, elle semble exister de tout temps.

Nos données ont été établies à partir d'une étude spéciale sur l'emploi du basque parmi les étudiants d'une École normale: l'*Escuela Universitaria de Formación de Profesorado de E.G.B.* de Bilbao. Ce choix a été fondé sur deux critères:

---

1. « Dakiten endiek bakarrik erabiltzen dute euskara », *in* DEIA, 10.03.84, Bilbao.

a) les étudiants actuels d'une École normale sont de futurs maîtres ou maîtresses dans les écoles primaires et on peut penser qu'ils vont transmettre aux enfants leur propre emploi de la langue;

b) Bilbao concentre 45 % de la population de l'Euskadi.

Caractéristiques de l'école et de l'échantillon choisis

3 000 élèves au total, dont 315 bascophones, divisés suivant leurs études comme suit:

— spécialité de philologie basque : 134
— autres spécialités :   181

ont choisi de suivre leur enseignement, à l'école, entièrement en basque. L'échantillon retenu est de 39 étudiants en philologie basque (2e année) et de 25 étudiants d'autres spécialités (2e année).

Cette division a été établie au départ, mais un prétest sur l'emploi de la langue a montré qu'elle n'était pas nécessaire.

La durée des études dans ce centre (comme d'ailleurs dans toutes les Écoles normales du système espagnol) est de 3 ans, ce qui veut dire que les étudiants choisis disposent encore d'une année pour se former.

Sauf 10 d'entre eux, ils ont tous suivi leurs études antérieures en espagnol; certains ont pu suivre, lors du baccalauréat, des cours de basque mais pas en basque. Ce n'est que depuis un an — soit depuis qu'ils fréquentent cette école — qu'ils peuvent suivre un enseignement non seulement du basque mais surtout en basque.

Ces étudiants, dont l'âge est de 19-20 ans, pratiquent des parlers biscaïens, mais à l'école, l'enseignement se fait en basque unifié, employé également dans la rédaction des manuels scolaires.

D'une analyse des travaux de ces étudiants réalisés pendant l'année scolaire 1983-1984 pour juger des aspects les plus touchés par la « crise », il résulte:

Orthographe

Ne présentant pas de gros problèmes en basque par rapport à la prononciation, elle est en général respectée. Deux erreurs reviennent le plus fréquemment: la lettre *h* souvent oubliée et la confusion entre les graphèmes *s*, *z* et *ts*, *tz*. Le graphème *h* introduit récemment par le basque unifié — et non sans une forte polémique — représente un *h* aspiré dans les parlers orientaux, mais pas dans les parlers occidentaux;

l'omission de cette lettre provient donc certainement de ce qu'elle ne représente aucun son. Quant aux graphèmes *s*, *z*, ils représentent deux fricatives ayant un point d'articulation différent, mais la confusion des deux réalisations dans les parlers biscaïens date de longtemps, de même d'ailleurs que dans beaucoup de parlers guipuzcoans. Les affriquées représentées graphiquement par *ts*, *tz* s'opposent à la série antérieure par ce trait d'occlusion, s'opposant entre elles — comme les fricatives — par leur point d'articulation. On voit que les fautes d'orthographe ont leur source dans la prononciation. Reste à savoir si cette prononciation n'a pas été influencée par le système phonologique de l'espagnol dans lequel n'existent pas les oppositions signalées.

Une autre faute souvent rencontrée concerne la ponctuation: les travaux étudiés, aussi bien les dictées que les rédactions, semblent négliger tout signe de ponctuation (virgules et même points).

Grammaire (morphologie)

La désinence de l'ergatif au pluriel est *-ek* dans le basque unifié comme dans les parlers orientaux, face à *-ak* (atone) dans les parlers occidentaux. Vingt pour cent des fautes de grammaire relevées concernent cette désinence. La marque de l'ergatif au singulier est également oubliée et représente 10 % des fautes.

En raison peut-être de la complexité du verbe basque conjugué, en raison peut-être aussi de ce que la différence la plus saillante (et, sans doute, la plus importante) entre le biscaïen et le basque unifié se trouve justement dans la morphologie de la conjugaison, on relève de nombreux emplois incorrects ici. Concrètement, 15 % des fautes proviennent d'une neutralisation de l'opposition singulier/pluriel du complément direct d'objet présent dans les formes conjuguées à travers des morphes. Or, il se fait que le verbe en espagnol ne s'accorde nullement avec son complément direct, mais cet accord est obligatoire en basque en personne et en nombre. Dans les paradigmes de la conjugaison qui incluent trois actants (sujet, complément direct, complément indirect, le verbe basque s'accordant avec ces trois syntagmes nominaux en personne et en nombre), apparaissent également beaucoup de fautes. Il s'agit, cela va sans dire, d'aspects de la grammaire du basque difficiles à préserver dans une situation de contact de langues, surtout si, chez nos étudiants, c'est l'espagnol qui domine, puisque la morphologie du verbe, dans cette langue, n'exige pas ces accords. On observe également des fautes dans la concordance des temps, et, quant aux modes, le subjonctif et le potentiel — qui sont également très différents dans le basque unifié par rapport au biscaïen — sont des points faibles.

Syntaxe

Les études de Greenberg ont montré, depuis longtemps, que le basque est une langue SOV; en tous les cas, et en admettant que Greenberg ne montre qu'une tendance, l'ordre SOV est toujours possible (nous n'entrons pas dans les cas de topicalisation, etc.) en basque, contrairement à ce qui se passe en espagnol ou dans d'autres langues proches. Or, chez nos étudiants, les mots s'alignent suivant l'ordre de l'espagnol dans 75 % des cas étudiés. Et, si les fautes d'orthographe pouvaient être en quelque sorte justifiées à partir de l'expression orale, il s'avère que les étudiants retenus ne commettent pas ce genre de faute en parlant. Nous ne pouvons pas, cela va de soi, entrer dans beaucoup d'autres questions.

Lexique

Le vocabulaire est très pauvre et les travaux semblent ignorer des mots ayant une tradition ancienne dans la langue. Beaucoup de mots reliés à des centres d'intérêt tels que « la ferme » ou « l'agriculture », mais qui par un processus sémantique ont passé à d'autres centres moins traditionnels sont absents chez nos étudiants. La langue employée traduit littéralement des expressions de l'espagnol à des fins expressives, au détriment des expressions et locutions toutes faites autochtones, qui sont pourtant abondantes. La créativité lexicale s'en ressent aussi, si l'on juge d'après la pénurie de dérivés ou de synonymes. Tout en reconnaissant que nous vivons des années d'expansion de la norme, il y a lieu de se demander si le prestige qu'ont pris les unités lexicales diffusées par le basque unifié, et considérées par certains comme devant remplacer les unités du basque local, n'est pas en train d'écarter celles-ci qui sont, pourtant, parfaitement basques et pourraient enrichir notre lexique de synonymes dont tout usager de la langue a besoin.

Style

Les différents registres de la parole sont peu différenciés et le style direct est conservé trop souvent à l'écrit. Des marques redondantes cherchent, par ailleurs, à pallier le manque de précision sémantique.

Notre étude s'est limitée à l'enseignement, étant donné que c'est le domaine que nous connaissons le mieux. En général, on peut dire que la langue écrite des journaux est correcte, bien que parfois, dans son souci de diffuser la norme, elle risque de se montrer trop éloignée de la langue parlée. Quant à la télévision en basque, elle est encore trop récente pour pouvoir en juger. Il en va de même pour la langue de l'Administration qui, pour le moment, se présente comme une traduction en basque de décisions administratives qui semblent avoir été élaborées premièrement en espagnol. De toute façon, il serait prématuré d'en faire une critique à l'heure actuelle.

Nous pensons que, dans le cas du basque, la crise est davantage extralinguistique. Mais une langue étant un phénomène social, on ne peut isoler sa survie des conditions sociales qui permettent à cette langue de se développer ou... de se faire remplacer: les erreurs commises par nos étudiants, futurs instituteurs ou institutrices, montrent bien que les traits spécifiques de la langue basque semblent céder. Par ailleurs, nous sommes conscients que, pour être plus fidèle à la réalité, notre étude aurait dû certainement tenir compte d'un échantillon plus varié, que les limites de temps ne nous ont pas permis d'établir; de toute façon nous ne croyons pas que les réponses obtenues soient très différentes de celles qui pourraient apparaître dans d'autres centres scolaires.

Bibliographie

AZTERKA (collectif dirigé par S.J. Llera) (1981), *Informe sociológico de las actitudes políticas de la población de la Comunidad Autónoma Vasca*, Bilbao, Univ. de Deusto (non publié).

EUSKO JAURLARITZA (1983), *Euskararen burruka*, Gazteiz.

LAFON, René (1960), « La lengua vasca », *in Enciclopedia lingüística hispánica I*, Madrid, pp. 67-97.

MITXELENA, Koldo (1977), *La lengua vasca*, Durango, L. Zugaza.

ROTAETXE, Karmele (1978), *Estudio estructural del euskara de Ondárroa*, Durango, L. Zugaza.

———————— (1984), « Interprétation linguistique d'une enquête sociologique sur la langue basque », *in Actes du Xᵉ Colloque international de linguistique fonctionnelle*, Québec, Université Laval.

SIADECO (1979), *Conflicto lingüístico en Euskadi*, Bilbao, Euskaltzaindia.

WEINREICH, Uriel (1974), *Languages in Contact*, Mouton.

XVI

La « crise » de la langue hongroise*

par Árpád Sebestyén

Université Kossuth (Debrecen)

* Traduit de l'anglais par la Direction de la traduction du ministère des Communications.

Même si le hongrois existe comme langue distincte depuis près de 3 000 ans, sa variété standard ne remonte qu'à environ 200 ans, ayant débuté pendant le Siècle des lumières et la période de l'éveil des nationalités, soit entre 1772 et 1825. Produit de la lutte contre l'utilisation du latin et de l'allemand, la naissance du hongrois standard s'insère dans le mouvement d'indépendance nationale. Le hongrois moderne est le fruit du « mouvement néologiste » dirigé d'abord par Ferenc Kazinczy, puis par de grands écrivains et poètes du XIXᵉ siècle : Vörösmarty, Petőfi, Arany, Jókai, Mikszáth, etc. Enfin, depuis sa fondation, en 1825, l'Académie des sciences de Hongrie a parmi ses fonctions principales, celle de protéger la langue standard.

La profonde transformation subie par la société hongroise depuis la Deuxième Guerre mondiale a eu une grande influence sur la langue. L'intensification de la vie politique et sociale, l'évolution rapide de l'industrie, l'électrification rurale, l'introduction de l'agriculture industrielle, la migration des populations vers les régions urbaines, l'expansion des médias, la démocratisation de l'enseignement, la scolarité obligatoire — d'abord de 8, puis de 12 ans —, voilà autant de facteurs qui allaient modifier profondément le système de communication de la société aussi bien que la situation de la langue standard. On peut dire que le hongrois standard s'est consolidé et que sa validité s'est élargie, un nombre croissant d'usagers ayant acquis la compétence de la langue. Toutefois, cette compétence demeurait restreinte : les millions de personnes qui accédaient à la vie publique en régime démocratique — syndicalistes, membres du Parti et du Conseil — enfreignaient souvent les règles, soit par ignorance, soit par inattention. Cependant, nombre de revues scientifiques — *Magyar Nyelvőr* et *Édes Anyanyelvünk*, entre autres — et de publications portant sur la préservation de la langue allaient bientôt entamer la lutte contre l'usage fautif, et l'école devait emboîter le pas en accordant plus d'attention à l'enseignement de la langue maternelle. Bientôt, quotidiens et hebdomadaires publiaient des chroniques sur le bon langage, tandis que la radio et la télévision y consacraient des séries d'émissions.

Malgré tous ces efforts, l'état de la langue hongroise standard suscite beaucoup de pessimisme depuis une ou deux décennies. Ces pessimistes estiment que la qualité de la communication tant orale qu'écrite est à la baisse. Les tribunes sur la culture de la langue, les maisons d'édition et l'Institut de linguistique de l'Académie hongroise sont inondés de plaintes provenant de citoyens préoccupés par la corruption de la langue et qui demandent l'intervention de l'Administration sous forme de mesures coercitives. Dans les journaux, le coin réservé aux lecteurs est alimenté de lettres de ce genre.

Cependant, la majorité des spécialistes estiment que l'*état de la langue standard n'est pas critique*. On décèle sans doute certains usages fautifs dans la langue tant écrite que parlée, mais leur nombre est négligeable compte tenu de l'utilisation accrue de la langue maternelle comme moyen de communication. Et plutôt que par la mise en oeuvre de mesures administratives par le pouvoir étatique, ce sera par la diffusion du savoir, une meilleure utilisation des moyens de protection existants et la mise en valeur de la culture hongroise en milieu tant scolaire que parascolaire que l'on pourra venir à bout de ces tendances. Nous devons enseigner aux gens les éléments structurels spécifiques à leur langue maternelle afin qu'ils puissent choisir et utiliser, parmi les formes langagières consacrées, celles qui sont les plus appropriées à des situations données, tant verbales qu'écrites.

Certains linguistes de profession sont néanmoins d'avis que la langue standard est dans un état de crise, la violation des normes linguistiques se manifestant à différents niveaux d'utilisation. On a même publié sur ce sujet une monographie intitulée « A szó válsága », « La crise du mot », dans laquelle l'auteur, plutôt que d'analyser des cas illustrant cette crise, nous livre ses observations sur l'utilisation de la langue dans la société et sur les types de difficultés de communication. Néanmoins, le thème est d'actualité. La preuve en est que l'Institut de langue et de littérature de l'Académie des sciences de Hongrie en a confié l'étude à un comité spécial. Ce comité a publié son rapport sous la forme d'un polycopié intitulé « *Nyelvünk állapota, anyanyelvi műveltségünk helyzete és feladataink* » (« L'état présent de notre langue, la situation actuelle de l'enseignement de notre langue maternelle et les devoirs qui nous incombent »[1]).

On note des infractions au bon usage à tous les niveaux : orthographe, prononciation, grammaire, style et vocabulaire.

Le système orthographique hongrois est relativement simple. Il se rapproche de la prononciation, tout en préservant la forme des éléments morphologiques. L'Académie hongroise normalise l'orthographe depuis 1832 ; en 1984, elle se propose de publier la 11ᵉ édition de ses règles. Au cours des 150 dernières années, le nombre de règles a augmenté. Plusieurs estiment qu'il y a surréglementation, d'où la difficulté d'enseigner intégralement l'orthographe dans les écoles. Voilà certes l'un des facteurs de la multiplication des fautes d'orthographe dans la langue commune. Mais il y en a d'autres, par exemple, le volume croissant

---

1. Voir appendice, p. 473.

d'ouvrages publiés et le nombre restreint de bons correcteurs d'épreuves dont disposent les quotidiens et les petites imprimeries et maisons d'édition.

On peut observer de profonds changements dans la prononciation et dans la langue parlée en général. Les sons propres aux dialectes cèdent rapidement la place à la norme. On retrouve autour des grandes villes des variantes régionales qui sont des phénomènes intermédiaires consistant en la survivance et l'intégration d'éléments sonores d'origine dialectale dans la prononciation. Ici encore, la tendance est de se rapprocher de la norme, car, le parler dialectal étant associé à un faible degré d'instruction, les gens s'efforcent de plus en plus de s'en débarrasser. Une forme exagérée de correction du parler est ce que l'on appelle la « prononciation littérale » qui, en collant aux normes orthographiques, s'éloigne de la prononciation traditionnelle. À titre d'exemple, on prononce *útja*, *látja* plutôt que *úttya*, *láttya*.

On qualifie de « syndrome du chewing-gum » la prononciation relâchée caractéristique des jeunes, qui forment les sons comme s'ils avaient de la gomme à mâcher dans la bouche. La distorsion des morphèmes supplémentaires dans la prononciation est d'ordre morphologique ; en revanche, la distorsion dans l'intonation, l'élévation fautive du ton à la fin d'un élément phonétique — l'intonation « budapestienne », par exemple — sont de nature syntaxique.

Sur le plan syntaxique, la forme impersonnelle fait son apparition, particulièrement dans la langue de la bureaucratie. On dira, par exemple, *bevásárol* plutôt que *bevásárlást eszközöl* (ces expressions pourraient toutes deux se traduire par « il fait des emplettes »), même si le passif impersonnel n'existe pas en hongrois standard. Autre exemple : on dit *átadásra került* (« il a été inauguré ») plutôt que *átadták* (« ils l'ont inauguré »). Ainsi un langage verbeux et compliqué supplante souvent un langage simple, comme s'il y avait là un signe d'érudition.

La langue parlée — surtout par les jeunes générations — adopte souvent un style négligé, grossier, comme si elle voulait par là exagérer l'absence de formalisme. Elle multiplie les expressions obscènes, reflétant ainsi une distorsion du comportement humain, un manque de respect envers autrui.

La langue écrite fait un emploi abusif de mots d'origine étrangère : les termes appartenant à la technologie et à la science contemporaine s'y introduisent librement, particulièrement dans des domaines tels que la recherche spatiale, l'informatique, la microélectronique, etc. À ces emprunts s'ajoutent les termes particuliers aux divers métiers et professions, ceux relatifs à la technologie agricole, ainsi que les expressions et termes techniques internationaux employés dans des secteurs tels que l'industrie, le commerce et les services. Les termes techniques passent la frontière de la science et de la production pour se retrouver dans la publicité, la presse, etc. ; par ailleurs, lorsqu'on les emploie dans la conversation courante, ils appellent l'attention sur les succès professionnels des initiés, servant ainsi de marques de prestige.

Les changements rapides qui ont lieu dans tous les domaines de la langue manifestent une transformation diversifiée de la société. La politique d'ouverture économique, les relations étrangères dans le domaine du commerce, de la technologie et des communications ouvrent grandes les portes aux influences sur la langue. Ce n'est pas par le biais de la traduction qu'une langue étrangère exerce une influence massive ; il est plus facile d'emprunter une formule internationale que de traduire telle expression en hongrois. La restructuration de la société précède la restructuration de la langue. Or, il est possible d'influencer l'évolution de la langue, et les spécialistes doivent s'efforcer, au niveau de l'éducation tant des enfants que des adultes, de promouvoir l'enrichissement de la langue et de supprimer les phénomènes contraires à sa nature.

Dans une évaluation sommaire de la question (cf. appendice), l'Académie des sciences de Hongrie indique les principales tâches qui s'imposent. Elle sollicite l'aide et l'appui de l'ensemble de la société et des pouvoirs publics dans la lutte contre l'infiltration des termes étrangers en dehors des domaines techniques. Comme solution au problème que posent le « langage officiel » — froid et impersonnel — et son style complexe, elle suggère un comportement plus humain et une attitude moins autoritaire de la part des fonctionnaires et des législateurs. Elle insiste sur la nécessité d'offrir une meilleure formation sur le plan de la connaissance de la langue, de l'orthographe, de la rhétorique et des techniques linguistiques à tous ceux qui écrivent pour le grand public (la presse) ou qui, par la voie des ondes, s'adressent à un auditoire vaste, voire national. Une lutte active contre le langage grossier s'impose. Enfin, on doit assurer un enseignement plus efficace de la langue maternelle en élevant le niveau de culture langagière des enseignants.

La mise en valeur de notre culture langagière appelle des recherches linguistiques sur d'importants sujets. Ainsi, des études sociolinguistiques nous permettront de mieux connaître les habitudes langagières de la société et d'explorer les facteurs de changement. Il nous faudra découvrir quelles transformations d'ordre social entraînent tel et tel changement dans la langue afin de pouvoir résister à ceux qui sont jugés indésirables. Nous devrons par la même occasion résoudre les problèmes qui surgissent en publiant des guides du bon usage et des guides de rédaction, en prodiguant des conseils sur les formules de politesse à employer et sur la façon de s'adresser aux gens, en compensant, somme toute, la tendance à la dégénérescence qui caractérise le style de la communication quotidienne.

La Hongrie ne possède pas d'« office de la langue », habilité à émettre des directives en matière linguistique. Exerçant une action relative à l'enseignement de la langue maternelle dans les écoles, l'Académie hongroise et les tribunes linguistiques jouent en outre un rôle purement consultatif et de vulgarisation. Il est reconnu que dans une situation économique précaire, la société concentre son attention sur des questions de production, tandis que la culture, y compris la communication, revêt un intérêt secondaire. Cette réalité ne devrait toutefois pas décharger les représentants des milieux linguistiques de leur devoir de sauvegarde à l'égard de la langue ; elle devrait plutôt les inciter à protéger et à développer la langue standard.

Bibliographie

BÁRCZI, Géza (1974), *Nyelvművelésünk* (Notre culture de la langue), Budapest.

BENKŐ, Loránd (1960), « Irodalmi nyelvünk fejlődésének főbb vonásairól » (Principales caractéristiques de l'évolution de la langue littéraire hongroise), *in*: *Anyanyelvi műveltségünk* (L'éducation en Hongrie), Budapest.

BÍRÓ, Ágnes, László GRÉTSY et Gábor KEMÉNY (1978), *Hivatalos nyelvünk kézikönyve* (Manuel de notre langue officielle), Budapest.

DEME, László (1972), « Standard Hungarian », *in*: *The Hungarian Language*, Budapest, 255-297.

GRÉTSY, László (1975), *Három évtized társadalmi fejlődése a szókincs tükrében* (Trois décennies de changement social reflété dans le vocabulaire), Budapest.

——————— (1964), *Szaknyelvi kalauz* (Guide de la langue technique), Budapest.

KOVALOVSZKY, Miklós (1977), *Nyelvfejlődés — nyelvhelyesség* (Évolution de la langue — Bon usage), Budapest.

LŐRINCZE, Lajos (1980), *Emberközpontú nyelvművelés* (Culture de la langue et humanisme), Budapest.

Nyelvművelő Kézikönyv (Manuel de culture de la langue), éd. par László, Grétsy et Miklós Kovalovszky, vol. I, A—K, Budapest, 1980.

Nyelvünk állapota, anyanyelvi műveltségünk helyzete és feladataink (État présent de notre langue, culture de la langue maternelle et tâches), MTA Elemzések, tanulmányok 13, Budapest, 1983.

SZENDE, Tamás (1979), *A szó válsága* (La crise du mot), Budapest.

TOMPA, József (1976), *Anyanyelvi olvasókönyv* (Manuel de langue maternelle), Budapest.

XVII

La crise de la langue en Israël

par Ora (Rodrigue) Schwarzwald et Rivka Herzlich

Université Bar Ilan (Ramat Gan)

Introduction

La « crise des langues », qui sévit dans de nombreux pays, n'a pas épargné Israël. Les écrivains, les intellectuels se plaignent amèrement de l'appauvrissement de la langue et de la détérioration de sa qualité : la jeune génération est mise en accusation ! Le vocabulaire des jeunes manque de variété et se caractérise par une pauvreté d'expression déplorable...

Les professeurs, et parmi eux le groupe des professeurs de langue qui sont en contact direct avec les élèves, les rédacteurs responsables de la langue se rendent pleinement compte de la situation. De temps en temps, ils émettent des protestations énergiques, des cris de révolte et d'indignation, qui, telle une vague puissante, déferlent vers la plage et lentement se meurent après quelques faibles soubresauts.

L'Association *Qela* (Le Fonds de la langue hébraïque) se réunit de temps à autre dans l'intention de redorer le blason de la langue, de conserver et de veiller sur l'héritage linguistique hébraïque. Inutile de se leurrer : ces exigences « idéalistes », dans le cadre d'une association dont l'influence, l'autorité et le pouvoir réel sont quasi nuls, ne pourront être réalisées.

Aspects de la crise

La crise de la langue se manifeste dans tous les domaines[1] :

A) L'orthographe

1) les consonnes :

Comme le système orthographique de l'hébreu est basé sur le système des lettres bibliques, nous rencontrons de nombreux cas d'homonymie. Des sons identiques représentent des lettres différentes : ‹ q ›-‹ k ›-/ k /, ‹ ṭ ›-‹ t ›-/ t /, ‹ b̲ ›-‹ w ›-/ v /, ‹ ḥ ›-‹ k̲ ›-/ x /, ‹ ʕ ›-‹ ʔ ›-/ ʔ /, ‹ ś ›-‹ s ›-/ s /, ce qui complique l'apprentissage de la langue. En plus, des phonèmes qui n'existaient pas dans l'hébreu classique ont été ajoutés et il est d'usage d'employer un élément diacritique pour les signaler : / ǧ /-‹ gʼ ›, / ž /-‹ zʼ ›, / tš /-‹ șʼ ›.

2) les voyelles :

Les voyelles de l'hébreu biblique ne sont employées que dans les livres d'enfants, dans la poésie et dans les livres destinés aux apprenants débutants : les signes manquants (les voyelles) présentent une difficulté majeure. Le mot qui s'écrit ‹mspr› peut se lire *mispar* (numéro), *misper* (numéroté), *misefer* (d'un livre), *misapar* (d'un coiffeur), *masper* (numéroter).

À vrai dire, l'hébreu possède aussi des consonnes : ‹ y ›, ‹ w ›, ‹ h ›, ‹ ʔ ›, qui dans certains cas fonctionnent en tant que voyelles, mais leur emploi n'est ni systématique ni stable.

La ponctuation à la fin d'un mot est toujours représentée par une voyelle (à l'exception de la deuxième personne du passé et de la forme possessive). Mais le système n'est pas uniforme : la marque du / o / dans le mot *lo* (non) est ‹ ʔ ›, dans le mot *šilo* (nom d'un endroit) est ‹ h ›, et dans le mot *lo* (lui), ‹ w ›. / e / est représenté par ‹ ʔ › dans le mot *mekane* (envie), par ‹ h › dans le mot *mekave* (espère) et par ‹ y › dans le mot *bne (Israël)* (les fils d'Israël) ; bien qu'en général ‹ ʔ › et ‹ h › représentent / a /, ‹ y › représente généralement / e / ou / i /, et ‹ w › marque / o / ou / u /.

Au milieu d'un mot, la situation se complique : par exemple *min* (de) s'écrit sans voyelle mais *min* (sexe) a une lettre supplémentaire, etc. L'Académie de la langue hébraïque a rédigé un ensemble de règles pour l'orthographe non ponctuée[2], mais le public n'en tient presque pas compte et nous rencontrons des mots comme *šinayim* (dents) qui seront orthographiés ‹ šnym ›, ‹ šynym ›, ‹ šynyym › et ‹ šnyym › ; *ʾoniya* (bateau) s'écrira ‹ ʾwnyh ›, ‹ ʾwnyyh › ou ‹ ʾnyh ›.

B) La prononciation

L'hébreu est la langue commune des immigrants d'origine et de pays différents ainsi que des autochtones descendant de Juifs établis depuis deux ou trois générations dans le pays, d'où la complexité de la situation concernant la prononciation. Une partie des phonèmes de la langue hébraïque classique ont disparu de l'hébreu moderne. Les consonnes emphatiques / q /, / ṭ / et / ṣ / se sont perdues. Les deux premières ont fusionné avec / k / et / t /. La dernière se prononce / ts /. Les pharyngales / ʕ / et / ḥ / ne se retrouvent que chez une partie des immigrants venus des pays arabes ; la plus grande partie de la population les réalise comme / ʔ / et / x /[3]. L'hébreu moderne ne connaît que cinq phonèmes vocaliques : / a, e, i, o, u / et l'accent ne porte pas seulement sur l'ultième ou la pénultième ; pour des raisons de toutes sortes, nous trouvons l'accent portant sur l'antépénultième et il ne change pas dans la flexion : *smi'xa — smi'xot* (couverture-s), *g'lida — g'lidot* (glace-s), *re'xovot — rexo'vot* (le nom de la ville — rues) *'reviʔi — revi'ʔi* (quatrième dans le jeu d'enfants — quatrième).

De même que dans toutes les langues parlées, on observe en hébreu la chute de consonnes et de voyelles.

C) La grammaire

Dans le domaine de la grammaire, les changements sont profonds[4]. Jusqu'ici, nous nous sommes occupés de l'aspect phonologique. Nous ajouterons l'aspect morphologique et syntaxique et nous nous bornerons à n'en présenter qu'un échantillon. Nous trouvons des analogies nombreuses entre les formes des différents verbes, éloignées des normes de l'hébreu classique comme *mekir* (connaît), *mepil* (fait tomber) au lieu de *makir*, *mapil*. Les préfixes, les conjonctions et les prépositions perdent peu à peu les variantes morphophonémiques de l'hébreu classique, par exemple *beiehuda* (en Judée), *lexamor* (à un âne), *vemore* (et le professeur) à la place de *bihuda*, *laxamor*, *umore*, et deviennent uniformes et stables dans le système.

L'accord en genre et en nombre avec le nom n'est pas toujours observé, ce qui cause des irrégularités nombreuses : *šaloš yeladim* au lieu de *šloša yeladim* (trois enfants). De même, de nombreuses formes synthétiques (conformes à la norme de la déclinaison) prennent une forme analytique, par exemple : au lieu de *xaverto* (son amie), *reʔitixa*, (je t'ai vu), *bnei moše* (les fils de Moïse), on emploie : *haxavera šelo ra'iti 'otxa, habanim šel moše*. Cet aspect concerne avant tout la langue parlée et la langue de niveau moyen[5].

Nous trouvons aussi l'ordre des mots *sujet — prédicat* alors que dans la langue classique, l'ordre accepté était *prédicat—verbe — sujet*.

D) Le vocabulaire

Au cours des 40 dernières années, de nombreux mots provenant des langues européennes ont littéralement infiltré l'hébreu, non seulement dans le domaine technologique et scientifique, mais aussi dans tous les aspects de la vie quotidienne : il est difficile d'imaginer une conversation ou un écrit qui ne contienne les mots « objectif, subjectif, inflation, protection, information », etc. Certains mots ont emprunté le

sens de la langue européenne comme *tnuʕa* (voyelle) qui veut dire aussi
« mouvement » et « trafic ».

La phraséologie hébraïque est soumise à l'influence européenne et
les expressions *yerax dvaš* (lune de miel), *lehatsil 'et hamatsav* (sauver
la situation), *laharog ʔet hazman* (tuer le temps), *lehargia ʔet haʕatsa-
bim* (calmer ses nerfs) sont l'adaptation hébraïque d'expressions parallèles allemandes, françaises ou anglaises[6].

À côté de l'absorption de mots nouveaux, d'emprunts sémantiques
et de calques, la langue se voit confrontée par une production lexicale
renouvelée de verbes et de dénominatifs[7]. Cette mode du renouvellement a causé le rejet du vocabulaire de source classique et le mot
mimtar (pluie) est préféré au mot *matar* ou *gešem* (de source classique),
gibuị (appui) est préféré à *tmixa* (mot classique).

La langue familière (l'argot) se renouvelle rapidement et continuellement, chez les adolescents ainsi que chez les jeunes faisant leur
service militaire, mais a tendance à disparaître plus tard. L'influence de
l'argot sur la langue parlée s'explique par le lien étroit de l'armée et de
la population civile[8].

E) Le style

Le lecteur de journal se heurte à un large éventail de styles
différents, depuis le style « jeune et négligé » des rubriques pour
jeunes, la langue standard courante des reportages et des articles de
fond, jusqu'au style assez lourd des articles littéraires. On trouve la
même disparité dans les livres écrits en hébreu, dans les oeuvres
traduites et dans la langue du théâtre où les changements ressortent
spécialement.

Il y a 10 ou 15 ans, il était d'usage d'employer uniquement la
langue standard ou littéraire dans la presse, la littérature et le théâtre, et
d'éviter de se servir de la langue parlée. De nos jours, la tendance est de
rejeter la langue littéraire classique et de se rapprocher de la langue
parlée. De cette façon, la langue parlée pénètre de plus en plus la langue
écrite. C'est ainsi que nous constatons que les livres pour enfants d'il y
a 20 ou 30 ans sont difficilement compréhensibles pour les enfants
d'aujourd'hui qui préfèrent nettement un style écrit proche de la langue
parlée.

Les domaines touchés par la crise de la langue

La crise de la langue englobe tous les domaines: la qualité de la langue employée par les professeurs est en général inférieure à la langue dont se servaient leurs propres professeurs; quant au vocabulaire de leurs élèves, il est des plus pauvres, la qualité de l'expression est très éloignée des exigences standard dans les domaines phonologique, morphologique, syntaxique et stylistique.

Les médias électroniques, radio et télévision, sont aussi touchés. La prononciation « *ashkenazi* » générale a presque entièrement supplanté la prononciation orientale classique. Les speakers ne prennent pas garde à la réalisation du *r* comme consonne vibrante roulée mais la réalisent comme un *r* uvulaire. La langue courante domine. Certains rédacteurs linguistiques veillent au style employé dans les émissions réalisées en studio, mais le style est bien plus négligé sur le terrain.

Comme nous l'avons fait remarquer précédemment, il existe tout un éventail de styles et de niveaux de langue dans la presse. La langue parlée est plus employée dans les articles concernant la famille, la maison, les jeunes (à l'exception des enfants) que dans le reste du journal. Cet état de choses n'existait pas il y a 20 ans dans la presse écrite.

La langue parlée s'est introduite vigoureusement dans les pièces de théâtre modernes, en partie traduites, au cours de ces dernières années, et il en est de même dans la littérature de source hébraïque ou traduite.

Il y a 20 ans à peine, l'abaissement du niveau de langue et l'emploi de la langue parlée quotidienne auraient transgressé un tabou établi et auraient été soumis à la critique virulente des rédacteurs linguistiques.

L'armée est l'une des sources importantes du renouvellement de la langue et du style, par suite de l'imbrication étroite de l'armée et de la société.

Interprétation des raisons de la crise

a) Toute langue, l'hébreu inclus, subit des changements historiques profonds.

b) En hébreu la langue *parlée* a été quasiment ressuscitée au cours du dernier siècle: pendant de nombreux siècles, seule la langue écrite existait pratiquement en tant que langue de correspondance et de liturgie[9]. Les promoteurs de l'hébreu moderne connaissaient parfaitement toutes les sources de l'hébreu classique : les Écritures, la Michna, le vocabulaire midrachique, la poésie, les écrits philosophiques, les textes littéraires, etc. Ils ont exploité toutes les sources pour la formation de l'hébreu moderne (dans le domaine grammatical et lexical) et ont produit une langue hébraïque syncrétique établie sur les bases classiques.

Qui apprenait l'hébreu parlé ? Les nouveaux immigrants adultes se servaient de cette langue renouvelée. Ils apportaient à l'hébreu un bagage sociolinguistique distinct, des habitudes d'expression de leur langue maternelle, des constructions grammaticales différentes dont l'emploi contribuera à créer un curieux mélange linguistique...

Les nouvelles générations dont l'hébreu est la langue maternelle se sont éloignées des sources classiques. Les changements phonologiques et grammaticaux dus à la renaissance de l'hébreu ont encouragé l'éloignement des sources classiques.

c) Facteur sociologique non linguistique : le laxisme occidental influence la tenue linguistique. La liberté des normes de comportement dans l'habillement, la sexualité et les rapports humains se reflète dans le changement du comportement linguistique. Autrefois, on « s'habillait » pour aller à l'Opéra ; plus aujourd'hui. Il en est de même pour la langue : de cultivée, de soignée, elle est devenue familière et populaire.

Les mesures proposées pour corriger la situation

On se rend compte en Israël qu'il est impossible d'imposer les normes grammaticales de la langue biblique ou michnique à la langue syncrétique employée. Par conséquent, l'enseignement de la langue a évolué au cours des années. Il y a 10 ans, l'apprentissage des règles normatives de la phonologie et de la morphologie bibliques représentait le noyau des études linguistiques des lycées. De nos jours, l'accent est mis sur la compréhension de l'évolution linguistique en hébreu moderne. Mais ne nous leurrons pas : l'élève israélien continue à mémoriser d'innombrables règles normatives dans le genre : « Dites ... ne dites pas » qui font partie du programme de l'examen de baccalauréat d'hébreu, mais ne semblent laisser que peu de traces dans l'expression des élèves[10]. Néanmoins, un certain changement s'amorce dans le contenu des programmes : à la compréhension grammaticale (et non à la mémorisation des règles) s'ajoutent l'approfondissement de l'apprentissage du style, de la rédaction syntaxique et la compréhension du fusionnement que présente la langue hébraïque[11]. Comme les nouveaux programmes accentuent la compréhension au détriment de la mémorisation, les élèves connaissent moins la matière de la grammaire classique qu'on apprenait autrefois; aussi est-il très difficile de corriger la situation.

L'Académie de la langue hébraïque, qui a succédé au Comité de la langue hébraïque, est aujourd'hui l'instance suprême de l'emploi de la langue: cependant elle ne fixe pas les normes syntaxiques qui, de fait, n'existent plus. Par conséquent, les critères normatifs classiques ne peuvent être imposés dans l'emploi de l'hébreu.

L'association *Qela*, mentionnée au début de cette étude, est d'importance secondaire et éphémère. Elle essaye de pousser à une réflexion sur la langue mais se révèle pratiquement impuissante.

Réflexions personnelles

Dans notre étude, nous nous sommes servis de critères linguistiques; pourtant notre jugement est un jugement de valeur. Nous avons tendance à parler de « baisse de niveau » de la langue par rapport au passé et à l'hébreu classique. L'hébreu est en pleine période de changement et les raisons principales en sont relevées plus haut. Nous pourrions même suggérer qu'une attitude normative plus stricte soit le fruit de l'opposition à la permissivité actuelle...

Notre opinion personnelle est qu'il est impossible d'endiguer la crise actuelle en imposant des règles. Seule une dynamique linguistique générale de grande envergure, qui englouberait tous les sujets parlants, pourrait éventuellement changer la situation actuelle: ce n'est que par l'éducation linguistique de tous les adultes que la langue des enfants pourrait être améliorée[12].

Remarques et bibliographie

1) Livres décrivant la grammaire hébraïque:

H.B. Rosen (1966), *A Textbook of Israeli Hebrew*, Chicago.

_____ (1977), *Contemporary Hebrew*, The Hague.

R.A. Berman (1978), *Modern Hebrew Structure*, Tel-Aviv.

D. Cohen & H. Zafrani (1968), *Grammaire de l'hébreu vivant*, Paris.

H. Simon (1970), *Lehrbuch der modernen hebräischen Sprache*, Leipzig.

H. Rosen (1957), *Haʿivrit šelanu* (Notre hébreu), Tel-Aviv.

2) « Klale hakktiv ḥasar hanniqqud », *Lešonenu Laʿam*, 1949 (Règles d'orthographe non ponctuée — seconde édition de l'Académie de la langue hébraïque).

3) H. Blanc, « Israeli Hebrew Texts » dans H.B. Rosen (éd.), *Studies in Egyptology and Linguistics*, (1964), Jerusalem, pp. 132-146.

M. Chayen, « Mivṭaʿah šel haʿivrit haisreʿelit », *Lešonenu* 36 (1972): 212-219, 287-300. (L'accent de l'hébreu israélien).

4) Cf. remarque 1 et:

O. (Rodrigue) Schwarzwald (1981), *Diqduq umetsiʾut bapoʿal haʿivri*, Ramat Gan (Grammaire et réalité du verbe hébreu).

5) H. Rosen (1967), *ʿivrit tova*, Jérusalem (Le bon usage de l'hébreu).

6) Concernant l'influence étrangère:

Y. Blau (1976), *Thiyyat haʿivrit uthiyyat haʿaravit hasifrutit*, Jérusalem (La renaissance de l'hébreu et la renaissance de l'arabe littéraire);

A. Bendavid (1965), Letaqqanat lešon haʿittonim, *Lešonenu laʿam* (Règles de la langue journalistique).

7) R. Nir, Hitraḥavut hammillon haʿivri — ketsad? *Lešonenu laʿam* 26 (1975): 249-261 (L'expansion du dictionnaire hébraïque).

8) Référence: les dictionnaires de l'argot:

R. Sappan (1971), *Millon hassleng haisraeli*, Jérusalem (Le dictionnaire de l'argot israélien).

D. Ben-Amots & N. Ben-Yehuda, (1) *Millon ʿolami leʿivrit medubberet*, (2) *Millon ʿaḥul manyuqi leʿivrit medubberet*, Tel-Aviv, 1973, 1982 (Dictionnaire extraordinaire de l'hébreu parlé).

9) Le renouveau de l'hébreu parlé et le fusionnement dans la langue :
R. Sivan (1980), *The Revival of the Hebrew Language*, Jérusalem.
Y. Blau, *op. cit.*
E.Y. Kutscher (1982), *A History of the Hebrew Language*, Jérusalem.
A. Bendavid (1967), *Lešon miqra ulšon ḥaxamim*, Tel-Aviv (La langue biblique et michnique).

10) Manuels de classe :
J. Peres (1965), *ʿivrit Kahalaxa*, Tel-Aviv (L'hébreu correct).
R. Sivan (1979), *Leksikon lešippur hallašon*, Tel-Aviv (Lexique pour l'amélioration de la langue).
J. Rabbi (1977), *śiḥot ʿal haʿivrit*, Tel-Aviv (Conversations sur l'hébreu)
M. Qašṭan (1982), *ʿivrit*, Givataim (L'hébreu).

11) Brochures du Nouveau Programme d'Études :
beqitsur, Jerusalem, 1980 (Résumé) ;
Pirqe dageš (Chapitres de *dagesh*), Tel-Aviv, 1978 ;
Pirqe tnuʿa (Chapitres des voyelles), Jérusalem, 1978 ;
Mišpatim umillim (Phrases et mots), Jérusalem, 1976.

12) O. (Rodrigue) Schwarzwald, « haʿivrit bador haba », *Lešonenu laʿam* 34 (1983) : 180-190 (L'hébreu de la future génération).

XVIII

La crise de la langue en Corée*

par Jai-ho Jeon

Université nationale Kyungpook (Daegu)

* Traduit de l'anglais par la Direction de la traduction du ministère des Communications.

Il existe en Corée une crise linguistique que l'on peut définir en termes de « pollution de la langue » et qui pose un grave problème dans notre société. Cette crise se manifeste surtout dans les domaines du lexique, de l'orthographe, de la grammaire et des structures de phrase.

Lexique

L'assimilation systématique de mots étrangers entrave le développement normal de la langue coréenne.

— L'usage d'un trop grand nombre de mots étrangers, en suscitant une admiration inconsciente pour les puissants pays industrialisés, entrave le développement normal de la culture et du vocabulaire coréens.

— Le mélange de vocabulaires étranger et coréen provoque une formation étrange de mots coréens au mépris des règles normales de la formation des mots. Cela entraîne un chaos grave dans le système linguistique coréen et dans l'enseignement de la langue.

— La préférence pour le vocabulaire étranger tend à diminuer l'intérêt du peuple coréen pour sa langue maternelle ; cela a aussi comme conséquence le mépris des biens fabriqués en Corée.

— Les mots étrangers dominent surtout la langue des affaires, de l'industrie mécanique et de la médecine ; ils représentent environ 60 % du vocabulaire de certaines professions. La majeure partie du vocabulaire introduit récemment comprend des mots d'origines chinoise, japonaise et européenne. Certains mots chinois et européens nous viennent directement de la Chine et des pays de l'Europe, tandis que certains autres nous viennent par le biais du Japon. L'adoption indirecte de mots étrangers rend notre système lexical beaucoup plus complexe et disgracieux.

— Pollution des formules honorifiques : il existe une variété de nouvelles expressions que s'infligent toutes les classes sociales. On en retrouve dans le vocabulaire des fonctionnaires, des militaires, des étudiants, des groupes religieux et d'un grand nombre de groupes de travailleurs industriels. Il est important de noter que l'usage d'expressions honorifiques tend à établir une distinction entre les classes sociales plutôt qu'à inciter au respect des interlocuteurs. Un usage irrégulier de formules honorifiques sème la discorde dans les classes sociales tandis qu'un usage excessif est considéré comme de la flagornerie.

— Pollution par le jargon : on sait que les jargons prolifèrent dans les milieux fermés et défavorisés de la société. Mais, récemment, on a entendu toutes sortes de néologismes hermétiques utilisés dans les services publics et les écoles et par des membres des classes supérieures de notre société. D'habitude, ces mots pullulent chez le peuple plutôt que chez l'élite, chez les démunis plutôt que chez les nantis parce qu'ils sont considérés comme un moyen de communication très pratique pour parler de sujets aussi inconvenants que le sexe, les cartes, les surnoms de professeurs, les récriminations contre les oppresseurs, etc.

— Pollution par les bobards : les canards ne sont pas rares dans notre société où l'existence est une dure compétition. Afin d'empêcher la propagation de rumeurs sans fondement, notre gouvernement s'est appliqué à calmer la tension des relations humaines parmi la population en général.

— Hétérogénéité du vocabulaire de la Corée du Sud par rapport à celui de la Corée du Nord : l'interruption du dialogue a rendu les écarts culturels plus prononcés que jamais entre les deux parties. Le despotisme de la Corée du Nord et la démocratie de la République de Corée semblent contribuer à entretenir l'hétérogénéité du vocabulaire coréen.

Orthographe

— La langue standard et les dialectes tendent à se mélanger dans l'usage du coréen, ce qui entraîne la détérioration de notre système d'orthographe.

— Il existe environ 18 sortes de dictionnaires coréens sur le marché, dont beaucoup présentent à l'occasion des graphies divergentes.

— Il survient une confusion fréquente lorsque vient le moment d'utiliser la consonne coréenne « ㅅ » comme infixe représentant le génitif.

— La mauvaise utilisation des suffixes coréens cause du tort à notre système d'orthographe.

— L'imprécision des frontières phonémiques cause des problèmes d'orthographe.

— Le manque de connaissances étymologiques provoque beaucoup d'erreurs dans l'écriture des mots coréens.

Grammaire

— Les radicaux et les suffixes sont quelquefois confondus.

— Les sons originaux de mots empruntés à la Chine et à d'autres pays ne sont pas systématiquement étudiés depuis l'effritement de la « loi sur le son initial du mot », en coréen.

— Beaucoup de gens n'ont pas de connaissances grammaticales concernant la manière de raccourcir les fins de phrases dans la conjugaison coréenne.

— Certains mots coréens n'ont pas encore été classés.

— Certains suffixes honorifiques coréens sont mal utilisés.

— Même certaines personnes instruites ont du mal à répartir l'unité sémantique des phrases coréennes.

Structure

— L'évolution des médias et des transports incite beaucoup de gens à n'utiliser que rarement l'écriture pour communiquer. En conséquence, l'habileté à construire une phrase s'affaiblit et l'usage de mots en postposition tend à être incorrect.

— La forme passive des langues occidentales est adoptée avec insouciance alors qu'elle n'existe pas dans la langue coréenne.

— La ponctuation est souvent erronée.

Le domaine le plus sérieusement touché est celui du vocabulaire technique utilisé dans la fonction publique.

Les invasions étrangères fréquentes et le fait que l'étude scientifique du coréen ne se fait que depuis peu contribuent à notre crise linguistique.

Des efforts ont été faits pour réviser le système d'orthographe coréen, réexaminer le coréen standard, le romaniser, renforcer le Conseil de la langue coréenne au ministère de l'Éducation et créer un Institut de la langue coréenne dans le but de surmonter ces crises linguistiques.

Ces activités devraient faire l'objet de constants efforts, mais il devrait en être de même en matière de publication de dictionnaires de la langue coréenne standard, de phonétique coréenne et de vocabulaire coréen archaïque.

XIX

Problèmes de chinois contemporain
par Yang Jian

I. Introduction

I.1. Dans ce climat général où beaucoup de pays voient leurs langues menacées de « dégradation » ou de « crise », la Chine ne semble pas faire exception. Dans les revues et les journaux, on indique une régression dans l'emploi du « *putonghua* », langue commune ; on parle de fautes d'orthographe ; on s'aperçoit d'une faiblesse générale des Chinois en expression orale ; on dénonce des facteurs politiques qui exercent une influence fâcheuse sur la langue ; on demande aux journalistes de bien étudier la logique, le chinois classique et les langues étrangères pour éviter trois types de fautes rencontrées fréquemment dans la presse : phrase illogique, emploi inadéquat des formules classiques, fautes provenant d'une influence étrangère. En effet, on voit que les grands journaux et les revues comme les petites publications régionales ne cessent de fournir aux grammairiens des exemples de fautes, et cela finit par inquiéter les autorités centrales, qui voient dans le problème une image peu flatteuse du niveau culturel de l'édition du pays (cf. l'article de Hu Qiaomu dans le *Wenyibao*, nº 24, 1981). Au comble des cris d'alarme, on entend Wang Li relancer l'appel du gouvernement central à une « lutte pour protéger la pureté et la santé de notre langue nationale » (*Quotidien du Peuple*, 9/8/1983, p. 3).

Dans les pages suivantes, nous essaierons de présenter certains problèmes qui agitent actuellement l'opinion publique quant au bon usage du chinois, et qui suscitent une inquiétude de la part du gouvernement, dans la mesure où ils compromettent la normalisation du chinois. Nous les situerons le cas échéant dans un cadre historique et socioculturel pour mieux les comprendre. À cet effet, il nous paraît nécessaire d'évoquer tout d'abord succinctement quelques faits importants dans l'évolution de la langue chinoise et de définir en passant quelques termes spécifiques qui seront souvent utilisés dans cet article.

I.2. La forme la plus ancienne de l'écriture chinoise qu'on connaisse aujourd'hui date d'environ 1401-1122 avant notre ère. Ce sont des textes divinatoires composés de caractères pictographiques et gravés sur des plastrons de tortue.

Des ouvrages anciens rédigés entre 770 et 221 avant notre ère révèlent qu'à l'époque, il existait déjà des langues parlées fort différentes dans les nombreux royaumes féodaux qui partageaient l'ensemble du territoire chinois d'aujourd'hui (cf. Yuan Jiahua, 1983).

Alphabet phonétique chinois
et alphabet phonétique international

	APC	API
Consonnes		
bilabiales	b	[p]
	p	[p']
	m	[m]
labiodentale	f	[f]
apicales	d	[t]
	t	[t']
	n	[n]
	l	[l]
postpalatales	g	[k]
	k	[k']
	h	[x]
dorsales	j	[tɕ]
	q	[tɕ']
	x	[ɕ]
apicodentales (ou rétroflexes)	zh	[tʂ]
	ch	[tʂ']
	sh	[ʂ]
	r	[ʐ]
apicales	z	[ts]
	c	[ts']
	s	[s]
Les tons du chinois		
1ᵉʳ ton	mā	[ma˥]
2ᵉ ton	má	[ma˦]
3ᵉ ton	mǎ	[ma˩]
4ᵉ ton	mà	[ma˨]
5ᵉ ton	ma	[ma·]

	APC	API
Voyelles		
monophtongues	a	[a]
	o	[o]
	e	[ɤ]
	i	[i]
	u	[u]
	ü	[y]
	i	[ɪ]
	i	[ɭ]
	er	[ər, ə]
diphtongues	ai	[ai]
	ei	[ei]
	ao	[an]
	ou	[ou]
	ia	[ia]
	ie	[iɛ]
	ua	[ua]
	uo	[uo]
	üe	[yɛ]
	iao	[iau]
	iou	[iou]
	uai	[uai]
	uei	[uei]
nasales	an	[an]
	ian	[iɛn]
	uan	[uan]
	üan	[yan]
	en	[ən]
	in	[in]
	uen	[uən]
	ün	[yn]
	ang	[aŋ]
	iang	[iaŋ]
	uang	[uaŋ]
	eng	[əŋ]
	ing	[iŋ]
	ueng	[uəŋ]
	ong	[uŋ]
	iong	[iuŋ]

En 221 avant notre ère, le royaume Qin parvint à réunir la Chine sous un pouvoir central après avoir soumis les autres royaumes; et l'empereur Qin Shihuang entreprit, entre autres choses, d'établir l'unité de l'écriture dans toute la Chine par référence au système d'écriture du Qin.

Pendant la longue période de plus de 2 000 ans qui suivit, ce système d'écriture unifié a permis à la langue chinoise de maintenir sa spécificité par rapport aux autres langues asiatiques voisines, sans pour autant supprimer l'existence de diverses formes orales qui allaient s'émiettant et s'éloignant davantage, d'une région à une autre. Le chinois écrit et les chinois parlés se développèrent ainsi en s'écartant de plus en plus les uns des autres.

À partir de la dynastie des Tang (618-907), il parut dans la littérature populaire un nouveau style écrit dit « baihua » (style familier proche des langues parlées), par opposition au style écrit classique appelé « wenyan ». Jusqu'à 1919, c'est ce dernier qui, considéré comme le seul style noble et sérieux, domina le chinois écrit.

Plus tard, vers l'époque de la dynastie des Ming (1368-1644), une forme orale constituée pour l'essentiel d'éléments phonétiques des langues du Nord commença à être employée, d'abord dans le Nord sous le nom de « mandarin », puis un peu partout dans le pays, sous les désignations de « mandarin du sud-ouest », « mandarin du bassin inférieur du Yangtzé », etc., selon qu'elle était plus ou moins adaptée aux systèmes phonétiques régionaux.

En 1919, au cours du mouvement du 4 mai, le « wenyan », considéré comme le symbole de la domination de la culture par le pouvoir central de l'ancien régime, fut remplacé par le baihua, dès lors le seul style admissible dans les écrits publics. Vers la même époque, le mandarin se vit désigner sous le nom de « putonghua » (langue parlée commune) ou de « guoyu » (langue nationale), et continua à se répandre, lentement, parfois à la faveur de l'effort des autorités.

Le 6 juin 1951, le *Quotidien du Peuple*, journal du nouveau gouvernement chinois communiste, publia un éditorial intitulé « Utiliser correctement la langue de la patrie et lutter pour protéger la pureté et la santé de notre langue nationale ».

Le 6 février 1956, à la suite d'un débat dans des journaux et des revues sur l'institution d'une langue officielle, le conseil d'État annonça sa décision de généraliser à l'échelle nationale l'emploi du putonghua comme langue officielle. Celle-ci fut dorénavant définie selon trois critères fondamentaux : la prononciation de Pékin (cette ville étant la capitale du pays depuis 1153 avec seulement une cinquantaine d'années d'interruption), le vocabulaire des dialectes du type nord, et la grammaire illustrée par les oeuvres modèles écrites en *baihua* après 1919. Ainsi commença le processus de normalisation des langues chinoises conformément aux critères du putonghua par rapport auquel elles sont devenues des dialectes.

En 1958, fut mis au point un alphabet phonétique chinois destiné à transcrire le putonghua et, dans l'avenir, à remplacer les caractères chinois dans l'écriture.

II. Problème de la normalisation du chinois parlé

En 1955, Luo Changpei écrivit dans un article à propos de la normalisation du chinois que celle-ci devait s'accomplir par l'incitation et l'orientation, en respectant les développements naturels plutôt que par la voie institutionnelle, puisque cette normalisation représentait une étape historique dans l'évolution naturelle de la langue chinoise. Plus loin il affirmait qu'on devait éviter de recourir à la « réglementation » (*Langue chinoise*, n° 10, 1955, pp. 5-6).

En 1982, pourtant, la situation de la normalisation était telle que la Vᵉ session plénière du Vᵉ congrès national a jugé nécessaire d'inscrire dans la nouvelle constitution l'article qui stipule que l'État généralise l'emploi du putonghua comme langue commune du pays.

Fin 1982, début 1983, le *Quotidien du Peuple* a publié plusieurs articles au sujet de l'utilisation du putonghua parlé. Il s'agit de rectifier d'urgence une situation de régression dans la normalisation du chinois parlé. Cette situation, selon un commentaire du journal, est due aux dix ans de Révolution culturelle (1966-1976) et constitue un obstacle pour les échanges sociaux dans les domaines culturels et économiques. Le journal écrit encore que la normalisation du chinois est une tâche qui demande du temps et des efforts et que, pour l'accomplir, les autorités de tous les niveaux doivent donner activement leur concours et prendre des mesures concrètes. Parmi les mesures effectivement prises par la suite dans des villes où se posaient les problèmes les plus aigus, certaines sont d'ordre administratif et concernent la promotion professionnelle et la recherche d'emploi.

Ailleurs, dans un article sur le même sujet, Chen Zhangtai a montré deux aspects du problème du chinois parlé: l'insuffisance dans l'utilisation du putonghua et dans le niveau de l'expression orale. Il a insisté sur l'importance de ce problème pour la modernisation du pays, la normalisation du chinois parlé constituant une nécessité absolue pour une société moderne caractérisée par le besoin d'information, la vitesse et l'efficacité des communications.

Pour notre part, nous allons présenter quelques aspects de la situation actuelle qui aident à prendre conscience de la complexité du problème.

II.1. Il existe en Chine plus de 600 dialectes (sans compter les langues des minorités nationales) divisés selon des critères phonologiques en 7 grands types. Le plus important, dit type nord (les dialectes de ce type se seraient répandus avec les gens du Nord qui se déplaçaient vers le Sud dans l'Antiquité), englobe les dialectes répartis dans une vaste région qui s'étend de Harbin au nord jusqu'à Kunming au sud en traversant toute la partie centrale et qui, à elle seule, compte environ 70 % de la population totale de la Chine. Le reste des dialectes couvre de façon enchevêtrée la partie côtière sud-est du territoire. Les dialectes du type *Wu* (ceux de Shanghai, de Hangzhou, de Suzhou, etc.) et du type *Yue* (dont le plus important est le cantonais) sont parlés respectivement par 8,5 % et 5,5 % de la population. À l'intérieur de chaque type, les dialectes présentent aussi une diversité plus ou moins grande qui, dans certaines régions, peut rendre l'intercompréhension extrêmement difficile.

Théoriquement, de toute la population chinoise (environ 1 008 200 000 habitants selon le recensement de 1982, sans compter la population de Taiwan), seuls les habitants de Pékin, qui représentent environ 0,91 % de la population (la grande région pékinoise), n'ont aucun problème de prononciation. Si l'on tient compte des habitants des trois provinces du Nord qui ont pour la plupart une prononciation très proche de celle de Pékin, reste encore une très forte majorité de la population (90 %) qui doit apprendre un deuxième système phonétique. Quant aux résultats de l'enseignement du putonghua au bout d'une trentaine d'années, il est difficile sinon impossible de les connaître avec précision. Nous essaierons simplement de nous en faire une idée globale.

Les difficultés de l'apprentissage du putonghua parlé varient selon les dialectes d'origine. Pour donner une simple idée de la diversité et de l'affinité entre les dialectes, voici quelques exemples pris au hasard.

— Comparaison de la prononciation de certains dialectes du type nord pour quelques mots :

	(année)	(détacher)	(pauvre)
Pékin	nian	tɕie	tɕʻyŋ
Shenyang	ɳian	tɕie	tɕʻyŋ
Jinan	ɳiæ	tɕiɛ	tɕʻyŋ
Xian	ɳiɛ̃	tɕie	tɕʻyoŋ
Taiyuan	ɳiɛ	tɕiɛ	tɕʻyəŋ
Lanzhou	liɛn	tɕie	tɕʻyn
Chengdu	nian	kiai	tɕʻyoŋ
Kunming	niɛ	kɛ	tɕʻioŋ
Yangzhou	niĩ	kɛ	tɕʻioŋ
Nankin	liɛ̃	tɕiai	tɕʻioŋ

— Comparaison de quelques expressions dans des dialectes du type Wu et du pékinois :

	(ici)	(là-bas)
Pékin	tʂər	na
Shanghai	tsʻiti / kəmɪ	ɪʔmɪ
Hangzhou	kətauə / kətəkʻue	napie
Cixi	ɣʔdɣ	dõdɣ
Xiaoshan	kətjɣ	xaŋtjɣ

Pour les différences prosodiques, le cantonais fournit un exemple classique : le pékinois possède cinq tons en tout, tandis que le cantonais en possède neuf plus deux variantes tonales significatives.

— Comparaison de l'ordre des mots :

pékinois : [uoꜗ ɹənꜗ puꜗ tʂʻu꜒ tʻa꜒ lə·]

        (je reconnaître ne plus lui : Je ne le reconnais plus)

shanghayen : [ŋuʔ nin i vɣʔ tsʻɣʔ le]

        (je reconnaître lui ne plus : Je ne le reconnais plus.)

— Particules spécifiques des dialectes :

Dans le dialecte de Suzhou, il y a une particule finale [mɣʔtsE] qui exprime consolation, supplication ou menace ; une autre [toʔuE] qui exprime ironie ou étonnement. Pour rendre le même sens en putonghua, on doit recourir à une modification syntaxique et employer d'autres particules propres au putonghua, ou encore laisser la place vide.

Dans le cantonais, il existe une particule verbale qui signifie « reprise d'une action interrompue, retour à l'état originel » :

[ŋɔ· sɪk· *fa:n*⌐ ŋɔ· kɛ· fa:n·]

Je continue à prendre mon repas (après une interruption).

[m̩↓ kɔi⌐ nei· sa:n⌐ *fa:n*⌐ tou↓ mun↓]

Refermez la porte s'il vous plaît.

Le putonghua ne possède pas de particule verbale équivalente.

Étant donné cette diversité, l'apprentissage du putonghua correspond presque à celui d'une langue seconde pour les habitants de certaines régions. En effet, l'effort du gouvernement pour l'extension de cette langue commune a changé la situation linguistique en Chine de l'unilinguisme (usage exclusif du dialecte) en bilinguisme (usage parallèle du dialecte et du putonghua), ceci pour reprendre les termes du *Quotidien du Peuple* (29/12/1983, p. 6).

II.2. Il faut cependant remarquer que cette situation bilingue n'est pas identique dans toutes les régions ni à tous les niveaux, et que cela semble étroitement lié à des facteurs extralinguistiques, notamment la motivation.

Le putonghua se voit popularisé par deux canaux essentiels : l'enseignement scolaire et les médias. Les émissions radiophoniques, les programmes de télévision et les films sont la plupart du temps en putonghua. Les habitants des villes doivent par conséquent avoir une assez bonne compréhension orale d'un putonghua standard. Cela n'est pourtant pas le cas de tous les habitants des régions rurales où les émissions radiophoniques en dialecte occupent la place la plus importante, et où les téléviseurs et les cinémas sont encore rares.

Dans la plupart des cas, un enfant chinois arrive à l'âge scolaire en parlant le dialecte de ses parents. Il n'a guère l'occasion de voyager hors de sa région et donc de parler une autre langue que son dialecte, puisque ses parents n'ont pas de vacances (sauf les enseignants, mais il y a alors un problème de moyens matériels). À l'école, le peu de contact que l'enfant a avec le putonghua dans les cours de chinois s'avère insuffisant pour l'amener à changer de parler : dans d'autres cours, les enseignants préfèrent utiliser le dialecte ; en dehors de la classe, l'enfant communique toujours en dialecte avec ses camarades et sa famille. En outre, à mesure que le niveau d'études s'élève, l'importance accordée à la prononciation du putonghua diminue, tant du côté des élèves que du côté des enseignants. À la campagne, l'enseignement du putonghua se trouve négligé dès les premières années scolaires. Selon une enquête réalisée par Li Rong dans une région rurale du Zhejiang (*Langue chinoise*, n° 2, 1966, pp. 94-104), des quatre besoins qui motivent les parents en envoyant leurs enfants à l'école, trois sont liés à la nécessité de transcrire les dialectes, un seulement fait appel à la connaissance du putonghua, encore s'agit-il de la compréhension écrite, à savoir, la lecture de modes d'emploi concernant les engrais chimiques.

Normalement, les études primaires ne suffisent pas pour permettre de parler le putonghua. Or, la situation de l'enseignement primaire dans tout le pays est estimée à une proportion de « 3:6:9 », c'est-à-dire que 90 % des enfants en âge scolaire sont entrés à l'école; que 60 % ont continué jusqu'au bout; et que 30 % seulement ont terminé leurs études avec succès. Dans les cinq provinces du nord-ouest (la Mongolie intérieure, le Ningxia, le Qinghai, le Gansu, le Shanxi) dont la population compte environ 160 millions et est relativement jeune, cette proportion est de « 2:5:8 » (*Quotidien du Peuple*, 2/12/1983, p. 3). Quant aux études secondaires, pour toute la population, 17,7 % ont terminé le premier cycle, 6,6 % le deuxième.

Grâce aux études secondaires, les jeunes des villes peuvent tout de même parvenir à se débrouiller en cas de besoin avec un putonghua régional, ce qui est loin d'être le cas à la campagne. En supposant que tous les habitants des villes et des petits bourgs aient appris à parler plus ou moins le putonghua, cela ne ferait que 20,6 % de la population (et cela ne veut pas dire que ces locuteurs utilisent tout le temps le putonghua, comme l'espèrent les autorités). Le reste des Chinois vit à la campagne, où les conditions scolaires sont telles qu'elles ne peuvent pas donner un enseignement satisfaisant du putonghua parlé.

Après les études secondaires, la plupart des jeunes trouvent un emploi dans leur région natale, où ils devront généralement passer une bonne partie (sinon tout le reste) de leur vie en parlant leur dialecte natif. En fait, l'organisation administrative en Chine favorise une vie tellement immobile et locale que beaucoup n'ont pas besoin ni l'occasion d'améliorer leur performance orale en putonghua. Selon les statistiques du Ningxia, 98,8 % des habitants de la région demeurent là où ils sont de façon permanente; 0,6 % d'entre eux seulement ont la possibilité de sortir librement dans d'autres provinces (*Démographie et Économie*, n° 3, 1984, pp. 21-24).

Quant à l'avenir, en fonction des situations économiques et démographiques de la Chine, les spécialistes proposent presque unanimement une conception de l'urbanisme caractérisée par la construction de nombreux petits bourgs dans les régions rurales pour y recevoir les paysans qui voudraient sortir de la population agricole, laquelle représente aujourd'hui 82,71 % de la population totale.

Dans cette perspective, la motivation réelle serait plutôt faible chez la majorité des Chinois pour parler le putonghua, à moins qu'on ne fasse appel à des mesures administratives. En tout cas, à l'heure actuelle, en dehors des Pékinois et des gens du Nord, ceux qui parviennent à parler le putonghua avec aisance sont généralement poussés par des raisons pratiques, ou alors sont entraînés par l'entourage. Ce sont ceux qui travaillent dans des postes exigeant une parfaite maîtrise du putonghua parlé; ceux qui quittent leur région natale pour aller étudier, travailler, même s'installer définitivement dans une autre région où ils sont obligés de recourir à cette langue commune pour se faire comprendre; ceux qui par leur métier voyagent beaucoup ou assistent souvent à des réunions nationales; enfin ceux qui sont dans l'armée, où la nécessité absolue de l'intercompréhension immédiate et précise rend l'utilisation du putonghua impérative.

II.3. Pour des raisons historiques (l'unité graphique face à la diversité phonétique), dans bien des dialectes on prononce différemment les mêmes mots selon qu'il s'agit de les lire dans un texte ou de les dire dans la parole libre. Ce phénomène peut aller jusqu'à créer une série de synonymes dont les uns proviennent de la langue écrite, les autres relèvent de la parole typiquement dialectale. Par exemple, dans des

dialectes du type *Wu*, le mot « 味 *wei* [ueiↆ] » (goût, odeur) peut se prononcer [vi] dans la lecture et [mi] dans la parole; le « genou » peut

se dire [çiʔ kɛ] qui vient de « 膝盖 *xigai* [çi˥ kaiↆ] » du putonghua, ou [tɕiʌʔ kʻuedɤ] prononciation propre aux dialectes de Shanghai et de Hangzhou. Le dialecte de Xiamen (Amoy), sur ce point, présente un cas extrême où l'on trouve presque deux systèmes parallèles de prononciation.

Certes, on constate là une influence de la langue écrite (en l'occurrence le putonghua) sur les dialectes; et d'aucuns voient en cela un mécanisme par lequel les éléments du putonghua se substituent peu à peu à ceux des dialectes. Cependant, si les dialectes absorbent des éléments lexicaux du putonghua, leur système phonétique et prosodique se trouve rarement touché. Dans les cas cités ci-dessus, il s'agit simplement d'utiliser des syllabes déjà existantes dans le dialecte, mais qui signifient autre chose ailleurs, pour prononcer les mots du texte ([ɕɪʔ] et [kɛ] signifient respectivement « se reposer » et « couvercle » dans la parole dialectale); on se contente de reproduire les sons du putonghua de façon approximative avec les sons du dialecte (cf. aussi Li Rong, p. 96). En effet, on peut lire un texte écrit en putonghua avec la pure prononciation d'un dialecte. Et quand bien même on arriverait à parler comme on lit, sur le plan lexical et syntaxique, ce serait idéal pour la normalisation; mais sur le plan phonétique le problème resterait toujours irrésolu. On peut dire que le fait de pouvoir prononcer différemment dans la lecture et dans la parole spontanée en respectant toujours le système phonétique du dialecte permettrait à celui-ci de mieux se conserver, au moins de prolonger sa survie, puisque ce double système adoucirait l'influence du putonghua en l'adaptant à un nouveau code dialectal.

Par contre, le putonghua tel qu'il est parlé par les bilingues subit presque toujours des distorsions plus ou moins graves, dont certaines touchent son système phonologique même. Par exemple, certains traits phonologiques du putonghua et les oppositions qu'ils permettent sont absents dans les dialectes, y compris des dialectes du type nord (par exemple: alvéolaire—postpalatal, alvéolaire—rétroflexe, etc.). Lorsque ceux qui ont l'habitude de parler ces dialectes apprennent à parler le putonghua, souvent ils ne parviennent pas à distinguer correctement des couples comme: / ts /: / tʂ /, / ts' /: / tʂ' /, / s /: / ʂ /, / -n /: / -ŋ /, / n /: / l /, etc.

Pourtant, dans les énoncés réels de la communication, l'absence systématique de la distinction de ces couples ne gêne pratiquement pas l'intercompréhension. Quand quelqu'un dit:

[li in kɛ ts'ɪ ko fɛn tsɛ k'ɛn tiǐ sɪ]

on comprend facilement qu'il veut dire:

[niↄ in˥ kai˥ tʂ'ʅ˥ kuoↄ fanↄ tsaiↄ k'anↄ tianↄ ʂʅↄ]

(Tu dois regarder la télévision après avoir mangé.)

Il en va de même pour bien d'autres fautes. Un Cantonais dirait:

[ŋɔ ɕi ti ɤ kɤ lai ti]

et on comprendra cet énoncé comme:

[uoↄ ʂʅↄ tiↄ ərↄ kə· laiˊ tə·]

(Je suis venu le deuxième.)

Si bien que ce genre d'amalgames, constituant des « formes idiomatiques hybrides » (Weinreich, 1968), passe souvent pour tolérable et fini par se fixer chez nombre de bilingues. D'ailleurs, l'existence dans le putonghua de tant d'homonymes (cf. II.4.) rend l'opposition de certains traits phonologiques pratiquement dépourvue de valeur absolue: en la supprimant, on ajoute tout simplement à la liste d'homonymes et cet inconvénient se trouve, comme toujours, compensé par le contexte linguistique et situationnel. Aussi serait-il plus réaliste de penser qu'un putonghua parlé par plus d'un milliard de personnes n'est concevable que par référence à un critère d'acceptabilité fondé sur un vaste système de variantes. Sans une forte pression sociale, peu de gens jugeront nécessaire de s'appliquer à prononcer le putonghua à la perfection. Le fait est que même la prononciation des Pékinois dévie du putonghua tel qu'on l'entend à la radio, et manifeste dans son évolution des changements qui inquiètent les normalisateurs. Par exemple, il se répand actuellement à Pékin une tendance à prononcer les sons dorso-alvéolaires par la position apico-alvéolaire. On prononce ainsi :

[tsin˥ tian˥] au lieu de [tɕin˥ tian˥] (aujourd'hui),

[siau˩ si˥] au lieu de [ɕiau˩ ɕi˥] (ruisseau).

Ce phénomène, constaté d'abord chez les jeunes filles, finit par atteindre certains speakers et acteurs de cinéma. Cette forme est considérée par les linguistes comme contraire au sens général de l'évolution phonétique du chinois, celle-ci datant du Moyen Âge (VIIᵉ-XIIIᵉ siècles). De même, les Pékinois prononcent une consonne labio-dentale [v] à la place de la semi-voyelle initiale [u-], ce qui n'est pas conforme au critère du putonghua, non plus (cf. Chen Zhangtai).

Il ne serait pas exagéré de dire que malgré l'influence puissante d'un putonghua normalisé, les dialectes évoluent sur tous les plans, chacun suivant sa loi, mais ne tendent pas toujours à se rapprocher des normes. Citons un autre exemple. Chaque dialecte possède des moyens particuliers pour remplir la « fonction émotive » du langage (Jakobson 1963). Ces moyens constituent souvent une partie fondamentale de la langue, puisqu'ils permettent au sujet parlant de « s'exprimer », au sens littéral du terme. Ces moyens semblent difficilement remplaçables par les éléments du putonghua, d'autant plus qu'ils se renouvellent périodiquement en fonction des facteurs psychologiques et des règles internes du dialecte. Alors, le putonghua s'avère souvent trop faible pour remplir ce besoin, puisqu'il n'est lié à aucune communauté linguistique précise et n'exprime pas les sentiments particuliers des gens qui, à force de parler leur dialecte, ne « s'expriment » que dans une forme vernaculaire. Dans le pékinois, sont apparues depuis ces dernières années quantité d'expressions qui se rapportent aux jugements affectueux (cf. Chen Zhangtai). Parallèlement, d'autres dialectes en font autant. Pour exprimer l'idée majoritive (« c'est bon, c'est formidable, c'est magnifique, c'est extraordinaire », etc.) on a dans le pékinois et dans le shanghayen des expressions dont certaines sont très récentes :

pékinois	shanghayen
tʂən˥ paŋ˩	lɔ tia kə ia
tʻai˩ paŋ˩ lə·	xʌʔ tia
mei˥ tʂʅ˩ lə·	m̩ məʔ fiɛ fiuo le
tɕye˥ lə·	tin tʻʌʔ le
kai˩ lə· maur˩ lə·	ɪʔ tɕɪʔ le
pɤr˩ tʂʻoŋ˩	

Cette réalité orale met constamment en question les normes lexicales du putonghua : ou bien il faudrait accorder la légitimité à de nouvelles expressions pour enrichir le vocabulaire normalisé ; ou bien il faudrait admettre une situation où l'emploi du putonghua pour beaucoup de Chinois serait restreint à certains domaines.

Dans le cadre de ce paragraphe, nous pouvons encore indiquer des phénomènes qui montrent le rapport entre la normalisation et les facteurs psychosociologiques.

Les habitants de la région des dialectes du type nord se donnent généralement moins de peine pour apprendre à parler le putonghua. Ils n'ont pas beaucoup de difficultés à comprendre ou à se faire comprendre quand ils vont dans le Nord ; dans d'autres régions où les dialectes leur sont incompréhensibles, c'est aux natifs de faire un effort pour les comprendre et pour parler le putonghua. Aussi, beaucoup gardent toujours leur accent dialectal.

Les personnages importants ne se préoccupent guère d'apprendre le putonghua. Bien plus, dans les films, les acteurs qui jouent leur rôle doivent apprendre à parler leurs dialectes. Et cela, malgré les difficultés éventuelles pour le public, et malgré la critique des revues. En fait, pour le putonghua, langue de prestige, on dirait qu'il existe des catégories de personnes (personnages importants, paysans des régions reculées, etc.) qui sont à l'abri de l'« insécurité linguistique » (Labov, 1976). Par contre, chez ceux qui ont intérêt à parler comme les Pékinois, on ne manque pas de constater le phénomène de l'« hypercorrection » : sur le [-r] final, ou sur les couples / ts / : / tʂ /, / tsʻ / : / tʂʻ /, / s / : / ʂ /, / -n / : / ŋ /, par exemple. On en trouvera des exemples dans la thèse de Deborah S. Darison sur le changement linguistique à Tianjin (*Journal de l'université de Nankai*, n° 2, 1984, pp. 60-65).

II.4. Au cours de cette campagne pour donner un nouvel essor au putonghua, on a estimé que deux villes posaient les plus grands problèmes : Shanghai et Canton (cf. *Quotidien du Peuple*, 29/12/1982, p. 3 ; *Quotidien Guangming*, 5/12/1984, p. 1).

Shanghai est la plus grande ville de Chine, avec presque 12 millions d'habitants. Dans les secteurs de l'industrie légère et du commerce, cette ville jouit en Chine du plus grand prestige. Sur le plan de l'enseignement, le nombre de personnes ayant terminé leurs études secondaires y est le plus élevé — soit 2 034 personnes sur 10 000. Les Shanghayens, à vrai dire, ne manquent pas d'aptitude à l'apprentissage des langues (à en croire l'estimation de nombre d'enseignants de langues étrangères) ; leur résistance au putonghua s'explique plutôt par un problème d'attitude que nous serions tentés de mettre au compte du régionalisme. Les Shanghayens donnent souvent l'impression qu'ils sont fiers d'une origine à laquelle ils se montrent très attachés (cela se reflète par exemple dans le choix du lieu d'affectation des étudiants shanghayens après leurs études supérieures faites à Pékin ; cela se reflète également dans le fait que les Shanghayens vivant et travaillant à Pékin, depuis longtemps ou depuis peu de temps, préfèrent toujours parler leur dialecte entre eux). À Shanghai, on parle très peu le putonghua à l'école ; dans les services publics, le sentiment xénophobe à l'égard de ceux qui ne parlent pas le shanghayen se manifeste de telle manière qu'il fait souvent l'objet d'attaques dans les journaux (par exemple : *Quotidien du Peuple*, 7/8/1983, p. 2).

Quant à Canton, il est évident que le problème de la langue (la préférence linguistique des habitants) n'est pas sans rapport avec les nombreux contacts économiques et commerciaux entre les habitants de la ville et ceux de Hong-Kong. Pour ceux-là, l'utilité pragmatique du cantonais est incomparable. Dans les postes les plus alléchants pour les jeunes (là où l'on est en contact avec les gens venant de Hong-Kong), on exige des employés une parfaite performance en cantonais plus une maîtrise relative en anglais et en putonghua. Il faut dire aussi qu'aux problèmes d'ordre psychosociologique s'ajoutent d'importantes différences linguistiques entre le dialecte cantonais et le putonghua, différences qui soulèvent de sérieuses difficultés pour l'apprentissage de ce dernier. À l'oral, le cantonais, pour un Pékinois, constitue une langue étrangère, tout autant que le japonais ou le vietnamien. À l'écrit, on pratique souvent la transcription du cantonais avec des caractères qui s'éloignent considérablement de ceux du putonghua tant dans leur nature sémantique et syntaxique que dans leur forme phonétique et graphique, ce qui donne des phrases écrites incompréhensibles pour qui ne parle pas le cantonais. À Canton, à l'heure actuelle, outre des émissions radiophoniques en dialecte très fréquentes, on voit encore des chaînes de télévision exclusivement en cantonais. Il existe même une tendance dans la province de Canton à ériger le cantonais en langue commune.

III. Problème de la normalisation du chinois écrit

Par « fautes d'orthographe », nous entendons ici toutes les fautes concernant l'écriture et l'emploi des caractères chinois.

III.1. Les problèmes constatés dans l'écriture et dans l'emploi des caractères sont en partie liés aux inconvénients inhérents au système de l'écriture chinoise. Celle-ci, dite idéographique ou logographique, est constituée de caractères monosyllabiques composés, chacun d'une manière spécifique, par un certain nombre de traits. Ces caractères fonctionnent avant tout en tant qu'unités sémantiques minimales, et leur nombre est de l'ordre de plus de 50 000. Or, il existe bien moins de combinaisons monosyllabiques dans le chinois, ce qui fait que des caractères différents doivent correspondre à la même forme phonétique. D'où une grande quantité d'homonymes. S'il est vrai, du point de vue d'une langue commune, que les caractères entretiennent « une double liaison » avec le sens et le son (cf. M. Cohen cité par V. Alleton, 1970 : 10), il n'existe cependant pas une correspondance entre la forme phonétique et la forme graphique telle qu'on peut découvrir l'une d'après l'autre : tant qu'on n'a pas fait l'apprentissage d'un caractère, on ne sait pas comment le prononcer en le voyant, ni inversement comment l'écrire pour transcrire une syllabe signifiante. Du point de vue de l'ensemble de la situation linguistique en Chine, les caractères n'ont pratiquement plus de lien déterminé avec le son : les dialectes, se voyant imposer un système unique d'écriture, prêtent en revanche de multiples formes phonétiques aux caractères. En outre, il n'existe pas d'équivalents graphiques pour tous les signifiants dialectaux ; on recourt alors à deux procédés : ou bien on emprunte des caractères comme signes phonétiques (prononcés à la manière dialectale) en les modifiant sémantiquement, d'où les homographes ; ou bien on en crée d'autres, uniquement à l'usage d'un dialecte, ce qui augmente le nombre des caractères chinois dont beaucoup sont des synonymes (ou des variantes, du point de vue de la normalisation).

Pour le gouvernement actuel, la tâche de la normalisation du chinois écrit s'accomplira en deux étapes consécutives. Dans la première étape, la normalisation vise l'unification à deux niveaux: graphique et lexical, autrement dit au niveau de l'écriture et de l'emploi des caractères (puisqu'un caractère chinois implique en soi une graphie et une fonction sémantico-syntaxique). À cet effet, il s'agit de procéder à une sélection des caractères les plus utiles au chinois moderne, de simplifier autant que possible leur écriture et de définir leur sens (et leur prononciation). Par conséquent sont proscrits nombre de caractères créés à l'usage des expressions dialectales, et d'expressions où les caractères sont empruntés improprement comme signes phonétiques.

Dans la deuxième étape, il sera question de réformer radicalement l'écriture chinoise en remplaçant les caractères par l'alphabet phonétique chinois. À l'heure actuelle, cet alphabet sert surtout de moyen auxiliaire pour l'apprentissage de la prononciation du putonghua. Son utilisation dans d'autres domaines est extrêmement restreinte (à noter que, lors- qu'on utilise les lettres pour transcrire les syllabes chinoises en sigle, par exemple « *hang zhou zhi yao chang* » en « HZZYC », on les épelle en les prononçant à l'anglaise), abstraction faite d'un domaine récent et prometteur: l'informatique.

La normalisation du chinois écrit est considérée comme une con- dition préalable à la réforme de l'écriture. Celle-ci, quant à elle, est considérée comme le seul moyen pour adapter l'écriture chinoise aux besoins d'une société modernisée.

III.2. À l'heure actuelle, le *Dictionnaire du chinois moderne* (1980) compte environs 14 700 caractères pour 1 330 syllabes. Dans la presse et les livres les caractères de la plus haute fréquence sont au nombre de 3 755 (statistique officielle obtenue par une enquête sur les publications des années 1975-1976).

Évidemment, à cette étape, les inconvénients des caractères chinois restent toujours les mêmes, surtout pour ceux qui ont l'habitude de parler leur dialecte. Ceux-ci doivent faire un triple effort (plus ou moins grand selon la distance entre le putonghua et leur dialecte) pour mémoriser l'écriture, la prononciation et l'emploi des caractères, dont certains comportent jusqu'à plus de 30 traits, d'autres se distinguant par la place d'un petit point.

Il découle de cette complexité excessive que les fautes d'écriture (et de prononciation) sont extrêmement fréquentes et touchent non seulement les écoliers, mais également les adultes cultivés (y compris les enseignants, car dans les articles qui traitent de ce problème on finit toujours par insister sur l'importance de la compétence des enseignants). Chez les enfants de la campagne, l'influence dialectale conduit souvent

à l'emprunt incorrect (par exemple « 告化子 *gao-hua-zi*

[kauˇ xuaˉ tsı·] » pour « 叫化子 *jiao-hua-zi* [tɕiauˇ xuaˉ tsı·] » mendiant) (cf. *Instituteurs de chinois à l'école primaire*, nᵒˢ 1. 5. 1983; nᵒ 4, 1984).

Dans les journaux et les livres imprimés, on rencontre d'autres types de fautes dans l'emploi des caractères. On voit par exemple

« 贼诗 *zei-shi*, poème insidieux, sournois » à la place de

« 赋诗 *fu-shi*, composer un poème »: faute due à la négligence mais lourde de conséquence: on se trompe d'un caractère et on produit un autre sens. Quelqu'un, pour attirer l'attention sur ce genres de fautes, a cité comme exemple un livre de 161 pages où il avait relevé 106 fautes (*Quotidien du Peuple*, 13/11/1982, p. 5). On voit encore le type

de fautes dues à l'homonymie: « 反应 *fan-ying*, remarque, opinion

publique » à la place de « 反映 *fan-ying*, reflet ».

Un autre problème classique, dû au décalage entre le son et la graphie de l'écriture chinoise, concerne la traduction des noms propres d'origine étrangère. Étant donné la priorité de la fonction sémantique des caractères, on préfère dans la plupart des cas une traduction sémantique pour les noms communs. Mais pour les noms propres, une transcription phonétique s'impose, et les traducteurs peuvent alors choisir les caractères chacun selon ses critères quant à la ressemblance de la prononciation et quant aux connotations liées au sens originel des caractères. De là vient la confusion dans la traduction des noms propres. Il existe des dictionnaires pour unifier la traduction dans ce domaine, mais on peut encore voir des lecteurs se plaindre que des noms géographiques lus dans les journaux ne se trouvent pas dans les atlas.

(par exemple: 特里波利 *te-li-bo-li* et 的黎波里 *de-li-bo-li* sont tous deux pour Tripoli, au Liban; cf. *Quotidien du Peuple*, 31/12/1983, p. 5).

Dans certains domaines, la normalisation du chinois écrit peut rencontrer des obstacles d'une autre nature : le vocabulaire normal du putonghua paraît insuffisant. À la campagne, les besoins immédiats des paysans ont rendu nécessaire le fait que plusieurs maisons d'édition (centrales et locales) publient des manuels complémentaires où l'on trouve des caractères créés uniquement pour transcrire des expressions et mots dialectaux d'utilité quotidienne et agricole (voir *Nong Cun Za Zi*, « caractères variés à l'usage de la campagne », Éditions pédagogiques du peuple, Pékin, 1964, et Éditions du Peuple du Shanxi, Xian, 1965). En médecine, la médecine traditionnelle conserve un vocabulaire spécifique dont certains caractères ne se trouvent pas dans le *Dictionnaire du chinois moderne*. Ce sont par exemple des caractères qui désignent les points d'acuponcture (膻 prononcé [tan√] dans 膻中 *dan-zhong*), ou les symptômes (㿠 prononcé [xuaŋ√] désignant une pâleur spécifique). La médecine moderne n'en a pas moins besoin de caractères spécifiques pour désigner les médicaments occidentaux. Ces caractères sont souvent peu usités et peuvent être créés uniquement à cette fin. À ce sujet, le *Quotidien du Peuple* (10/12/1983, p. 5) a publié un article demandant de ne plus compliquer davantage le vocabulaire des médicaments occidentaux.

À Canton, le problème se pose à deux niveaux. D'abord on remarque que les caractères anciens sont de plus en plus souvent préférés aux caractères simplifiés. Dans les lieux publics, bien des indications (noms des boutiques et des restaurants, par exemple) sont en caractères complexes. Ce phénomène semble en rapport avec le fait que les gens de Hong-Kong viennent de plus en plus nombreux et qu'eux ne comprennent pas les caractères simplifiés. Et puis, il y a toujours dans les journaux locaux des expressions dialectales, transcrites en caractères selon la prononciation du cantonais.

La normalisation du chinois écrit concerne encore un domaine important où le problème devient très délicat : la langue de la littérature (et du cinéma). Vers la fin des années 50, on a assisté à un débat au sujet de l'utilisation des expressions dialectales dans les oeuvres littéraires. La discussion s'est déroulée autour de quelques romans caractérisés, entre autres choses, par l'utilisation systématique d'expressions dialectales dans les dialogues des personnages ruraux (cf. *Langue chinoise*, nº 5/7/1959). (Citons les plus importants : Zhou Lïbo : *Grands changements dans un village montagneux*, dialecte du Nord-Est ; *Orage*, dialecte du Hunan ; Liang Bin : *Hongqipu*, dialecte du Hebei.)

Les auteurs soutenaient comme un principe que les écrivains se devaient de peindre les personnages avec fidélité en reproduisant toutes leurs caractéristiques, dont leur langage. Les partisans de la normalisation objectaient que cela porterait atteinte à la pureté de la langue commune nationale et que l'abondance d'expressions vernaculaires transcrites avec des caractères extraits de leur usage habituel gênerait la compréhension des oeuvres par le grand public. Le débat s'est terminé par la réaffirmation des principes qui, admettant que le putonghua devait s'enrichir des apports dialectaux utiles, réinsistaient sur la nécessité de normaliser la langue littéraire. Depuis lors, on trouve de moins en moins de traces dialectales dans les oeuvres littéraires et artistiques, où prévaut un putonghua de plus en plus standard. Quelquefois, des expressions typiquement régionales du Nord peuvent paraître dans des romans ou des films (citons les romans de Jiang Zilong; citons aussi un film récent sur la vie des habitants de Pékin: *Rue Crépuscule*). Mais depuis une trentaine d'années, les expressions dialectales du Sud (types *Wu*, *Yue*, *Xiang*, *Min*, *Gan*, etc.), étant par définition plus éloignées des normes, sont donc a priori à éviter (ce qui n'était pas le cas dans les cinq derniers siècles où les dialectes du Nord et du Sud ont contribué tous à la formation du *baihua*). En 1954, Wang Li a soulevé un problème: les gens qui n'habitent pas dans la région des dialectes du type nord laissent appauvrir leur langue dans leurs écrits, parce que d'un côté ils n'osent pas utiliser leurs propres expressions dialectales, et que, de l'autre, ils ne connaissent pas celles du Nord. Les remèdes proposés font appel à la « puissance créative » des écrivains dans le cadre des principes de la normalisation (*Langue chinoise*, n° 6, 1954, p. 17).

IV. Problèmes du chinois classique

Au début des années 50, on condamnait l'emploi des procédés stylistiques et des mots et expressions sentant le moindre archaïsme. Aujourd'hui, on critique seulement les fautes dans leur emploi. Cette modification correspond à un changement d'attitude envers le *wenyan*, chinois classique, et nous révèle un problème au niveau pédagogique.

IV.1. Autour de 1919, les partisans du *baihua*, dans un but nettement idéologique, préconisaient un style écrit utilisant exclusivement des mots et des structures syntaxiques employés par les masses populaires dans leur langage parlé et réduisaient ainsi les vestiges du *wenyan* au minimum. Lin Shu, homme de lettres renommé, s'opposait à cette attitude en signalant que, selon ce critère, les colporteurs des rues pourraient fort bien assumer la chaire de professeur de chinois à l'université (cf. Zhu Ziqing, Lu Xun dans Zeng Qinrui, Lin Shu dans Liou Shousong).

Au début des années 50, le nouveau gouvernement chinois exigeait également que la presse utilisât un langage accessible à tous les travailleurs et épuré des formules et des procédés archaïques. Les expressions comme

与，   及，   抵达   此间   简介   致电
yu   *ji*   *di-da*   *ci-jian*   *jian-jie*   *zhi-dian*

美机   两度   莅临   沆瀣一气
mei-ji   *liang-du*   *li-lin*   *hang-xie-yi-qi*

再接再厉   变本加厉   日臻完善   , etc.
zai-jie-zai-li   *bian-ben-jia-li*   *ri-zhen-wan-bei*

ont été à l'époque stigmatisées en termes de « formules mortes », « cadavres raides », « archaïsme pourri », « ordures et souillure dans notre langue » (cf. *Langue chinoise*, n° 1, 1954, pp. 6-15).

Or, depuis une dizaine d'années, après 1976 plus précisément, on constate, à travers les journaux, un retour du style classique. On retrouve non seulement toutes les expressions condamnées citées plus haut, mais on observe encore une tendance à rechercher la régularité syllabique des phrases, quitte à employer des mots peu usités, à mélanger les styles, ou même à ne pas respecter les règles syntaxiques. Et cela, dans les grands journaux (*Quotidien du Peuple, Quotidien Guangming*) comme dans les petits. Voici quelques exemples :

« 荐   贤   为   国   非   为   私 »
jian   *xian*   *wei*   *guo*   *fei*   *wei*   *si*

« 碑   帖   释   文   舛   误   多 »
bei   *tie*   *shi*   *wen*   *chuan*   *wu*   *duo*

« 风   声   鹤   唳   总
feng   *sheng*   *he*   *li*   *zong*

统   官   邸   安   全   可   虞
tong   *guan*   *di*   *an*   *quan*   *ke*   *yu*

担　　心　　挨　　炸　　　白
dan　　*xin*　　*ai*　　*zha*　　　*bai*

宫　　增　　设　　防　　空　　导　　弹 »
gong　　*zeng*　　*she*　　*fang*　　*kong*　　*dao*　　*dan*

Peut-on justifier ce retour au classique par le niveau d'éducation des Chinois qui serait plus élevé que naguère ? Mais on en conclurait alors qu'en définitive le *baihua* (par conséquent le putonghua pour l'essentiel) représente un niveau inférieur de la langue chinoise. Quoi qu'il en soit, le sentiment linguistique des Chinois est, à l'heure actuelle, que là où l'on a besoin de rigueur, de profondeur, de concision ou d'humour, on doit nécessairement recourir aux procédés lexicaux et syntaxiques du chinois classique. Même pour les formules de politesse, on s'aperçoit que le putonghua est très pauvre ; si bien que certains proposent de restaurer l'usage de formules de politesse du chinois classique, au moins pour l'écrit (cf. *Politesse et Formules de politesse*, Éditions de Pékin, 1983, p. 88).

Pour comprendre ce changement d'attitude envers le chinois classique, on peut supposer que certains facteurs sociaux y ont leur part. Remarquons par exemple le rôle politique qu'ont joué les poèmes en style classique vers la fin de la Révolution culturelle (1975-1976) ; le retour au pouvoir des personnes âgées dans les domaines culturels et artistiques après 1976 ainsi que leur prestige culturel symbolisé par leur connaissance du chinois classique ; le rapport entre l'enseignement du *wenyan* et l'éducation patriotique ; etc.

On pourrait aussi penser que c'est une justice rendue au chinois classique puisque, dès le départ, on n'a pas délimité judicieusement dans le *wenyan* la partie « utile » pour le chinois moderne et la partie « désuète » : les partisans du *baihua* en 1919 étant poussés par des motifs idéologiques ; les grammairiens des années 50, malgré leur point de vue plus scientifique sur le lien entre le chinois classique et le chinois moderne, étant préoccupés d'abord de populariser un putonghua élémentaire.

IV.2. L'enseignement du *wenyan* à l'école secondaire a pour objectif de permettre la lecture des textes faciles en *wenyan* ; au niveau supérieur, on adopte le principe de « la bonne qualité de travail sur une petite quantité de textes », ce qui est contraire à la méthode traditionnelle d'apprentissage du chinois. D'ailleurs, même au niveau supérieur, la connaissance du *wenyan* n'est destinée qu'à servir d'outil pour d'autres recherches. Cet enseignement suppose que l'élève n'a pas besoin d'apprendre autant de caractères qu'auparavant, ni de s'appliquer à utiliser les formules du *wenyan*. Actuellement, un élève doit en principe maîtriser 4 000 caractères à la fin du premier cycle d'études secondaires. Cependant, à en juger par les copies d'examen d'admission à l'université, le vocabulaire des élèves est généralement inférieur à ce chiffre : beaucoup de candidats, à la fin du deuxième cycle d'études secondaires, ont encore des difficultés pour les caractères les plus usuels. Selon l'article de deux instituteurs, les élèves de leur école connaissent seulement de 2 400 à 3 000 caractères après le premier cycle d'études (cf. *Instituteurs de chinois à l'école secondaire*, 9/12/1983). En ce moment, dans les revues consacrées à l'enseignement du chinois à l'école, un des sujets souvent traités est de savoir comment élargir le vocabulaire des élèves.

Avec la revalorisation sociale du chinois classique, l'insuffisance des connaissances de la langue chez beaucoup de Chinois (au niveau lexical et stylistique notamment) se révèle plus fortement et devient un problème. Certains cherchent à donner du « sel » à leur expression écrite avec des expressions classiques, mais ils ne parviennent pas à les employer adéquatement, surtout en ce qui concerne les expressions figées dont l'emploi est strictement déterminé par l'usage quant aux nuances sémantiques et affectives : ou bien ils se trompent de sens, ou bien ils font des pléonasmes en associant une expression classique à une expression du putonghua. D'autres essaient d'imiter le style classique et finissent par employer un style bâtard mi-archaïque mi-familier. Dans les revues telles que *Langue chinoise*, *Front de la Presse*, on relève souvent ce genre de fautes dans la rubrique intitulée « maladies courantes de la langue » ou « hôpital pour les écrits ». Dans les petits journaux locaux qui échappent aux censures sévères, on sent plus clairement, devant l'abondance de fautes ou de tournures maladroites, que bien des auteurs accumulent des formules classiques pour rendre leurs articles plus « nobles », mais qu'ils ont beaucoup de peine à maîtriser ce style prestigieux et ne parviennent qu'à faire un pastiche médiocre.

On peut certes évoquer ici un problème ancien et universel : la corrélation entre la vulgarisation (en l'occurrence la simplification du chinois pour le rendre accessible à tous) et la baisse du niveau. Mais on peut également envisager le problème de la baisse du niveau dans une autre perspective : la continuité de la langue chinoise et l'enseignement du chinois. Sans doute existe-t-il des différences entre le chinois classique et le chinois moderne. Au niveau lexical, le chinois moderne tend à multiplier les expressions dissyllabiques alors que dans le chinois classique ce sont les mots monosyllabiques qui dominaient ; d'un côté le chinois moderne, surtout le putonghua, utilise un vocabulaire plus restreint, de l'autre côté celui-ci se trouve enrichi d'apports étrangers. Au niveau syntaxique, les différences peuvent porter sur l'ordre des mots (dans le chinois classique on antéposait le complément d'objet direct, par exemple), sur les fonctions grammaticales des mots, sur l'emploi des mots « vides » (auxiliaires, prépositions, conjonctions, etc.). Cependant les affinités entre le chinois classique et le chinois moderne passent pour plus importantes que les différences (cf. *Dix leçons sur la grammaire du chinois classique*, Shanghai, Éditions pédagogiques, 1980). Du reste, sur le plan stylistique, le chinois classique fournit un stock de procédés dont le chinois moderne ne peut se passer, étant donné qu'il a conservé le même système de caractères monosyllabiques et de tons. Lin Shu avait déjà montré avant 1919 que pour savoir bien écrire en *baihua* il fallait d'abord bien maîtriser le *wenyan*. Ces propos, accusés de conservatisme, semblent pourtant coïncider avec le fait que les auteurs dont les oeuvres sont jugées dignes de servir de modèles pour la grammaire du putonghua possèdent tous une parfaite maîtrise du *wenyan*. Avant la Révolution culturelle, des linguistes ont également parlé de l'importance du *wenyan* pour l'étude du chinois moderne (cf. Zhang Zhigong : *Lecture du « wenyan » et l'étude du chinois moderne* dans *Éducation du Peuple*, n° 10, 1962). Il y a donc lieu de se demander si l'on peut négliger l'enseignement-apprentissage du chinois classique sans risquer de voir tarir la source du chinois moderne. On peut aussi se demander si ce phénomène paradoxal de mode pour les formules et les procédés classiques et en même temps d'incapacité à les employer adéquatement n'est qu'un symptôme des faiblesses dont souffre le chinois moderne à cause d'un enseignement qui l'a par trop coupé de sa source. De 1965 à 1976, on a pratiquement délaissé le *wenyan* à l'école ; à l'heure actuelle, sous l'impulsion de l'éducation patriotique et d'un colloque au sujet de l'enseignement du *wenyan* (1983), on affirme de nouveau que cet enseignement constitue une partie intégrante de l'enseignement du chinois et influence directement le niveau de celui-ci. On se rend compte que la négligence de l'enseignement du *wenyan* créerait dans quelques dizaines d'années un fossé dangereux entre les futures générations et leur patrimoine culturel (cf. *Instituteurs de chinois à l'école secondaire*, n° 11, 1983). Le changement du côté des enseignants se fait vite voir ; mais, pour ceux qui ont manqué l'apprentissage du *wenyan*, et qui travaillent tous maintenant, les lacunes ne se combleront pas du jour au lendemain.

V. Problème des influences étrangères

Les exemples d'emprunts lexicaux aux langues étrangères sont innombrables dans le chinois moderne. Normalement, l'utilisation de ces termes d'origine étrangère ne pose pas de problème. Ce que l'on remarque à l'heure actuelle comme des fautes dues aux influences étrangères se situe souvent au niveau syntagmatique:

— Surcharge de la partie déterminante antéposée. En chinois, les relatives postposées sont impossibles et certains traduisent les relatives d'autres langues par des successions de locutions déterminantes antéposées. Or, d'habitude, les déterminants et, d'une façon générale, les phrases ne doivent pas être très longs en chinois.

— Maladresse dans la structuration des phrases. Certains traducteurs n'arrivent pas à bien ordonner les divers rapports exprimés par les successions de propositions dans des langues européennes, et produisent des phrases chinoises maladroites et ambiguës, quelquefois même incompréhensibles. Dans ce genre de cas c'est évidemment à la fois le niveau en langues étrangères et le niveau en langue maternelle des traducteurs qui est en question.

— Association incorrecte des déterminants avec des termes empruntés. Par exemple, on discute dans les journaux pour savoir s'il est juste de qualifier « 水平 *shui-ping* » (« *level* » de l'anglais) de « 最好 *zui-hao* » (« *the best* »). Les linguistes comme Wang Li jugent le procédé faux et même ridicule; d'autres justifient cette association par le fait que, dans certaines circonstances, la formule « *zui-hao-shui-ping* » constitue une évaluation générale tout à fait logique et compréhensible: une baisse en prix de revient et une augmentation en production et en profit donnent un « *best level* » pour l'ensemble des indices.

— Omission incorrecte des sujets à cause de l'emploi inadéquat des prépositions; omission des conjonctions nécessaires en chinois (en français et en anglais, on n'emploie pas en même temps « même si...mais... », « quand bien même... cependant... », ou « *even though... but...* », « *although... nevertherless...* »; or, en chinois, on doit souvent employer des couples de conjonctions pour exprimer ce rapport de concession).

Nous remarquons en passant un autre phénomène très fréquent en ce moment chez les Chinois qui comprennent une à plusieurs langues étrangères : enseignants, étudiants, interprètes, etc. Il leur arrive de parler un chinois mêlé de nombreux mots étrangers, cela d'abord par commodité, puis par habitude, jusqu'à ne plus s'en passer, jusqu'à ne plus savoir s'exprimer oralement en pur chinois. Ce phénomène, Wang Li l'a déjà critiqué en 1954 (p. 17), et pourtant il s'est répandu de nos jours.

À examiner de près l'évolution de la langue chinoise depuis 1919, époque où les partisans du *baihua* se sont appliqués à la traduction littéraire et philosophique pour mettre en pratique leur théorie sur la langue, on s'apercevra de l'influence énorme des langues européennes sur la syntaxe (et le vocabulaire) du chinois moderne par le biais de la traduction. On voit par exemple l'introduction dans le chinois des constructions syntaxiques telles que la postposition de la proposition de condition, l'incise, l'extension de l'emploi de la voix passive, la juxtaposition des attributs ou des verbes prédicatifs (types : il est musicien et peintre ; il ne peut ni ne veut partir), etc. On voit aussi une

modification dans l'emploi de certaines conjonctions : « 和 *he* »,

« 以及 *yi-ji* » (et, ainsi que) se placent désormais avant le dernier mot de l'énumération, par exemple (cf. Wang Li, 1980, vol. II). En fait on pourrait penser que le chinois moderne est encore en voie d'évolution, ce qui expliquerait la grande souplesse ou influençabilité syntaxique qu'on constate à l'heure actuelle. À vrai dire, la définition de la grammaire du putonghua est fort ambiguë : les auteurs des oeuvres modernes sont nombreux et tous ne respectent pas les mêmes règles grammaticales. La traduction de Lu Xun est critiquée par beaucoup comme une transposition forcée de phrases étrangères ; le langage de Lao She paraît difficile sinon bizarre par endroits aux gens du Sud parce que typiquement pékinois ; Lao She, de son côté, a montré une fois qu'un poème de Bian Zhilin, écrivain et traducteur renommé, était bourré de fautes de logique et de syntaxe. Le fait est que, jusqu'ici, aucune grammaire normative n'est assez connue et respectée par les Chinois pour qu'ils adoptent les mêmes critères d'acceptabilité quant à la correction des phrases. Pas même parmi les linguistes. Un grammairien contrastif traduit « *he will be working then* » par

« 那时他将在工作 *na-shi-ta-jiang-zai-gong-zuo* » ; un autre linguiste le corrige en soutenant qu'il est plus chinois de dire

« 那时他正在工作 *na-shi-ta-zheng-zai-gong-zuo* »
(cf. *Langue chinoise*, nº 5, 1983, p. 393).

VI. Problème de l'influence des facteurs politiques

Les Chinois se voient périodiquement livrés à des mouvements politiques qui sont caractérisés chacun par quantité de nouveaux stéréotypes spécifiques (on en trouve facilement dans n'importe quel journal chinois). Ceux-ci sont répétés par tous les médias et pénètrent dans les domaines littéraires et artistiques, si bien que ce vocabulaire constitue une partie importante (et même intégrante) du putonghua. Il se peut que, chez certaines personnes, ce vocabulaire soit mieux acquis que d'autres connaissances sur la langue; il arrive également que la vie politique cause des changements linguistiques plus ou moins importants. Nous nous contentons ici de citer deux exemples qui donneront l'idée de ce problème, ressenti par beaucoup de Chinois, mais qui est à étudier de façon plus approfondie:

— Près d'un village, où l'on peut rencontrer beaucoup de charrettes à chevaux, il est écrit en un lieu public:

马	栄	奋斗	cheval + caractère inconnu + lutter
ma	?	*fen-dou*	de toutes forces (au sens idéologique)

ce qui est absolument incompréhensible. En réalité, l'auteur aurait voulu dire:

马	带	冀	兜	cheval + porter + crottin + sac
ma	*dai*	*fen*	*dou*	Les chevaux doivent porter des sacs à crottin.

Comme il ne savait pas comment écrire les mots signifiant « sac à crottin », il les a remplacés par des homonymes qui, par contre, sont hyperfréquents dans des phrases du type: « lutter de toutes forces pour réaliser les quatre modernisations », « lutter de toutes forces pour édifier un socialisme du modèle chinois », et sont par conséquent mieux connus (voir *Quotidien du Peuple*, 10/7/1982, p. 5).

— Il existe une distinction entre les membres du Parti communiste (ou de la Ligue de la Jeunesse) et le reste des Chinois, ceux-ci étant classés dans la catégorie des « masses populaires ». Au niveau administratif, un Chinois doit préciser dans tous les formulaires s'il est membre du parti ou s'il appartient aux « masses populaires ».

Peu à peu, ce terme collectif « 群众 *qun-zhong* » (masses populaires) est devenu une étiquette qu'on colle sur les individus, et on se met à dire et à écrire « 一个群众 *yi-ge-qun-zhong* » (« un masses populaires », cf. en français « un cadre ») comme on dit « 一个党员 *yi-ge-dang-yuan* » (un membre du Parti). Cela finit par provoquer une grande indignation chez certains qui considèrent que cet emploi souille la langue chinoise (emploi erroné d'un nom collectif pour désigner un individu) et qu'il témoigne de mépris à l'égard de ceux qui ne sont pas dans le Parti (voir *Quotidien du Peuple*, 26/3/1983, p. 1 et 22/4/1983, p. 1).

VII. Conclusion

Qui dit « problème » ou « crise » d'une langue se réfère à une norme. Les « problèmes » présentés jusqu'ici à propos du chinois ne sont tels que dans le cadre du processus de la normalisation, par rapport aux normes du putonghua.

Dès le départ, il a été question d'écarter le putonghua de trois sources d'influences défavorables (dialectes, *wenyan*, langues étrangères) où, pourtant, il doit puiser constamment sous peine de s'appauvrir ou de devenir un usage néo-classique coupé des langues parlées. Telle semble être la situation paradoxale qui se trouve à l'origine de beaucoup de problèmes constatés.

De même que la normalisation du chinois s'impose au gouvernement pour des raisons politiques, économiques et culturelles, et que la définition du putonghua en tant que langue commune s'appuie sur des faits historiques, de même les problèmes linguistiques qui font obstacle au processus de normalisation sont liés à des facteurs politiques, pédagogiques, économiques et psychologiques. De ce point de vue, le problème de l'expression orale des Chinois fournit un cas typique de l'intervention des facteurs extralinguistiques. Si, à l'heure actuelle, les

Chinois ont pour la plupart des difficultés à bien ordonner leur discours libre, c'est tout simplement à cause du manque d'exercice. Et si on ne s'exerce pas à s'exprimer librement, à discuter, c'est parce qu'on n'en a ni l'envie ni l'occasion : d'une part, à l'école comme ailleurs, on risque d'encourir de lourdes conséquences en prenant trop de licence verbale ; d'autre part, on doit toujours répéter ce qui est dit dans les livres ou dans les journaux. À cela s'ajoutent aussi des problèmes dus à la situation bilingue : on en voit qui sont très éloquents et pleins d'humour dans leur discours en dialecte, mais pas en putonghua, qui exige un effort d'apprentissage.

Et nous n'avons pas parlé des problèmes de l'alphabétisation de l'écriture chinoise qui, selon certains, mettraient en danger la civilisation chinoise. Nous n'avons pas non plus présenté la situation linguistique à Taiwan et à Hong-Kong, qui posera de nombreux problèmes pour la normalisation du chinois lorsque la Chine aura repris Hong-Kong, et que Pékin et Taiwan seront réunifiés. La société chinoise subit en ce moment une transformation considérable qui aura sûrement sa répercussion dans la situation linguistique. Les normes entreront en conflit avec l'évolution des langues et finiront toujours par évoluer elles aussi. Après tout, une langue ne fonctionne ni n'évolue seulement en fonction des normes et de la logique des grammairiens ; pas plus qu'une société ne se transforme selon l'idéal des sociologues. C'est d'ailleurs grâce à cela que la langue chinoise a fonctionné et fonctionnera toujours assez bien pour répondre aux besoins de la société, même si elle entraîne des « inconvénients » et des « fautes de logique ».

Bibliographie sommaire

Ouvrages :

WANG Li (1982), *Histoire du chinois*, Pékin, Librairie Zhonghua.

YUAN Jiahua (1983), *Dialectes chinois*, Pékin, Éditions Réforme de l'Écriture.

LIOU Shousong (1981), *Histoire de la nouvelle littérature chinoise*, Pékin, Éditions Littérature du Peuple.

ZHU Ziqing : « Le baihua idéal », dans *Oeuvre complète de Zhu Ziqing*, Hong-Kong, Librairie Weiji, pp. 299-301.

ZENG Qinrui (1981), *Bibliographie commentée de Lu Xun*, Chengdu, Éditions du Peuple, chap. 84.

Rédaction collective : *Dix leçons sur la grammaire du chinois classique*, Shanghai, Éditions Pédagogiques.

U. WEINREICH (1968), « Unilinguisme et multilinguisme », dans *Le Langage*, Encyclopédie de la Pléiade.

V. ALLETON (1970), *L'Écriture chinoise*, Coll. Que sais-je ? n° 1 374.

R. JAKOBSON (1963), *Essais de linguistique générale*, Éditions de Minuit.

W. LABOV (1976), *Sociolinguistique*, Éditions de Minuit.

Périodiques :

Quotidien du Peuple

Instituteurs de chinois à l'école primaire

Instituteurs de chinois à l'école secondaire

Langue chinoise

Recherches démographiques

Démographie et Économie

Éducation du Peuple

Front de la Presse

Journal de l'université Nankai

Quotidien Guangming

Canton-Soir

Shanghai-Soir

(Les références précises des articles importants sont données dans le texte. Les exemples concernant la terminologie de la médecine traditionnelle sont fournis par le Dr S. Franzini.)

XX

Pour une critique de la crise

par Alain Rey

Éditions Le Robert (Paris)

« Crise des langues »? Sans aucun doute, cette expression recouvre un vrai problème, et renvoie à une difficulté vécue par bien des sociétés. Est-elle entièrement appropriée? Le contenu même de cet ouvrage montre que non, et ceci doublement. *Crise* est peut-être un mot français bien choisi; mais il suffit de rappeler son histoire pour révéler ses ambiguïtés. *Langue*, on le verra, est beaucoup plus douteux, et sujet à confusions.

Le grec *krisis* vient d'un verbe qui signifie « décider ». Mais cette décision cesse vite d'être humaine et devient celle d'un destin résultant de l'évolution parfois dramatique des choses. Cependant, la crise d'une maladie — tel est le premier emploi du mot en français — peut aboutir à une fin heureuse, aussi bien que tragique. L'extension des emplois correspond ensuite à une spécialisation dans le contexte du danger et du drame. *Crise* désigne une situation difficile, aiguë, et s'applique de plus en plus à la société, aux phases de l'histoire. L'économie, la politique deviennent pour cette notion des champs privilégiés, à tel point que — la conscience des évolutions aidant — toute société moderne est plus ou moins conçue comme vivant une crise. État aigu et dangereux, la crise tend à être perçue aussi comme un milieu inconfortable, mais durable, et à s'identifier à l'inévitable et tragique incertitude des sociétés humaines en devenir. Alors, le mot devient une sorte de pléonasme, et ne s'oppose plus qu'à une sorte d'immuabilité heureuse et mythique. « Crise ou utopie », tel devient le dilemme, bien plus que « crise ou équilibre ».

Cette notion, qui ne fait sans doute qu'incarner le sens douloureux de l'histoire, s'applique naturellement aux éléments clés qui articulent tout groupe humain, et l'on ne saurait s'en étonner. « Crise de la langue » ou « crise des langues » s'oppose ainsi, dans une vague appréhension, à la généralité panchronique de cette fonction humaine générale qu'est le langage. Car on ne parle guère de « crise du langage », dans les idiomes où — comme en français — on peut distinguer les notions de « langage » et de « langue ».

Comme en matière d'économie, ou de politique, « crise » correspond ici au sentiment d'un stade particulier, important et chargé de menaces. Permanente illusion, qui porte sur une situation contemporaine, et l'oppose à un passé écrasé par la perspective et à un avenir fantasmé. Mais il reste vrai que, même au cours de la plus longue histoire, les structures sociales, politiques, économiques connaissent des temps plus ou moins calmes, et de violentes tempêtes. « Crise des langues » se ressent d'un effet métaphorique, issu des connotations de « crise sociale », voire de « révolution », et de « crise économique ».

Il s'agit là, encore et toujours, d'un objet social et même strictement sociologique. Or la « langue » — entendant par là « langue
naturelle » — échappe en partie à ce caractère. L'aspect durable, la
lenteur évolutive, la profondeur inconsciente des structures, l'indépendance évidente par rapport aux institutions sociales volontairement
élaborées (États, régimes juridiques) et même par rapport aux « infra-
structures », tout ceci met les langues — en tant que systèmes théoriques — hors de portée des concepts servant à penser l'histoire immédiate, l'économie, la politique et la sociologie. La vraie « crise » d'une
langue, ce serait, par exemple, la transformation séculaire par laquelle
le latin — appauvrissant sa morphologie casuelle, acquérant une rigidité
nouvelle dans l'ordre des mots (ceci compensant cela), voyant évoluer
phonétiquement son vocabulaire fondamental — produit une série diver-
gente d'idiomes qui, après de complexes évolutions et des échanges
d'influences, deviendront les langues romanes. Longue « crise » inaper-
çue et pour laquelle notre expression ne s'appliquerait guère. Par
contraste, on parlerait sans doute de « crise » pour qualifier la disparition relativement rapide d'une langue faute de locuteurs — et déjà, il ne
s'agit plus de la langue, système abstrait, mais bien de sa prise en
charge expressive et communicative par une communauté.

Et c'est bien ainsi qu'il faut entendre l'expression, qu'on peut
l'entendre, grâce à la polysémie — sans doute ambiguë et regrettable —
du mot « langue ». Ici, le linguiste doit oublier son savoir théorique, et
accepter de confondre la langue avec les discours, avec l'usage, avec la
norme, voire avec les conditions d'apprentissage ou la maîtrise individuelle.

Les différents chapitres de cet ouvrage offrent des perspectives
variées, mais s'accordent pour mettre en avant quelques aspects, très
spécifiques, dans l'immense ensemble que forme le langage-objet. Le
linguiste et le sociolinguiste, à un pôle, insistent sur la variation
linguistique, base de l'expression et de la communication dans la réalité
sociale, pour aboutir à un jugement concernant le sentiment de crise. À
l'autre pôle, l'éducateur, le politicien et le journaliste dramatisent les
difficultés de l'apprentissage d'une variété normalisée de parler, identi-
fiée sans précaution à « la langue », en oubliant souvent de s'interroger
sur la signification des conflits d'usages et sur leur solution. Le premier
doutera de la « crise » et soulignera démocratiquement le caractère
égalitaire du rapport entre chaque locuteur et son système linguistique ;
le second déplorera les défaillances d'une « maîtrise » et accumulera les
jugements de valeur négatifs, se référant à une situation passée ou idéale
bien préférable. C'est reconnaître que le langage-objet est modelé par le

métalangage, par la manière de parler des langues, des usages, des normes ou de l'apprentissage.

Je voudrais indiquer ici, brièvement, les dimensions générales du problème, à l'intérieur desquelles se situe, avec de notables différences, chaque situation concrète. Tout d'abord, il convient de distinguer, on vient de le voir, la situation du langage-objet, telle qu'elle est analysable de manière scientifique — ou plutôt, selon une intention scientifique — de celle du métalangage spontané, qui manifeste des connaissances, mais aussi des sentiments, des illusions, des préjugés, plus ou moins gouvernés par l'idéologie du groupe et par les pulsions des individus, l'un et l'autre profondément socialisés. Le métalangage est, lui aussi, étudiable, mais beaucoup plus difficilement.

L'évolution du système de chaque langue — phonologie, syntaxe, morphologie — est irrégulière, mais toujours lente et continue ; peu ressentie, elle ne fait guère l'objet d'autres réflexions que celles des linguistes historiens et n'alimente pas la problématique plus immédiate de la « crise des langues ». Tout au plus, la pointe extrême de l'iceberg donne lieu à des réactions culturelles, par référence ponctuelle à un état des choses antérieur : on critiquera l'abandon des témoins de règles disparues ; par exemple, en français, la prononciation [gaʒœr] au lieu de [gaʒyr] pour *gageure*.

C'est dans le domaine des variations plus nombreuses (géographiques, sociales) et plus rapides que l'évolution est ressentie comme « critique » et la variation comme dangereuse, voire scandaleuse : les objets concernés sont alors la phonétique, plutôt que la phonologie (on se préoccupera de la répartition entre *r* apical, en recul, et *r* vélaire, normalisé, dans le français de France, ou de la présence et de l'absence du *e* dit « muet »), et surtout le lexique. Mais ce domaine n'est plus celui du système abstrait, théoriquement descriptible, de la « langue » (au sens saussurien) ; c'est déjà celui des usages.

Car le sentiment de variété dommageable, face à un désir d'unité, et celui d'impermanence, face à l'image plus ou moins mythique d'un équilibre satisfaisant, concernent un objet plus concret, entièrement socialisé — et donc pluriel. C'est ici que le concept de « langue » s'efface au profit de l'expérience d'une pluralité d'usages, parmi lesquels, consciemment ou non, est considéré un sous-ensemble. Ce sous-ensemble est en partie extrait de la variété observable des habitudes de langage, et partiellement issu d'une attitude métalinguistique ; il s'agit des normes. Le réglage complexe de ces normes, qui tendent à s'unifier en « la-norme-du-langage » (appelée par confusion « la langue »), mais aussi à se diversifier selon les groupes sociaux dominants, qui ne sont jamais un seul (contrairement à des illusions sociologiques assez fréquentes), voilà l'élément objectif majeur de la « crise des langues ». Cet ouvrage même est clairement articulé sur un précédent recueil, consacré à la *Norme linguistique*.

La juxtaposition d'usages divergents d'un même système linguistique (qu'il s'agisse de l'anglais, de l'arabe, du chinois, de l'espagnol, de l'italien, de l'allemand ou du français, pour énumérer des langues fortement concernées) ne pose guère de problèmes aux sociétés, aux nations et aux États, tant qu'il s'agit d'isolats de faible communicabilité. L'éparpillement des dialectes et patois gallo-romans ne devient une question sociale que lorsqu'un État royal de France ambitionne d'exercer son pouvoir sur ces populations linguistiquement diverses, bien qu'appartenant toutes à un ensemble langagier et culturel bien distinct. À certaines époques, une communication élitaire, mais très large, est ainsi assurée par des langues mortes, parce que leurs variations peuvent être maîtrisées par recours à une norme figée, statistiquement déduite d'un corpus de discours « canoniques »: telle est la situation du latin après le triomphe des « vulgaires » romans.

Dans le monde contemporain, la crise des langues n'est un thème important que parce que les zones politiques sont vastes et que la communication concerne de grandes unités sociales: la plupart des entités politiques, culturelles ou langagières qu'on peut distinguer sur la planète. Le critère fondamental est alors celui de l'intercompréhension: presque nulle entre langues de nature éloignée, faible mais existante entre langues de nature comparable, soit structurellement (l'ensemble danois-suédois-norvégien; à un moindre titre: espagnol-catalan ou russe-ukrainien-biélorusse-bulgare; moins encore: français-italien), soit lexicalement (créole français-français, où l'intercompréhension spontanée est quasi nulle, mais où des bribes de communications s'acquièrent assez rapidement). Entre l'intercompréhension excellente des variantes régionales du français en Europe — si l'on excepte des problèmes phonétiques ponctuels — et celle, beaucoup plus partielle et parfois faible, entre dialectes allemands, italiens ou chinois, tous les degrés existent.

Les maladies de l'intercompréhension sont en effet « critiques » lorsqu'il s'agit d'une langue qui se veut unique ou unifiée — pour des raisons en général politiques plus que culturelles. On le verra ici pour le chinois; on aurait pu le voir pour l'arabe. Dans les deux cas, la lutte pour dégager à partir d'éléments préexistants ou pour construire *une* norme, afin de constituer le centre vivant de l'intercommunication, peut aboutir à des résultats, souvent sous la forme d'une diglossie (l'exemple du norvégien est bien connu). La diglossie est probablement la forme la plus répandue de bilinguisme interne à une société, le bilinguisme étant probablement la situation statistiquement la plus normale sur la planète.

L'illusion ou la volonté d'unilinguisme est à la base de bien des discours normatifs et d'attitudes puristes. Les sociétés à plurilinguisme obligé, absorbées par de difficiles problèmes d'apprentissage et d'équilibre entre langues ou entre dialectes, ont moins d'énergie à dépenser pour célébrer les vertus intangibles d'un état de langue unique et privilégié. Elles savent que la norme est en partie une construction, et non pas une donnée (fictive) de l'histoire.

C'est pourquoi la réaction aux questions posées par la « crise des langues » est assez différente lorsqu'il s'agit de communautés en cours de réglage linguistique sur le plan de la communication (avec plusieurs systèmes ou plusieurs variantes sociales d'un même système) ou de communautés où une norme a, généralement et majoritairement, prévalu. Elle sera aussi différente selon que le système linguistique correspond, grosso modo, à un État ou, au contraire, à une zone plus importante. Ainsi, avec des données sociolinguistiques assez comparables, le chinois et l'arabe vivent des conflits et tentent des solutions différentes. Dans les deux cas, des attitudes communes se dégagent pourtant : en fait, elles portent, soit sur des caractéristiques universelles du langage (rapport de la pensée et de l'« expression ») ou des caractéristiques générales, différemment incarnées par chaque langue (rapports de la langue orale et de sa notation graphique, relations entre la « logique » et le discours en langue naturelle, etc., équilibre entre fond lexical hérité et emprunts...), soit sur des facteurs non linguistiques affectant l'usage des langues (systèmes éducatifs, apprentissage de l'écriture, planification, régulation ou aménagement administratif et politique ; stratégie de production des discours, de la littérature à l'Administration ou aux médias).

La « crise des langues », pour les sociétés qui se posent la question — c'est-à-dire pour la plupart des sociétés industrialisées et pour quelques autres —, c'est avant tout une crise de facteurs sociologiques, incluant dans cet adjectif les dimensions les plus conscientes (culturelles, politiques) et les plus cachées (idéologiques, économiques, militaires ou policières, par exemple).

La perception de cette crise, les façons d'y réagir, de l'aborder, de tenter de la surmonter, nous conduisent à un autre aspect des choses, celui du métalangage. Car pour percevoir que le matériel langagier pose problème — qu'il s'agisse de la phonologie ou de la syntaxe, de la variation des usages, de l'expression et de la communication, de l'évaluation qualitative des discours, des stratégies de la parole... —, il faut conceptualiser et exprimer, utiliser des terminologies. Ce métalangage sous-tend des « métadiscours » de nature variée : discours des linguistes, des pédagogues, des politiques, des journalistes, des usagers eux-mêmes. Existe même une « métalangue de bois »... Et un autre axe de classification se dégage immédiatement, concernant notre question : les linguistes, on l'a dit, ne parlent pas de « crise », concernant la langue. De leur point de vue, ils ont raison. D'autres parlent bien de « crise », mais qu'ils croient ou non parler de la « langue », il s'agit toujours d'autre chose. Sans prétention à l'exhaustivité ni à la rigueur taxinomique, voyons de quoi donc il peut alors s'agir.

L'objet de la crise, ce sont des structures et des fonctions, envisageables dans la durée (comme le résultat d'une histoire) ou dans l'abstraction d'une immédiateté, et qui concernent toutes la *sémiotique* globale de la langue — et non pas la langue seule et en elle-même. Entendons par là structures et fonctions mettant en oeuvre à la fois les signes, leurs effets et leurs utilisateurs. Les signes, c'est-à-dire les langues, les usages, les normes et les discours — pour déployer les distinctions saussuriennes enrichies par Hjelmslev — ; les effets des signes, et leurs rapports aux locuteurs, c'est-à-dire toute la sociologie du langage, avec ses questions clés : le droit à la parole, le réglage des codes par les groupes comme exercice spécifique d'un pouvoir hiérarchique, l'évaluation des discours, le droit à la maîtrise de ces codes langagiers — dont l'écriture est un cas particulier, mais essentiel — ; le droit à la critique et à la sanction. Et aussi les implications techniques de ces fonctions : politique de traduction, d'apprentissage de la norme en langue maternelle et des langues dites étrangères, avec une monstrueuse sélectivité (impliquant tous les problèmes liés à l'éducation et à l'école), politique du livre de classe et du dictionnaire, politique littéraire, politique du discours scientifique et technique, politique des médias...

Cet ensemble est vaste et complexe, sinon confus. Toute classification y dépend d'une perspective : celle du pédagogue sera différente de celle du politique (alors même que ce dernier se préoccupe de pédagogie), celle du littéraire de celle du scientifique.

Ce qui semble pertinent, c'est de distinguer les facteurs opérant à chaque niveau de la société, de l'individu à la nation, par rapport à l'articulation théorique (langues, usages, normes, discours) et par rapport à la pragmatique du langage. Ainsi, en considérant les langues en tant que systèmes et l'ensemble social d'un État, on peut décrire la

situation plurilingue de la Suisse ou de l'U.R.S.S. : équilibre et déséqui-
libres des communautés langagières, frontières, dominances, échanges
(emprunts), et la considérer (ou non) comme critique. Dans la même
situation, la question des discours et des aptitudes au discours conduira
à envisager les traductions, les jugements de valeur, les niveaux pédagogiques atteints pour chaque langue. La situation sera profondément
différente si un État présente une juxtaposition d'unilinguismes (avec
relativement peu d'effet bilingue), ou si le bilinguisme individuel y est
fréquent ; si le contact des langues y est relativement égalitaire en terme
de prestige (cas de la Suisse, sauf pour le romanche) ou profondément
inégalitaire : mais ici, le métalangage et ses jugements de valeur interviennent. On peut soutenir que flamand (ou, si l'on veut, néerlandais) et
français de Wallonie, que français québécois et anglais nord-américain
sont en relation (relativement) égalitaire ou, au contraire, inégalitaire
(selon les appréciations) ; mais on peut difficilement juger que les
créoles français des Antilles aient le même prestige et le même poids
que le français standard. Ce problème de prestige est essentiel pour
évaluer les situations de langage en Afrique, par exemple.

   Toute la question, autant et plus que celle de la norme, dépend en
effet de jugements de valeur, et ceux-ci sont issus d'attitudes historiques, idéologiques, politiques et psychosociales où l'évaluation objective des situations langagières est assez secondaire.

   On le voit bien avec l'un des thèmes majeurs de la crise des
langues, qui semble commun à toutes les situations linguistiques : celui
de la transmission des aptitudes à s'exprimer et à communiquer dans un
code partagé et hérité, c'est-à-dire la pédagogie. Dans tous les pays en
voie de développement, l'« alphabétisation » (mot culturellement marqué, qui refuse l'existence aux écritures non alphabétiques) est vue
comme une priorité absolue ; dans les pays développés, c'est l'imperfec-
tion de cet apprentissage — l'irritante question de l'orthographe — qui
continue de tourmenter l'opinion et les pouvoirs. Certes, on se plaint
plus généralement que « les enfants ne savent plus... » (telle langue),
qu'ils « ignorent et emploient incorrectement les mots les plus indispensables », qu'ils « ne savent plus construire une phrase » et, finalement,
qu'ils sont incapables de s'exprimer. On finit toujours par apporter —
outre des témoignages individuels, ponctuels — de maigres statistiques
portant sur des « fautes » qui sont très majoritairement des fautes
d'écrit. Quant aux adultes (de ces pays dits développés), on se plaint
moins du fait qu'ils parlent mal que du fait qu'ils ne lisent pas — ou
qu'ils ne lisent plus : la désalphabétisation est à l'ordre du jour. Ailleurs,

les responsables les plus soucieux de conserver les valeurs irremplaçables des cultures orales, les plus critiques à l'égard de la civilisation de paperasse qu'est devenu l'Occident — ou plutôt « le Nord » — ne mettent jamais en cause l'impérieuse nécessité d'« alphabétiser » les masses. L'unification mondiale sur le modèle européo-américain peut bien être contestée, ses critiques mêmes la renforcent, et on ne peut s'en étonner.

Les sociologues et certains pédagogues ont beau souligner que la démocratisation — locale et mondiale — de l'enseignement, que son objet soit, d'ailleurs, la langue, les mathématiques, l'histoire ou les techniques, entraîne forcément une « baisse de niveau » (ou le sentiment d'une baisse) quant au traitement de l'objet en cause. En passant d'un enseignement sélectif, élitaire — éliminant tous les facteurs sociaux gênants : impréparation familiale, difficultés matérielles, insertion récente dans le groupe, handicaps personnels, etc. — à un enseignement de masse, les difficultés déferlent : trop peu de maîtres convenablement formés, un matériel inadapté, des flottements théoriques dans la pédagogie. En France, on assiste (fin 1984) à un énergique retour officiel à l'autorité, au rejet des méthodes douces et incitatives, au désir renouvelé d'évaluer, de noter, de sanctionner. Cette réaction à une situation mal maîtrisée, provenant d'illusions généreuses, est peut-être nécessaire ; elle risque fort de constituer un simple retour de pendule, sinon un appel piteux à la tradition. Quant à la langue, cet appel au passé est le propre des critiques et pas seulement des puristes. On « ne sait plus » telle langue, ce qui suppose qu'on la savait. Mais le « on » a changé. Or, si la communauté des locuteurs-scripteurs devient plus abondante, plus hétérogène, et ceci pour chaque langue concernée, les discours évoluent et, par voie de conséquence, les usages statistiquement dominants, et donc (fictivement) les « langues ». Mais le constat est très décalé et le modèle normatif invoqué se situe (par définition) dans le passé, non dans la présence-à-la-situation.

La crise des langues recouvre une discordance accrue entre la norme statistique, objective (qui subit les effets des évolutions sociales) et la norme évaluative et prescriptive, qui ne peut s'adapter. En général, cette norme ne peut que se référer au passé et qu'estimer la différence perçue en terme de dégradation.

Cette discordance se reflète objectivement dans les discours, des « performances » (et contre-performances) individuelles enfantines ou adultes aux productions issues d'un groupe (discours de la publicité, de l'Administration, des médias), des discours les plus humbles (peu observés, et donc peu critiqués, en dehors de l'école) aux plus valorisés

— qui restent ceux de la « littérature » en passant par le discours imprimé en général. Le décompte des fautes d'orthographe dans les copies d'élèves ou sur les circulaires, les lourdeurs et pataquès bureaucratiques, les écarts syntaxiques sont considérés un peu partout, et assez bizarrement, comme des maladies sociales de la « langue », alors qu'ils correspondent à des difficultés dans le maniement d'un instrument complexe et évolutif, inévitables lorsque les utilisateurs se multiplient. Imaginons qu'un jeu ou un sport soit pratiqué par 1 % d'une population et, peu à peu, par 10, puis par 30 ou 40 % : dira-t-on que le jeu ou le sport est en crise parce que le joueur ou le sportif moyen est objectivement bien plus mauvais que le petit nombre initial ?

Cependant, ce réglage social des compétences langagières est important. Il faut y distinguer les problèmes afférents à l'acquisition des diverses aptitudes : parole spontanée et parole réglée, aptitude à l'expression et à la communication efficace, acquisition et maîtrise du code écrit. Or, les systèmes d'évaluation supposent (a) la définition préalable d'une norme, trop souvent abordée d'une manière passéiste et intuitive ; (b) l'existence de systèmes d'évaluation, assez faciles à établir lorsqu'il s'agit d'un système formel prédéterminé (l'orthographe, dans les cultures où celle-ci fait l'objet d'un consensus majoritaire), mais auxquels on substitue dans la plupart des cas des réactions affectives (on parle de « barbarismes » et d'« illogismes » de manière vague, de « charabia » ou de « jargon » de façon arbitraire et parfois absurde). Seul un physicien peut juger de la qualité d'expression d'un ouvrage de physique en matière de vocabulaire (« jargon » signifie souvent « terminologie nouvelle » ou « non maîtrisée par celui qui juge »). Il n'en va pas de même, heureusement, en matière de syntaxe, au moins lorsque les écarts (les fautes) sont évidents et la norme assurée — ce qui est loin d'être toujours le cas.

Il faut distinguer aussi, dans ce réglage social, les problèmes individuels (ex. : pédagogie de l'enfant et de l'adulte : « andragogie » ; qualité langagière d'un texte signé...) des problèmes collectifs. Les « abus » de la rhétorique publicitaire ou de celle des médias sont conditionnés par divers facteurs : techniques, économiques, idéologiques, et l'effet sur la qualité du discours y est second.

Cet aspect de la « crise », considéré dans son ensemble, doit être à son tour distingué des appréciations globales sur la langue. Ici, c'est un autre réglage, celui des variétés d'usages et de leurs tensions contraires, complémentaires : vers l'unification par la construction et l'acceptation, puis la maîtrise d'une norme ; vers la différenciation pour des raisons politiques et idéologiques. Qu'il s'agisse d'usages de la même langue (les variétés dialectales au sens large) ou de langues différentes importe beaucoup au linguiste, mais assez peu au sociologue et à l'historien de ces « crises »; qu'il s'agisse d'usages réels, incarnés dans une pratique intense ou d'usages en partie fictifs (ainsi du « joual » par rapport à la réalité du ou des « français québécois ») relève, là encore, de l'opposition langage-objet/métalangage. Il en va du joual comme de la norme : ce sont en partie des modèles extraits d'une réalité d'usage, en partie des constructions volontaristes, des tendances ou des visées qui resteront telles et ne s'incarneront jamais intégralement dans le groupe social.

Ainsi la crise des langues se ramène à des difficultés entre les codes langagiers employés par une société (codes appréciés ou dépréciés, revendiqués ou rejetés; codes multiples ou code unique; codes homogènes ou hétérogènes, etc.) et aux difficultés entre les groupes sociaux (et les individus qui les forment : les « locuteurs ») et les codes. Choisir le ou les meilleurs codes dans une pluralité proposée par l'histoire, les aménager pour les rendre efficaces (sur divers plans), faire en sorte que les individus et les groupes pratiquent ces codes dans les meilleures conditions possibles constitue une besogne jamais terminée, toujours difficile et pleine de désillusions. Dans ce domaine comme en d'autres (sociaux, économiques), il nous semble parfois que les sociétés riches, industrielles, dramatisent à l'excès leurs problèmes, parlant de « crise » quand il ne s'agit que d'un ajustement nécessaire, normal, évolutif et toujours à reprendre. Au contraire, d'autres sociétés luttent pour une identité langagière, condition de la survie culturelle devant les violences de l'histoire. Dans ces sociétés, la crise est d'abord politique et économique; mais il y a en effet crise et violence, injustice et agression sur le plan linguistique aussi. Certes, violence, injustice et agression s'exercent à l'encontre des groupes sociaux les plus défavorisés, à l'intérieur des sociétés riches (où les citoyens ne le sont pas tous) : mais les problèmes de langage, fondamentaux quant aux droits de l'homme — le droit à la parole en est un —, ne sont alors plus des problèmes de « langue ».

La crise des langues n'est qu'un aspect de la crise, permanente, des sociétés, et peut-être une manière d'en masquer en partie la nature essentiellement politique.

Appendices

L'appendice I présente quelques témoignages — le premier est évidemment apocryphe — sur les dates possibles d'apparition de la crise du français; quelques-uns de ces textes avaient été rassemblés par Christophe Hopper dans un numéro de *Québec français*.

Suivent deux articles parus il y a déjà quelques années, l'un sur la Suède, l'autre sur l'Indonésie, mais dont il a semblé pertinent de reproduire quelques pages.

L'appendice IV reprend des extraits d'un mémoire de l'Académie hongroise portant sur la crise de la langue; il nous a paru caractéristique d'une certaine façon d'envisager cette crise, ainsi que d'une prise de position officielle à son égard.

Enfin, comme la presse a consacré plusieurs articles ces dernières années à la crise du français et que ce phénomène n'est pas limité aux médias francophones — on peut en effet se demander si l'on n'assiste pas à la naissance d'un sous-genre de littérature journalistique: le « catastrophisme » linguistique —, nous avons cru qu'il serait intéressant, du point de vue comparatif, de présenter la traduction d'un reportage sur la situation du portugais au Brésil.

Appendice I
De quand la crise du français date-t-elle?

1. Milieu du Iᵉʳ siècle après J.-C.

J'ai été surpris de constater à quel point le grec populaire est resté fidèle au grec classique: cette langue a bien du mal à bouger, alors que notre latin littéraire est devenu comme un idiome étranger par rapport au latin tel qu'on le parle. Plaute, déjà, dont le comique, il est vrai, s'adressait d'abord à la plèbe, laisse froidement tomber des lettres à la fin des mots. Il dit « viden » au lieu de « videsne ». Il supprime des « e », collant ensemble des mots différents. Par exemple, « copia est » devient « copiast », « certum est », « certumst », « ornati est », « ornatist », « facto est », « factost », etc. Et les syncopes sont habituelles: « tabernaculo » fait « tabernaclo », « periculum », « periclum »; de même dans les verbes, où « amisisti » se transforme en « amisti », « paravisti » en « parasti ». Le « si » donne lieu en outre à contractions: « si vis » aboutit à « sis » et « si vultis », à « sultis ». Depuis, le latin parlé s'est enrichi d'une foule de mots qui sont jugés trop vulgaires pour figurer en latin littéraire, et la grammaire orale s'est désagrégée. Le peuple n'emploie plus guère que le nominatif et l'accusatif, multipliant les prépositions autour de ce dernier cas, et enfin les syncopes de Plaute ont tout envahi. Quel esclave parle de sa « domina »? « Domna » n'est-il pas plus aisé? Parallèlement, le massacre des brèves et des longues a suivi son cours et un accent tonique est venu ponctuer tout discours familier. L'étudiant latin en arrive à écrire une langue artificielle, et il lui faut faire effort pour la déclamer convenablement.

— Hubert Monteilhet, *Néropolis*, Paris, Julliard/Pauvert, 1984, pp. 159-160.

2. 1689

Pauline [la fille de madame de Grignan] est trop heureuse d'être votre secrétaire; elle apprend, comme je vous ai dit, à penser, à tourner ses pensées, en voyant comme vous lui faites tourner les vôtres; elle apprend la langue française, que la plupart des femmes ne savent pas [...].

— Madame de Sévigné, Lettre à madame de Grignan, 1ᵉʳ juin 1689.

3. 1689

Il est ... ordinaire de trouver [des écoliers de rhétorique] qui n'ont aucune connoissance des règles de le langue françoise, et qui en écrivant pèchent contre l'orthographe dans les points les plus essentiels.

— Nicolas Audry, *Réflexions sur l'usage présent de la langue françoise*, *in* Ch. Thurot, *La prononciation française*, réimpression de 1966.

4. 1730

Les jeunes gens sortent des collèges aussi ignorans [de leur langue maternelle] que s'ils avoient esté élevez chez des étrangers.

— Pierre Restaut, *Principes généraux et raisonnés de la grammaire françoise*, *in* Ch. Thurot, *La prononciation française*, réimpression de 1966.

5. 1905

Même dans l'enseignement secondaire, où les études sont plus approfondies et plus longues, on remarque que beaucoup d'élèves sortent du lycée avec une connaissance imparfaite de l'orthographe. C'est ce qu'attestent tous les professeurs qui ont pris part aux examens universitaires.

— P. Meyer, *Pour la simplification de notre orthographe*, Paris, Éd. Delagrave, 1905, *in* Guion, *L'institution orthographe*, Paris, Le Centurion, 1974, p. 15.

6. 1924

Je me souviens personnellement de la « crise » de 1924. On avait déjà incriminé la mauvaise lecture, les activités multiples, la paresse. La réaction fut terrible et se traduisit, en 1925, par deux tiers d'échecs au C.E.P.E. en orthographe.

— Cité par Guion, *op. cit.*, p. 77.

7. 1933

Toutes les critiques que l'on formule au sujet des insuffisances en orthographe des écoliers d'aujourd'hui étaient formulées il y a cinquante ans ou vingt ans, avec la même insistance ; il n'y a rien de changé sous le soleil.

— L. Poriniot, *La crise de l'orthographe et l'école primaire*, Bruxelles, Lamertin, 1933, *in* Guion, *op. cit.*, p. 6.

8. 1984

La qualité de l'expression écrite des lycéens est inférieure à celle de leurs prédécesseurs.

— Antoine Prost, *Les lycéens et leurs études au seuil du XXIᵉ siècle* (La Documentation française, 1984), cité dans Hervé Hamon et Patrick Rotman, *Tant qu'il y aura des profs*, Paris, Seuil, 1984, p. 38.

Appendice II

L'enseignement de la langue suédoise dans les écoles*

par Rolf Hillman

Traduit du suédois par Eva Lindfelt

Il n'est pas possible, ni souhaitable peut-être, d'essayer à l'heure présente de parcourir tout le domaine de l'enseignement de la langue suédoise dans les écoles. Je passerai rapidement sur l'école fondamentale même si l'enseignement à ce niveau est sans doute celui qui a le plus d'importance pour la qualité de la langue au pays. [...]

Il est sans doute vrai que le cours de l'école fondamentale, qui s'échelonne sur neuf ans, constitue une amélioration sensible par rapport à l'ancienne école élémentaire. On peut observer néanmoins que pour le suédois, le nombre total d'heures consacrées à cette matière est maintenant moins élevé que dans l'ancienne école élémentaire qui comptait un nombre inférieur d'années. Il est regrettable qu'au troisième cycle le nombre d'heures par semaine soit si bas, 3 + 3 + 4, au moment où la compétence linguistique peut être affinée en tenant compte des exigences de la vie adulte et alors qu'elle doit devenir suffisante pour ceux qui terminent leur formation linguistique, en même temps qu'elle doit fournir une base solide pour l'enseignement secondaire. Le *Plan d'études de l'école fondamentale* de 1969 apporte des points de vue importants et valables sur le contenu du cours et sa répartition. Mais le résultat dépend de la mesure dans laquelle les directives sont mises en pratique. Compte tenu des nombreuses lacunes dans les aptitudes fondamentales dont un élève du niveau secondaire peut faire preuve, on ne doit pas se faire trop d'illusions à ce sujet.

Je voudrais attirer l'attention sur quelques domaines de la langue où on devrait s'attendre à de meilleurs résultats. L'orthographe en est un. Il y a eu une réaction explicable contre l'importance décisive que l'on attachait à l'orthographe, tant à l'école élémentaire qu'au lycée.

* Extrait de la revue *Språkvård*, n° 2, 1971, pp. 6 à 13
Discours prononcé devant l'assemblée annuelle du Conseil de la langue suédoise (*Nämnden för svensk språkvård*) le 29 mars 1971.

Les exercices d'orthographe occupaient une place disproportionnée et étaient menés comme un art indépendant des autres parties de la matière; aux niveaux supérieurs, on considérait quelques fautes d'orthographe dans une composition, bonne par ailleurs, comme de sérieux défauts qui faisaient baisser la note. Mais la balance semble maintenant trop pencher dans l'autre sens: on néglige trop l'importance de savoir écrire des mots suédois tout à fait courants sans avoir recours au dictionnaire. On stipule pour le troisième cycle de l'école fondamentale: « Au besoin, des exercices individuels d'orthographe »; or, ce besoin est sans doute assez général.

Un autre domaine est celui de la grammaire. Dans les directives et commentaires, on lit: « Les termes grammaticaux doivent être introduits avec beaucoup de prudence, et ce, seulement lorsqu'ils deviennent des outils qui permettent aux élèves d'améliorer leur maniement des moyens d'expression linguistique. » Je crois que plusieurs enseignants ont poussé leur prudence jusqu'aux limites du possible. Cela aussi est probablement une réaction contre des exercices poussés et détachés du reste de la matière. Mais il y a d'excellents manuels qui présentent une méthode appropriée en montrant que la grammaire a des applications pratiques et qu'elle ne constitue pas nécessairement un système abstrait incompréhensible. La peur d'un petit nombre de termes grammaticaux — car c'est bien de cela qu'il s'agit — paraît inexplicable compte tenu de la vaste terminologie, souvent difficile, utilisée dans l'étude des mathématiques et des sciences naturelles. Et, après tout, il entre déjà parmi les objectifs principaux du deuxième cycle de l'école fondamentale d'apprendre à identifier le sujet, le verbe et le complément d'objet dans des propositions simples ainsi qu'à utiliser les formes les plus courantes de substantifs, d'adjectifs et de verbes fréquents et d'un certain nombre de mots d'autres parties du discours. Du moins, ces connaissances ne devraient pas se perdre au cours du troisième cycle. Avec ces vœux pieux, je passe à l'école secondaire. [...]

En 1971, un professeur d'université, M. Hans Lindström, fit état, dans un article, de ses expériences du niveau des connaissances des futurs maîtres de suédois avant le début des études en littérature et, en partie, après la fin des cours que plusieurs avaient réussis (*Svenska Dagbladet*, 4 mars 1971). [...]

M. Lindström cite des résultats horrifiants des tests réalisés avant le début des études par le département des langues nordiques de l'Université d'Uppsala. Lors de questions à choix multiples avec trois réponses proposées, moins de la moitié des répondants ont coché la bonne réponse au sujet du sens des mots *förmäten* (présomptueux), *gensaga* (démenti), *krass* (vil) et *påtala* (dénoncer). Onze pour cent savaient les termes corrects correspondant à cinq formes conjuguées du verbe *gå* (aller), à savoir: *gick* (imparfait), *ginge* (subjonctif), *gått* (supin), *gången* (participe passé) et *gående* (participe présent); environ 25 % indiquaient de 0 à 1 bonne réponse. Quand il s'agissait d'identifier les adjectifs, adverbes, pronoms et prépositions dans un certain nombre de phrases (cf. plan d'études du deuxième cycle de l'école fondamentale), la moyenne était de 8 bonnes réponses sur un total de 15. Environ 28 % pouvaient identifier correctement 10 propositions principales ou subordonnées dans un certain nombre de phrases.

L'échantillonnage est restreint, certes, mais l'ignorance chez la majorité du groupe est manifestement massive. Or, on peut tout de même supposer que les étudiants qui ont choisi d'être professeurs de suédois ne sont pas ceux qui ont le moins retenu de l'enseignement du suédois à l'école. Cela soulève de profondes inquiétudes quant aux résultats de l'enseignement de notre langue. Et, à ce propos, parlons de ce qui fait défaut au lieu d'opposer à la critique d'autres choses que les élèves savent ou sont censés savoir.

Les deux premiers paragraphes de la définition des objectifs du plan d'études de l'école secondaire sont clairs et sans ambiguïté:

Développer la capacité de s'exprimer d'une manière sobre, correcte, claire et naturelle à l'oral et à l'écrit ainsi que de comprendre et assimiler le contenu d'un texte et de le juger de divers points de vue;

développer la capacité d'observer et de réfléchir sur des phénomènes linguistiques et stylistiques en vue de pouvoir prendre position d'une manière judicieuse et responsable face à des questions de correction et d'enrichissement de la langue.

La description de la matière pour chaque année de l'école secondaire commence par l'exposé oral, puis écrit. Les considérations générales comportent des observations justes et souvent bien réfléchies selon lesquelles l'école porte comme on dit « une très grande responsabilité au sujet de la qualité de la langue suédoise », sans qu'il s'agisse là toutefois d'un problème uniquement linguistique, la question ayant une portée beaucoup plus large, « car des insuffisances langagières et, d'une manière générale, l'incapacité de manipuler les mécanismes de base de la communication entravent fortement le développement de l'individu ». Par là, on a souligné avec force l'importance de la qualité de l'enseignement.

Les directives et les commentaires portant sur les différentes composantes du cours sont ambitieux et inventifs. L'exposé oral, qui comprend les divers aspects de l'orthophonie, y occupe une place privilégiée comme jamais auparavant. Un étranger qui voudrait se faire une opinion du niveau de notre enseignement du suédois à partir de cette documentation officielle serait impressionné. Mais l'observation de la réalité diminuerait considérablement son admiration. Il est inévitable qu'il y ait un certain écart entre la théorie et la pratique. Les plans d'études et les directives ont toujours visé haut; ils sont devenus de plus en plus un déluge de bonnes idées. La marée de papier provenant des autorités fait penser au buffet des traversiers Danemark-Allemagne: on n'a ni le temps, ni la capacité, ni le goût de tout consommer. Mais les théoriciens ont tendance à prendre leurs visions — mot à la mode dont le contenu sémantique n'est pas très impressionnant — pour des réalités. [...]

Au niveau secondaire, parmi les parties linguistiques du cours, l'exposé oral semble présenter un niveau acceptable. Plusieurs élèves s'expriment très bien, avec aisance et correctement. Les formes de travail pratiquées à l'école secondaire offrent aux élèves de nombreuses occasions de présenter des exposés, de discuter et de raisonner même si, dans la plupart des cas, la forme linguistique ne fait pas l'objet d'une évaluation. Dans les autres matières que le suédois, il paraît en effet injustifié de commenter la forme en plus du fond, sauf quand la clarté et la logique de l'exposé sont en cause, et il peut être difficile de consacrer du temps au côté formel lorsque l'exercice ne vise pas la compétence linguistique. Dans les cas où l'habileté langagière est bonne, cela dépend peut-être avant tout de la sécurité et de l'aisance que confèrent la confiance en soi et la participation aux activités parascolaires. Les nombreuses occasions de se produire peuvent toutefois augmenter l'écart entre les vedettes de l'estrade et les élèves timides et complexés qui n'ont aucunement disparu de l'école, mais que les méthodes de travail obligent à sortir de leur silence.

En contrepartie, la compétence à l'écrit est nettement insatisfaisante. Il fallait s'attendre à ce que le niveau baissât à la suite des nouvelles dispositions qui régissent l'école actuelle. Avant, un élève n'était pas admis à l'école secondaire s'il n'avait pas des connaissances acceptables en suédois écrit. La promotion à une classe supérieure du secondaire était gravement compromise sans une note de passage en suédois écrit; la promotion avec une note insuffisante était conditionnelle à la compensation, scrutée à la loupe, sous forme de bonnes notes dans les autres matières. À l'origine, un candidat au baccalauréat devait obtenir une note satisfaisante à la composition suédoise pour obtenir son diplôme; plus tard, on exigea une note de passage de l'ensemble des compositions de dernière année, y compris la composition faisant partie de l'examen final. Cette modification a entraîné dans la pratique qu'une mauvaise note en composition suédoise pesait particulièrement lourd dans l'évaluation de l'ensemble. Aujourd'hui un élève peut passer l'école secondaire avec la note 1* en suédois d'année en année et devenir admissible aux études supérieures après avoir fait la preuve, durant des années, de son incapacité de s'exprimer par écrit. Cela ne peut qu'amener une baisse du niveau moyen. Comme la note se rapporte maintenant à la performance tant orale qu'écrite, l'incompétence linguistique peut être totale.

Rappeler ces choses n'équivaut pas à vouloir réintroduire l'école sélective ou les études durant les vacances avec les inconvénients économiques et sociaux qui s'y rattachaient. Mais l'ancien système obligeait l'élève dont la compétence langagière accusait des lacunes marquées à travailler davantage pour sortir de sa situation d'infériorité et atteindre un niveau acceptable, et cela réussissait sans doute dans la majorité des cas. Savoir manier sa propre langue d'une manière satisfaisante est un talent indispensable dans la société, dans la vie professionnelle et dans les contacts entre humains. Cela est clairement indiqué aussi dans les directives générales du plan d'études que j'ai cité plus haut. Une exigence absolue devrait être, non que l'élève soit exclu du système scolaire, mais qu'il reçoive une aide efficace sous forme d'un enseignement d'appoint généreux afin d'atteindre un niveau linguistique acceptable. La philosophie du laisser-aller ne favorise pas l'élève.

La responsabilité de l'important écart existant entre les belles visions sous-jacentes aux directives et la réalité des salles de classe ne peut être rejetée, en général, sur les professeurs. Ils se démènent autour de leurs ronéos en soupirant : « Si seulement il existait quelque charme qui puisse transformer notre misérable réalité ! » Non, le vice fondamental est le manque de temps. La variante courte de l'ancienne école secondaire avait au total 12 périodes par semaine de suédois — 11 périodes à la filière des sciences — de 40 ou 45 minutes selon leur place dans l'horaire. À cela s'ajoutait une augmentation du temps accordé à la matière sous forme de six compositions obligatoires qui, les deux dernières années, occupaient une journée complète, ce qui, réparti sur l'année, correspondait à environ une heure par semaine. Maintenant, le temps alloué est de 8 à 10 périodes par semaine pour l'ensemble des 3 années, selon les spécialisations, toutes de 40 minutes. À cause de la perte de leçons intervenant pour diverses raisons, on ne peut guère

---

* La note la plus faible de l'échelle allant de 1 à 5 (N.d.T.).

compter sur plus de 30 semaines complètes de cours. Cela fait que dans une année de l'école secondaire, on peut compter sur environ 90 leçons, c'est-à-dire 60 heures. Le contenu du cours, défini dans les plans d'études et dans les directives, ne trouve simplement pas place dans ce cadre. Le professeur est alors forcé soit d'exclure certaines parties, soit d'essayer de passer à toute vapeur à travers la matière avec, comme résultat, des connaissances mal digérées et des aptitudes acquises à moitié — soit, éventuellement, les deux. Au problème du manque de temps s'ajoute le fait que de nouveaux domaines comme l'analyse de raisonnements et le cinéma ont été incorporés au programme, ce qui limite encore plus la place disponible pour l'enseignement de la langue et de la littérature. [...]

Les élèves du secondaire écrivent-ils donc mal? Selon une opinion très répandue parmi les professeurs de suédois, le niveau a baissé d'une manière inacceptable, des carences sérieuses affectant l'orthographe, la grammaire, la phraséologie et la ponctuation. Bien entendu, plusieurs élèves écrivent bien comme des élèves doués l'ont toujours fait, mais en moyenne, les lacunes semblent être trop importantes. On peut jongler, comme on le fait souvent, avec les expériences positives qui viendraient contrebalancer les côtés négatifs: face à une diminution du savoir se dresse une capacité accrue de savoir chercher; les connaissances réduites dans un domaine font pendant aux connaissances plus approfondies dans un autre. Or, il est difficile de compenser par un gain quelconque la diminution de la maîtrise de la langue maternelle. Il s'agit quand même du premier objectif du plan d'études: « Développer la capacité de s'exprimer d'une manière sobre, correcte, claire et naturelle à l'oral et à l'écrit. »

On peut certes considérer les expériences des enseignants comme vagues et subjectives; il reste que personne ne connaît comme eux les détails de la vie scolaire quotidienne. Et leur opinion est confirmée par une source officielle dont nous disposons: les copies authentiques reçues lors des examens nationaux, avec cote proposée et commentaires, que la Direction nationale des écoles fait parvenir aux professeurs pour les guider dans l'évaluation des examens de leurs propres élèves. Comme ces copies sont tirées d'un matériel volumineux et cotées selon l'échelle allant de 1 à 5 d'après toutes les règles de l'art de manière à ce que le résultat soit conforme au sacro-saint étalon national, la courbe de Gauss, il faut croire que leur niveau reflète la réalité d'aujourd'hui. L'image n'est pas encourageante.

Les examens nationaux ont un fort effet d'entraînement. On peut supposer qu'ils mesurent les composantes essentielles de la compétence en production orale et écrite visée par l'école secondaire, et il est normal que le professeur prépare ses élèves à cet examen en leur faisant faire des exercices de même nature et évalués selon les mêmes critères. Mais cet examen a une trop forte inclination vers les techniques d'apprentissage et n'est pas assez exigeant au sujet de la maîtrise de la langue.

La présentation de l'examen national pour l'année terminale déclare qu'il vise « à évaluer la capacité de l'élève de se donner un aperçu d'une matière assez vaste à l'aide de données accessibles (ouvrages de référence, manuels, tableaux de données, etc.), de choisir, dans un riche ensemble, les faits pertinents, d'analyser un texte donné avec un certain degré d'autonomie et de tirer des conclusions d'un matériel statistique présenté, etc. ». Après ces informations détaillées, on ajoute en deux lignes: « Naturellement, l'examen évalue également la compétence linguistique et stylistique. » On écrit « naturellement », certes, mais le mot « également » est de mauvais augure. En effet, dans l'évaluation proposée des copies d'examen authentiques, c'est l'aspect de la technique d'apprentissage qui domine tandis que l'appréciation de la forme linguistique occupe une place pour le moins modeste.

Si on s'inquiète du faible niveau de plusieurs copies servant de modèles pour l'évaluation des examens nationaux, on doit tenir compte du fait que les experts ont eu à classer un grand nombre de copies de manière à ce que les notes correspondent à la répartition fixée. On peut ainsi se surprendre de la note « trois » accordée à une certaine copie; force est alors de constater qu'environ 38 % des élèves en question ont à peu près cette compétence et que — si l'on ajoute ceux qui ont eu la note « deux » ou « un » — plus des deux tiers des élèves d'une année n'écrivent pas mieux que cela.

Dans un exemple tiré de l'examen national de la deuxième année, il s'agit de résumer un article sur le stress et, à ce propos, de rédiger un commentaire sous forme d'une lettre à l'éditeur d'un journal. Les examinateurs notent que tant le résumé, considéré acceptable, que le commentaire sont grevés de fautes de langue d'un niveau élémentaire (fautes de genre et d'accord). Toutefois, « le commentaire est personnel avec l'ironie comme technique originale choisie pour résoudre le problème. Le style est ainsi bien adapté au genre (la lettre à l'éditeur) et le texte pourrait passer dans n'importe quel journal ». Compte tenu de la quantité de lettres mal écrites que certains journaux utilisent pour remplir les colonnes, ce jugement ne constitue guère un sceau d'excellence. « La note quatre se justifie par les qualités mentionnées, mais il est à remarquer que c'est un quatre à la limite de trois, où les fautes de langue justifient l'hésitation devant la note plus élevée. » Les fautes de langue élémentaires provoquent ainsi seulement l'hésitation à accorder la seconde note !

Les exercices du type « observations stylistiques » sont exigeants et il est normal de tenir compte de ce fait au moment de l'évaluation. Il est toutefois surprenant de voir que des exposés de ce type contenant principalement des remarques sur le fond avec un minimum d'observations stylistiques, mal ou pas du tout accompagnées d'exemples, sont acceptés alors que les exigences au sujet des observations non linguistiques sont souvent si sévères.

Il est bien sûr très important de savoir tirer l'essentiel d'un texte ou d'un ensemble documentaire. Mais la technique d'apprentissage s'acquiert dans toutes les matières ; elle est pratiquée sans cesse dans le cadre des exercices, des interrogations et des exposés. L'évaluation se fait peut-être de préférence par des questions avec réponses schématiques ; la forme de l'exposé écrit n'est pas toujours la plus appropriée. En revanche, la bonne formulation, l'orthographe, la grammaire, la syntaxe et la phraséologie sont des composantes essentielles du cours de suédois ; dans les autres matières, ces aspects sont périphériques.

Quand le nombre de compositions obligatoires dans la nouvelle école secondaire a été réduit à deux en première année et à quatre dans chacune des deuxième et troisième années, on supposait que la maîtrise de l'écriture serait acquise autrement, d'une manière plus efficace. L'idée était certainement bonne mais, jusqu'ici, le résultat n'a pas été celui qu'on attendait.

Tant que l'école fondamentale ne réussit pas à garantir aux élèves les connaissances linguistiques élémentaires, les professeurs du secondaire seront obligés de consacrer beaucoup de temps à des exercices bien plus simples que ce qui est prévu dans l'ambitieux programme de suédois écrit et, ainsi, de repousser ou de réduire celui-ci.

[...] La grammaire n'est présente dans le plan d'études de l'école secondaire qu'à la troisième année où, sous la rubrique « La vie et l'évolution du langage », on a indiqué « quelques problèmes grammaticaux d'actualité ». On peut considérer pratiquement tous les phénomènes grammaticaux comme des problèmes d'actualité pour les élèves de l'école secondaire d'aujourd'hui. Il est nécessaire de donner un cours de grammaire élémentaire au début de l'école secondaire, en résumé de ce qu'on espère que l'école fondamentale leur aura appris, sinon, comme un cours d'initiation.

Appendice III

La crise de la langue en Indonésie*
par Joan Rubin

Faire acquérir à des élèves divers automatismes dans la langue principale constitue un problème inhérent à tous les systèmes d'éducation. Ce problème est actuellement un peu plus aigu en Indonésie depuis que les usages de l'indonésien changent et que la nécessité de former des élèves à des usages plus complexes de la langue augmente. Récemment, plusieurs éducateurs et auteurs ont critiqué la qualité de la langue utilisée par les élèves et ils ont exprimé de l'inquiétude face à leur manque de connaissances linguistiques qui constitue souvent un obstacle à la poursuite d'études supérieures. Amran Halim, directeur de l'Agence de planification de la langue, a fait observer que les enseignants se plaignaient de l'incapacité de leurs élèves à porter des jugements critiques sur un sujet et à expliquer leurs pensées et leurs sentiments de façon satisfaisante, que ce soit oralement ou par écrit.

On a proposé des moyens de corriger cette insuffisance. Harsja Bachtiar, ancien doyen de la Faculté des arts de l'Université d'Indonésie de Djakarta, a créé un cours de composition pour tous les nouveaux étudiants de la Faculté des arts. Lors de la tenue du séminaire *Bahasa Indonesia* de 1968, on suggérait fortement qu'un cours d'indonésien d'au moins un an soit obligatoire dans tous les établissements d'études supérieures. Amran Halim a suggéré que les élèves ne soient pas admis aux programmes universitaires réguliers avant d'avoir maîtrisé l'indonésien. Le matériel pédagogique suffisant pour donner ces cours n'a pas encore été élaboré bien qu'il y ait beaucoup de documentation polycopiée adaptée de documents de langues occidentales qui permette de combler en partie ces lacunes. Récemment, Gorys Keraf, de la Faculté des arts de l'Université d'Indonésie de Djakarta, a écrit un livre intitulé *Komposisi* (1971).

---

* Traduit de l'anglais par la Direction de la traduction du ministère des Communications. Extrait de J. Rubin, « Indonesian Language Planning and Education » *in* J. Rubin, B.H. Jernudd, J. Das Gupta, J.A. Fishman, C.A. Ferguson, *Language Planning Processes*, La Haye, Paris et New York, Mouton, 1977.

Des observateurs ont remarqué que la qualité de l'enseignement de la langue est insuffisante pour répondre aux besoins de l'expansion du répertoire stylistique et des automatismes linguistiques en Indonésie. Affandi, doyen de la Faculté des arts de l'Institut de formation des enseignants de Djakarta, estime que la formation que la plupart des enseignants reçoivent dans l'art du langage est insuffisante, et il remarque que la méthodologie d'enseignement de l'indonésien ne fait pas l'objet d'études. Cette lacune dans la formation se reflète dans les exercices linguistiques que les élèves doivent faire : des exercices mécaniques faciles à mémoriser et à noter. Selon Halim, le programme linguistique ne contient pas la quantité d'exercices requise, et ceux qu'on y trouve ne sont pas de qualité adéquate. Il n'y a aucun exercice sur la formation d'un paragraphe ni sur le discours, aucun exercice sur la conversation ni sur l'échange d'idées ou de sentiments. Hartowardojo (1970) a critiqué la grande importance accordée aux proverbes et aux expressions rarement utilisés. Il considère que l'on devrait enseigner aux élèves comment utiliser et comprendre les termes nouveaux, de façon à élargir leurs connaissances. En général, beaucoup de gens craignent que la nature plutôt académique du programme universitaire d'études de l'indonésien ne forme pas vraiment les étudiants aux tâches qu'ils peuvent être appelés à remplir : rédiger des manuels, traduire des livres de l'anglais, produire des exercices de grammaire et de stylistique (cf. Alisjahbana, 1957). J'ai observé, lors de mes propres visites dans les classes de niveau secondaire de Djakarta, que l'on insistait beaucoup sur les définitions des parties du discours sans relier ces définitions à des automatismes linguistiques et qu'aucune attention n'était accordée aux différences stylistiques.

De plus, les professeurs sont incapables de suivre les nouveaux développements dans le domaine de l'enseignement. Après avoir quitté l'Institut de formation des professeurs, ils ont peu d'occasions régulières de se mettre au courant des nouveaux développements dans l'enseignement de la langue ou dans la recherche linguistique. Cette carence a été exprimée de façon plus marquée par les professeurs du secondaire qui se sentent mis à l'écart par les établissements d'enseignement supérieur. Les associations de professeurs existantes n'essaient pas non plus de mettre leur rôle de représentation au service de leurs membres.

Les années 50 ont vu la création de plusieurs revues savantes consacrées aux problèmes pratiques de langue, mais pourtant, la plupart ont maintenant disparu ou n'ont qu'un tirage extrêmement réduit. Halim a remarqué que personne en dehors des classes de langue ne se préoccupe de la maîtrise de la langue et que ni les professeurs de langue ni les chercheurs ne sont convenablement rémunérés. Ainsi, il manque la motivation nécessaire à l'amélioration de la qualité de l'enseignement, et les meilleurs étudiants ne se sentent généralement pas attirés par ces professions.

Bibliographie

ALISJAHBANA, S.T. (1957), *Dari Perdjuangan dan Pertumbuhan Bahasa Indonesia*, Djakarta, P.T. Pustaka Rakjat.

HARTOWARDOJO, Harijadi S. (1970), « Bahasa Indonesia Sebagai Penghambat Kemadjuan », *Kompas*, 1er septembre.

KERAF, Gorys (1971), *Komposisi*, Flores, Nusa Indah.

Appendice IV

L'état de la langue hongroise*

L'état actuel du hongrois, la situation de l'enseignement de notre langue maternelle et les devoirs qui nous incombent

Traduit du hongrois par Claire Weinstock

I. Introduction

[...]

Dans la louable intention d'éveiller la conscience de ses lecteurs à la nécessité d'agir, un de nos écrivains a décrit l'état actuel de notre langue comme étant la phase extrême du péril. Nous abondons dans son sens en ce qui concerne l'intention, mais, pour plusieurs raisons, nous refusons d'épouser l'idée du dépérissement ... Nous sommes chaque jour témoins de l'enrichissement constant de notre vocabulaire : depuis la Libération, des milliers de mots nouveaux ont été créés. La langue administrative a changé pour le mieux et s'est rapprochée de nous, simples citoyens. Comparée à la morne grisaille des années 50, la langue de la presse est devenue plus colorée. La radio et la télévision se situent à un niveau linguistique acceptable. L'apprentissage de la langue s'est engagé dans une voie où, tout en progressant, il peut s'éloigner de la grammaire pour elle-même. Dans l'ensemble, le style de l'expression orale (et écrite) est moins empesé, plus près du commun des mortels.

Ce phénomène est constant : ses traces apparaissent dans la littérature, au théâtre, dans la langue des jeunes. Mais cet état de choses peut inquiéter certaines personnes : elles redoutent un danger. D'autres demandent une intervention officielle, centralisée, afin de diriger l'évolution de la langue. La préoccupation de ces derniers peut être justifiée par d'innombrables incuries linguistiques, imperfections, négligences, fautes.

---

* Extraits d'un mémoire préparé en 1983 par les soins de la commission *ad hoc* de l'Institut de linguistique et de littérature de l'Académie hongroise des sciences. Le mémoire a été rédigé par László Grétsy (chef de la section de hongrois contemporain à l'Institut de linguistique), Jószeph Bencédy (doyen de la Faculté des sciences de l'éducation, Université L. Eötvös, Budapest), Mária Honti (directrice de lycée) et György Szépe (professeur de linguistique à l'Université Janus Pannonius de Pécs et chef de la section de linguistique générale et appliquée de l'Institut de linguistique).

Nous ne croyons pas, toutefois, à la nécessité de sonner le glas. À notre avis, *il est possible de canaliser l'évolution de la langue, mais dans un esprit de discernement, ouvert au progrès naturel et aux nécessités provoquées par cette évolution,* de façon à pouvoir renforcer et soigner ses signes avant-coureurs, en émondant patiemment, par ailleurs, ses excroissances inutiles. Pour ce faire, il faut procéder à une analyse logique, une appréciation pondérée et, avant tout, posséder une bonne dose de patience, tout autant que pour étudier l'évolution des autres phénomènes sociaux.

Ce n'est point par hasard que nous évoquons les autres phénomènes sociaux, car le bon usage est étroitement lié au comportement général. Comme nous allons l'expliquer en détail dans la partie suivante, le bureaucrate ne s'exprime pas seulement d'une façon grisâtre et impersonnelle, la grisaille affecte même sa pensée et sa conduite. L'emploi excessif de termes étrangers n'est pas seulement le résultat de la recherche de la facilité ou du raffinement, mais aussi une marque de snobisme. Par ailleurs, le bredouillement, le balbutiement reflètent, au fond, le manque d'équilibre intérieur, l'inquiétude de la personne qui s'exprime. La confusion qui règne dans les salutations, dans la façon de s'adresser à autrui, l'emploi excessif d'expressions grossières ne sont évidemment pas uniquement des problèmes linguistiques. Lorsque nous signalons ces phénomènes, ce n'est nullement dans l'intention de diminuer nos propres responsabilités, mais plutôt pour insister sur la nécessité d'user de patience.

II. L'état actuel de notre langue, la confusion qui entoure son bon usage et les causes de nos incertitudes

1. Les changements socio-économiques qui suivirent la Libération ont eu des répercussions sur la langue, et ce processus est encore en cours. La différence entre les divers dialectes et la langue standard va s'amenuisant. Le caractère hermétique de la langue technique a presque entièrement disparu. L'industrialisation à grande échelle, la diffusion des connaissances techniques et scientifiques, les médias ont contribué à vulgariser le vocabulaire des différents métiers et professions, ainsi que, du moins partiellement, la terminologie des sciences. Le progrès le plus significatif a été accompli dans les domaines des sciences naturelles, de la technologie et des affaires. Plus globalement, on peut mentionner la

langue des sports, le football, ainsi que les expressions se rapportant aux loisirs individuels et collectifs. Quant à la langue de la jeunesse, elle s'affirme de plus en plus. Elle tire son origine de l'ancien argot des écoles; mais elle s'en est bien éloignée, car elle ne se limite plus au monde scolaire, mais s'étend à toute une catégorie d'âge, les jeunes de 10 à 20 ans, sans distinction de profession, de classe ou de niveau intellectuel. Parallèlement, se développe et se répand un jargon particulier aux grandes agglomérations urbaines. Nous reparlerons de ce phénomène dans la partie consacrée à la langue des communications sociales.

Le changement linguistique est un phénomène constant; nous devons donc l'accepter d'une façon positive, quelle que soit notre opinion sur ses aspects heureux ou malheureux. Nous pouvons regretter, par exemple, la disparition de nos vieux mots, des archaïsmes, mais nous ne pouvons faire grand-chose pour les préserver, pour continuer à les utiliser dans la langue courante. Nous possédons, heureusement, les moyens de les enregistrer afin de les conserver aussi longtemps que possible et les transmettre aux chercheurs de demain. (La responsabilité des écrivains est importante dans ce domaine, car ils peuvent réintroduire nos archaïsmes les plus riches dans la littérature et la langue courante.)

Nous devons combattre un symptôme que présente aujourd'hui notre langue et qui est explicable par l'évolution historique et sociale. Il s'agit d'un déchirement de la langue, de l'aliénation linguistique des deux niveaux supérieurs. Ce processus dure depuis des siècles. Ses débuts remontent au temps où le latin était la langue de l'éducation supérieure et de la haute administration. Celui qui souhaitait accéder à cette culture se voyait forcé de faire un choix entre les deux courants linguistiques. Ce qui entraînait obligatoirement un choix entre deux modes de pensée. Les structures mentales du latin et du hongrois diffèrent radicalement. Nos concepts sociaux et scientifiques et notre mode de pensée actuels ne sont donc pas une suite logique de l'étape précédente, mais le passage dans une autre sphère.

En effet, lorsque l'héritage de la latinité féodale a été relégué à l'arrière-plan par le progrès, la bourgeoisie a pris sa place, mais elle provenait également de l'extérieur et était d'une couche supérieure; elle n'est point sortie de nous-mêmes. Par conséquent, la façon de penser et de s'exprimer est restée étrangère — c'est-à-dire latine et allemande — alors même que l'on utilisait des mots hongrois. Semblable phénomène se reproduisit beaucoup plus tard, lors de la diffusion du socialisme qui s'est propagé du haut vers le bas : les conceptions socialistes continuent de régir de façon plus ou moins importante notre vie de tous les jours par l'intermédiaire de la langue bureaucratique ; ce n'est donc pas notre vie privée qui s'est élevée au niveau de la vie publique socialiste. Deux autres éléments contribuent à élargir le fossé : premièrement, le développement des techniques, des sciences et de l'administration s'est accéléré considérablement, ce qui a enrichi le vocabulaire et exigé une plus grande précision. Mais un autre problème se pose : la langue de la bureaucratie, aliénante, sentencieuse, impersonnelle et nébuleuse offre un abri contre les responsabilités à ceux qui essaient de dissimuler leur inefficacité. Et en même temps, par sa complexité, elle impressionne ceux qui tentent d'apprendre le bon usage de la langue de la vie publique.

[...]

2. Nous devons nous occuper également de l'art oratoire ; dans ce domaine, la situation s'est un peu améliorée ces dernières années — grâce à quelques initiatives heureuses — mais elle est encore plutôt décourageante. Les déclarations officielles abondent en phrases tortueuses, en complications inutiles, en enchaînements illogiques, en lieux communs, tels que : [Exemples non traduits].

Il y va de l'intérêt de nous tous, citoyens hongrois, que la langue de tous les jours soit claire, intelligible, et serve à la compréhension mutuelle, au bien-être de tous. Nos rapports sociaux — et en même temps linguistiques — sont en grande partie influencés par la langue de ceux qui s'adressent au grand public. Le font-ils d'une façon claire et précise, comme des amis s'adressant à des amis, à des camarades, ou emploient-ils une phraséologie tarabiscotée, des expressions qui ne veulent rien dire, afin de nous faire sentir leur supériorité professionnelle, officielle ou autre ? Il est de notre devoir de nous assurer que les conférenciers, orateurs, animateurs ou toute personne ayant à s'exprimer en public — que l'auditoire soit vaste ou restreint — et tous ceux qui jouent un rôle public soient en mesure de respecter leurs obligations envers la société.

3. L'amélioration du niveau général de la langue parlée est également très importante de nos jours, à l'époque des moyens d'information de masse où, grâce à la radio et à la télévision, le discours libre, spontané, devient plus d'une fois public.

Mais en général, nous ne pouvons pas nous contenter de la langue hongroise telle qu'elle est parlée aujourd'hui. Un grand nombre d'adultes et d'enfants s'expriment de façon déficiente et, qui pis est, des

défauts — mauvaise prononciation, articulation relâchée, bredouillement généralisé — rendent la langue parlée de plus en plus terne et
incompréhensible. (Cette déficience peut être expliquée, mais non
excusée, par l'accélération du mode de vie et par le fait que le flot
d'informations devient de plus en plus rapide.) Les mesures prises à ce
jour pour corriger ces carences sont certainement utiles, mais restent
loin d'être suffisantes.

4. De nos jours, le champ des connaissances ne cesse de s'élargir,
de nouvelles disciplines scientifiques apparaissent, les services et la
production se développent à un rythme accéléré, les rouages économiques deviennent de plus en plus complexes dans tous les pays. Le
résultat évident de cet état de choses est que la langue et le vocabulaire
changent.

Nous pouvons dire, de façon générale, que notre vocabulaire s'est
considérablement enrichi ces dernières années. Nos procédés de création
de mots nouveaux ont fait face avec succès à l'épreuve du temps. Le
plus important procédé néologique reste toujours la formation de mots
composés: l'instinct linguistique le trouve en général tout naturel et
absolument logique.

[...]

Seulement deux phénomènes peuvent justifier l'inquiétude en ce
qui concerne l'enrichissement du vocabulaire:

a) Bien que l'emprunt linguistique soit un procédé naturel et
permanent, il prend, depuis une bonne quinzaine d'années, des dimensions malsaines. Nous pouvons observer deux tendances: le vocabulaire
d'origine grecque et latine continue de dominer la vie politique, alors
que la terminologie d'origine anglaise envahit la langue technique et la
vie de tous les jours. Tous ces emprunts provoquent l'aversion et
soulèvent des protestations, principalement de la part de personnes ayant
un niveau de scolarité peu élevé. Cette répugnance est compréhensible,
car l'emploi de termes étrangers dans la langue de tous les jours sème la
confusion et freine le développement de la culture, surtout lorsqu'il
s'agit de mots anglais car leurs caractéristiques contrastent fortement
avec notre langue: *design, conveyer, juice, snack, grapefruit, computer*.
De plus, ces emprunts entraînent une prononciation incertaine. Le
snobisme constitue un bouillon de culture favorable à l'emploi excessif
de mots étrangers, à la copie inutile de ce qui est étranger, à l'étalage
d'une pseudo-culture. Toujours est-il que, face à la démocratisation de
l'enseignement, une aristocratisation anachronique de la culture semble
se faire jour. Nul n'ignore laquelle des deux doit triompher.

b) Bien qu'elle fût déjà évidente il y a 10 ou 20 ans, une lacune dans la façon de créer ou de composer des mots nouveaux devient chaque jour plus visible. De plus en plus de nos créateurs de mots sont réduits à l'impuissance et même les mots créés en conformité avec le modèle traditionnel, aussi réguliers et utilisés qu'ils soient, sont accueillis par l'opinion publique avec méfiance et animosité. La linguistique devra découvrir, d'une part, les raisons de cet état de chose et, d'autre part, la façon de réactiver l'ancien système, si riche.

5. L'influence des diverses formes d'enseignement et le niveau général de la langue écrite de notre peuple — contrairement à certaines opinions — sont supérieurs à ceux d'avant la Libération.

Il est également rassurant de savoir que l'enseignement de l'orthographe s'est considérablement amélioré pendant les deux dernières décennies. Mais il est intéressant de noter et en même temps déplorable que, malgré ces résultats, la maîtrise de l'orthographe n'a pas augmenté ces toutes dernières années mais a plutôt diminué.

Notre système orthographique est affligé d'une contradiction : parfaitement organisé et rodé, efficace dans la presse imprimée, il fait face dans la pratique générale à une négligence inexcusable et à des erreurs vraiment primitives. Cela peut être constaté, par exemple, dans la correspondance commerciale, les circulaires, sur les panneaux publicitaires. Cette contradiction n'est pas seulement néfaste au développement de la qualité de notre écriture, à sa constante amélioration, mais elle est absolument inadmissible sur le plan politique : l'abaissement du niveau de l'orthographe peut influencer d'une façon rétrograde non seulement des individus, mais des couches entières de la société.

6. [...]

7. Nous devons obligatoirement mentionner, à cause de leur importance, les formes linguistiques *des relations sociales* et *la langue des médias* avec son style et ses modalités. Le tableau que nous pouvons en brosser est assez coloré. C'est indéniablement un signe heureux que la démocratisation de la société se soit accompagnée d'une égale démocratisation des formes linguistiques. Certaines expressions ont disparu ou ne survivent que dans un contexte humoristique : les raffinements baroques, la subtilité outrancière, les expressions de civilité accompagnées de courbettes dans les salutations, les formules de politesse. D'autre part, nous sommes témoins de la naissance de rapports humains plus francs, plus mesurés dans les salutations, les interpellations, les conversations, même dans les communications de travail.

Cela peut être considéré comme un gain. Mais, en revanche, il faut considérer comme une déviation non démocratique le fait que notre conversation courante devienne de plus en plus vulgaire : volonté de s'éloigner des chemins battus, vogue du non-conformisme (surtout parmi les jeunes), emploi de mots grossiers, obscénités. La littérature reflète et en même temps nourrit ce développement indésirable ; indépendamment du genre, nous retrouvons en grand nombre les mots et les expressions qui étaient considérés comme tabous il y a encore peu de temps. Il va de soi que nul ne peut empêcher l'écrivain de peindre fidèlement la réalité, mais, grâce à une politique socialiste de la culture, il faudrait restreindre l'utilisation de ce style lorsqu'il n'a pas sa raison d'être ou lorsque l'écrivain ne le choisit que pour obéir aux impératifs de la mode et du sensationalisme. Il s'agit là d'un devoir très important, car la grossièreté linguistique et l'obscénité représentent des phénomènes mondialement répandus.

8. [...] Grâce aux nouveaux programmes, l'enseignement de la grammaire a fait un pas important vers la consolidation et le développement du bon usage. Nous estimons qu'à long terme nous devons continuer dans cette ligne. L'école doit accorder la plus grande importance à l'écrit. L'enseignement de la langue doit, pour l'essentiel, être consacré à la création et à l'analyse de textes, et tout doit concourir à cet objectif : la rédaction, la composition, l'enseignement de la langue parlée, l'orthographe, la stylistique, la prononciation soignée et la connaissance des règles linguistiques et grammaticales. L'enfant arrive à l'école avec une certaine maîtrise de la langue ; notre devoir est d'en tenir compte et de développer progressivement cette compétence.

En ce qui concerne la rédaction, [...] des progrès importants ont été accomplis dans le cadre des nouveaux programmes et dans la composition des nouveaux manuels scolaires. À long terme, la recherche scientifique doit continuer à déployer des efforts incessants pour l'enseignement adéquat des règles de la composition des textes ; d'autre part, lors des recherches menées et des expériences entreprises dans le cadre des programmes d'enseignement, nous ne devons pas oublier comment les règles découvertes lors de l'examen des textes et le respect de la conformité aux règles occultent des points essentiels et comment on en crée de nouveaux à l'occasion de l'enseignement de certaines parties de l'orthographe.

Anciennement, l'enseignement de la langue maternelle accordait une importance prépondérante à l'écrit ; la langue parlée était reléguée à l'arrière-plan quand elle n'était pas complètement négligée. Dans les nouveaux programmes, ce thème a trouvé (inégalement, il faut le dire) la place qu'il mérite et tient compte des circonstances formelles de la vie sociale (interventions, prises de position, discussions, conférences). Ici, la recherche doit s'acquitter d'une dette : on a grand besoin d'une analyse de la langue parlée et de ses particularités ; de plus, il faudrait trouver, en partant d'une révision détaillée des caractéristiques du parler d'aujourd'hui, la forme et les moyens visant à améliorer la présentation. Nous devons aussi tenir compte des manifestations de régionalisme et, en général, nous devons nous occuper des normes de prononciation de la langue courante.

La langue est un phénomène social dont les deux rôles essentiels sont les suivants : premièrement, elle est l'outil principal de la communication et, deuxièmement, l'expression de la conscience sociale. Elle est l'outil de la pensée, l'expression de nous-mêmes, mais il faut insister une fois de plus sur le fait qu'elle est l'instrument de la communication. L'étude des communications est comprise dans les nouveaux programmes d'enseignement ; de plus, les porteurs non linguistiques de messages (l'image, le dessin, le graphisme) seront également inclus dans ce projet tout nouveau. Malgré tout, ce thème des communications et tout ce qui s'y rattache devraient être traités à l'école de manière plus réfléchie et plus élaborée.

[...]

Nous devons nous occuper, consciemment et méthodiquement, d'enrichir le vocabulaire des élèves. Dans cette perspective, nous avons sollicité la collaboration des professeurs enseignant d'autres matières que la langue hongroise ; nous devons également rappeler l'urgent besoin de rédiger un dictionnaire explicatif (ou peut-être explicatif et étymologique).

Ont heureusement pris fin les discussions linguistiques qui faisaient valoir que la synchronie pure n'est qu'illusion, que sans connaissance de la diachronie nous ne pouvons comprendre la situation actuelle et que, par conséquent, nous ne pouvons préparer nos élèves à l'appréciation des changements incessants. L'histoire de la langue a déjà trouvé sa place dans les nouveaux programmes. Le but des expériences à venir est de mesurer les possibilités offertes par les méthodes employées actuellement par nos enseignants et de déterminer jusqu'à quel point on peut en généraliser l'application.

Dans le même ordre d'idée, une autre question se présente : que doit-il advenir de l'enseignement de la grammaire ? Quel sort devra-t-on faire à certaines connaissances linguistiques qui font partie de la culture générale ? Comme elles font partie de la culture générale, elles doivent être étudiées dans le cadre de l'enseignement obligatoire. Nous devons inclure dans le programme de l'enseignement de la langue des thèmes tels que les origines de notre langue, ses particularités, et la relation entre le temps et la pensée. Nous devons encore mentionner quelques déficiences de l'enseignement de la langue que les nouveaux programmes n'ont pu corriger. La plus inquiétante est le peu de temps alloué à l'enseignement de la langue aux élèves des diverses écoles professionnelles, où le programme complet ne consacre qu'un total de 60 heures à l'enseignement de la littérature. Ces élèves deviendront des citoyens appelés à assumer des responsabilités importantes, après n'avoir acquis que le tiers ou la moitié des connaissances linguistiques que l'on pourrait exiger d'eux dans l'avenir.

[...]

9. Des obstacles sérieux retardent l'élaboration d'un nouveau système d'enseignement de la langue. Hors du cadre scolaire, l'enseignement est insuffisamment organisé. La seule base institutionnelle valable s'occupant de la culture de la langue est une des sept sections du relativement petit Institut de linguistique: la section de la langue hongroise, qui compte dix chercheurs et professeurs. Il est vrai que d'autres chercheurs et enseignants des niveaux secondaire et universitaire se partagent le travail que représentent le maintien et l'amélioration de la culture de la langue, mais ils doivent assumer en plus d'autres responsabilités et ne peuvent consacrer qu'une partie de leurs énergies à cette question et à la recherche de solutions aux problèmes pratiques présentés par l'enseignement de la langue. Et pourtant, les tâches ne cessent de croître. La nécessité d'améliorer la qualité de la langue se fait plus pressante. Nous devons nous efforcer très sérieusement d'améliorer cette organisation, en utilisant mieux les compétences disponibles, en répartissant judicieusement les tâches et en formant de nouveaux spécialistes afin d'arriver à obtenir les résultats escomptés.

[...]

A. Les problèmes suivants ne peuvent être résolus qu'avec l'appui de la société:

1. Pour de nombreuses raisons, entre autres les influences petites-bourgeoises, l'emploi des mots et expressions inutiles s'amplifie dans notre société; nous devons lutter contre cette mode fâcheuse par tous les moyens politiques et sociaux à notre disposition. Nous devons arriver à ce que les amateurs de mots étrangers ne puissent plus être fiers de n'être pas compris par le commun des mortels, mais, qu'au contraire, ils soient obligés d'en avoir honte. Il est indispensable que les personnes en

vue dans notre société, les membres du Parti et du gouvernement expriment leur point de vue sans équivoque et condamnent ce phénomène par la voie de la presse, par la publication de rapports, par des déclarations à la radio et à la télévision. Ils doivent clairement expliquer que nous ne luttons pas, en général, contre l'emploi de termes ou de mots étrangers — car dans les sciences ces derniers sont indispensables —, mais que nous nous élevons contre leur emploi pernicieux dans la presse, le monde des affaires, les ouvrages de vulgarisation.

2. [...]

3. Nous devons amener au même niveau tous les domaines de notre culture (orthographe, rhétorique, langue technique, etc.). Nous devons faire en sorte que les professeurs non spécialisés dans l'enseignement de la langue hongroise, les hommes de loi, les économistes, les orateurs, les fonctionnaires et, en général, ceux qui, de par leur fonction, doivent souvent prendre la parole en public, puissent avoir accès à une formation de perfectionnement, permettant de rendre leur travail plus efficace, plus intéressant.

4. [...]

5. L'école est le lieu principal de l'enseignement de la langue. Le programme actuel offre un terrain de plus en plus vaste au pédagogue, l'aidant ainsi à développer et à consolider les connaissances linguistiques de la jeunesse. Mais, malheureusement, certaines catégories d'écoles — notamment les écoles professionnelles — sont dans une situation désavantageuse sur le plan de la langue, qui ne peut être corrigée que par l'augmentation du temps alloué à l'enseignement du hongrois.

6. Le travail accompli par les médias (presse, radio, télévision) dans le but d'élever le niveau de la culture linguistique est apprécié de tous, mais pas assez efficace. Les linguistes ont réussi à susciter l'intérêt pour les questions linguistiques, mais ont échoué à éveiller la conscience du grand public à la nécessité du bon usage. Le niveau de la culture linguistique est encore assez bas, les tâches se multiplient et deviennent de plus en plus difficiles.

B. Quelques problèmes à résoudre :

1. Dans le domaine de la recherche :

a) [...] Il faut examiner, en tenant compte des facteurs historiques et méthodologiques, quand et pourquoi notre créativité lexicale s'est étiolée jusqu'à la quasi-extinction et essayer de faire revivre la méthode ancienne — simple et ayant fait ses preuves — de création des mots nouveaux.

b) [...]

c) [...] Afin de stabiliser le niveau actuel de développement et créer un nouveau départ pour le perfectionnement, il serait nécessaire de rédiger une grammaire descriptive renouvelée, mise à jour et scientifique qui respecterait toutefois nos connaissances actuelles, serait à la portée de tous et pourrait être utilisée par tous.

d) Il est également nécessaire d'améliorer la qualité de l'enseignement de la rédaction, en tenant surtout compte des exigences sociales d'aujourd'hui ainsi que du style des communications de masse.

2. Afin d'encourager le grand public au bon usage :

a) Nous devons mettre à la disposition de chaque groupe de la société des manuels de bon usage et de rédaction (correspondance personnelle, procédure civile, administration publique, publicité, etc.) contenant des conseils pratiques et fondamentaux et pouvant amener le lecteur à penser par lui-même et à exprimer clairement ses pensées.

b) [...]

3. Dans le domaine scolaire :

a) Il est absolument indispensable de fournir toute l'aide et l'assistance possibles aux écoles et aux pédagogues et leur permettre ainsi de faire valoir et de continuer la réforme entreprise dans les programmes d'enseignement de la langue.

b) En même temps, nous devons trouver les moyens de dispenser l'éducation linguistique hors de l'horaire régulier de l'école, c'est-à-dire par un meilleur emploi des possibilités existant dans les différents types d'écoles.

c) [...]

d) Il serait très important que les pédagogues des différents niveaux (maîtres d'école maternelle, instituteurs, professeurs) suivissent des cours de perfectionnement judicieusement organisés et orientés.

e) Il faudrait créer un dictionnaire simplifié mais mis à jour ainsi que d'autres outils susceptibles d'aider, une fois les années d'école terminées, les différentes couches de la population.

4. [...]

a) [...]

b) Il est absolument indispensable d'entreprendre la formation d'une nouvelle génération d'enseignants spécialisés dans les domaines de la culture de la langue, de la rhétorique, de la vulgarisation, etc.

c) Il faut également élargir le travail de vulgarisation dans les domaines où la connaissance de la langue pourrait être mise à la portée du grand public ; ce travail de vulgarisation devrait inclure des détails concernant les familles de langues, la parenté linguistique, la langue des communications, la classification typologique des langues, etc.

Appendice V

Notre pauvre portugais*

Ignorée, manipulée et déformée, notre langue maternelle se meurt, avertissent les puristes. Comment la sauver?

Traduit du portugais par Maria Antunes

En juillet de l'année dernière, les organisateurs des examens d'admission à l'Université catholique de Rio de Janeiro ont commis l'imprudence de proposer aux candidats une dissertation sur « La signification du mouvement moderniste au Brésil ». Le résultat a été catastrophique. Des 441 étudiants inscrits, 42 n'ont réussi à écrire aucune phrase; 53 ont eu zéro parce qu'ils ont été incapables d'articuler deux idées simples dans une langue ressemblant au portugais; 96 ont eu la note 1. Et, malgré la générosité des examinateurs, 51 seulement ont obtenu une note supérieure à 5, c'est-à-dire moins de 12 % des élèves qui se croyaient prêts à entrer dans une faculté.

[...]

Le portugais parlé et écrit aujourd'hui au Brésil est en train de vivre quelques-uns de ses pires moments, et il n'y a absolument personne qui n'ait sa part de responsabilité dans le mauvais usage qu'on fait de notre langue, à commencer par les médias. Car les agressions viennent de partout et les jeunes semblent avoir de plus en plus de mal à s'exprimer correctement. Les textes officiels sont pleins de fautes; c'est le cas du dernier code civil marqué par 700 irrégularités grammaticales. Et, lorsque le langage ne renferme pas de fautes et ne manque pas de cohérence, il est affligé ici et là par toutes sortes de maux: emphase, technicité extrême, vulgarité, hermétisme, impropriétés.

Protection de la langue. — Bien que le thème de la sauvegarde de la langue ne soit pas de ceux qui sont susceptibles d'attirer un grand nombre de votes, la situation a semblé suffisamment grave pour que l'*Aliança Renovadora Nacional* (Alliance rénovatrice nationale) s'y intéresse. Parmi les points récemment introduits dans son programme, à la suggestion du sénateur Gustavo Capanema, figure la nécessité de

* Extraits du magazine *Veja*, 12 novembre 1975.

protéger la langue portugaise. Et, à Minas, levant l'étendard de la « Campagne de la sauvegarde de la langue », un nouveau groupe dirigé par le professeur Jair Barbosa Costa, a adressé, il y a un an, un long mémoire au président de la République. On y réclamait, entre autres choses, l'interdiction des noms étrangers dans les marques commerciales.

C'est ce mémoire, d'ailleurs, qui, après avoir traîné dans les méandres de la bureaucratie, a fini par échouer à la bonne place, sur le bureau du professeur Abgar Renault, du Conseil fédéral de l'éducation. Le mois dernier, le professeur Renault a recommandé à tous les établissements d'études supérieures du pays d'adopter, lors des examens d'admission, une épreuve de rédaction. La proposition n'a pas été appliquée, mais elle a eu, au moins, le mérite de soulever, par l'intermédiaire du ministère de l'Éducation et de la Culture, des doutes légitimes sur l'avenir de la langue.

Renault lui-même a lancé le slogan: « Assez, la bâtardise de la langue ! », en mettant sur la sellette école et professeurs, presse et télévision, publicitaires et traducteurs, et en affirmant, désabusé, que « les candidats des écoles supérieures ne sont pas loin d'être des illettrés et sont totalement incapables de lire et de penser »; avis partagé aussi par Suzana Verissimo, de VEJA.

[...]

Niveau de langue de la population — De toute façon, même en ne tenant pas compte des exagérations puristes, il reste évident que le langage doit être secouru de manière urgente et pas seulement à l'école. Si celle-ci est « la principale coupable » de la crise de la langue, comme l'a dénoncée le conseiller Abgar Renault dans son avis au Conseil fédéral de l'éducation, elle n'est certainement pas seule en cause. Le fait est que l'école porte aujourd'hui la responsabilité d'être « l'unique et dernière institution qui transmet une culture exclusivement verbale », rappelle Samir Curi Meserani, depuis 20 ans professeur de rédaction à São Paulo. « Ce n'est pas une coïncidence si la rédaction et les mathématiques, les deux matières qui ne se bornent pas à reproduire des modèles tout faits, constituent le problème majeur des élèves du secondaire. »

Après l'école, c'est la télévision qui est systématiquement dénoncée comme responsable de la détérioration de la langue, accusée d'appauvrir et de standardiser le parler national. On ne peut certes attendre, des programmes regardés par la masse des téléspectateurs ou des tables rondes sur les sports, des stimulants toniques pour l'esprit et l'intelligence.

[...]

De nouvelles langues, ou tout au moins de nouveaux dialectes, continuent d'apparaître dans d'autres domaines que la politique et dans d'autres pays que le Brésil. Dans le cadre de l'économie, du droit, de la bureaucratie, de l'université ou du journalisme, tous s'octroient le droit d'accumuler leurs néologismes, de déformer la grammaire, d'établir leur propre prosodie.

Table des matières